KB088329

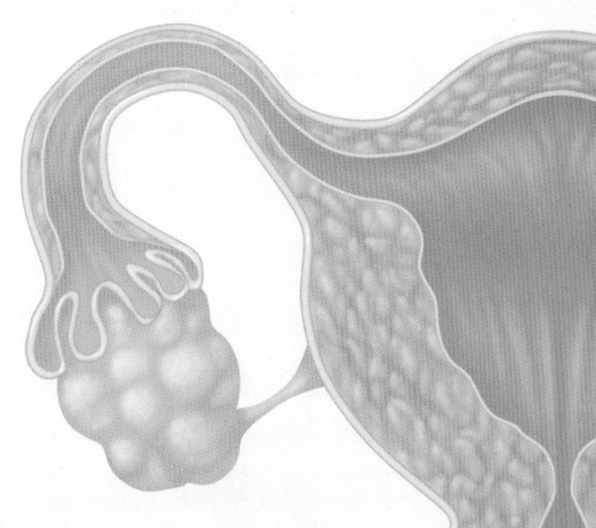

2nd edition

부인과 초음파

Ultrasonography in Gynecology

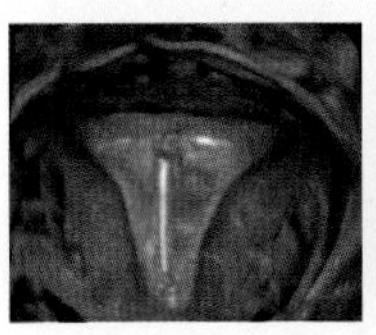
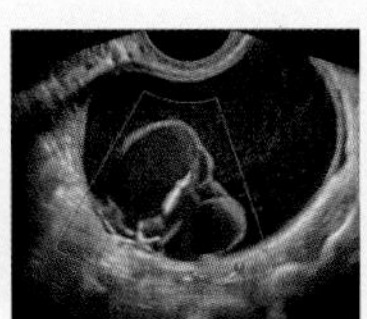
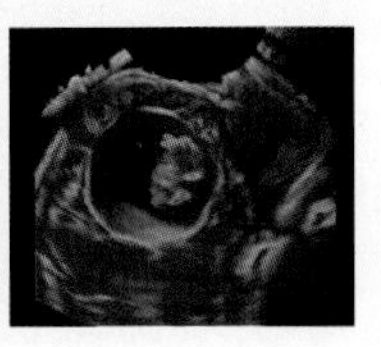

대한산부인과초음파학회

부인과 초음파 E-book

모바일, 테블릿, PC와 함께하는 **군자출판사 E-book 시스템.**

도서를 구매하시면 무료로 E-book을 이용할 수 있습니다.

군자출판사 E-book을 사용해보세요.

1. www.smarteduk.co.kr/ebook 혹은 QR코드로 접속해주세요.
2. 회원가입 혹은 로그인을 합니다.
3. 도서 등록하기 버튼을 누릅니다.
4. 구매하신 도서의 표지를 선택합니다.
5. 제공된 코드번호를 입력합니다.
6. 서재목록에서 등록된 도서를 선택하면 내용을 볼 수 있습니다.

E-book 코드

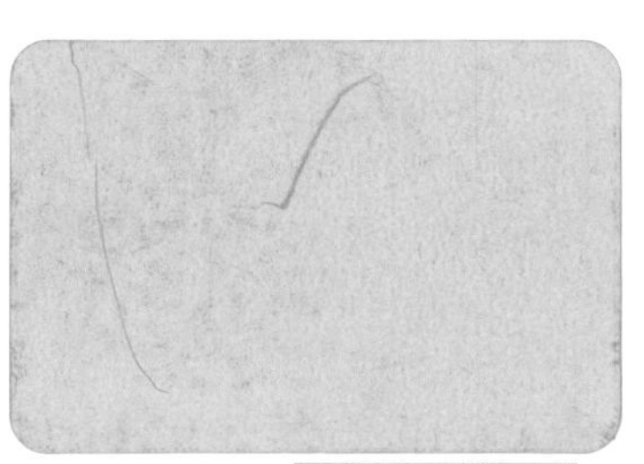

- **현재 제공하고 있는 E-book 시스템은 β(베타) 버전입니다.**
- **부인과 초음파 E-book은 2018년 2월 15일부터 볼 수 있습니다.**

2nd edition

부인과 초음파

Ultrasonography in Gynecology

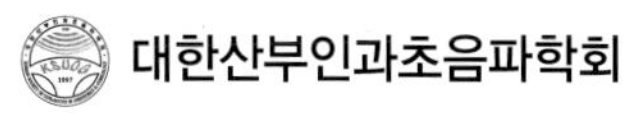

대한산부인과초음파학회

■ '부인과 초음파' 편찬위원회 ■

위원장	박미혜	이화의대	산부인과
위 원	김성훈	울산의대	산부인과
	김성훈	연세의대	산부인과
	박찬우	단국의대	산부인과
	신정호	고려의대	산부인과
	이동윤	성균관의대	산부인과
	이마리아	서울의대	산부인과
	이사라	이화의대	산부인과
	조시현	연세의대	산부인과
간 사	이경아	경희의대	산부인과

공미경	연세의대 산부인과
구화선	차의과학대 산부인과
권한성	건국의전 산부인과
김광준	중앙의대 산부인과
김만득	연세의대 영상의학과
김미란	가톨릭의대 산부인과
김미선	서울의대 산부인과
김미주	경북의대 산부인과
김민정	가톨릭의대 산부인과
김사진	가톨릭의대 산부인과
김석모	전남의대 산부인과
김성훈	울산의대 산부인과
김성훈	연세의대 산부인과
김수림	가톨릭관동의대 산부인과
김슬기	서울의대 산부인과
김용만	울산의대 산부인과
김윤하	전남의대 산부인과
김재원	서울의대 산부인과
김정곤	울산의대 영상의학과
김종식	삼성메디슨
김종운	전남의대 산부인과
김지훈	서울의대 영상의학과
김진우	아주의대 영상의학과
김철홍	전남의대 산부인과
김탁	고려의대 산부인과
김훈	서울의대 산부인과
김휘곤	부산의대 산부인과
김희선	인제의대 산부인과
나용진	부산의대 산부인과
문우경	서울의대 영상의학과
박미혜	이화의대 산부인과
박성진	경희의대 영상의학과
박준철	계명의대 산부인과
박중신	서울의대 산부인과
박지윤	서울의대 산부인과
박찬우	단국의대 산부인과
박찬욱	서울의대 산부인과
배상욱	연세의대 산부인과
서동훈	서울의대 산부인과
서창석	서울의대 산부인과
설현주	경희의대 산부인과
손인숙	건국의전 산부인과
송용중	부산의대 산부인과
송인옥	단국의대 산부인과
송재연	가톨릭의대 산부인과
신정호	고려의대 산부인과
안태규	조선의대 산부인과
양선혜	중앙의대 산부인과
양정보	충남의대 산부인과
양회생	동국의대 산부인과
엄정민	한양의대 산부인과
오민정	고려의대 산부인과
오정원	서울의대 산부인과
유노을	서울의대 영상의학과
윤보현	연세의대 산부인과
윤주희	가톨릭의대 산부인과
이경아	경희의대 산부인과
이근호	가톨릭의대 산부인과
이기환	충남의대 산부인과
이동윤	성균관의대 산부인과
이마리아	서울의대 산부인과
이미화	차의과학대 산부인과
이민아	충남의대 산부인과
이사라	이화의대 산부인과
이승미	서울의대 산부인과
이영재	울산의대 산부인과
이정렬	서울의대 산부인과
이택후	경북의대 산부인과
임소이	가천의대 산부인과
임혜원	원광의대 산부인과
전명재	서울의대 산부인과
전섭	순천향의대 산부인과
전종관	서울의대 산부인과
정경아	이화의대 산부인과
정윤지	가톨릭의대 산부인과
조금준	고려의대 산부인과
조나리야	서울의대 영상의학과
조문경	전남의대 산부인과
조시현	연세의대 산부인과
조현희	가톨릭의대 산부인과
주종길	부산의대 산부인과
최동석	최상산부인과
최두석	성균관의대 산부인과
최상준	조선의대 산부인과
최중섭	한양의대 산부인과
허성은	건양의대 산부인과
황경주	아주의대 산부인과
황한성	건국의전 산부인과

초음파는 이제 어느덧 산부인과의 전문 진단 영역으로 독보적인 자리를 잡았습니다. 산부인과 초음파 검사 중 산모 및 태아에 대한 산과 초음파뿐 아니라 부인과 환자를 대상으로 하는 부인과 초음파 또한 산부인과 의사에게 이제는 청진기와 마찬가지로 진료에 없어서는 안 될 검사가 되었습니다. 더욱이 나날이 발전하는 초음파 영상 기술의 발달은 이제 폭넓은 수준에서 다양한 부인과 영역의 진단을 가능하게 해주고 있으며, 이에 산부인과 의사들의 부인과 초음파 검사 술기 및 판독에 대한 배움의 열의 또한 높아지고 있습니다.

이에 대한산부인과초음파학회에서는 회원 여러분의 진료와 연구활동에 도움이 되고자 2007년 '부인과학 초음파'를 발간하였고, 다시 발간 10주년을 맞아 내용을 더욱 충실히 갖추어 2017년에 '부인과 초음파' 개정 2판을 발간하게 되었습니다.

2판에서는 각 장기별 초음파 지식을 자궁, 난소, 나팔관으로 세분하여 자세하게 다루었고, 비정상적자궁출혈, 골반통 등의 증상 중심의 접근법에 대한 단원도 추가하였습니다. 아울러 초음파 검사와 함께 CT, MRI 소견을 같이 다룸으로써 산부인과 영상 전체에 대한 이해를 도울 수 있도록 하였습니다. 또한, 산부인과 의사로서 알아야 할 유방 및 충수돌기 초음파뿐 아니라 갑상선, 탈장 초음파를 추가하여 폭넓은 지식을 습득할 수 있도록 하였습니다.

이 책이 산부인과 초음파 공부를 위한 대표적인 저서로 자리 잡을 수 있게 초석을 세워주신 초판 집필진, 이번에 아낌없는 노력으로 내용을 더욱 풍부하게 구성해주신 2판 집필진 그리고 개정판의 기획부터 출간까지 주관해주신 '부인과 초음파' 편찬위원회 박미혜 위원장과 위원들 및 무엇보다 학회의 출간 사업을 믿고 적극적으로 지원해주신 회원 여러분들께 진심으로 깊은 감사의 말씀을 드립니다.

이 '부인과 초음파' 책이 어려운 진료 환경에서도 최고의 부인과 진료를 위해 애쓰시는 회원 여러분들께 큰 도움이 되기를 기원합니다.

2017년 10월

대한산부인과초음파학회장 박 중 신

차 례
CONTENTS

01 초음파의 이해

02 여성골반의 초음파

03 부인과 영역의 도플러 초음파

04 부인과영역의 3차원 초음파

05 정상변이와 허상

06 자궁 질환의 초음파

07 난소 질환의 초음파

I. 난소의 악성질환

II. 난소의 양성질환

08 나팔관 질환의 초음파

09 비정상적 자궁출혈의 부인과 초음파

II. 악성

II. 양성

10 골반통의 부인과 초음파

11 자궁외임신

차 례
CONTENTS

12 불임 영역의 초음파

13 비뇨부인과 영역의 초음파

14 소아와 청소년의 골반 초음파

15 중재적 시술 영역의 초음파

16 유방 및 갑상선 초음파

I. 유방초음파

II. 갑상선 초음파

17 충수돌기와 샅굴탈장 초음파

18 부인과 질환의 CT와 MRI

초음파의 이해

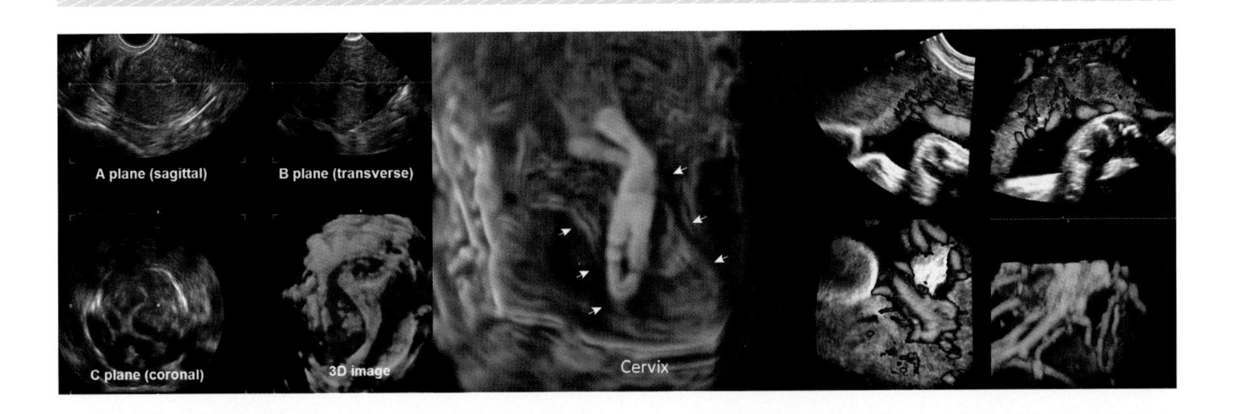

박중신_ 서울의대 산부인과
오민정_ 고려의대 산부인과
김종식_ 삼성메디슨
박지윤_ 서울의대 산부인과
박찬우_ 서울의대 산부인과
설현주_ 경희의대 산부인과
이승미_ 서울의대 산부인과
조금준_ 고려의대 산부인과

초음파의 이해 01

1 초음파의 물리적 성질

1) 음파, 초음파

- 음파 : 귀로 들을 수 있는 소리와 귀로 들을 수 없더라도 매질을 통해 기계적인 에너지가 파동으로 전달되는 모든 것들을 일컬음.
- 음파의 진폭은 주로 음압으로 나타냄(단위 : Pa).
- 음속 : 음파가 전파되는 속도로 매질에 따라 결정되는 상수임.
- 주파수 : 단위 시간 내에 몇 개의 주기나 파형이 반복되었는가를 나타내는 수임. 1초 당 1회 반복하는 것을 1Hz라고 함.
- 초음파 : 주파수가 가청주파수 상한(20 kHz) 이상인 모든 음파
- 초음파진단기에서 사용하는 주파수 : 수 MHz – 십수 MHz 대의 주파수

2) 경계면과 초음파

(1) 반사(Reflection), 산란(Scattering)

- 경계면이 평면이고 여기에 수직으로 입사하는 평면 초음파는, 일부는 투과하고, 일부는 반사하게 됨. 이 때 반사되는 초음파의 세기는 두 매질의 음향임피던스(acoustic impedance)의 차이가 클수록 더 많이 반사함.
- 음향임피던스 : 음압과 입자속도의 관계를 결정지어주는 매질의 특성 변수
- 음향임피던스가 높은 매질은 같은 음향에너지를 전달하더라도 입자는 덜 움직이고 음압은 높음.
- 산란 : 파장에 비해 좁은 면에서 반사가 일어나는

경우 반사파는 평면파로 진행하지 않고 구면파의 형태로 넓게 퍼지게 되며 이러한 반사를 산란이라고 함.

- 현재의 초음파진단기는 모두 인체 내에서 반사/산란되어 온 초음파 신호를 영상화하는 것. 즉 인체 내부의 임향임피던스 불균일성을 영상화하는 것.
- 인체 내의 장기들은 뼈 등의 특수한 경우를 제외하고는 음향임피던스가 거의 비슷함. 따라서 대부분의 경우 반사/산란되는 초음파는 입사한 초음파에 비해 매우 미약함. 또한 임피던스 차이가 큰 뼈나 인체 속의 가스 등은 대부분의 에너지가 표면에서 반사되므로 더 이상 침투하지 못하게 됨.
- 인체 내에서 장기 표면은 매끈한 반사면을 형성하게 됨. 장기 내부는 보통 그러한 반사면이 없고 무수한 산란체만 존재하므로 그러한 부위로부터는 산란체로부터 후방산란된 신호들의 합이 되돌아오게 됨. 이 산란체들의 위치가 랜덤하므로 그 반사파의 진폭은 어떤 부위에서는 보강간섭이 되어 비교적 커지고 어떤 부위에서는 상쇄 간섭이 되어 거의 없어지게 됨. 이 때문에 해부학적으로는 비교적 균일한 장기의 내부라 하더라도 초음파영상에서는 얼룩덜룩한 스패클 패턴(spackle pattern)이 생기게 됨.

(2) 굴절(Refrection)

- 초음파가 경계면에 수직으로 입사하지 않는 경우, 초음파 진행방향이 꺾이는 현상
- 두 매질의 음속이 달라야 발생하며 음속의 차이가 클수록 굴절이 더욱 심하게 발생함.
- 음향 렌즈(acoustic lens) : 광학 렌즈와 같이 음향적으로도 음속이 다른 물질을 이용, 초음파 빔을 포커싱함.
- 원하지 않는 굴절에 의한 성능 저하 : 피하지방층에 의한 불규칙한 굴절

(3) 감쇄(Attenuation)

- 매질의 에너지 손실 및 산란으로 인해 초음파가 진행하면서 음압이 줄어들게 되는 것을 의미함. 손실된 에너지는 주로 열에너지로 변환됨.
- 감쇄의 정도는 매질에 따라 다르며, 순수한 물에서는 감쇄가 상당히 작으나 인체 내에서는 물에 비해 훨씬 감쇄가 많이 일어남.
- 감쇄는 거리 또는 주파수 증가에 대해 지수함수적으로 급격히 증가함.
- 일반적으로 투과하는 깊이는 주파수에 반비례함.

(4) 회절(Diffraction)

- 초음파 등의 파동이 장애물 뒤를 휘어져 전파되는 현상(그림 1-1)
- 호이겐스 원리(Huygens' principle) : 어느 순간의 파면이 주어지면 다음 순간의 파면은 주어진 파면상의 각 점이 각각 독립한 파원이 되어 발생하는 2차적인 구면파에 공통으로 접하는 포락면이 됨. 이러한 원리에 의해 원판형 디스크에서 발사

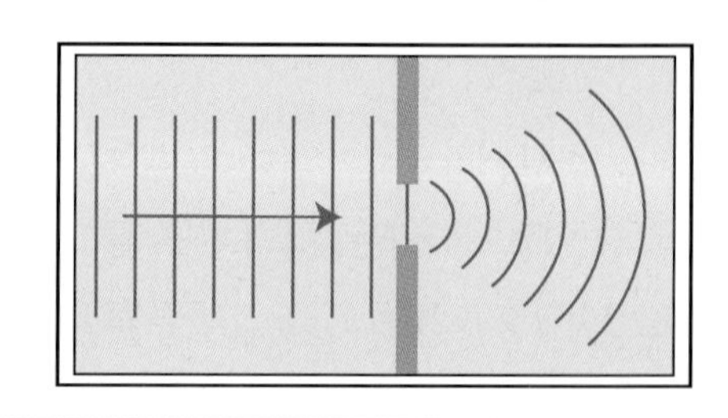

그림 1-1 회절을 나타내는 그림.

되는 초음파도 직진하지 않고 진행함에 따라 점차 퍼져나가게 됨.

- 일반적으로는 파장이 짧을수록(주파수가 높을수록), 또 구경이 클수록 빔은 잘 퍼지지 않아서 측방향 해상도가 좋아짐.

2 초음파진단기의 신호처리 및 해상도

1) 신호처리 흐름(그림 1-2)

(1) 송신기(Transmitter)

- 초음파를 발사하기 위하여 비교적 높은 펄스 전압을 발생하는 부분
- 보통 수 V부터 수십 V의 범위이지만 경우에 따라 100 V가 넘는 전압을 발생시키기도 함.

(2) 에레이 트랜스듀서(Array transducer)

- 어레이 탐촉자(Array probe)로 불리기도 함.
- 주로 64-256개 정도의 어레이 엘리먼트들이 배열되어 수 MHz대의 고주파(RF) 초음파를 송수신함.
- 각각의 엘리먼트는 독립적으로 송수신 제어가 가능함.
- 일반적으로 어레이 개수와 채널 개수는 반드시 일치하지는 않고, 채널 개수가 엘리먼트 개수와 같거나 적음.
- 채널 개수가 엘리먼트 개수보다 작은 경우는 스캔라인에 가까운 엘리먼트를 채널에 연결함. 즉,

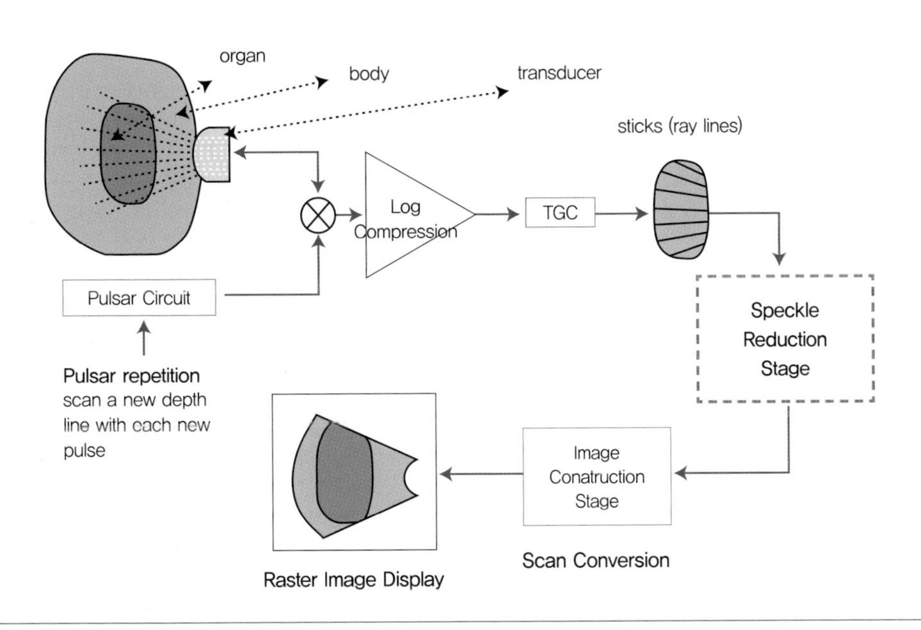

그림 1-2 초음파진단기의 B모드 신호처리 블록도.

스캔라인이 이동하면 엘리먼트와 채널간의 연결이 변경됨.

- 각각의 채널에는 송신기, 초단증폭기, TGC amp 등을 갖추고 있음.

(3) 초단 증폭기(Preamp)

- 되돌아온 초음파 에코 신호를 최초로 증폭하는 곳.
- 초음파신호는 가까운 곳으로부터 강하게 반사한 경우 제법 크기가 큰 경우도 있지만, 먼 곳에서 약하게 반사되면 감쇄, 사방으로 퍼져 나감 등으로 인해 에코 신호가 매우 미약한 경우도 있음. 초단증폭기는 이들 모든 신호를 잘 증폭하도록 함.

(4) TGC (Time gain control/compensation) amp

- 거리에 따른 에코 신호의 감쇄 등을 보상하도록 증폭하여 같은 반사계수를 갖는 장기의 경우 깊이에 상관없이 같은 밝기로 표시되도록 해주는 것.
- 사용자의 조절에 따라 깊이에 따른 증폭도를 임의로 조절도 가능함.

(5) 디지털 빔포머(Digital beamformer)

- 여러 채널에서 증폭된 수신신호를 ADC (analog to digital converter)를 통해 각각 디지털 신호로 변환함.
- 이 디지털신호들을 종합, 신호처리하여 포커싱하기도 하고, 스캔라인을 이동시키기도 하는 역할을 담당함.
- 탐촉자와 함께 측방향 해상도를 결정함.

(6) 디지털 리시버(Digital receiver)

- 포락선 검파(Envelope detection) : 디지털 빔포머에서 하나로 모아진 디지털 신호는 고주파 신호임. 이 신호는 하나의 작은 타겟에서 반사되어 오더라도 몇 개의 주기를 갖고 +와 –를 오가는 펄스파의 모양임. 이러한 신호를 그대로 영상으로 표시하지는 않고, 하나의 타겟을 영상에서 하나의 밝은 점으로 나타내기 위하여 포락선 검파를 함.
- 대수압축(Logarithmic compression) : 밝은 부분과 어두운 부분을 한꺼번에 표시장치에 잘 나타내기 위해 초음파진단기에서 일반적으로 사용하는 신호처리 방법. 대수압축을 하면 어두운 부분은 비교적 밝게 표현되며 그 부분에서의 상대적 밝기 차이는 확대되어 표현되고, 밝은 부분에서의 상대적 밝기 차이는 축소되어 표현됨. 따라서 대수압축은 미약한 산란에 의한 신호들의 미소한 차이를 잘 구분할 수 있도록 해줌(그림 1-3).

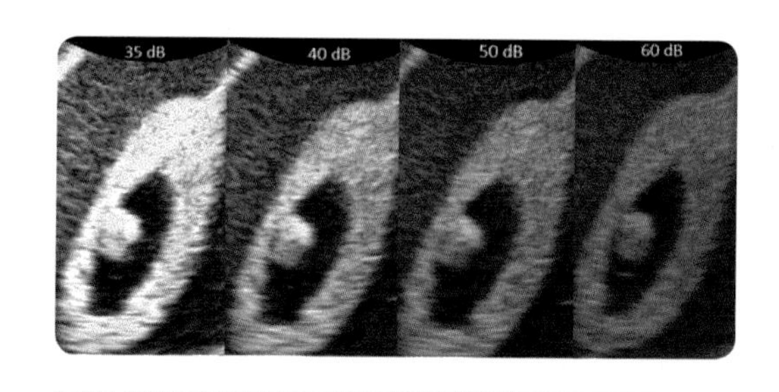

그림 1-3 대수압축 전후의 영상.

(7) 스캔 변환기(Scan converter)

- 초음파 스캔 포맷을 표시장치의 스캔 포맷에 맞도록 변환해주는 장치

2) 해상도

(1) 좌표축 및 해상도의 정의(그림 1-4)

- 축방향(axial direction) : 빔이 진행하는 방향
- 측방향(lateral direction) : 어레이 엘리먼트가 늘어서 있는 방향
- 상방향(elevational direction) : 나머지 방향
- 공간해상도 : 공간상에 인접한 두 점 반사체를 구분하는 능력

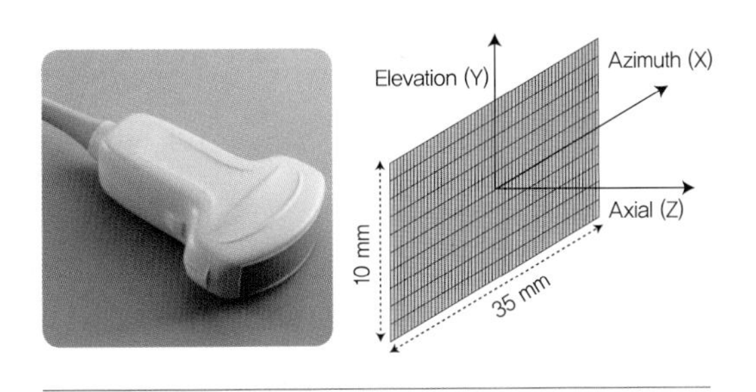

그림 1-4 리니어 어레이 탐촉자의 좌표축 정의.

3) 측방향 해상도(Axial resolution)

- 해상도는 측방향 빔폭이 좁을수록 좋은데, 측방향 빔폭은 파장(즉 주파수), 채널수, 어레이 엘리먼트 각각의 자향성 등에 모두 연관되어 있어서 이러한 것들을 모두 고려해서 최적 설계하여야 최적의 해상도를 얻을 수 있음.
- 일반적으로 어레이 탐촉자를 시스템에 맞춰 최적 디자인 했을 때의 측방향 해상도는 채널수의 제곱근에 비례하고, 탐촉자 중심주파수에 비례하며, 영상화 가능한 깊이와 폭, 또 탐촉자의 크기는 중심주파수에 반비례하는 경향임.

4) 축방향 해상도(Lateral resolution)

- 공간상의 축방향 초음파 펄스 폭에 의해 결정됨.
- 이 폭은 대부분 탐촉자의 임펄스 응답이 결정함.
- 보통 파장이 짧을수록(주파수가 높을수록) 축방향 펄스 폭이 짧아지는 경향임.

5) 상방향 해상도(Elevational resolution)

- 일반적인 1차원 어레이 탐촉자는 상방향의 빔을 빔포머에서 전자적으로 포커싱할 수 없으므로, 상방향 음향 렌즈를 탐촉자에 부착해두는데, 보통 주로 관찰하는 영상의 가운데 부분에 초점이 놓이도록 설계함.
- 상방향 구경은 적당히 제한하여 초점에서와 그 전후에서의 빔폭이 심하게 차이가 나지 않도록 함.
- 상방향으로 빔폭보다 멀리 떨어진 두 반사체가 있어 구별했더라도 2차원 영상에서는 그것이 두 개의 점으로 영상에 나타나지는 않게 됨.
- 빔폭보다 인접한 두 반사체를 구별하지 못했다면 두 반사체가 중첩되어 나타남.

6) 컨트라스트 해상도(Contrast resolution)

- 밝은 반사체는 영상에서 밝게, 반사체가 없는 부분은 영상에서 검게 표현할 수 있는 능력
- 밝은 반사체를 밝게 표시하기는 비교적 쉽지만 어두운 부분은 그렇지 않음.
- 탐촉자 및 빔포머의 오차들이 더욱 빔을 원치 않는 곳으로 퍼뜨리게 되면 어두운 곳으로 향하여

포커싱하여도 일부는 밝은 다른 곳에서 반사되어 영상이 아주 검지 않게 됨.

3 초음파장비 조작

1) 수신강도 조절(receiver gain control)

화면의 밝기를 전체적으로 밝게, 또는 어둡게 조절 가능함. 수신강도를 과도하게 키우면 영상의 원거리 부분 잡음(noise)이 발생할 수 있음.

2) 시간 수신강도 조절(Time gain compensation, TGC)

사용자가 영상의 깊이 별로 수신강도를 조절할 수 있음. 깊이 별로 여러 단자가 배열되어 있으며, 위쪽 단자는 탐촉자에 가까운 부위, 아래쪽 단자는 탐촉자에서 먼 부위의 밝기를 조절할 때 사용함. 부인과 초음파에서 주로 사용하는 질식 초음파는 관심영역이 탐촉자의 근접부이므로 위쪽 단자를 밝게 조절하고 아래쪽 단자를 어둡게 조절함. 복부 초음파의 경우 반대로 조절함.

3) 송신출력조절(acoustic power control)

펄스의 출력전압을 증가시키면 전체적으로 영상이 밝아짐. 수신강도 조절과 달리 잡음이 생기지 않음. 그러나 환자에게 전달되는 초음파에너지도 증가하므로 진단 가능한 최소 범위에서 사용하는 것이 바람직함. 출력을 최대로 조절하여도 KFDA (Korea Food & Drug Administration)의 안전규격이 허용하는 범위를 초과하지 않게 시스템 내부에서 제어하고 있음.

4) Dynamic range

초음파 영상신호의 최대값과 최소값의 비로 dB스케일로 나타남. Dynamic range를 넓게(high) 잡으면 아주 밝은 에코와 어두운 에코가 모두 영상에 표현되어 영상의 느낌이 부드러워지며 좁게(low) 잡으면 밝고 어두움의 차이가 커져 영상이 선명해 보이는 것 같지만 거친 느낌을 줌. 과도한 설정은 두 경우 모두 진단을 어렵게 할 수 있음.

5) Frame average

단위시간당(1/sec) 발생하는 화면의 수를 화면발생률(frame rate)이라고 하는데 인접한 시각의 frame을 2~3장 평균화하여 1장의 frame으로 보여주는 것. 부인과초음파처럼 움직임이 거의 없는 장기를 천천히 움직이며 관찰하면 영상이 부드러워짐. 그러나, 빠르게 움직이는 부위는 화면이 흐릿해지므로 frame average를 줄이거나 없애도록 되어 있음.

6) 초점(focus)

관심 있는 부위의 해상도를 좋게 하기 위해서는 초점영역을 해당 깊이에 두어야 함. 여러 개의 초점 영역을 둘 수 있으나 이 경우 화면발생률이 느려짐.

7) 화면확대(Zoom)

검사 중 줌 버튼을 이용하여 화면을 확대시킬 수 있음. Read zoom과 write zoom 두 가지 방법이 있음. Read zoom은 스캔 라인 간격은 그대로이지만 스캔 변환장치에 저장되어 있는 데이터를 읽어낼 때 zoom 하는 것으로 영상을 보면서 줌박스를 이동시켜 원하는 영상을 확대하거나 freeze에서도 확대할 수 있음. Write zoom은 확대하고자 하는 영상을 선택한 후 확대한 영상을 저장하는 것으로 read zoom에 비해 영상의 저하가 적음.

8) 깊이(depth) 조절

깊이 조절을 통해 관심 부위가 있는 특정 깊이가 모니터 영상에 나오도록 하는 기능임. 관심부위를 극대화하고 깊이를 감소시켜 보고자 하는 구조가 모니터의 대부분을 차지하도록 함.

4 3차원 초음파

- 3차원 초음파 영상은 2차원으로 얻어진 단층 영상들을 상 방향 등으로 여러 장 얻어서 컴퓨터로 합성, 공간적인 데이터를 만들어 화면에 표시하는 것
- 3차원 초음파는 빠른 frame rate(초당 10-60 image)를 얻을 수 있으며, 스캔되는 영상의 위치가 자유로운 특징을 가지고 있기 때문에 실시간으로 원하는 부위를 볼 수 있음.

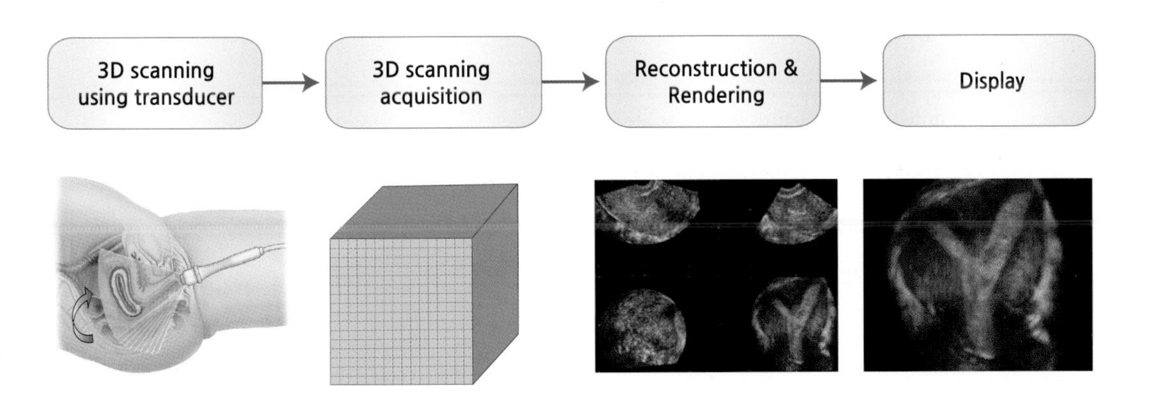

그림 1-5 3차원 초음파 시스템의 개요.

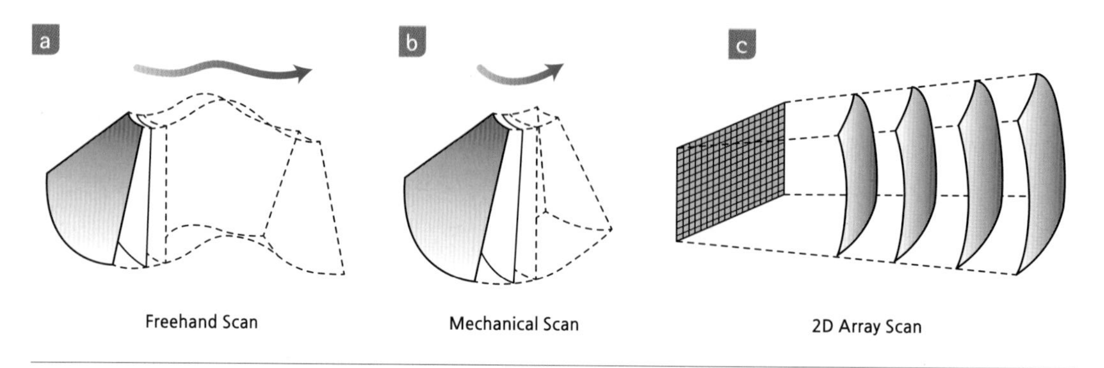

그림 1-6 3차원 초음파 시스템의 overview.

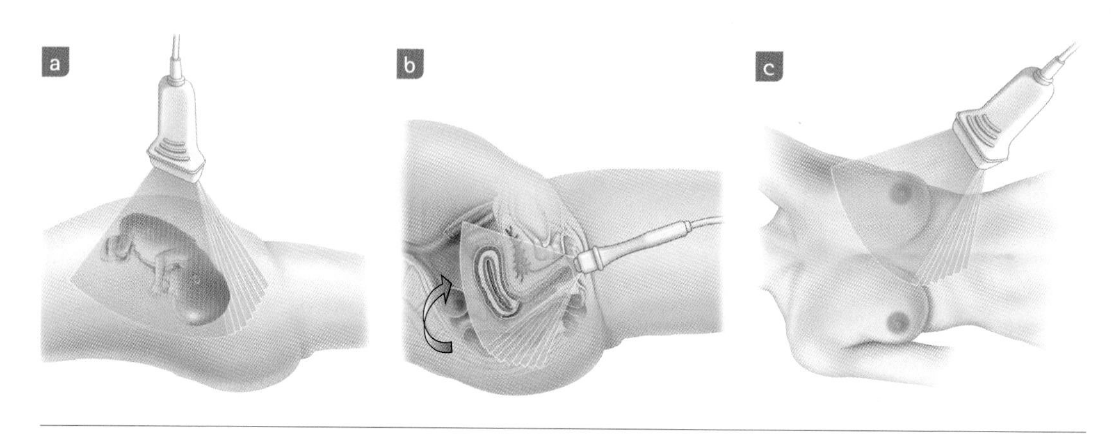

그림 1-7 진단 목적에 따른 Mechanical Scan 분류. (a) 3차원 Convex 탐촉자 사용 예. (b) 3차원 질 탐촉자 사용 예. (c) 3차원 Linear 탐촉자 사용 예.

- 3차원 초음파 영상 진단 장치는 기술적으로 크게 초음파 탐촉자를 이용하여 3차원으로 스캔하는 부분과 스캔한 3차원 데이터를 획득(acquisition) 하는 부분, 그리고 받은 3차원 데이터 세트에 대해 3차원으로 재구성하여 재현(rendering) 하는 부분, 마지막으로 렌더링한 영상을 화면에 보여 주는 부분(display)으로 구성됨(그림 1-5).

1) 3차원 초음파 획득 방법

(1) Freehand scan

- 1D 어레이 탐촉자를 손으로 직접 움직이면서 그때마다 화면의 영상을 보면서 스캔하는 방식(그림 1-6 a).
- 얻고자 하는 위치와 화면을 적절하게 선택할 수 있고 무엇보다 다양한 탐촉자로부터 3차원 데이터를 얻을 수 있음.

- 스캔의 숙련 정도에 따라 영상의 왜곡 정도가 달라지기 때문에 이를 해결하기 위한 부가 장치가 필요한 불편함이 있음.

(2) Mechanical scan

- 전기 구동에 의한 모터를 이용, 3차원 스캔이 가능한 mechanical scan 방식의 탐촉자를 이용함.
- 매 절편마다 기계적으로 정확한 위치에 탐촉자를 위치하게 함으로써 각 위치마다 2차원 초음파 영상을 얻을 수 있음(그림 1-6 b).
- 2차원 영상의 공간 위치와 간격을 정의할 수 있어 스캔하는 부위의 특징에 따라 영상의 왜곡 없이 적절하게 스캔이 가능
- 3차원 초음파 스캔으로 많이 쓰이는 방법이며, 진단목적과 형태에 따라 convex, vaginal, linear 등으로 구분됨(그림 1-7).
  * Convex 탐촉자 : 복부, 산부인과나 소화기관 검사용
  * Vaginal 탐촉자 : 부인과나 비뇨기계 검사용
  * Linear 탐촉자 : 유방, 갑상선, 근골격계, 혈관계 검사와 같이 피부에서 깊이가 낮은 부위를 검사할 때

(3) 2D Array scan

- 앞서 소개한 탐촉자가 초음파 element들이 1차원 배열로 된 1D 어레이 탐촉자라고 하고, 그림 1-6 c에서처럼 이들의 element를 2차원 평면상에 배열한 것을 2D 어레이 탐촉자라고 함.

2) 3차원 초음파 데이터를 이용한 영상화 방법 Rendering

- 획득한 3차원 초음파 데이터를 이용하여 다양한 영상 편집이 가능함.
- 만들 수 있는 주요영상은 2차원 단면 영상과 용적재현(volume rendering), 표면재현(surface rendering) 등의 3가지가 있으며 실제 임상에서는 주요하게 사용되고 있음.

(1) 2차원 단면 영상

- 3차원 초음파 데이터로부터 사용자가 보고자 하는 위치의 단면을 보여주는 방법
- 표시하고자 하는 단면의 위치를 고정하고 3차원 데이터를 회전, 이동하거나 3차원 데이터를 고정하고 표시할 단면을 이동하거나 회전함으로써 임의의 단면을 표시할 수 있음.
- 일반적으로 임상에서는 필요한 단면을 쉽게 찾기 위해서, 그리고 해부학적인 이해를 돕기 위해서 임의의 단면 하나를 쓰지 않고 서로 직교하는 3개의 단면 영상을 표시
- 통상적으로 각 단면을 시상면(sagittal), 축상면(transverse), 관상면(coronal) 방향으로 표시하는데, 3차원 초음파 데이터에서는 스캔하는 탐촉자 위치에 따라 각 단면의 방향은 매번 달라질 수 있음.
- 초음파 영상에서는 일반적으로 A plane, B plane, C plane이라고도 함(그림 1-8).

(2) 용적재현(Volume rendering)

- 3차원 초음파 데이터에서의 용적재현은 관심영역(Region Of Interest, ROI)을 설정하여 주위의

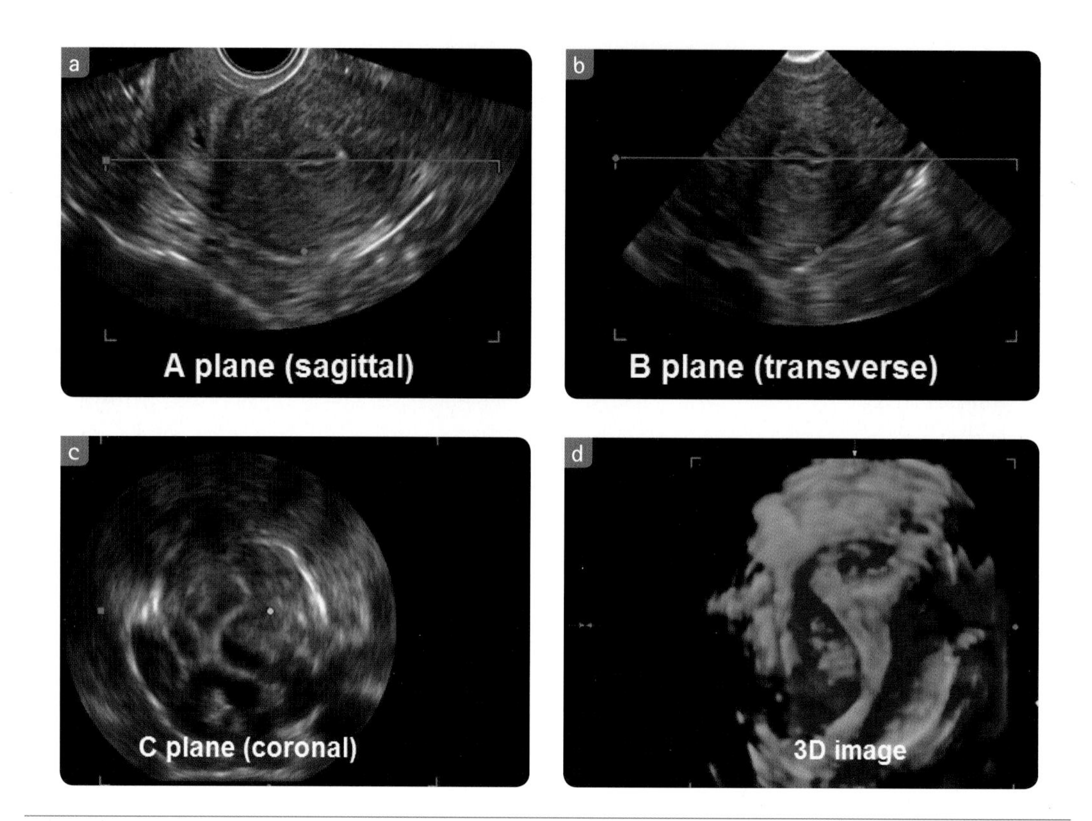

그림 1-8 3차원 초음파의 다평면 영상.

불필요한 부분을 없애고 필요한 3차원 데이터 부분만 렌더링 계산하는 방식

- 용적재현은 전산화 단층촬영/자기공명영상에서도 많이 쓰고 있는 잘 알려진 ray-casting 방법을 쓰며, 이 방법은 3차원 데이터를 통과하는 투영평면으로부터 나온 ray와 만나는 3차원 데이터의 각각의 화소-복셀(voxel) 값에 대해서 다양한 연산방법에 따라 투영 평면상의 각 픽셀(pixel) 값을 결정하는 것임(그림 1-9).
- 용적재현의 연산방법에 따라 3차원 영상의 특징이 정해지게 되며 다음과 같은 모드가 가능함.
- X-ray 모드 : 각 ray상의 각각의 복셀값들에 대해서 평균값을 투영평면의 각 픽셀에 대응하는 방식(그림 1-10 a).
- Maximum 모드 : 각 ray마다의 복셀 값들에 대해서 최대값을 대응. 골격 등 구조 확인에 유용(그림 1-10 b).
- Minimum 모드 : 반대로 최소값을 사용. 혈관과 같이 어두운 상에 대한 3차원 영상 확인 가능(그림 1-10 c).
- 표면모드 : 각 ray마다 복셀 값들을 합성한 값을 투영평면에 대응하는 픽셀 값으로 하여 대상체의 표면을 3차원 영상 처리(그림 1-10 d)

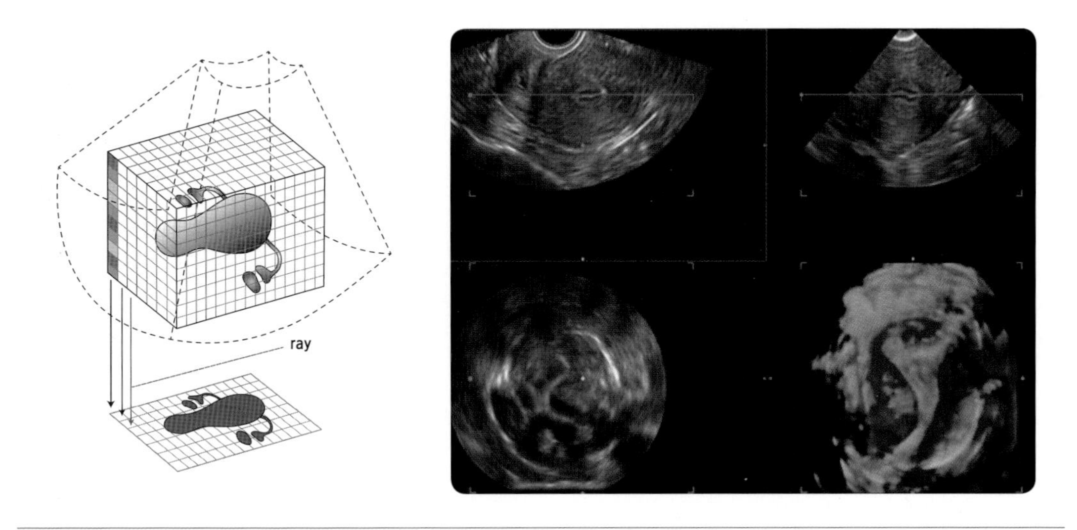

그림 1-9 용적재현 방법 및 결과 영상 예.

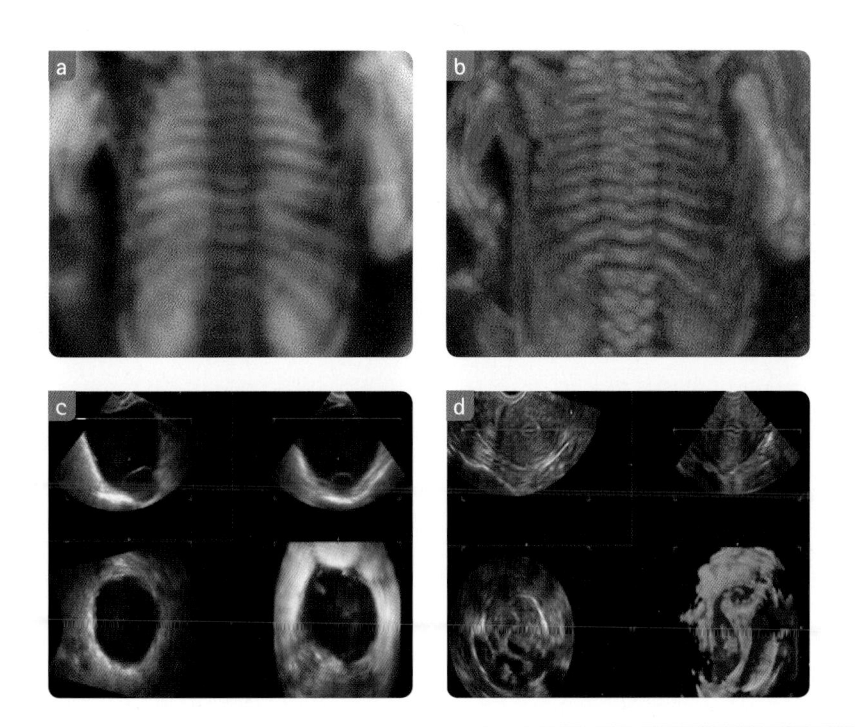

그림 1-10 합성 방법에 따른 렌더링 영상의 예. (a) X-ray 모드. (b) Maximum 모드. (c) Minimum 모드. (d) Surface smooth 모드.

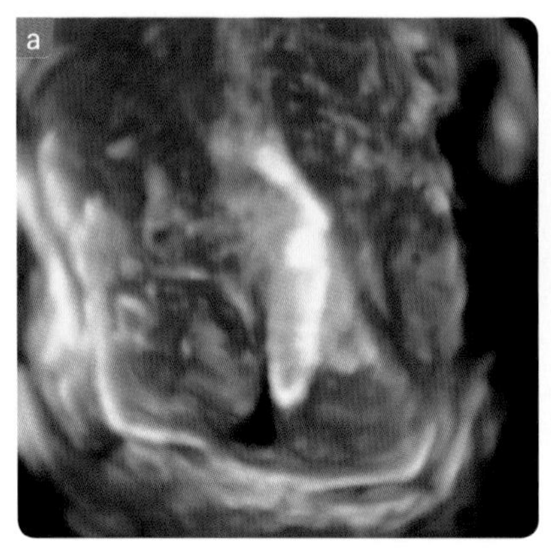

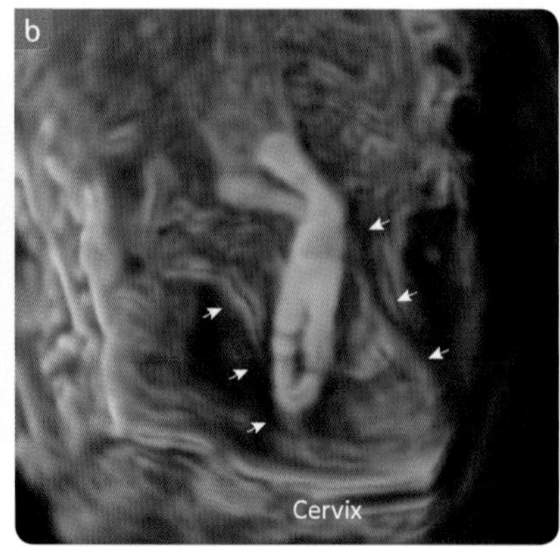

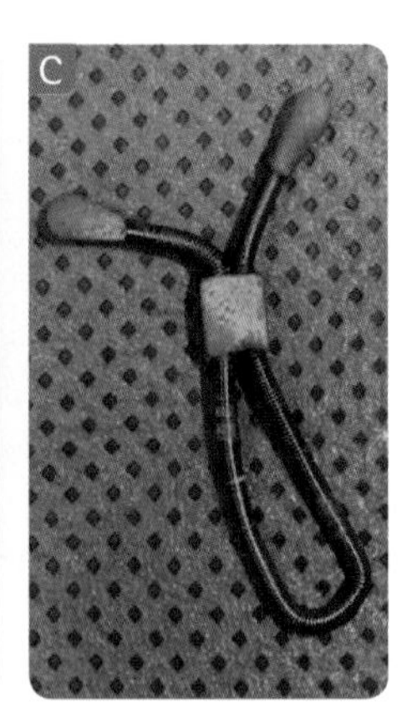

그림 1-11 3차원 초음파의 크리스탈 뷰 영상. (a) 기존 볼륨 렌더링 영상. (b) 크리스탈 뷰 영상 예. (c) 제거한 실제 루프(비정상 자궁출혈로 내원한 환자에서 자궁 내 장치가 자궁 내 경관(endocervical canal)에 있는 것이 3차원 초음파로 정확한 위치 및 루프의 모양을 확인할 수 있었다.)

(3) 볼륨렌더링의 최신 기법

- 최근에는 3차원 데이터 안의 구조물의 표면뿐만 아니라 내부 구조를 가시화하는 기법, 사실적으로 표현하는 등 볼륨렌더링 기법들이 다양해지고, 많은 계산량을 요구하는 기법들이 늘고 있음.
- PC의 계산 성능이 높아짐에 따라 이러한 복잡한 연산 처리가 가능해지고 있어 최신 초음파 시스템에 최신 기법들이 적용되고 있음.
- 대표적인 3차원 데이터의 내부 구조 가시화하는 방법은 아래와 같음.
- 크리스탈 뷰(Crystal Vue) : 3차원 데이터에서 중요하지 않은 정보들을 제거하고 구조의 형태학적인 정보(다태아, 임신낭, 난황, 얼굴, 손, 발, 태반, 뇌실, 갈비뼈, 척추, 심낭, 탯줄, 태아의 사지, 자궁내막 등)를 강조하여 진단의 의미 있는 정보를 제공함(그림 1-11).

① 크리스탈 뷰 영상의 생성 원리

밝기 값과 경계의 유무, 경사도의 정도, 질감에 따라 불투명도가 결정되게 되며 Ray-casting은 3차원 데이터의 모든 복셀 값을 표시하는 반면, 크리스탈 뷰는 다중 불투명도 변환 함수를 이용하여 선택적으로 가시화함.

② 임상적 유용성

임신낭, 난황의 전체적인 윤곽을 볼 수 있어 조기 진단과 조기 유산의 연구에 도움이 되며, 태아의 안면, 척추, 장골 및 뇌 구조를 효과적으로 분석 가능하며 자궁 및 난소의 구조 및 이상 여부를 확인하는 용임.

(4) 표면재현(surface rendering)

- 3차원 데이터로부터 대상체를 분리하여 이를 다수의 삼각형이나 다각형으로 분리한 대상체의 데이터를 연결하여 2차원 평면에 투영하는 방식.
- 이는 대상체를 분리해야 하는 까다로운 작업이며 speckle noise가 많은 초음파 데이터의 특성상 정확하게 유출하기가 어려움.

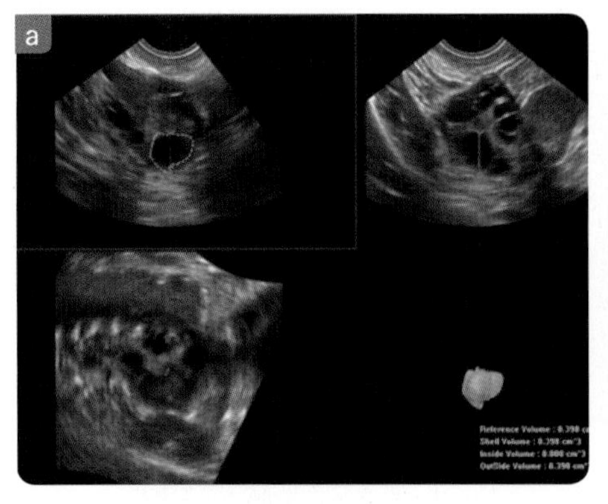

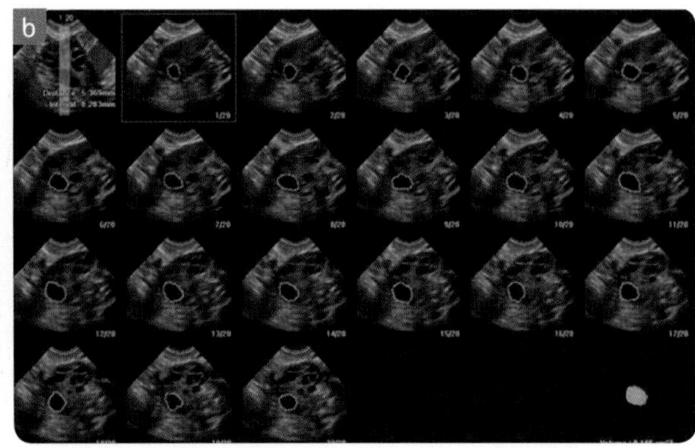

그림 1-12 난포의 체적을 구하는 예. (a) 회전식 체적 계산 방법. VOCAL. (b) 절편 방식의 체적 계산 방법. XI VOCAL.

- 경계가 명확한 낭성 혹은 고형성 종양이나 전립선 등의 장기의 부피 측정에 용이.

3) 3차원 초음파 영상의 활용

(1) 3차원 공간으로의 거리 측정, 면적 및 체적 측정

- 획득한 3차원 초음파 데이터로부터 얻은 임의의 단면을 통해 3차원 공간에서의 임의의 거리를 측정이 가능. 직선 거리 혹은 곡선형태의 거리 측정 가능.
- 영상에서 영역으로 설정하여 면적을 계산할 수 있을 뿐만 아니라 면적을 각 단면 영상마다 구하여 적분함으로써 체적까지 측정 가능.
- VOCAL의 측정방식이 구 형태의 회전식 방법을 사용한다면 XI VOCAL은 절편 방식을 사용하여 원통 형태의 대상체에 적용했을 때 조금 더 정확한 결과를 얻을 수 있음(그림 1-12).

(2) 혈류의 3차원 표시

- 색/파워도플러(color Doppler/power Doppler) 초음파 영상을 사용하면 초음파 영상으로부터 컬러로 표시함으로써 혈류가 있는 곳의 검출이 가능.
- 혈류의 흐름을 3차원으로 표시 가능할 뿐만 아니라 3차원 공간상에서 혈관 분포 확인 가능(그림 1-13).

3) 원하는 단면 영상의 재구성 다중절편영상(Multi-slice view), 비스듬영상(Oblique view)

- 시상면, 축상면, 관상면 각 단면의 여러 단계 깊이에 위치한 영상을 동시에 비교할 수 있도록 만들어진 기술(그림 1-14).
- 2차원 초음파의 경우 각 단층 영상마다 동시 비교가 불가능 하니, 다중절편영상은 한번 얻어진 볼륨 데이터로 스캔 후 정보 후처리가 가능하며 각각 이미지간의 절편 간격도 조절해서 볼 수 있음.

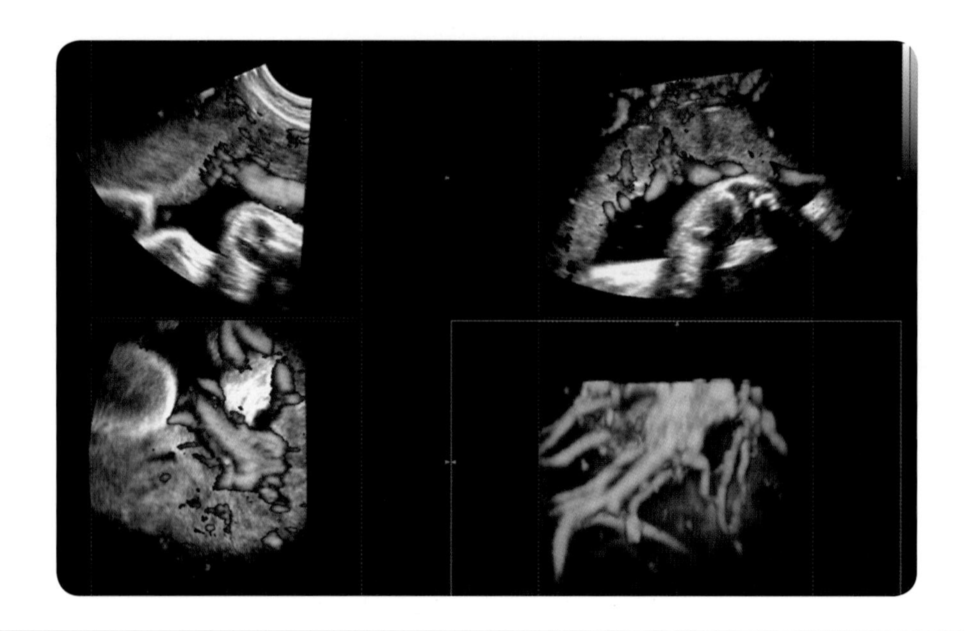

그림 1-13 3차원 파워도플러 초음파영상의 예.

4) 3차원 데이터의 보존, 전공 및 재검사

- 3차원 데이터를 장비로부터 받아 저장, 전송이 가능하여 언제 어디서든지 임의의 단면 영상이나 3차원 영상을 새롭게 만들어 볼 수 있음.

5 초음파검사의 생물학적 작용 및 안정성(Bioeffects and safety)

초음파는 생체에 열(thermal) 및 기계적(mechanical)인 생물학적 영향을 유발할 수 있음. 초음파는 방사능 영상장비에 비해 매우 안전하지만 이론적, 잠재적인 인체에 대한 위해성이 존재하기 때문에 검사를 통해 얻는 이득이 초음파에 의한 위해보다 크다고 판단될 때 시행되어야 함. 안전규격으로 발열지표(thermal index TI)와 기계지표(mechanical index, MI)를 사용하는데 1992년부터 모든 진단용 초음파 기기에 출력 표시 규격(Output Displasy Standard, ODS)이 의무화되어 사용자는 두 지표를 실시간으로 확인할 수 있음.

1) 열 효과(thermal effect)

- 초음파는 생체를 전파하여 감쇄되면서 열로 변환됨.
- TI는 현재 방사하는 초음파로 인해 발생할 수 있는 최대 온도 상승 예측인자로 온도가 1℃ 상승

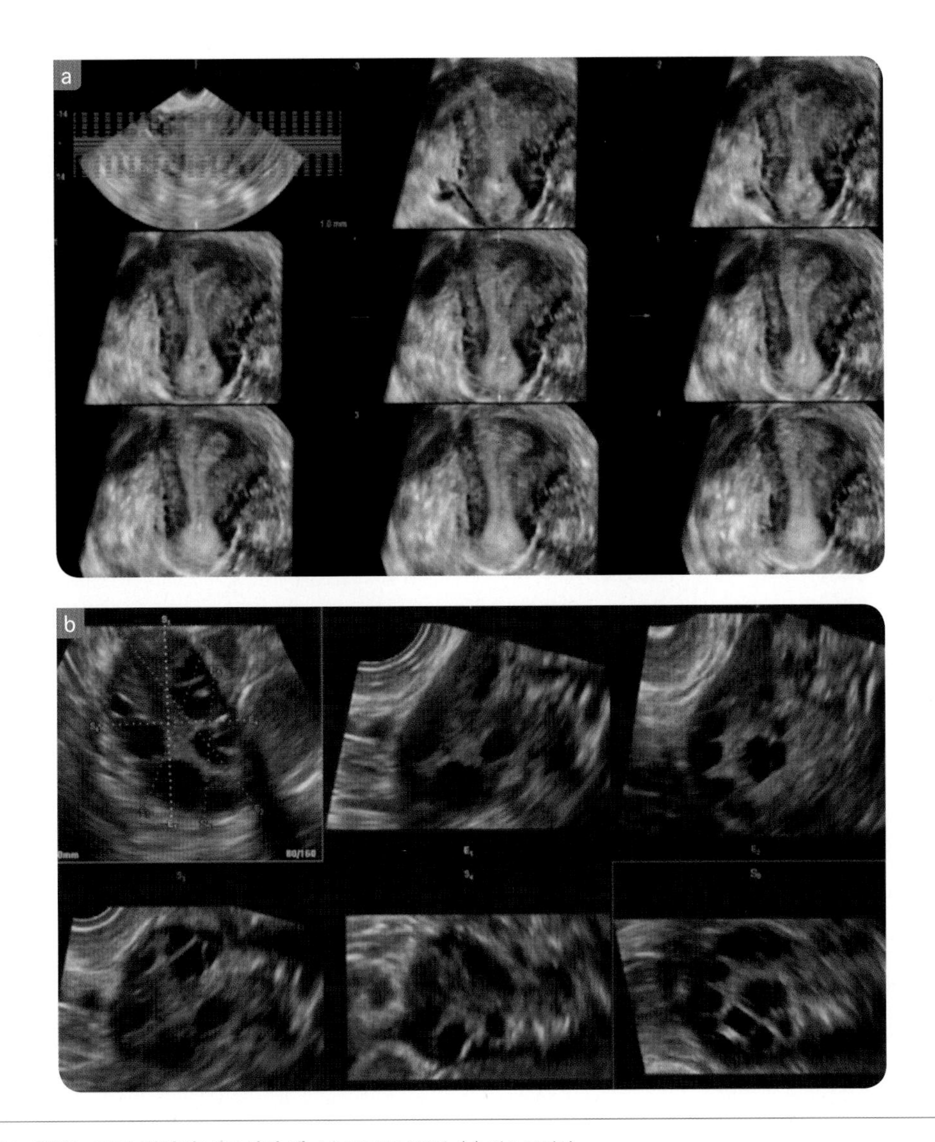

그림 1-14 원하는 단면 영상의 재구성의 예. (a) 다중절편영상. (b) 비스듬영상.

하는데 필요한 에너지 분의 사용된 에너지의 양으로 정의되며 TI=1이면 현재 사용하는 초음파 에너지로 조직의 온도가 1℃ 상승할 수 있다는 의미임.

- TI는 초음파 강도, 스캔 모드 뿐만 검사하는 인체 부위에 따라서도 다음의 세 가지 규격으로 표시됨. 사용자가 적합한 하나를 표시하여 사용하며 이 값이 지나치게 높은지 확인이 필요함. 부인과 초음파에서는 주로 Tis를 사용함.
- Tis (Thermal index Soft tissue) : 연부조직
- Tib (Thermal index Bone) : 뼈 또는 뼈 근접부위
- Tic (Thermal index Cranial) : 두개골 근접부

2) 기계적 효과(mechanical effect)

- 초음파의 강도가 어느 한계를 넘어가면 심각한 기계적 파괴를 유발할 수 있음. 원리는 인체에 자연적으로 존재하는 미세한 기포가 매우 강한 음파를 받게 되면 순간적으로 공동현상(cavitation effect)를 유발하여 엄청난 파괴력을 나타내는 것임.
- MI는 이러한 공동현상에 대한 예측치로 MI=2.0이면 최악의 경우 공동이 발생할 수 있다는 의미로, 제조사에서 MI가 1.9를 넘지 않도록 제한하고 있음.

3) 안정성

검사자는 초음파를 시행할 때 이득과 해로움을 고려하여 'ALARA (As Low As Resonabley Achievable)' 원칙을 따르는 것이 권장됨(AIUM, 2014). 현재 사용되는 진단용 초음파기기의 생물학적 위험성이 과학적으로 확인된 바는 없으나, 부인과 초음파 영역에서도 초기 임신부에 대한 초음파를 시행하게 되는 경우가 있으므로 특히 태아에 대한 안정성을 염두에 두어 ALARA 원칙을 유지하는 것이 중요함. 임신 초기 배아 심박동을 확인할 때 M모드 사용이 권장되며 펄스 도플러(분절, 색도플러 등)를 관례적으로 사용하지 않는 것이 바람직함(ISUOG, 2013).

참 고 문 헌

1. AIUM practice guideline for the performance of ultrasound of the female pelvis. American Institute of Ultrasound in Medicine (AIUM); American College of Radiology (ACR); American College of Obstetricians and Gynecologists (ACOG); Society for Pediatric Radiology (SPR); Society of Radiologists in Ultrasound (SRU). J Ultrasound Med. 2014 Jun;33(6):1122-30.
2. ISUOG practice guidelines: performance of first-trimester fetal ultrasound scan. Salomon LJ, Alfirevic Z, Bilardo CM, Chalouhi GE, Ghi T, Kagan KO, Lau TK, Papageorghiou AT, Raine-Fenning NJ, Stirnemann J, Suresh S, Tabor A, Timor-Tritsch IE, Toi A, Yeo G. Ultrasound Obstet Gynecol. 2013 Jan;41(1):102-13. doi: 10.1002/uog.12342. No abstract available. Erratum in: Ultrasound Obstet Gynecol. 2013 Feb;41(2):240.
3. ISUOG practice guidelines: use of Doppler ultrasonography in obstetrics. Bhide A, Acharya G, Bilardo CM, Brezinka C, Cafici D, Hernandez-Andrade E, Kalache K, Kingdom J, Kiserud T, Lee W, Lees C, Leung KY, Malinger G, Mari G, Prefumo F, Sepulveda W, Trudinger B. Ultrasound Obstet Gynecol. 2013 Feb;41(2):233-39.

여성골반의 초음파

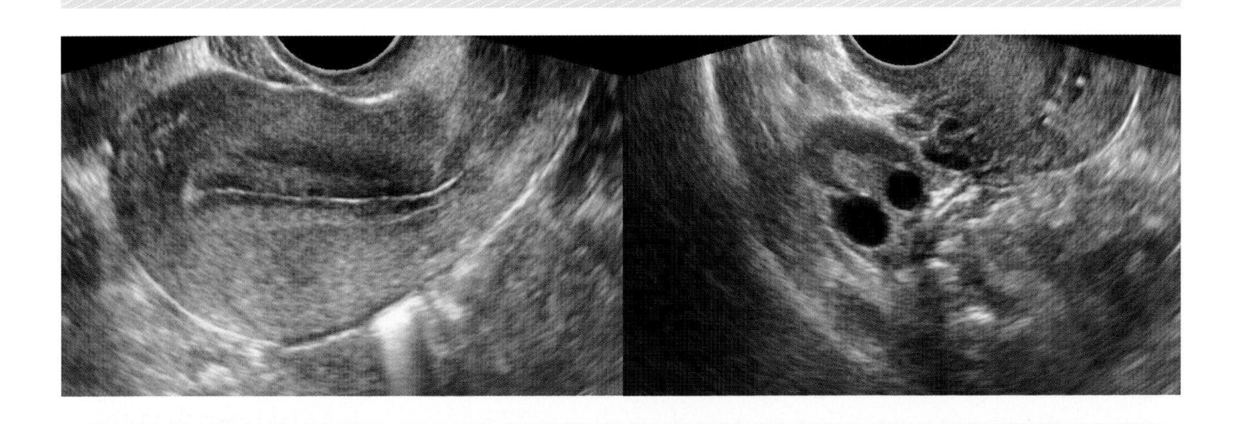

김윤하_ 전남의대 산부인과
김석모_ 전남의대 산부인과
김종운_ 전남의대 산부인과
김철홍_ 전남의대 산부인과
양회생_ 동국의대 산부인과
조문경_ 전남의대 산부인과
최상준_ 조선의대 산부인과

여성골반의 초음파

1 골반 초음파 검사

- 자궁, 난소 및 부속기 질환 등의 부인과적 질환이 의심되는 모든 연령대의 환자에서 가장 먼저 시행할 수 있는 검사임.
- 복부초음파와 질초음파는 서로 보완적이고, 때로는 서로 다른 정보를 제공함.
- 복부초음파는 질초음파보다 넓은 부위를 관찰할 수 있고, 복벽으로부터 얕은 부위와 질부터 멀리 떨어져 있는 구조물을 관찰할 수 있음.
- 질초음파는 탐촉자를 관찰하고자 하는 기관에 가깝게 위치하게 하여 자궁, 난소 및 부속기의 고해상도 영상을 얻을 수 있고, 압통 여부를 체크할 수도 있음.

2 적응증 및 금기증

1) 적응증(AIUM, 2014)

- 골반 통증 및 골반 종괴
- 다낭성 난소를 포함한 내분비 질환
- 월경통, 무월경, 비정상 질출혈
- 월경주기(자궁내막 두께, 난포 발달)의 검사
- 불임 여성의 검사, 치료
- 골반 감염이 의심되는 경우
- 골반, 자궁 및 생식기관의 기형이 의심되는 경우
- 골반 수술, 분만, 유산 후 출혈, 통증 및 감염이 의심되는 경우
- 자궁내 피임기구의 위치 확인
- 고위험 환자에서 암 선별검사
- 요실금 또는 골반장기탈출증

- 자궁외임신이 의심되는 경우
- 임신 제1삼분기 초기
- 임신 제2삼분기, 제3삼분기에 태반, 자궁경부, 태아기형 등의 검사
- 중재시술 또는 수술적 처치에 보조적 사용

2) 질초음파 검사의 금기증

- 검사에 동의하지 않을 경우
- 초경전 또는 처녀 환자
- 좁은 질입구 또는 질기형 등을 가진 환자에서 탐촉자 삽입으로 불편감을 가지는 경우 검사를 중지해야 함.

3) 검사 항목(AIUM, 2009)

- 자궁의 크기, 모양 및 방향
- 자궁내막, 근육층 및 자궁경부
- 난소의 형태
- 자궁과 부속기의 종괴, 낭종, 액체 고임 등의 확인
- 맹낭(cul-de-sac)의 액체 또는 종괴의 확인

3 검사방법

1) 환자 및 탐촉자 준비

- 특정 기관의 초음파 검사를 위해서는 가능한 한 고주파의 탐촉자를 사용함(AIUM, 2014; Bohm-Velez M 등, 1992).
- 복부초음파 검사는 전복벽, 피하지방 및 장간막 등에 의해 방해를 받아 전복벽이 얇은 경우를 제외하고 6 MHz를 초과하는 고파수의 탐촉자를 사용하기 어려움.
- 질초음파 검사는 7.5 MHz 이상의 탐촉자를 사용하여 골반장기를 가까이 위치시킬 수 있음.

*** 질초음파 검사 준비**

- 방광이 가득 채워져 있다면 난소 및 부속기가 골반 위쪽으로 위치하여 탐촉자로부터 멀어져 고해상도의 영상을 얻을 수 없으므로 검사를 하기 직전에 방광을 비워야 하고 이를 통해 환자의 불편감도 줄일 수 있음.
- 남성 검사자가 질초음파 검사를 할 경우 여성 의료진이 보호자 역할을 하도록 함.
- 감염 질환의 확산을 예방하기 위해 질초음파 탐촉자 커버를 적절하게 관리 및 폐기해야 함.
- 라텍스 알러지 환자를 대비하여 비-라텍스 커버를 준비해야 함.
- 탐촉자를 소독 후 커버를 씌우고 소량의 윤활액을 탐촉자 끝에 묻혀 질 안으로 잘 통과하도록 함.
- 윤활액은 정자 활동력에 대한 영향이 없는 제품을 사용함(AIUM, 2014; Bohm-Velez M 등, 1992).

2) 초음파 검사 방법

- 질초음파의 탐촉자를 삽입한 후 장축(long axis)인 시상단면(sagittal plane)을 확인함.
- 시계반대방향으로 90도 회전하여 단축(short axis)

인 관상단면(coronal plane)을 확인함.

- 두 단면에서 탐촉자를 좌우 및 상하로 이동하여 자궁의 자궁목부터 자궁체부까지, 그리고 부속기를 스캔함.
- 탐촉자를 살짝 움직이는 것으로 골반 장기들의 위치가 조금씩 변할 수 있는데, 이동의 제한이 있는 경우 유착을 의심할 수 있음(Zimmer EZ 등, 1991).
- 탐촉자를 잡지 않은 손으로 환자의 전복벽에 힘을 가하여 골반장기의 위치를 변경시킬 수 있음.
- 난소 또는 골반 내 종괴의 위치를 탐촉자의 끝부분에 가까이 위치시켜 자세히 관찰할 수 있음(Bohm-Velez M 등, 1992).
- 비정상적인 또는 변종(variant) 소견이 보일 경우 색도플러, 파워도플러 검사, 또는 3D 초음파 검사 등을 추가로 시행할 수 있음.

4 자궁

- 자궁은 자궁체부와 자궁목으로 구성됨.
- 자궁체부는 근육이 많은 부분을 차지하지만, 자궁목은 주로 섬유질과 탄력조직으로 이루어져 있으며, 근육은 10%를 차지함.

1) 자궁의 크기

(1) 자궁 길이의 측정

- 중앙 시상단면(midline sagittal view)을 확보한 후, 자궁바닥(uterine fundus)의 장막표면부터 자궁목의 원위부(자궁외궁구; external os)까지를 측정함.
- 전후 직경은 같은 시상단면에서 장축에 수직으로 전벽과 후벽의 바깥쪽 사이를 측정함.
- 최대 폭은 관상단면(coronal view)에서 양쪽 벽의 바깥쪽 사이를 측정함(AIUM, 2014; Cunningham FG 등, 1993; Platt JF 등, 1990).

(2) 자궁의 크기

- 나이와 분만 횟수에 따라 다양하게 측정됨.
- 길이 : 미분만부 – 6~8.5 cm, 다분만부 : 8~10.5 cm
- 전후 직경 : 미분만부 – 2~4 cm, 다분만부 – 3~5 cm
- 자궁체부의 폭 : 미분만부 – 3~5 cm, 다분만부 – 4~6 cm
- 폐경 후 첫 10년 동안 자궁의 크기는 급속히 작아짐.
- 폐경 후 5년 이상된 여성에서 자궁의 길이는 3.5~7.5 cm, 전후직경은 1.7~3.3 cm, 그리고 폭은 2~4 cm으로 측정됨(Platt JF 등, 1990; Merz E 등, 1996; Miller EI 등, 177).

2) 자궁의 위치

- 자궁의 위치는 매우 다양하며, 방광의 팽만 정도에도 영향을 받음.
- 자궁체부의 장축과 자궁목의 장축과의 굴절(flexion) 관계와 자궁목의 장축과 질의 장축과의 경사(version)을 확인함.
- 복부초음파에서 방광이 채워진 여성에서 가장 흔한 자궁의 위치는 굴곡이 없는 전방경사(anteversion)임.

- 복부초음파에서 전방경사 또는 전방굴곡된 자궁은 방광의 음향창(acuostic window) 뒤에서 잘 관찰됨.
- 후방경사 또는 후방굴곡된 자궁은 복부초음파에서 정확하게 관찰하기 어려움.
- 자궁저부의 근육층이 저음영을 보여 자궁근종이나 다른 질환으로 오인될 수 있음.
- 질초음파는 탐촉자가 다른 골반장기의 방해 없이 후방굴곡 또는 후방경사된 자궁체부에 가까이 위치할 수 있어 정확한 영상을 얻을 수 있음.

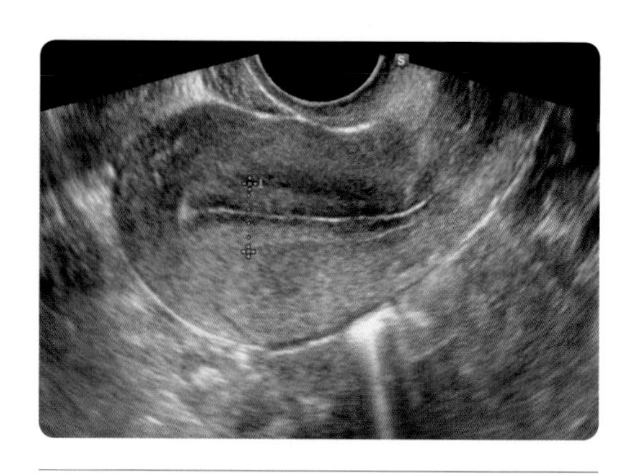

그림 2-1 자궁내막 두께 측정 방법. 질초음파로 본 자궁의 정중 시상면에서 자궁내막 두께 측정.

3) 자궁의 근육층

- 바깥쪽, 중간, 안쪽의 세 층으로 구성되어 있음(Lyons EA 등, 1992; Fleischer AC 등, 1992).
- 바깥쪽은 길이가 긴 근육 섬유질이 자궁저부에서부터 자궁목까지 둘러싸고 있음.
- 중간층은 근육과 활꼴동맥(arcuate artery)로 구분됨.
- 중간층 근육이 가장 두꺼우며 자궁각부터 자궁목까지 나선형의 모양으로 이루어 짐.
- 안쪽 근육층은 가장 얇으며 저음영으로 관찰됨.

4) 자궁내막

- 기능층(functionalis layer)와 기저층(basalis layer)으로 구성됨.
- 자궁내막의 두께와 초음파 소견은 월경주기에 따라 주기적으로 변함(Templeton A, 1991; Bakos O 등, 1993; Dickey RP, 2010).

(1) 자궁내막 두께의 측정

- 자궁의 정중 시상단면에서 앞쪽 음영의 경계부터 뒤쪽 음영의 경계까지를 측정하며, 가장 두꺼운 부분을 측정함.
- 자궁내막으로부터 자궁내경관(endocervical canal)이 보이도록 영상을 확보하여 정확한 정중 시상단면에서 자궁내막 두께를 측정함(그림 2-1)(Fleischer A 등, 1986; Bennett GL 등, 2011).
- 자궁내막 정중앙의 얇은 고음영의 선은 연속되어 있으며, 중간에 떨어져 있다면 용종, 근종, 유착 등의 병변을 의심할 수 있음.
- 자궁내막 바로 아래의 저음영 부분은 자궁의 가장 안쪽 근육층이므로 두께에 포함해서는 안됨(Fleischer A 등, 1986).

(2) 증식기의 자궁내막

- 월경 중 및 증식기(proliferative phase) 초기 : 자궁내막의 두께가 대개 4 mm 미만으로 얇고, 고음영의 선으로 보임(그림 2-2).

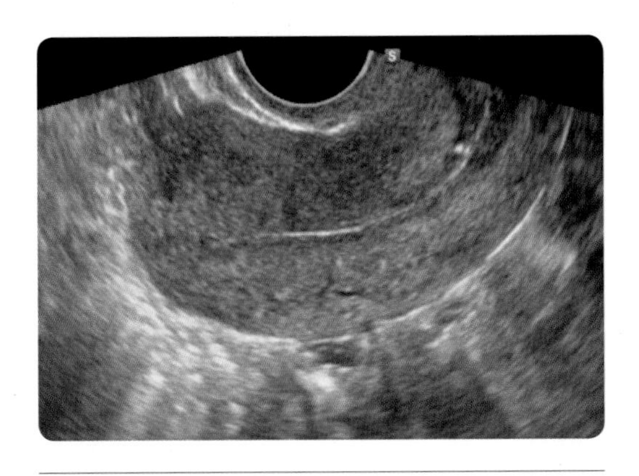

그림 2-2 월경 중의 자궁내막. 얇은 고음영의 구조물로 관찰됨.

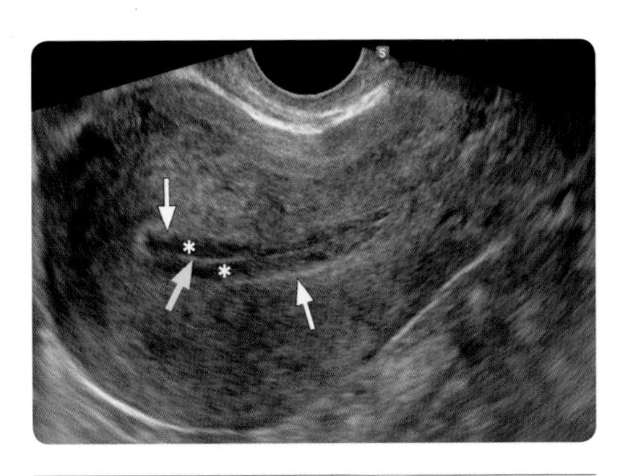

그림 2-3 월경주기 9일째의 자궁내막. 증식기 중반 및 후기에는 기저층이 고음영의 선(흰색 화살표)으로, 기능층은 저음영(*)으로, 그리고 중앙의 고음영의 선(노란색 화살표)이 있어 3개의 층(trilaminar appearance)처럼 보임.

- 증식기의 중반 및 후기(월경주기 5~14일째) : 자궁내막의 기능층이 에스트로겐의 영향으로 자궁내막 두께가 두꺼워지며 기저층에 비해 저음영으로 띠며, 3개의 층(trilaminar appearance)으로 보이고 10~16 mm의 두께로 측정됨(그림 2-3) (Bakos O 등, 1993).

(3) 분비기의 자궁내막

- 분비기(secretary phase) (월경주기 15~28일째) 동안에는 프로게스테론의 영향으로 기능층이 두꺼워짐.
- 기능층의 음영과 비슷해지면서 3개의 층은 더 이상 보이지 않게 됨(그림 2-4).
- 증식기 말기에는 자궁내막의 두께가 16~18 mm까지 측정되며 균질한 음영을 보이게 됨.

(4) 폐경 후의 자궁내막

- 에스트로겐 자극의 부족으로 위축되어 얇고 균질한 고음영의 선으로 보임.

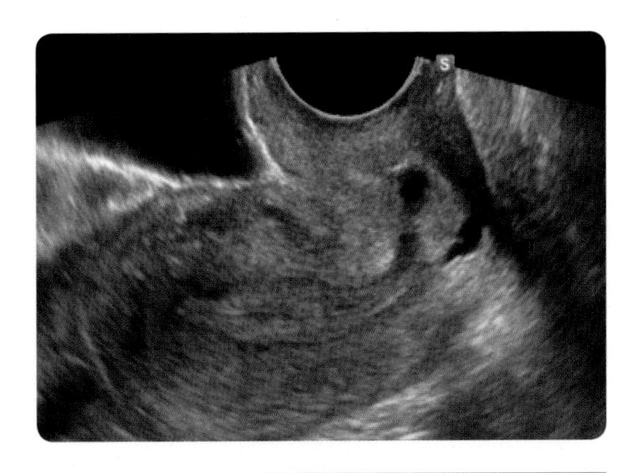

그림 2-4 월경주기 25일째의 자궁내막. 기능층과 기저층의 음영이 비슷하게 보임.

- 3 mm 미만으로 측정됨(그림 2-5) (Breijer MC 등, 2012).

5) 자궁경부

- 질초음파 검사에서 가장 잘 보이지만, 자궁의 위

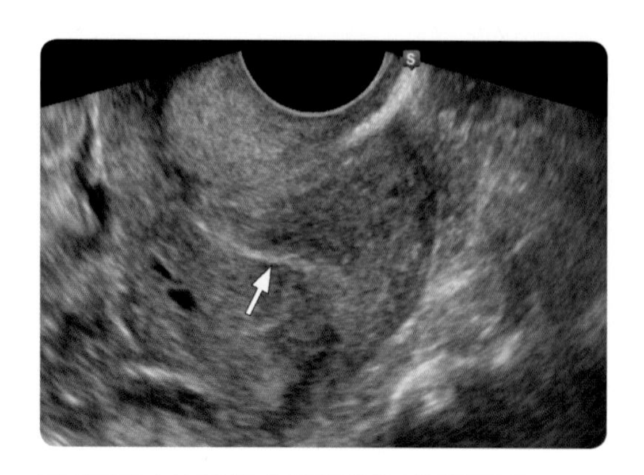

그림 2-5 폐경 후 자궁내막. 내막(화살표)이 얇은 고음영의 선으로 보임.

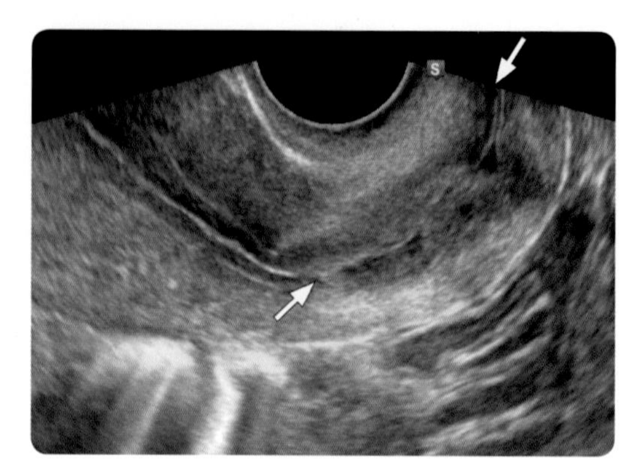

그림 2-6 자궁경부. 자궁내경관이 얇은 고음영의 선으로 보임(화살표 사이).

치 및 형태에 따라 탐촉자가 적절하지 않은 곳에 위치할 수 있음(Fleischer AC 등, 1992).

- 자궁내경관은 자궁내막내의 공간으로부터 이어져 있으며, 얇은 고음영의 선으로 보임(그림 2-6).
- 자궁내경관에 액체 또는 점액 등이 보일 수 있음.
- 자궁내경관 바로 아래에는 자궁체부에서처럼 자궁 안쪽 근육층이 저음영으로 관찰됨.
- 자궁목의 바깥쪽 벽은 자궁체부의 바깥쪽 근육층과 비슷한 음영을 보임.

5 난소

1) 정상 난소의 형태 및 위치

- 정상 난소는 대개 타원형이고, 위치와 방향이 환자의 나이, 분만력 또는 방광 팽만 정도에 따라 다양하게 관찰됨.
- 골반강의 위쪽인 내 엉덩 혈관(internal iliac vessel)과 외 엉덩 혈관(external iliac vessel) 사이의 Waldeyer 난소오목(ovarian fossa)의 골반 외측벽에서 관찰됨.
- 질초음파를 시행할 때 탐촉자를 골반 외측벽쪽 방향으로 향하게 하여 내 엉덩 정맥 상방에서 정상 난소를 관찰할 수 있음(그림 2-7, 2-8).

2) 나이에 따른 난소의 변화

- 나이, 월경주기, 임신 상태 등에 따라 달라지므로 부피도 다르게 측정됨(Cohen HL 등, 1990; Pavlik EJ 등, 2000; Fleischer AC 등, 1990).
- 부피는 길이, 폭, 깊이를 모두 곱한 후 2로 나누어 측정함.
- 폐경 전의 여성에서 난소의 평균 부피는 9.8 mL이며, 30세 이후 점차적으로 감소함.
- 폐경 후에는 난소의 크기가 더욱 감소하여 평균 부피가 1.2~5.8 mL 정도이며, 8 mL를 넘을 경우

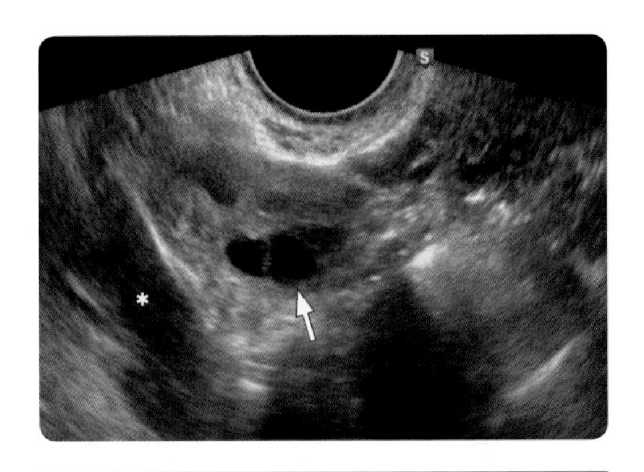

그림 2-7 우측 난소. 우측 내외 엉덩혈관(*) 상방에서 우측 난소(화살표)가 관찰됨.

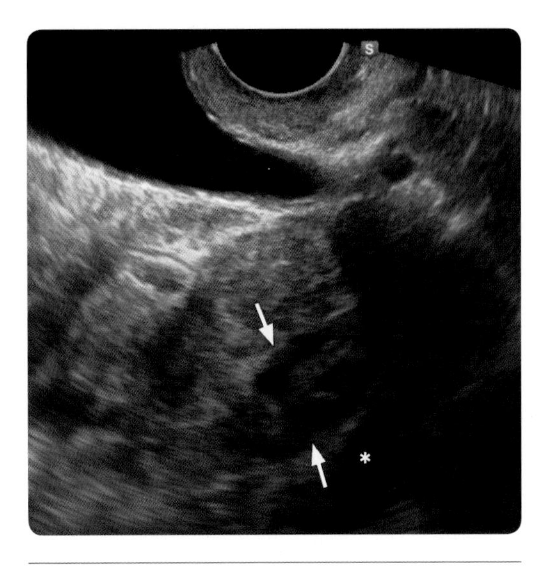

그림 2-8 좌측 난소. 좌측 내외 엉덩혈관(*) 상방에서 좌측 난소(화살표)가 관찰됨.

비정상적인 소견임.

- 폐경 직후에 보이는 단순 낭종들이 난포일 수도 있지만, 폐경 여성에서의 무음영의 낭성 병변은 일반적으로 낭종으로 여기고 추적관리를 하여야 함(Levine D 등, 2010).

3) 정상 난소의 초음파 소견

- 가임기 여성에서 월경주기에 따라 모양이 다양함.
- 월경주기 동안에 2~9 mm 크기의 작은 난포들이 하나의 방(unilocular)으로 이루어진 무음영의 경계가 명확한 낭종들이 보임(그림 2-9).
- 월경주기 8~12일째에 한 개 또는 그 이상의 우성 난포(dominant follicle)가 20~25 mm까지 커지고 파열되며 배란이 됨(Ritchie WGM 등, 1986).
- 배란 후에 난포는 황체(corpus luteum)로 되는데 난포벽에 혈관이 증가하게 되며 세포의 비대(cellular hypertrophy)가 일어남.
- 황체는 분비기에 발견되어 임신할 경우 임신 초반

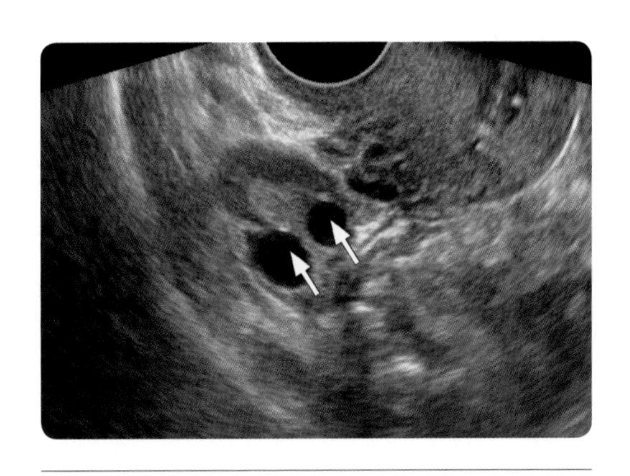

그림 2-9 정상 난포기 난소. 우측 난소 내에 작은 크기의 무음영 난포들(화살표)이 관찰됨.

몇 주 동안 관찰됨.

참고문헌

1. AIUM Practice Guideline for the Performance of Pelvic Ultrasound Examinations. American Institute of Ultrasound in Medicine. 2009.
2. American Institute of Ultrasound in Medicine (AIUM); American College of Radiology (ACR); American College of Obstetricians and Gynecologists (ACOG); Society for Pediatric Radiology (SPR); Society of Radiologists in Ultrasound (SRU). AIUM practice guideline for the performance of ultrasound of the female pelvis. J Ultrasound Med 2014;33:1122–30.
3. Bakos O, Lundkvist O, Bergh T. Transvaginal sonographic evaluation of endometrial growth and texture in spontaneous ovulatory cycles—a descriptive study. Hum Reprod 1993;8:799–806.
4. Bennett GL, Andreotti R, Lee SI, et al. ACR appropriateness criteria on abnormal vaginal bleeding. J Am Coll Radiol 2011;8:460–8.
5. Bohm-Velez M, Mendelson EB. Transvaginal sonography: applications, equipment and technique. In Nyberg DA, Hill LM, Bohm-Velez M, Mendelson EB, editors. Transvaginal Sonography, St. Louis, 1992, Mosby, pp 1–20.
6. Breijer MC, Peeters JA, Opmeer BC, et al. Capacity of endometrial thickness measurement to diagnose endometrial carcinoma in asymptomatic PM women; a systematic review and meta-analysis. Ultrasound Obstet Gyencol 2012;40:621.
7. Cohen HL, Tice HM, Mandel FS. Ovarian volumes measured by US: bigger than we think. Radiology 1990;177:189.
8. Cunningham FG, MacDonald PC, Gant NF, et al. Anatomy of the reproductive tract in women. In Cunningham FG, MacDonald PC, Gant NF, et al, editors. Williams Obstetrics, ed 19, Norwalk, CT, 1993, Appleton & Lange, p 57.
9. Dickey RP. Ultrasonography of the endometrium. In Rizk B, editor. Ultrasonography in Reproductive Medicine and Infertility, New York, 2010, Cambridge University Press, pp 97–102.
10. Fleischer A, Kalemeris G, Machin J, et al. Sonographic depiction of normal and abnormal endometrium with histopathologic correlation. J Ultrasound Med 1986;5:445–52.
11. Fleischer AC, McKee MS, Gordon AN, et al. Transvaginal sonography of post-menopausal ovaries with pathologic correlation. J Ultrasound Med 1990;9:637.
12. Fleischer AC, Kepple DM. Benign conditions of the uterus, cervix and endometrium. In Nyberg DA, Hill LM, Bohm-Velez M, Mendelson EB, editors. Transvaginal Sonography, St. Louis, 1992, Mosby, pp 21–41.
13. Levine D, Brown DL, Andreotti RF et al. Management of asymptomatic ovarian and other adnexal cysts imaged at US: Society of Radiologists in Ultrasound Consensus Conference Statement. Radiology 2010;256:943–54.
14. Lyons EA, Gratton D, Hamington C. Transvaginal sonography of normal pelvic anatomy. Radiol Clin North Am 1992;30:663–75.
15. Merz E, Mirio-Tesanic D, Bahlmann F, et al. Sonographic size of uterus and ovaries in pre- and postmenopausal women. Ultrasound Obstet Gynecol 1996;7:38–42.
16. Miller EI, Thomas RH, Lines P. The atrophic postmenopausal uterus. J Clin Ultrasound 1977;5:261–3.
17. Pavlik EJ, DePriest PD, Gallion HH, et al. Ovarian volume related to age. Gynecol Oncol 2000;77:410–2.
18. Platt JF, Bree RL, Davidson D. Ultrasound of the normal non-gravid uterus: correlation with gross and histopathology. J Clin Ultrasound 1990;18:15–9.
19. Ritchie WGM. Sonographic evaluation of normal and induced ovulation. Radiology 1986;161:1–10.

20. Templeton A. Transvaginal sonographic assessment of follicular and endometrial growth in spontaneous and clomiphene citrate cycles. Fertil Steril 1991;56: 208–12.

21. Zimmer EZ, Timor-Tritsch IE, Rottem S: The technique of transvaginal sonography. In Timor-Tritsch IE, Rottem S, editors. Transvaginal Sonography, ed 2, New York, 1991, Elsevier, p 61.

부인과 영역의 도플러 초음파

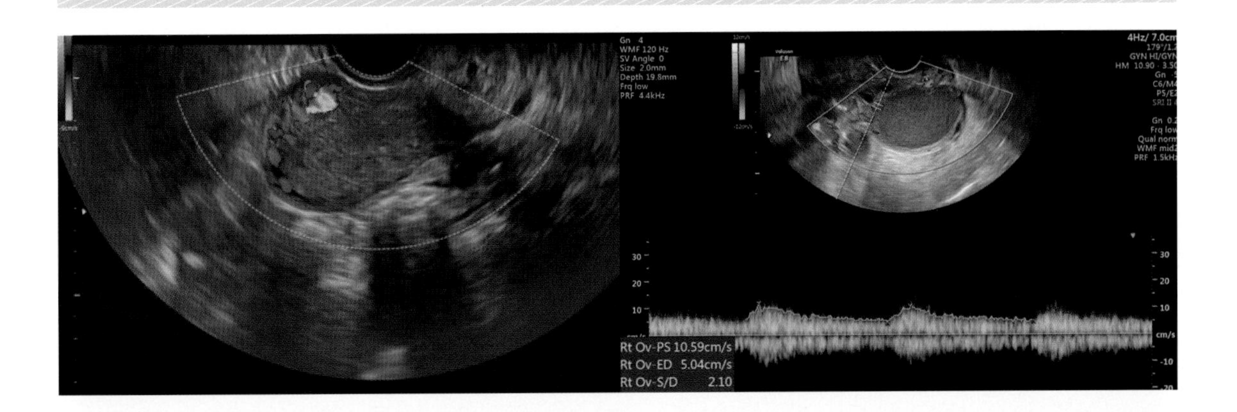

손인숙_ 건국의전 산부인과
권한성_ 건국의전 산부인과
김희선_ 인제의대 산부인과
황한성_ 건국의전 산부인과

03 부인과 영역의 도플러 초음파

I 도플러 초음파의 기본 원리

1 도플러 효과

1) 도플러 효과의 정의

(1) 일상생활에서 움직이는 기차에서 나는 기적소리가 귀에서 멀어질 때와 가까워질 때 그 음조(pitch)가 변하는 것을 말함. 1841년 Chistan Doppler에 의해 발표됨.

(2) 도플러 변위(Doppler shift)
일정한 주파수를 가진 파동이 움직이는 물체에 부딪힌 후 되돌아오는 파동의 주파수가 변한다는 이론

(3) 파동의 속도

$f_D = 2fo\nu\cos\theta/c$

f_D : 도플러 변위

fo : 입사된 파동의 주파수

θ : 입사각

c : 조직 내에서의 음속

2) 도플러 초음파

(1) 도플러 효과의 원리를 응용하여 혈관 내 적혈구의 운동 속도를 감지하는 장치

(2) 혈관의 단면적을 알 수 있다면 혈류량도 계산 가능함.
즉, 탐촉자에서 발생한 음파가 인체 내에서 혈관 속의 적혈구에 부딪힌 후 돌아오는 음파를 수신하여 구한 혈류의 속도와 혈류량을 우리가 보는

화면에 표시함.

3) 도플러 초음파의 실제 응용의 한계

(1) 실제 인체에서는 음원이 하나의 점이 아닌 일정한 표면적을 가진 탐촉자임.
(2) 초음파와 조직 및 혈구 사이의 산란(scattering)과 같은 상호 작용이 존재함.
(3) 주파수에 따라 조직 내에서 감쇄(attenuation)되는 정도가 다른 초음파 고유의 성질 등 외부 요인에 의해 공식이 그대로 적용되지 않아 여러 보정과정을 거치게 됨.

2 도플러 초음파 기기의 종류

1) 연속파 도플러와 펄스 도플러

(1) 연속파 도플러

① 초음파를 발생시키는 부분과 수신하는 부분으로 구성
② 초음파의 진행 방향에 있는 모든 혈류가 감지되어 깊이에 대한 정보가 없음.
③ 측정할 수 있는 최대 혈류에 제한이 없고, 아주 느린 혈류도 감지할 수 있음.
④ 태아 심음을 청취할 때 이용되는 도플러 기기에 해당함.

(2) 펄스 도플러

① 현재 부인과 도플러 초음파를 볼 때 널리 사용되는 방식으로 일정 시간 간격을 두고 끊어서 보내는 방식
② 인체 조직 내에서 음파의 속도는 일정하므로 초음파 펄스를 발생한 후 일정 시간 경과 후에 신호를 수신하도록 한다면 일정한 깊이에 있는 신호만을 받을 수 있음.
③ 표본용적(sample volume) : 신호를 받아들이는 시간의 길이가 곧 알고자 하는 조직의 범위를 말함.
④ 단점으로 측정 가능한 최대 혈류 속도를 초과하면 신호가 왜곡되는 에일리어싱(ailiasing) 현상이 있음.

2) 이중 펄스 도플러 기기(Pulse duplex Doppler devices)

(1) 펄스 도플러를 이용하는 목적은 특정 깊이에 있는 혈류를 측정하는데 있음.
(2) 실시간 영상과 도플러 검사를 동시에 시행할 수 있으며 화면에 시간-속도 그래프가 연속적으로 표시됨.
(3) 주파수가 커질수록 깊이에 따른 감쇄가 심하여 산부인과 영역의 자궁이나 난소처럼 깊은 곳에 있는 혈류를 측정하기 위한 도플러 측정에는 상대적으로 낮은 주파수가 적합함.
(4) 실시간 영상을 볼 때 초음파 주파수 5 MHz, 도플러 초음파 주파수 3 MHz 정도가 적합함.

3) 색도플러(Color Doppler)

(1) 이차원 영상 내에 있는 모든 영역의 혈류 정보를

동시에 얻을 수 있는 방법

(2) 순차적으로 여러 각도의 초음파가 입사된 후 병렬로 배치된 여러 개의 표본용에서 얻어진 도플러 신호를 수신하여 색으로 화면에 나타내는 방식

(3) 색은 최대 혈류 속도가 아닌 평균 속도를 기준으로 표시

(4) 현재 대부분의 초음파 기기는 색도플러와 동시에 펄스 도플러를 시행할 수 있어 최대 혈류 속도를 측정

(5) 혈류는 그 성질에 따라 여러 가지 색으로 표현. 임의 변경 가능

① 붉은색 : 탐촉자로 다가오는 혈류

② 파란색 : 탐촉자에서 멀어지는 혈류

③ 혈류의 속도 : 색감의 차이로 나타남.

(예) 다가오는 느린 혈류의 경우 짙은 붉은색, 빠른 혈류의 경우 밝은 오렌지색 계통으로 나타날 수 있음.

4) 파워도플러 초음파(Power Doppler)

(1) 색도플러 초음파보다 민감도를 더욱 높인 것.

(2) 혈류의 방향과 같은 여러 가지 정보보다는 혈류의 유무를 더욱 잘 보고자 할 때 이용.

(3) 단점

① 혈류를 한 가지 색으로 표현하기 때문에 혈류의 방향이나 속도는 알 수 없음.

② 환자의 호흡이나 검사자의 손떨림 등에 의한 허상이 색도플러보다 많이 나타남.

(4) 두 가지 검사를 동시에 이용하면 보다 정확한 정보를 얻을 수 있음.

3 도플러 측정의 실제

1) 입사각(Insonation angle)의 결정

(1) $f_D = 2fov\cos\theta/c$ 라는 도플러 방정식에서 보면 도플러 변위를 결정하는데 입사된 초음파와 혈류 사이의 각도, 즉 입사각이 큰 영향을 미침.

(2) 거울상(mirror-imaging) 허상

만약 초음파와 혈류가 직각으로 만난다면 $\cos 90^\circ = 0$로 도플러 변위의 주파수는 이론상 0이 되는데 이런 경우 아무런 신호도 얻을 수 없게 됨. 또한 90°에 가까운 각도에서는 혈류의 방향을 감지하는 능력이 떨어져 도플러 분음 분석 그래프(spectrum analyzer)에서 0을 기준으로 양방향 및 음방향 혈류가 모두 나타나기도 함. 이것을 거울상 허상이라고 함.

(3) 60° 이상의 각도도 바람직하지 않은데 그 이유는 측정 오차가 커지기 때문.

$\cos 60^\circ = 1/2$이므로 0°와 60°사이보다 60°에서 90° 사이에서 각도 변화에 따른 코사인 값의 변화가 심해 기기상에서 있을 수 있는 약간의 각도 측정 오차로 인한 도플러 변위의 오차가 훨씬 더 커짐. 반대로 초음파가 혈류와 나란히 입사되어 코사인 값이 1이 된다면 최대의 도플러 변위 값을 얻을 수 있게 됨. 그러나 실제 혈관벽에서 초음파가 거의 모두 반사되어 신호를 수신하는 데 기술적인 어려움이 있음. 따라서, 도플러 변위 및 혈류의 속도를 펄스 도플러로 측정할 때 가장 이상적인 입사각은 30-60°가 됨. 그러나 이러한 각도는 단순히 혈류의 유무만을 알고자 할 때에는 의미가 없음.

2) 도플러 초음파의 오류(Error) 및 허상 (Artifact)

(1) 에일리어싱(ailiasing)

① 평균 속도가 매우 큰 혈류의 경우 붉은색 안에 반대 방향으로 흐르는 것처럼 보이는 파란색 혈류가 섞여 있는 현상(그림 3-1).

색도플러에서는 평균 속도로 표시되므로 이 현상이 덜함.

② 펄스 도플러 측정 시 혈류가 매우 빠른 경우 시간-속도 그래프에서 속도가 높은 맨 위쪽 일부분이 잘리고 음의 방향 아래쪽에 표시되는 현상을 볼 수 있음(그림 3-1).

③ 펄스 반복 주파수(pulse repetition frequenxy, PRF)

- 펄스 도플러의 경우 초음파 탐촉자에서 연속적으로 펄스를 발생시킨 후 일정 시간 동안은 펄스를 수신하고 다음 펄스를 발생시키는데 이 때 한 번에 연속적으로 발생된 펄스의 수를 말함.

④ 나이퀴스트(nyquist) 주파수

- 펄스 도플러에서 수신 가능한 최대 주파수는 PRF의 1/2인데 이를 나이퀴스트(nyquist) 주파수라고 함.
- 이러한 제한은 나이퀴스트(nyquist) 제한이라고 함.

⑤ PRF가 주어져 있을 때 측정 가능한 최대 혈류 속도

$Umax = c(PRF)/4focos\theta$: 도플러 초음파에서 측정 가능한 최대혈류 속도

PRF : 펄스 반복 주파수

fo : 입사된 파동의 주파수

θ : 입사각

c : 조직 내에서의 음속

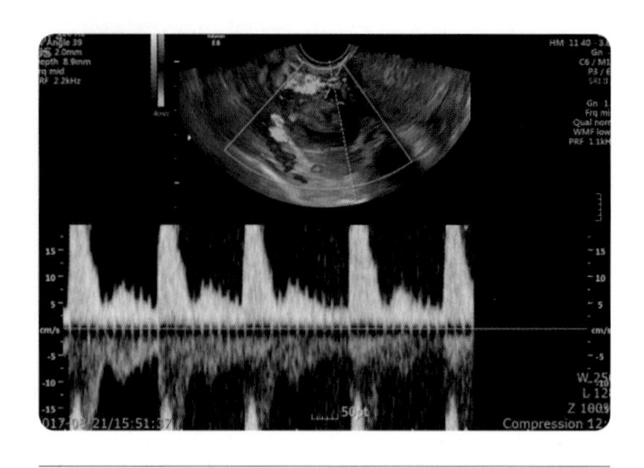

그림 3-1 에일리어싱 현상을 나타내는 도플러 초음파. 펄스 도플러 시간-속도 그래프에서 속도가 높은 맨 위쪽 일부분이 잘리고 음의 방향 아래 쪽에 표시되는 것이 보이며 좌측의 색도플러에서는 붉은색과 파란색 혈류가 섞여 있음.

i) 측정 가능한 최대 혈류 속도를 높여 에일리어싱 현상을 없애려면

(i) 펄스 반복 주파수나 입사각의 크기를 증가시키거나 초음파 주파수를 감소시킴.

- 입사각이 커지면 측정 오차가 증가하고 초음파의 주파수를 낮추면 해상력이 안 좋아짐.
- PRF를 너무 높게 설정하면 펄스 간격이 짧아져 첫 번째 펄스가 돌아오기 이전에 두 번째 펄스가 발사되고 이 두 펄스가 함께 수신되어 실제 혈관 가운데 또 다른 혈관이 존재하는 것 같은 허상이 발생함.

(ii) 시간-속도 그래프에서 기준선을 조정하거나 속도 눈금 단위의 크기를 증가시키는 방법이 있음.

(2) 부적절한 게인(Gain) 설정

게인을 너무 낮게 설정 시 원하는 화면을 얻을 수 없고, 너무 높게 설정 시 거울상이나 잡신호가 나타남.

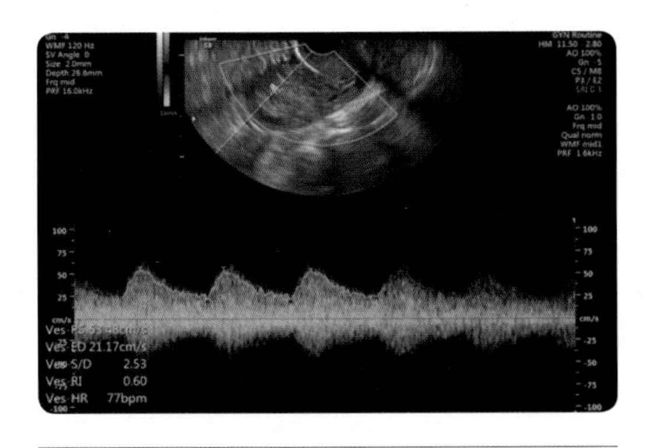

그림 3-2 거울 영상 허상을 보여주는 도플러 초음파. 시간-속도 그래프의 기준선을 중심을 위, 아래가 동일한 모양을 보임.

(3) 벽여과기(wall filter) 사용의 오류

① 혈류에 비해 움직임이 적은 혈관벽의 도플러 변위가 작기 때문에 일정한 임계값 이하의 신호를 제거할 수 있다면 이러한 오류를 최소화 할 수 있음.

② 현재 대부분의 초음파 기기가 벽여과기 기능을 보유

③ 여과 정도는 50~1,500 Hz로 다양하게 조절

④ 지나치게 높은 값을 설정해 놓으면 낮은 이완기 혈류의 신호를 감지하지 못하게 되는 경우도 있음. 필요에 따라 적절하게 조절하되, 골반 내 장기 측정 시에는 높게 설정하지 않는 것이 좋음.

(4) 거울 영상 허상

① 주변에 해부학적으로 강한 반시면이 존재하거나 입사각이 직각에 가까울 때 특히 도플러 게인을 높인 상태에서 측정 시 잘 나타남(그림 3-2).

② 방향을 바꾸면 교정됨.

(5) 신체 운동 허상

호흡 운동 등에 의해 반사면이 움직일 때 생기는 도플러 변위가 허상으로 보일 수 있음.

3) 도플러 시간-속도 파형의 해석

(1) 도플러 변위를 이용한 혈류 속도를 시간의 흐름에 따라 표시한 연속적 그래프

(2) 혈류의 방향 및 혈류의 특성을 알 수 있음.

(3) 부인과 도플러 초음파 측정 시 혈류의 생리적 변화와 병리적 변화간의 차이를 직접적이고 객관적으로 표현할 수 있는 지표는 없으나, 혈관 저항을 측정하는 반정량적 지표인 수축기-이완기 비율(S/D ratio, S/D), 박동지수(pulsatility index, PI), 저항지수(resistance index, RI) 등이 널리 이용됨.

S : 수축기 최대 혈류 속도, D: 이완기 말 혈류 속도, A: 컴퓨터로 계산된 평균 속도

- 저항지수 = (S-D)/S
- 박동지수 = (S-D)/A
- 수축기/이완기 비 = S/D

S/D는 이완기 혈류 속도(또는 주파수)가 0인 경우 무한대 값이 나오고 RI도 0에서 1까지 표시되어 제한적이나 PI는 0부터 1 이상까지 가장 넓은 영역의 정보를 주어 유용하지만 평균값을 측정해야 하는 번거로움과 여과기 사용의 오류로 이완기 혈구가 제대로 측정되지 않는다면 평균값이 왜곡되어 엉뚱한 수치가 나올 수 있음.

II 부인과 질환에서 도플러 초음파의 응용

1 자궁

1) 자궁의 정상 혈관 분포

(1) 도플러 초음파로 확인 가능(그림 3-5).

(2) 아랫배 동맥(hypogastric artery)에서 나온 자궁 동맥에서 분지되어 자궁근층을 관통하는 활꼴 동맥(arcuate artery)과 활꼴 동맥에서 분지하여 자궁내막층에 혈류를 공급하는 기저 동맥(basal artery)과 나선 동맥(spiral artery)으로 나뉨(그림 3-3, 3-4).

(3) 고령 환자의 경우 혈류가 안보이거나 혈관에 석회화 소견이 보일 수 있음.

2) 자궁의 질환

(1) 자궁근종, 자궁선근증 및 자궁평활근육종의 감별

① 자궁근종

- 도플러 초음파에서 종양 바깥쪽 테두리에 혈관이 분포하며 테두리 쪽에서 종양의 중심부로 들어가는 혈관들이 있음(그림 3-6).
- 자궁근층 내에서 기시하는 혈관이 보이는 경우도 있음(그림 3-7).
- 색도플러 초음파를 이용하여 자궁근종의 위치, 개수, 자궁근종 근처 또는 자궁근종으로 들어가

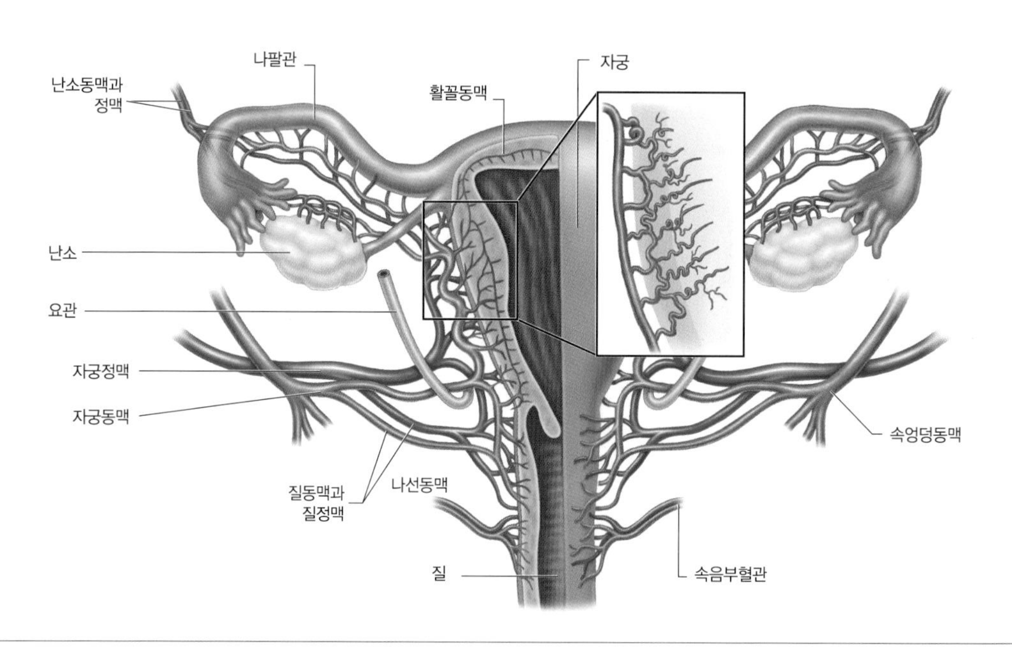

그림 3-3 난소와 자궁의 혈관 분포.

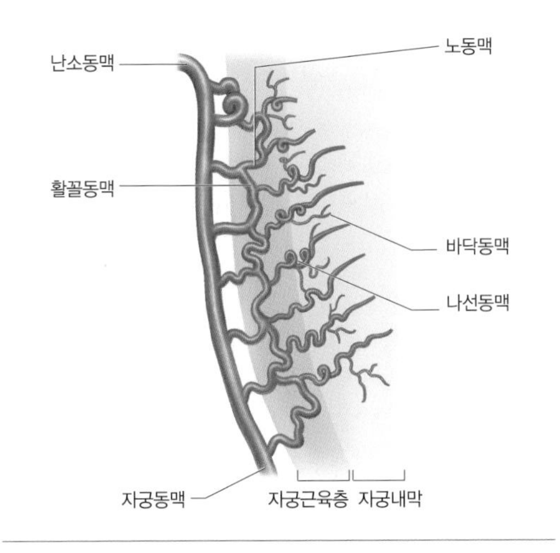

그림 3-4 자궁의 혈관 분포.

는 혈관 분포, 목 있는(pedunculated) 자궁근종을 난소섬유종(ovarian fibroma)과 구별하는데 용이함.

- 전형적인 자궁근종은 회색조(gray scale) 초음파로 잘 진단이 되지만, 유리질, 점액, 낭변성, 비정상조직석회화, 적색변성 등의 비전형적인 자궁근종의 경우 회색조(gray scale) 초음파 및 색도플러 초음파로 잘 진단이 되지 않음.

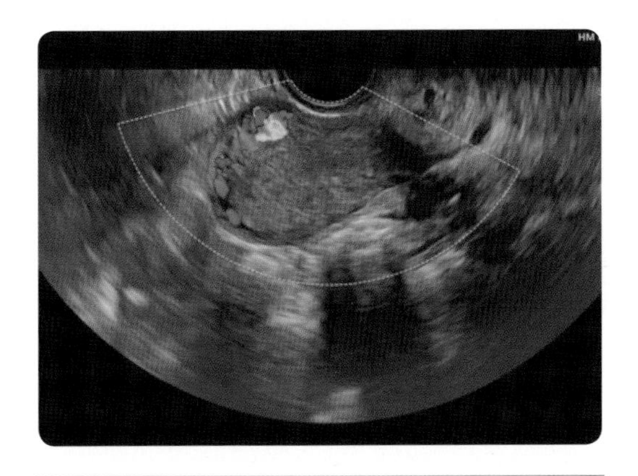

그림 3-5 황체기에 질도플러 초음파로 본 자궁의 시상면. 자궁근육층의 중간에 활꼴동맥과 그 분지가 보임.

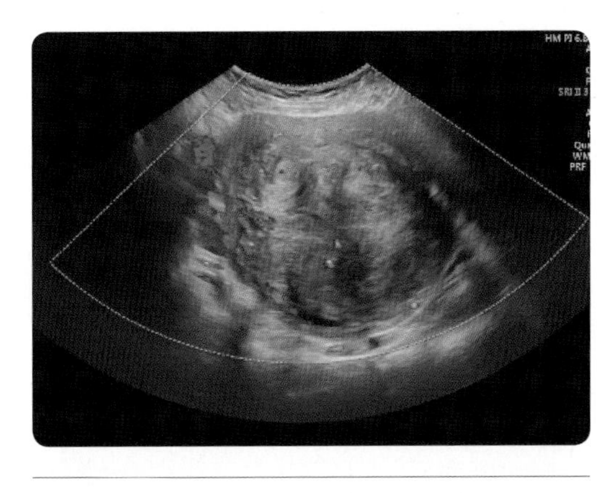

그림 3-6 벽내 자궁근종의 색도플러 초음파. 자궁근종의 테두리에 혈관이 보임.

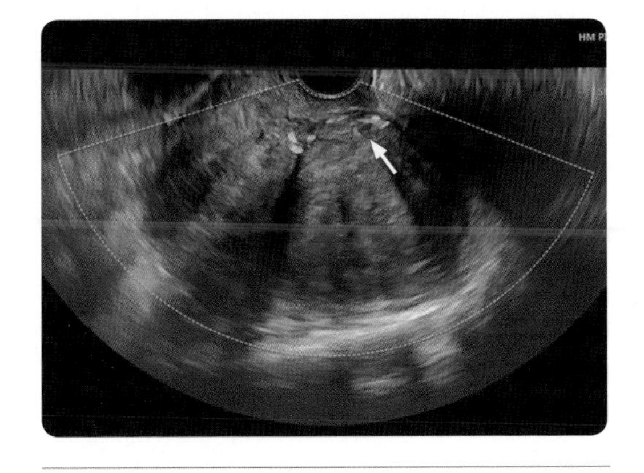

그림 3-7 장막하 자궁근종의 색도플러 초음파. 자궁에서 종양 쪽으로 가는 연결 혈관(화살표)을 찾을 수 있음.

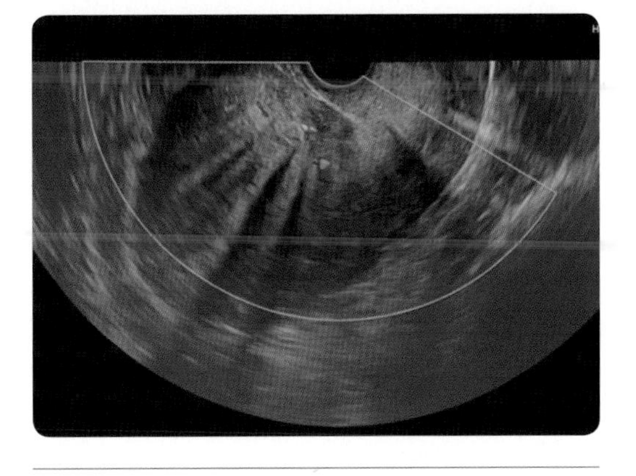

그림 3-8 자궁선근증증의 색도플러 초음파. 두꺼워진 자궁근층의 내부에 혈관 분포가 희박한 양상을 보임.

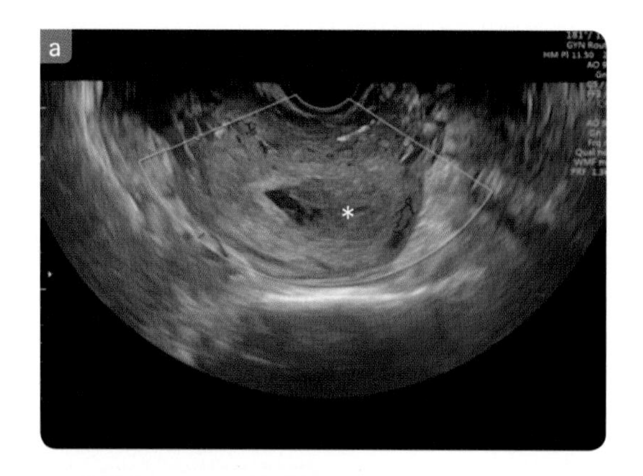

그림 3-9 자궁 내 핏덩이 및 용종의 도플러 초음파. (a) 자궁 안 피덩이의 색도플러 초음파 사진으로 덩이(*) 내부에 혈류가 보이지 않음. (b) 자궁 내막 용종(*)의 단순질초음파 및 (c) 자궁초음파검사(hysterosonography) 파워 도플러 초음파 사진으로 단순 초음파에 의해 자궁 내 덩이(*)를 발견 후 도플러 초음파를 통해 덩이 내부에 영양 혈관(화살표)을 찾아냄으로써 용종 또는 근종임을 알 수 있음. 이 환자의 경우 단일 영양 혈관과 형태학적 초음파 소견으로 용종을 의심하였고, 수술 후 자궁 내 용종으로 확진됨.

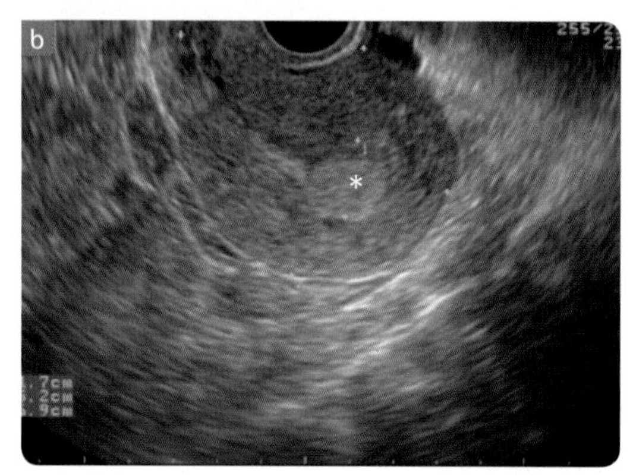

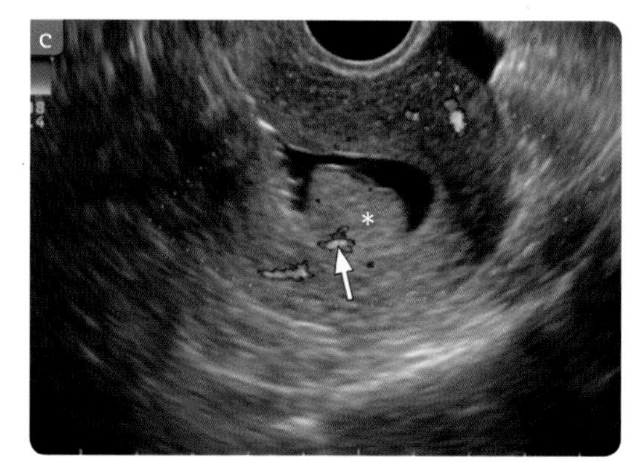

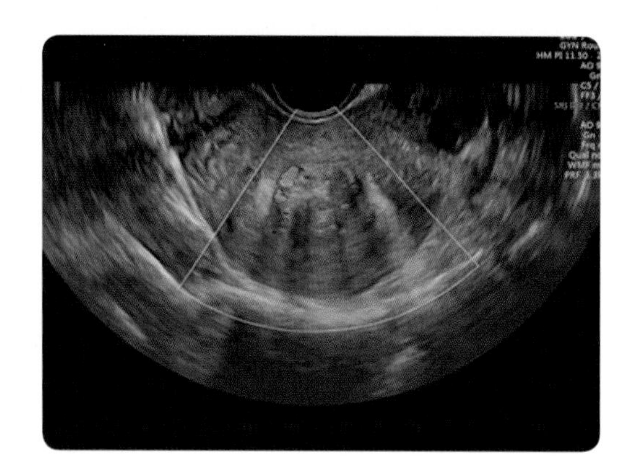

그림 3-10 점막하 자궁근종의 도플러 초음파. 2개 이상의 영양 혈관이 보임.

② 자궁선근증

병변에 혈관 분포가 희박하고 산재하는 양상을 보임(그림 3-8).

③ 자궁평활근육종

평활근육종의 혈관에서 더 낮은 저항지수를 보인다는 일부 보고가 있으나 일치된 견해는 없음. 자궁근종과 자궁평활근육종을 초음파 소견으로 구분할 수 있는 명확한 변수는 아직 없음.

(2) 자궁내막용종 및 점막하 자궁근종

① 자궁내막용종

i) 도플러 초음파를 통해 용종의 뿌리 안의 혈관이나 그 종양에 대한 영양 혈관을 찾아냄으로써 진단 가능(그림 3-9).

ii) 영양 혈관이 1개

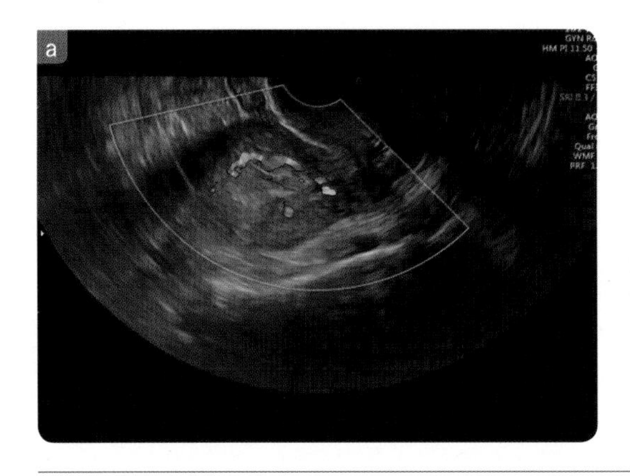

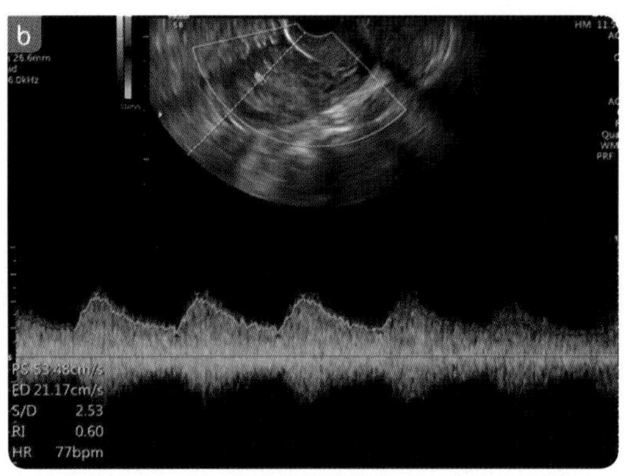

그림 3-11 **자궁내막암의 도플러 초음파.** (a) 76세 여성의 자궁내막에 파워 도플러 초음파 상 혈류가 증가된 불규칙한 혈관이 보임. (b) 같은 환자에서 자궁내막 혈류 펄스 도플러로 측정한 것으로 비교적낮은 저항지수와 높은 이완기 혈류를 보임.

iii) Pedicle artery sign(Timmerman 등, 2003) : 자궁내막 용종의 특징적인 색도플러 소견

② 점막하 자궁근종

i) 안쪽 자궁 근층에서 영양 혈관이 기시(그림 3-10)

ii) 영양 혈관이 여러 개

③ Fleischer 등(2003)은 초음파자궁조영(sonohysterography)과 도플러 초음파를 동시에 시행하면 감별 진단에 도움이 된다고 함.

(3) 자궁내막암

① 진단적 소파술과 같은 병리학적 검사가 반드시 시행되어야 함.

② 침습적 검사의 대상을 선정하기 위한 비침습적 검사: 회색조 질초음파와 도플러 초음파

③ 질초음파로 자궁내막 두께를 측정

i) 질출혈을 호소하는 폐경 여성에서 악성 병변의 감별을 위해 가장 널리 인정되는 검사

ii) 결정값 : 4-5 mm

iii) 검사의 한계

- 많은 보고에서 이 검사가 침습적 방법을 대체할 만큼 충분한 민감도와 특이도를 보이지 못함(Amit 등, 2000; Dorum 등, 1993; Karlsson 등, 1994).
- 결정값 이하의 자궁내막 두께를 가진 환자에서 자궁내막암이 나왔다고 보고함(Tabor 등, 2002).

④ 양성 종양과의 감별

i) 악성 종양 내의 신생 혈관 및 그로 인한 곁혈관(collateral vessels)의 저항 감소와 이완기 혈류 증가(그림 3-11)

ii) 자궁동맥, 자궁근층의 혈관 및 자궁내막 종양 내의 혈관으로 주로 감별

(i) Bourne 등(1990) : 자궁동맥의 박동지수 결정값으로 0.89 이하를 제시

(ii) Kupesic 등(1993) : 자궁동맥의 박동지수 결정값으로 0.64 이하를 제시

(iii) Weiner 등(1993) : 자궁동맥의 0.83 이하일 때 악성 종양의 민감도가 100%라고 보고하였으나 특이도가 낮음.

(iv) Chan 등, 1994; Conoscenti 등, 1995; Falm 등, 1995
자궁내막암의 경우 종양 신생 혈관 생성에 의한 혈액학적인 변화를 일으키기에는 혈관의 크기가 크다는 이유로 자궁동맥 및 자궁근층 혈관 도플러 검사는 단순 질초음파의 진단 정확도를 높이지 못한다고 보고함.
(v) Kurjak 등(1993) : 자궁 내막 혈관 저항지수가 0.40 이하, 정상 및 증식성 자궁내막 병변과 유의한 차이를 보인다고 보고함.
(vi) Amit 등, 2000; shets 등, 1995
정상 및 양성 질환과 악성 종양 간의 저항지수 값의 범위가 상당부분 겹쳐 단순 질초음파의 진단 정확도를 향상시키지 못한다고 보고함.
(vii) 폐경 여성의 자궁 내막 혈류의 유무만을 기준으로 한 경우
Kurjak 등(1993) : 정상과 자궁내막암에서 혈관 검출률을 각각 0%와 91%
Sladkevicius 등(1994) : 정상과 자궁내막암에서 혈관 검출률을 각각 14%와 48%
Shet 등(1995) : 정상과 자궁내막암에서 혈관 검출률을 각각 56%와 64%
(viii) Amit 등(2000) : 파워도플러를 이용한 검사에서도 검사 민감도는 향상되었지만 특이도가 낮았다고 보고함.

iii) Dueholm M 등(2017) : 비정상적인 자궁출혈이 있는 경우 자궁내막 두께(double endometrial thickness in sagittal plane), 자궁내막 형태(uniform, not uniform), 경계(linear/non-linear, irregular/not irregular), 자궁초음파조영술(contrast hysterosonography) 자궁내막 경계(regular/irregular, cauliflower-like/spiky), 병변의 사이즈와 에코, 도플러 초음파의 점수(1; no color, 2; with minimal color, 3; with moderate color, 4; with abundant color), 혈관 양상(single/double/multiple, focal/multifocal origin, with circular flow, caliber vessels, branching of vessels)으로 평가하여 양성과 악성을 감별

⑤ 결론
- 질초음파에 의한 자궁내막 두께 측정 검사의 음성 예측도가 매우 높아 도플러가 이 검사를 대신할 수 있다는 결론을 내리기에는 논란이 여지가 많음.
- 용종 등 양성 질환에 비해 자궁내막암에서 혈관의 개수가 많고 분지를 형성하는 경향과 낮은 저항지수를 가진다 점은 임상적 적용 가능
- 내막 조직 검사가 어려운 사람의 경우 도플러 초음파 검사가 매우 유용할 수 있음.

(4) 자궁동정맥기형

① 분류 : 선천적 또는 후천적 자궁동정맥기형
② 선천적인 경우
- 발생학적으로 모세혈관이 정상적으로 동맥과 정맥으로 분화하지 못하여 많은 혈관 생성 주위 구조물
- 서서히 자라 증상이 나타내기까지 잠복기를 가짐.

③ 후천적인 경우
- 골반수술이나 소파술, 자궁내장치 사용 등의 외상, 융모성 질환의 병력이나 생식기 악성 종양, 감염 등이 원인
- 동맥과 정맥간의 단일 연결 혈관
- 주위 구조물 침범하지 않음.

④ 초음파 소견 : 자궁근층에 저에코성 또는 무에코성 낭성 구조의 병변(그림 3-12 a)

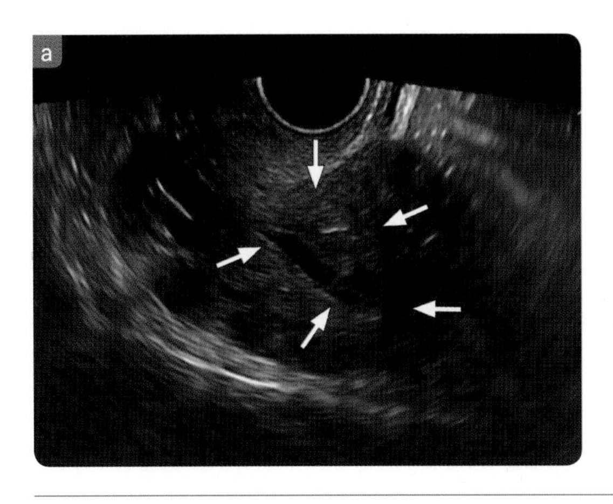

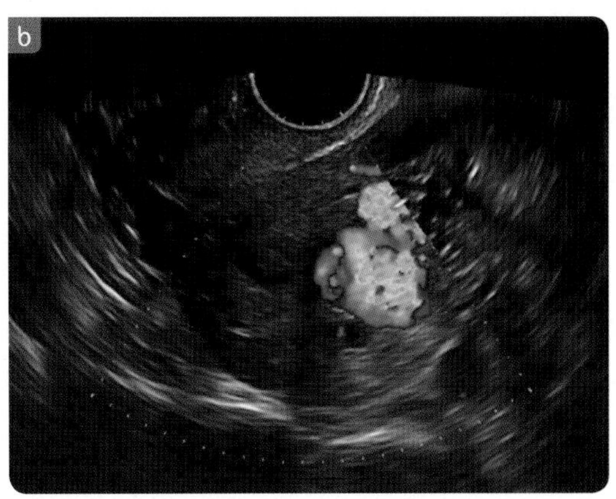

그림 3-12 **자궁동정맥기형 초음파소견.** (a) 57세 폐경여성이 질출혈로 내원하여 시행한 초음파에서 자궁근층에 무에코성의 튜브모양의 낭성구조물을 포함한 비균질성의 덩어리(화살표)가 관찰되었음. (b) 색도플러 초음파에서 붉은색과 푸른색이 섞여 있는 모자이크 형태의 특징적인 와류가 관찰되어 자궁동정맥기형진단하에 색전술을 시행하였음.

⑤ 진단

- 과거에는 혈관 조영술
- 현재는 색전술을 함께 하는 경우 혈관 조영술, 보통은 색도플러 초음파 검사
- 색도플러 초음파 소견은 붉은 색과 푸른 색이 섞여 있는 모자이크 형태의 특징적인 와류(그림 3-12 b)
- 펄스 도플러의 시간-속도 그래프 분석상 동맥은 0.51-0.65 정도의 낮은 저항지수를 가진 고속 혈류를 나타냄, 정맥도 이와 비슷한 형태를 보임.

⑥ 감별 진단

자궁의 기구 조작이나 혈청 베타사람융모막성선자극호르몬(β-hCG) 검사에서 양성 소견이 없었던 경우 동정맥루(arteriovenous fistula), 동정맥기형, 거짓동맥류 그리고 직접적인 동맥손상 등을 감별해야 함.

(5) 거짓동맥류(Pseudoaneurysm)

① 3개의 층으로 구성된 혈관벽의 부분적인 동맥 순환의 결함으로, 연조직이나 혈종, 얇은 섬유질 조직에 둘러싸인 혈관 누출에 의해 생김.

② 회색조 초음파 소견 : 박동성 저에코성 덩이로 보이며 주로 혈종이나 동맥류로 보임.

③ 도플러 초음파 소견 : 혈관의 경계를 넘어서는 붉은 색과 푸른 색이 섞여 있는 와류

④ 원인 : 동맥카테터 삽입술 이후의 동맥손상, 동정맥 문합 누출, 감염, 비정상적인 외상 및 염증

2 난소

1) 난소의 정상 혈관 분포

① 대동맥으로부터 나오는 난소동맥과 자궁동맥의 부속기 분지로부터 이중의 동맥혈 공급을 받고

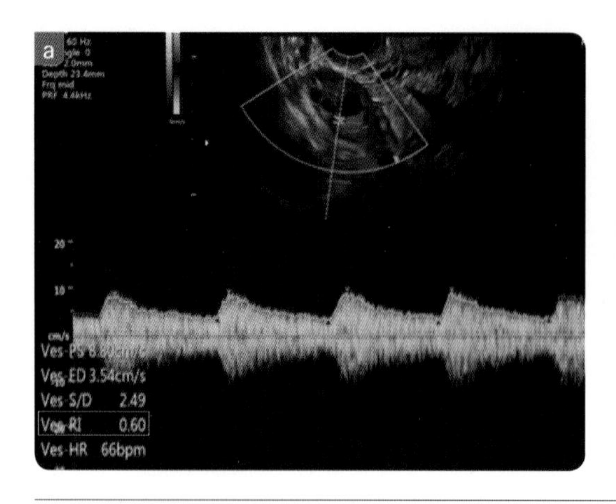

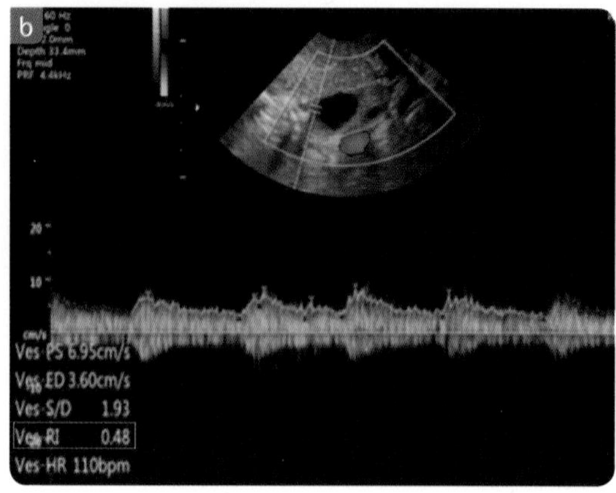

그림 3-13 우성 난포 존재 여부에 따른 난소의 도플러 초음파. (a) 정상 난소에서 우성 난포가 없는 실질의 색도플러 및 펄스 도플러 초음파 사진으로 0.60의 저항지수를 보임. (b) 우성 난포 주위의 혈관에 대한 색도플러 및 펄스 도플러 초음파 사진으로 저항지수 0.48로 우성 난포가 없는 실질에 비해 상대적으로 낮은 저항을 가진 혈류가 보임.

5-10개의 분지가 난소 내부로 들어감(그림 3-3).

② 난소 내에서 생리 주기에 따른 난포의 생성 및 소멸과 함께 혈관의 모양 및 혈류에 변화가 생김.

③ 난포 발달이 없는 시기에 난소의 동맥 혈류는 높은 저항을 나타내지만, 황체가 형성되는 시기에는 그 주위로 혈류가 늘어나고 혈류 저항이 낮아짐(그림 3-13).

④ 난소의 정맥은 보통 동맥과 나란히 위치하며 우측은 난소 정맥을 따라 하대 정맥으로 들어가고 좌측은 콩팥 정맥으로 들어감.

2) 난소 질환에서 도플러 초음파의 이용

(1) 양성과 악성 종양(경계성 암 포함)의 감별

① 정상 혈관과는 다른 악성 종양 내 신생 혈관의 특성

악성 종양의 신생 혈관은 주변 조직 및 기존 혈관에서 분비되는 혈관생성 인자에 의해 주변부에서 안쪽으로 자라 들어감.

i) 혈관벽을 구성하는 요소 중 평활근층이 적거나 없어 혈관 저항이 감소.

ii) 혈관 내강의 크기와 분지의 형태가 매우 불규칙

iii) 동맥 정맥 직접 단락이 존재하여 혈류가 증가

iv) 혈관 내피의 취약성으로 인해 혈액 내 높은 분자량을 가진 물질의 혈관 투과성이 매우 증가하여 종양 간질 내의 삼투압이 증가하게 되면서 종양 내 압력 분포의 이질성을 보임.

② 도플러 초음파 시간-속도 파형을 이용한 감별

혈관 저항이 감소하고 이완기 혈류가 증가하면, 최대 혈류 속도는 증가하고 저항지수와 박동지수는 감소

i) Kurjak 등(1989) : 저항지수 0.4를 결정값으로 하여 그 이하를 기준으로 했을 때 악성 종양 진단의 민감도 100%, 특이도를 97%로 보고함.

ii) 1990년대 초반까지 조금씩 다른 기준의 저항지

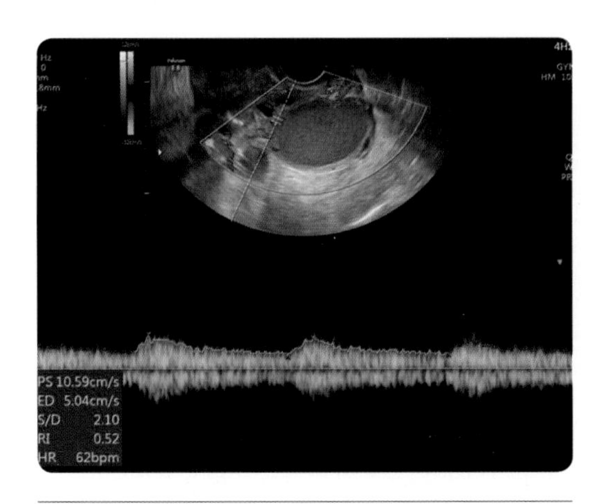

그림 3-14 자궁내막종의 도플러 초음파. 자궁내막종의 색도플러 및 펄스 도플러 사진으로 주변부의 저항지수 0.52의 낮은 저항을 가진 혈류가 보임. 그러나, 에코 발생 부위의 덩이 내부에는 혈류가 보이지 않음.

수, 박동지수를 이용하여 높은 진단 유용성을 보고하였는데 주로 저항지수 0.4 내지는 0.5 이하, 박동지수를 1.0 이하가 결정값으로 이용

iii) Bromley 등, 1994; Fleischer 등, 1991; Tekay 등, 1992
그 이후의 많은 보고에서 양성과 악성 종양의 저항지수 및 박동지수의 범위가 서로 상당부분 중복되며 특이도가 매우 낮아 선별검사로 이용하기에 적절하지 못하다고 함.

iv) Prompeler 등(1984) : 악성종양에서 평균 47.1 cm/s로 양성종양의 17.5 cm/s보다 높다고 제시함.

v) Fleischer 등(1993) : 오히려 악성종양에서 더 낮은 최대 혈류 속도를 보인다고 제시함.

vi) Ueland 등(2003) : 초음파에서의 종양의 형태학적 지수(morphologic index)를 기준으로 악성종양 진단의 정확성을 높일 수 있으나, 색도플러 초음파를 보조적으로 사용하는 경우 진단적 정확성을 높이지는 않는다고 보고함.

vii) Varras 등(2004) : 저항지수 0.4 이하, 박동지수 1.0 이하가 민감도 특이도가 높음. 보조적으로 혈청 CA-125의 값을 사용할 것을 제시함.

viii) Dodge 등(2012) : 색도플러 초음파는 단순초음파에 비해 민감도와 특이도에서 별 차이가 없음. 형태학적 점수화(morphologic scoring system)가 민감도와 특이도가 높으므로 색도플러는 보조적 수단으로 이용 가능하다고 제시함.

③ 상반된 결과를 보이는 이유

i) 난소암 뿐만 아니라 다른 질환에서도 낮은 저항과 높은 혈류 상태를 나타낼 수 있음.
(i) 황체 낭종, 자궁관 난소 농양과 같은 염증성 질환, 출혈성 낭종, 양성낭기형종, 자궁내막종(그림 3-14) 등.
(ii) 양성 종양은 폐경 전 여성에서 주로 발견.
(iii) 폐경 여성에서 이러한 낮은 저항의 혈류가 있다면 악성 가능성 의심.

ii) 검사의 재현성
(i) 악성 종양의 내부는 삼투압이 높은 부분과 낮은 부분이 함께 존재해 삼투압이 높은 부위는 혈류 저항이 높고 반대로 삼투압이 낮은 부분은 저항이 낮음.
(ii) 이러한 특성으로 인해 저항지수를 측정할 때 색도플러 초음파로 보면서 이완기 혈류가 많아 보이는 혈관뿐 아니라 가능하면 여러 곳의 혈류를 펄스 도플러로 측정하여 가장 낮은 수치로 결정하는 것이 바람직함.
(iii) 실제로 임상에서 도플러 초음파를 볼 때 단순 초음파에서 양성이 의심되는 경우에는 도플러 초음파를 시행하지 않거나 한두군데 혈

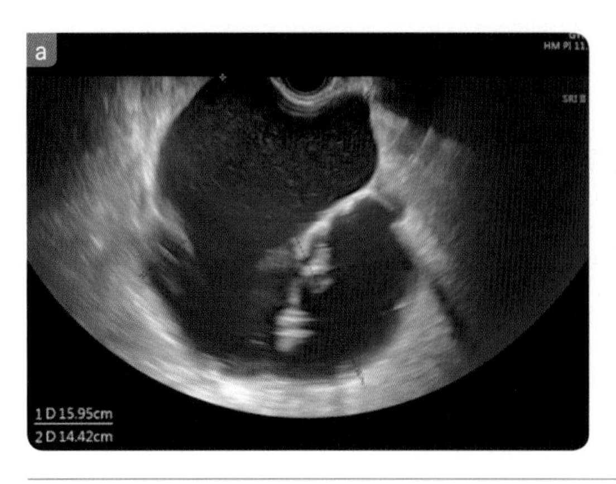

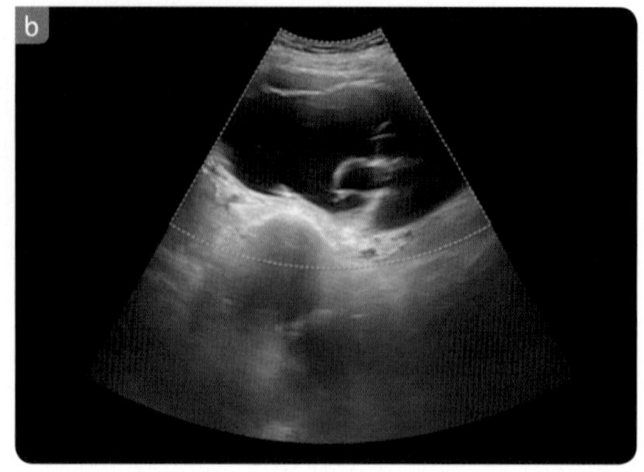

그림 3-15 다방성 낭종의 단순 초음파 사진과 색도플러 초음파 사진. (a) 다방성 낭종의 단순 초음파 검사 상 악성의 가능성을 완전히 배제할 수 없음. (b) 같은 환자에서 색도플러 초음파 상 난소 중격 부위에 혈류가 측정되지 않는 낭종의 경우 양성으로 간주됨. 이 환자의 경우 수술 후 양성 종양으로 판정.

류만을 측정하는 경우가 많고, 악성이 의심되는 경우 측정 부위의 수가 더 많아지는 경향이 있어 모든 경우에 적용되는 측정 기준이 없어 측정자마다 값이 달라지는 검사의 재현성의 문제가 있음.

iii) 초음파 기기마다 도플러 초음파의 혈류에 대한 민감도 및 전반적인 수준 차이, 여과기 및 탐촉지 주파수 설정 오류 등 기기 조작에 따라 상이한 결과를 얻을 수 있음.

④ 색도플러 초음파를 이용한 감별

i) 초음파에 의한 난소 종양의 형태학적 평가가 우수한 진단 유용성이 있다고 알려져 있지만, 에코발생(echogenic) 부위가 있는 자궁내막종, 낭기형종, 출혈성 낭종 등의 경우 진단이 어려움.

ii) 저항지수나 박동지수 등은 측정자에 따른 변동이 심해 단독 검사로는 선별 검사로서 이용될 수 없고 형태학적 평가의 진단 유용성도 향상시키지 못한다는 보고가 있음(Brown 등, 1994; Levine 등, 1994).

iii) 색도플러 초음파를 이용하여 악성 종양의 가능성이 높은 부위의 혈류 유무를 측정하여 형태학적 평가의 보조적인 수단으로 이용.

(i) Kurjak 등(1992) : 종양 내 혈관의 위치에 따라 중앙, 주변, 중격. 유두 모양 돌출, 낭종 주위 등 5부위로 나누어 양성 종양에서는 주로 주변부와 낭종 주위부에, 악성의 경우 중앙부와 유두 모양 돌출부에 혈관이 분포하는 경향이 많음. 악성 종양의 48%에서 주변부에 혈류가 존재하고, 양성 종양의 14%에서는 중앙부에 혈류가 존재한다고 하였으며 초기 발표들은 대부분의 양성 종양에서 도플러 색 신호가 발견되지 않는다고 함.

(ii) Kurjak 등(1989. 1990) : 양성 종양에서 0.06%, 정상 난소에서는 혈류가 발견되지 않는다고 함.

(iii) Tekay 등(1992) : 양성 종양의 89%, 정상 난소에서는 난포기에도 94%에서 혈류를 찾을 수 있다고 함.

표 3-1 도플러 초음파 검사를 포함한 초음파 병합 검사의 진단 유용성

발표자	연도	검사대상	민감도(%)	특이도(%)	평가방식
Kurjak 등	1992	174	97	95	형태학적 평가(75%)+도플러 평가(혈관분포 형태+저항지수, 25%)
			97	100	형태학적 평가(60%)+도플러 평가(혈관분포 형태+저항지수, 40%)
Buy 등	1996	132	88	97	형태학적 평가+도플러 평가(색도플러 혈류 유무)
Valentine 등	2000	173	92	81	형태학적 평가+도플러 평가(시간–평균 최대속도)
Guerriero 등	2002	147	95	94	형태학적 평가+도플러 평가(파워도플러 혈류 유무+저항지수+박동지수)
Alcázar 등	2003	705	100	94.9	형태학적 평가+도플러 평가(색도플러 혈류 유무 및 위치+혈류 속도 측정)

(iv) Buy 등(1996) : 전향적 연구에서 색도플러 초음파의 유용성을 종양의 종류에 따라 분류

- 에코발생 부위가 없는 단순 낭종의 경우 규칙적이고 가느다란 모양의 낭종벽이나 중격에서 보이는 혈류는 양성으로 간주
- 점액샘낭종(mucinous cystadenoma), 성숙낭기형종(mature cystic teratoma), 출혈성 낭종, 자궁내막종과 같이 단순 초음파상 형태학적으로 악성이 의심될 수 있는 에코발생 낭종(echogenic cystic masses)의 경우 혈류가 발견되지 않는다면 양성 종양을 시사(그림 3-15).
- 난소 섬유종은 초음파상 에코발생 낭종이나 장막하 자궁근종과 비슷한 소견을 보임. 색도플러상 장막하 자궁근종은 종양 테두리 및 주변부 및 종양 내부에서 많은 혈류가 검출됨. 그러나, 난소 섬유종의 경우 이러한 혈류 양상이 거의 발견되지 않음.
- 양성 종양의 경우 회색조 초음파에서 높은 민감도를 보이지만 특이도와 양성 예측도가 낮은 경향이 있는데 색도플러가 보완 가능함. 불규칙한 모양의 낭종벽이나 중격, 불규칙한 모양의 증식 및 유두모양 돌출부에 혈류가 검출된다면 악성을 시사함.
- Brown 등(1994)과 Jain 등(1994)은 악성종양의 유두모양 돌출부에서 색도플러상 혈류가 검출되지 않을 수 있다고 하였으나 이에 대하여 Buy 등(1996)은 돌출부의 크기에 따라 1 cm 미만의 악성 종양 돌출부에서는 혈류가 검출되지 않을 수도 있어 이를 고려해야 한다고 함.

⑤ 도플러 초음파 검사와 일반 초음파 검사 병합의 유용성(표 3-1)

i) 색도플러 초음파가 종양을 평가하는데 상당한 유용성이 있으나 저항 지수 및 박동지수와 같은 지표들은 치료 방침 결정에 단독으로 이용되기에는 한계가 있음.

ii) 초음파에 의한 종양의 형태학적 평가에 대한 보조적 수단으로서의 유용성에 대한 연구

(i) Kurjak 등(1992)

혈관의 위치, 혈관 분포 형태, 저항지수. 형태학적 평가를 생리주기에 따라 점수화 - 황체가 없는 증식기에는 높은 점수, 분비기에는 낮은 점수를 매김하여 최고 점수를 8점으로 하여 4점 이상일 경우 악성 종양이 의심. 97.3%의 민감도와 100%의 특이도를 보임.

(ii) Buy 등(1996)

저항지수 및 박동 지수는 재현성이 낮고 최대 혈류 속도는 민감도가 낮아 초음파의 형태학적 평가와 색도플러 초음파를 병합하여 검사하면 특이도가 형태학적 초음파 단독일 때 82%에서 병합검사 시 97%로 향상되어 진단 유용성이 가장 우수한 방법이리고 제시함.

(iii) Valentine 등(2000)

형태학적 평가(Lerner 점수체계)와 저항지수(결정값 0.4 이하), 박동지수(결정값 1.0 이하), 수축기 최대 속도(결정값 14.4 cm/s 이상) , 시간-평균 최대 속도(time-averaged velocity)(결정값 7.2 cm/s 이상) 및 색도플러 초음파 소견을 주관적으로 점수화한 지표 등을 각각 병합하여 진단 유용성을 비교. 민감도 92%, 특이도 81%를 보임.

(iv) Rieck 등(2006)

형태학적 평가와 함께 색도플러 초음파 대신 혈류 검출 민감도가 높은 파워도플러(Power Doppler) 초음파 결과에 따라 주관적으로 혈류(없음, 최소, 증가로 구분)를 이용하여 종양의 악성 가능성에 따라 I 단계 '양성'에서 V 단계 '악성' 까지 분류하고 III 단계인 '의심'을 양성 종양 판단의 결정값으로 함. 70%의 민감도, 91.1%의 특이도, 98.7%의 음성 예측도를 보임.

(v) Jiang 등(2016)

색도플러 초음파는 혈관의 혈류 흐름, 혈관 형태, 그리고 혈류의 속도, 저항지수, 박동지수나 다른 요인들과 같은 혈관의 동역학을 분석함으로써 많은 진단적 정보를 제공함.

(vi) 최근 International Ovarian Tumor Analysis (IOTA) 그룹에서 표준화된 초음파 프로토콜로 대규모 다기관 코호트 연구를 진행하였으며, 여러가지 진단 모델을 개발함. 진단 모델의 세부항목은 형태학적 평가, 도플러 평가 항목 및 CA-125을 포함하고 있으며, 도플러 평가의 경우, 색도플러 신호 강도에 따라 no blood flow (color score 1)부터 very strong blood flow (color score 4)로 분류함.

(vii) 결론

- 형태학적으로 양성인지 악성인지 판단이 어려운 경우, 회색조 초음파에 의한 형태학적 평가와 함께 색도플러 및 파워도플러 초음파에 의한 혈류 유무 평가를 병합 시행하는 것이 도움이 됨.
- 종양 내부의 에코발생 부위에 혈류가 발견되면 악성을 시사하며 혈류가 없다면 양성일 가능성이 높음.
- 종양 내 고형 부위, 유두 모양 돌출 부위 및 두껍고 불규칙한 중격에 혈류가 있으면 악성 가능성이 높음(그림 3-16).
- 혈류가 있는 경우 펄스 도플러 초음파에 의한 저항지수 등 지표들의 측정은 부가적으로 시행 하여 만약 낮은 저항(예를 들어 저항지수 0.4 이하, 박동지수 1.0 이하 등)을 보인다면 악성 종양일 가능성을 더욱 강하게 시사함.

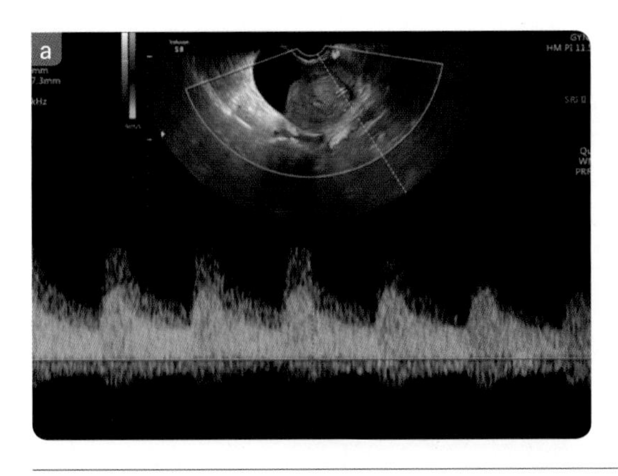

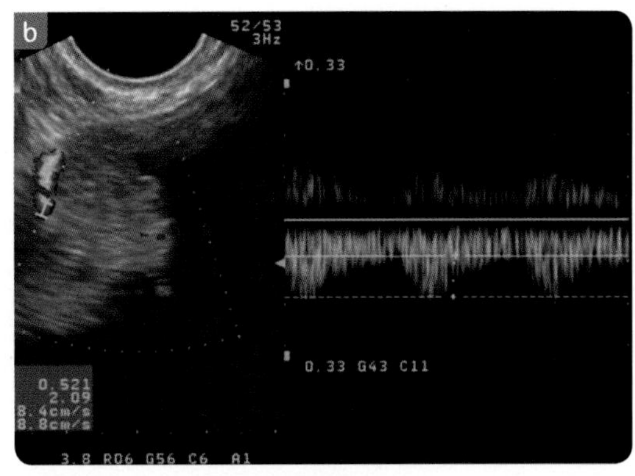

그림 3-16 난소암의 도플러 초음파. (a) 종양 내부의 혈관 도플러 초음파 검사 상 비교적 높은 이완기 혈류가 보임. (b) 난소 종양의 고형 부위 혈관에서 측정한 파워 도플러 및 펄스 도플러 사진으로 저항지수 0.52의 비교적 낮은 저항과 높은 이완기 혈류가 보임. 수술 후 병리 조직 검사에서 선암종(adenocarcinoma)으로 판명.

(2) 난소 종양 염전

① 진단 : 특징적인 증상과 난소 종양이 있을 때 의심. 도플러 초음파가 도움이 됨.

② 도플러 초음파 유용성

i) whirlpool sign : 도플러 초음파에서 자궁과 난소 사이의 혈관 줄기가 감기고 꼬여있는 소견.

ii) 수술 전 난소 보존 가능성을 평가하는데 이용

(i) Fleischer 등(1995) : 13명의 난소 염전 환자 중 초음파에서 난소 종양 내부에 정맥 혈류가 발견된 3명의 경우 난소를 보존할 수 있으나 혈류가 없는 10명은 난소 보존이 불가하였다고 보고함.

(ii) Tepper 등(1996) : 수술 후 난소 종양 염전으로 진단된 환자 모두(8명)에서 종양 내 혈류를 보이지 않았지만 이들 중 상당수(5명)에서 난소 내 허혈 소견이 보이지 않았다고 함.

(iii) Miller 등(2012) : 위음성률이 높아 진단 오류 가능성. 꼬여진 부속기는 난소의 이중 혈액 공급으로 인해 정상적인 도플러 혈류는 보이는 것으로 진단될 수 있음.

(iv) 난소 염전의 진단 및 예후 평가에 도플러 초음파 검사가 결정적인 단서가 되기는 어려우나 자궁과 난소 사이의 혈관 줄기가 꼬여 있는 것을 색도플러로 확인하거나 종양 내에 혈류가 없는 소견을 확인하여 진단에 보조적 수단으로 이용 가능(그림 3-17).

(3) 다낭성난소증후군(Polycystic ovarian syndrome)

① 진단 및 치료 평가에 도플러 초음파가 이용

② 다낭성 난소 환자에서 난소 실질의 혈류는 증가해 있고 저항 지수 및 박동지수는 감소하는 경향이 있는데, 이는 황체 형성 호르몬의 영향으로 혈관이 생성되었기 때문으로 생각됨.

③ 자궁동맥의 박동지수는 증가한다는 보고가 많은데, 이는 혈중 에스트라디올이 적고 안드로겐이 증가해 혈관을 수축시키는 역할을 하기 때문으로 생각됨.

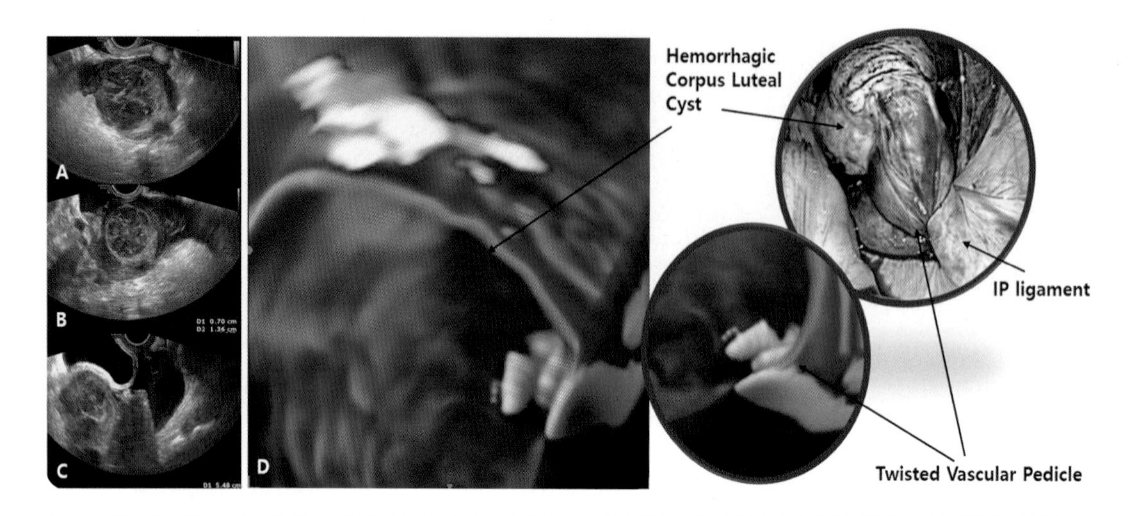

그림 3-17 (a–c) 출혈성 황체낭종이 난소난관염전으로 난소벽이 두꺼워지면서 전형적인 황체낭종 시 도플러 혈류가 환형으로 보이는 것과 달리 환형 분포하지 않음. (d) 크리스탈뷰 기능을 이용한 3차원 초음파. IP인대의 난소정맥과 동맥이 꼬이고 혈류가 단절된 상태가 확인되고 복강경 소견과 일치함.

④ Battaglia 등(1995) : 치료 후 안드로겐 농도가 낮아짐에 따라 자궁동맥 박동지수가 감소하였다고 보고함.

⑤ Zhu 등(2016)

색도플러 초음파에서 난소 실질의 혈류가 증가되어 있음. 많은 혈관 신생은 고 안드로겐 혈증을 가진 난포막내층(theca interna) (안드로겐 스테로이드 생성을 위한 부위)의 비정상적인 성장으로 이어질 수 있으며, 이는 다낭성 난소를 가진 환자에서 다낭성난소증후군과 난소과다자극증후군(OHSS)로의 악화 가능하다고 제시함.

⑥ 그러나 도플러 초음파가 다낭성 난소 증후군의 진단에 결정적으로 이용되기에는 한계가 있음.

3 기타 부인과 질환

(1) 골반울혈증후군(Pelvic congestion syndrome)

① 6개월 이상의 골반통을 가진 폐경 전 다산부에서 선택적 난소 정맥촬영술(ovarian venography) 상 골반 정맥의 울혈 소견을 보이는 것.

② 원인

임신 때 확장된 정맥이 출산 후 크기가 줄지 않거나 자궁의 지나친 후굴 등 비정상적인 위치로 인해 정맥이 눌려 혈관 기능 저하 시 역방향 혈류 흐름 등이 나타남.

③ 초음파 소견

i) 정상적인 골반 정맥 얼기는 한 두개의 곧은 관상 구조를 가지며 크기는 5 mm 이하이나 5mm 이상으로 측정.

ii) 자궁근층을 지나는 5 mm 이상의 큰 활꼴 정맥이 정상인에 비해 더욱 흔히 발견.

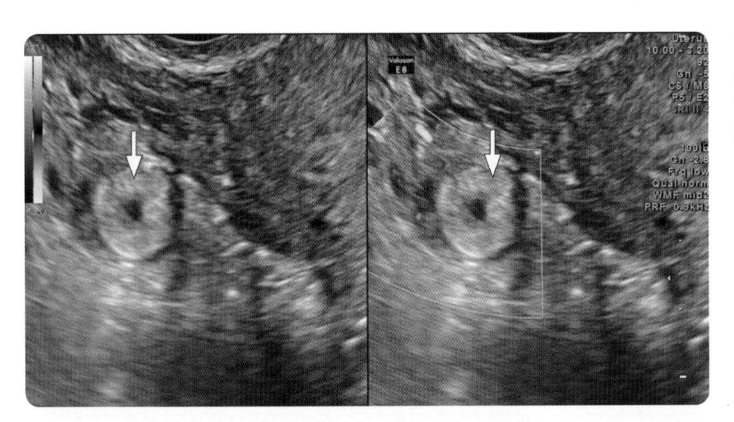

그림 3-18 자궁외임신(난관임신)의 도플러 초음파. 자궁외 임신덩이(화살표) 가장자리로 원형 혈류가 보임.

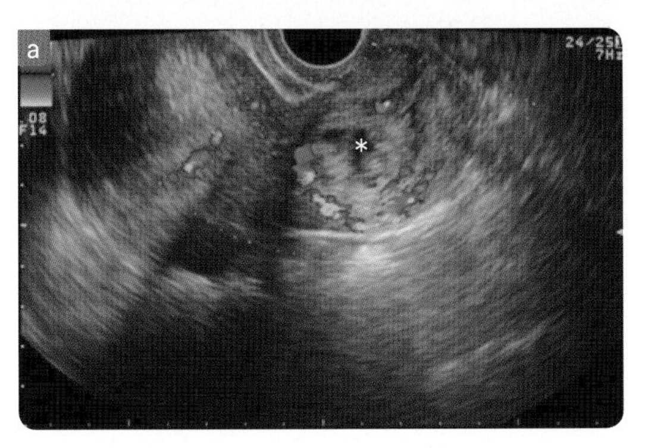

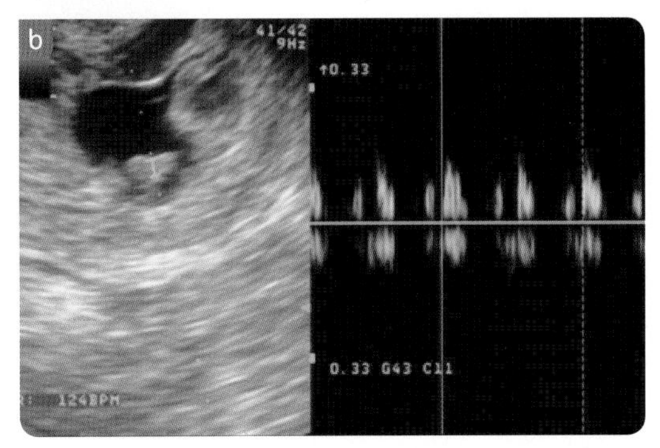

그림 3-19 자궁경부 임신의 도플러 초음파. (a) 자궁경부 임신낭(*) 주변에 특징적인 혈류가 관찰됨. (b) 같은 환자에서 임신낭 안에 태아 심박동이 관찰됨.

iii) Giacchetto 등(1990)과 Kennedy 등(1990) : 골반 울혈 증후군에서 색도플러 초음파 검사상 완만하게 굽거나 곧은 다수 골반 정맥들의 크기가 5 mm 이상인 경우 의심할 수 있음.

iv) Mayer 등(2000) : 골반 정맥류에서 펄스 도플러 시간-속도 그래프 시행 시 발살바조작 시작 직후 혈류속도가 증가했다가 다시 원상 복귀되는 것을 중요한 소견임.

v) Park 등(2003) : 초기 혈류 증가뿐 만 아니라 혈류 변화가 없거나 중간에 소실되는 소견, 그리고 역류하는 등 다양한 소견을 보일 수 있음.

vi) 골반정맥불균형(pelvic venous insuffiecncy) 기능이 떨어진 난소와 골반 정맥의 역행성 혈류 흐름에 의해 발생하는 병태 생리학적 기전으로 골반통을 유발(Knuttinen 등, 2015)

- 발살바조작이나 선 자세에서 시행한 도플러 초음파에 혈류가 없거나 역행함.
- 4 mm 이상으로 직경이 확장되면서 구부러진 정맥, 혈류 속도가 3 cm/s 미만, 골반 정맥류와 연결되는 자궁근층에서 활꼴 모양의 정맥이 확인되는 경우 진단 가능.

(2) 자궁외임신

① 정상 임신낭과 구별되는 초음파 소견(Mausner

등, 2017)

i) 'ring of fire' : 낮은 저항의 혈류로 자궁외임신 덩이 가장자리로 원형 혈류가 보임(그림 3-18).

ii) 자궁경부 자궁외임신

자궁경부에서 영양막 주변의 특징적인 혈류를 가진 임신낭을 확인할 수 있음(그림 3-19).

색도플러 초음파를 통해 자연 유산과 자궁외 임신의 감별 가능.

iii) 제왕절개 수술 부위 자궁외임신

자궁내막에 임신낭이 보이지 않으며 제왕절개 수술 부위의 자궁 앞쪽 하절부(anterior low segment)에서 'ring of fire' 형태의 임신낭이 확인됨. 또한 임신낭이 있는 부위의 자궁근층이 얇아져 보임.

iv) 복강내 자궁외임신

자궁 내에 임신낭이 보이지 않으며, 난관의 확장, 자궁 부속기 덩이가 보이지 않음.

더글라스와(duglas pouch)나 자궁넓은인대(broad ligament)에서 가장 많이 보이나 그 외에 다른 부위에서도 확인 가능.

v) 난소의 황체 낭종과 유사하여 감별이 필요함.

② 덩이 주위의 원형의 색도플러 혈류가 초기 또는 활성이 없는 경우 자궁외임신 덩이의 크기가 작거나 난관 이외의 초음파에서 찾기 힘든 다른 부위를 색도플러를 이용해 찾기도 함.

③ 크기가 작은 경우 약물을 이용한 내과적 치료 및 보존적 치료 후 반응을 추적 관찰 시 이용하기도 함.

참 고 문 헌

1. Alcázar JL, Mercé LT, Laparte C, Jurado M, López-García G. A new scoring system to differentiate benign from malignant adnexal masses. Am J Obstet Gynecol. 2003;188: 685-92.
2. Amil A, Weiner Z, Ganem N, Kemer H, Edwards CL, Kaplan A, et al . The diagnostic value of power Doppler measurements in the endometrium of women with postmenopausal bleeding. Gynecol Oncol 2000; 77: 243-7.
3. Battaglia C, Artrni PG, D'Ambrogio G. Genazzani AD. Genazzani AR. The role of color Doppler imaging in the diagnosis of polycystic ovary syndrome. Am J Obstet Gynecol 1995; 172: 108-13.
4. Bignardi T, Van den Bosch T, Condous G. Abnormal uterine and post-menopausal bleeding in the acute gynaecology unit. Best Pract Res Clin Obstet Gynaecol. 2009; 23(5): 595-607.
5. Bourne TH, Campbell S, Whitehead MI. Royston P, Steer V, Collins WP. Detection of endometrial cancer in postmenopausal women by transvaginal ultrasonography and colour flow imaging. Brit Med J 1990:301-69
6. Bromley B, Goodman H, Benacerraf BR. Comparison between sono-graphic morphology and Doppler waveform for the diagnosis of ovarian malignancy. Obstet Gynecol1994; 83: 434-7
7. Brown DL, Frates MC, Laind FC, Disalvo ON, Doubilet PM, Benson CB. et al. Ovarian masses: can benign and malignant lesions be differentiated with color and pulsed Doppler US? Radiology 1994; 190: 333-6
8. Buy JN. Ghssain MA. Hugol D, Hassen K, Sciot C, True JB. et al. Characterization of adnexal masses: combition of color Doppler and conventional sonog-

raphy compared with spectral Doppler analysis and conventional sonography alone. AJR Am J Roentgenol 1996; 166: 385-93.

9. Chan FY, Chan MT, Pun TC. Limitations of transvaginal sonography and color Doppler imaging in the differentiation of endometrial carcinoma from benign lesions. J Ultrasound Med 1993; 13: 623-8.
10. Conoscenti G, Meir YJ, Fischer-Tamaro L. Endometrial assessment by tranvaginal sonography and histological findings after D&C in women with postmenopausal bleeding. Ultrasound Obstet Gynecol 1995; 6: 108-15.
11. Cura M, Martinez N, Cura A, Dalsaso TJ, Elmerhi F. Arteriovenous malformations of the uterus. Acta Radiol. 2009; 50(7): 823-9.
12. Dodge JE, Covens AL, Lacchetti C, Elit LM, Le T, Devries-Aboud M, Fung-Kee-Fung M; Gynecology Cancer Disease Site Group. Preoperative identification of a suspicious adnexal mass: a systematic review and meta-analysis. Gynecol Oncol. 2012; 126(1): 157-66.
13. Dorum A. Kristensen GB. Langebrekke A. Sornes T. Skaar 0. Evaluation of endometrial thickness measured by endovaginal ultrasound in women with postmenopausal bleeding. Acta Obstet Gynecol Scand 1993; 72: 116-9.
14. Dueholm M, Hjorth IM. Structured imaging technique in the gynecologic office for the diagnosis of abnormal uterine bleeding. Best Pract Res Clin Obstet Gynaecol. 2017; 40:23-43.
15. Flam F, Almstorn H, Hellstrom AC. Moberger B. Value of uterine artery Doppler in endometrial cancer. Acta Oncol 1995; 34: 779-82.
16. Fleischer AC. Rodgers WH. Kepple DM, Williams LL, Jones HW. Color Doppler sonography of ovarian masses: a multiparameter analysis. J Ultrasound Med 1993; 12: 41-8.
17. Fleischer AC, Rodgers WH, Rao BK, Kepple DM. Worrell JA. Williams L, et al. Assessment of ovarian tumor vascularity with transvaginal color Doppler sonography. J Ultrasound 1991; 10: 563 -8.
18. Fleischer AC, Shapell HW. Color Doppler sonohysterography of endometrial polyps and submucosal myomas. J Ultrasound Med 2003; 22: 601-4.
19. Giacchetto C, Cotroneo GB, Marincolo F, Cammisuli F, Caruso G, Catizone F. Ovarian varicocele: ultrasonic and phlebographic evaluation. J Clin Ultrasound 1990; 18: 551-5
20. Guerriero S, Alcazar JL, Coccia ME, Ajossa S, Scarselli G, Boi M, Gerada M, Melis GB. Complex pelvic mass as a target of evaluation of vessel distribution by color Doppler sonography for the diagnosis of adnexal malignancies: results of a multicenter European study. J Ultrasound Med. 2002; 21:1105-11.
21. Jain KA. Prospective evaluation of adnexal masses with endovaginal grayscale and duplex and colour Doppler US: correlation with pathologic findings. Radiology 1994; 191: 63-7.
22. Jiang ZH, Li KT, Tian JW, Ren M. An overview of the development and application of the sonographic scoring system: differentiation of malignant from benign ovarian tumors. Arch Gynecol Obstet. 2016; 293(2): 303-10.
23. Kaijser J, Bourne T, Valentin L, Sayasneh A, Van Holsbeke C, Vergote I, et al. Improving strategies for diagnosing ovarian cancer: a summary of the International Ovarian Tumor Analysis (IOTA) studies. Ultrasound Obstet Gynecol. 2013;41:9-20.
24. Karlsson B, Granberg S, Helberg P, Wikland M. Comparative study of transvaginal sonography and hysteroscopy for the detection of pathologic endometrial lesions in women wilh postmenopausal bleeding. J Ultrasound Med 1994; 13: 757 -62.
25. Kennedy A, Hemingway A. Radiology of ovarian varices. Br J Hosp Med 1990; 44: 38-43
26. Knuttinen MG, Xie K, Jani A, Palumbo A, Carrillo

T, Mar W. Pelvic venous insufficiency: imaging diagnosis, treatment approaches, and therapeutic issues. AJR Am J Roentgenol. 2015; 204(2): 448-58
27. Kurjak A. Jurkovic D. Alfirevic Z, Zalud I. Transvaginal color Doppler imaging. J Clin Ultrasound 1990; 18: 227-34.
28. Kurjak A, Predanic M. New scoring system for prediction of ovarian malignancy based on transvaginal color Doppler sonography. J Ultrasound Med 1992; 11: 631-5.
29. Kurjak A, Shalan H, Sosic A, Benic S, Zudenigo D. Kupesic S. et al. Endometrial carcinoma m postmenopausal women: evaluation by transvaginal color Doppler ultrasonography. Am J Obstet Gynecol 1993; 169: 1597-603.
30. Kurjak A, Zalud I, Jurkovic D. Alfirevic Z, Miljan M. Tranvaginal colour Doppler assessment of pelvic circulation. Acta Obstet Gynecol Scand 1989; 68: 131-5.
31. Kupesic S, Shalan H. Kurjak A. Early detection of endometrial cancer by transvaginal colour Doppler. Eur J Obstet Gynecol Reprod Biol 1993; 49: 46 -9.
32. Levine D, Feldstein VA, Bobcook CJ, Filly RA. Sonography of oovarian masses: poor sensitivity of resistive index for identifying malignant lesions. Am J Radiol 1994; 162: 1355-9.
33. Mayer AL, Machan LS. Correlation of ultrasound and venographic findings in pelvic congestion syndrome. J Vasc Interv Radiol 2000; 11[Suppl]:221.
34. Mausner Geffen E, Slywotzky C, Bennett G. Pitfalls and tips in the diagnosis of ectopic pregnancy. Abdom Radiol (NY). 2017; 42(5): 1524-42.
35. Miller RW, Ueland FR. Risk of malignancy in sonographically confirmed ovarian tumors. Clin Obstet Gynecol. 2012; 55(1): 52-64.
36. Park SJ. Lim JW, Ko YT. Lee DH, Yoon Y, Oh JH, el al. Diagnosis of pelvic congestion syndrome using transabdominal and transvaginal sonography. AJR Am J Roentgenol 2004; 182: 683-8.
37. Polat P, Suma S. Kantarcy M. Alper F, Levent A. Color Doppler US in the evaluation of uterine vascular abnormalities. Radiographics 2002; 22: 47-53.
38. Prompeler HJ, Madjar H, Sauerbrei W. Lattermann U. Pfleiderer A. Quantitative flow measurements for classification of ovarian tumors by tansvaginal color Doppler sonography in postmenopausal patients. Ultrasound Obstet Gynecol 1994; 4: 406-13.
39. Shwayder J, Sakhel K. Imaging for uterine myomas and adenomyosis. J Minim Invasive Gynecol. 2014; 21(3): 362-76.
40. Shets S, Hamper UM, McCollum ME, Caskey Cl. Rosenshein NB, Kurman RJ. Endometrial blood flow analysis in postmenopausal women: can it help differentiate benign from malignant causes of endometrial thickening? Radiology 1995; 195: 661-5.
41. Sladkevicius P, Valentin L, Marsal K. Endometrial thickness and Doppler velocimetry of the uterine arteries as discriminators of endometrial status in women with postmenopausal bleeding: a comparative study. Am J Obstet Gynecol 1994; 171: 722-8.
42. Tabor A, Watt HC, Wald NJ. Endometrial thickness as a test for endometrial cancer in women with postmonopausal vaginal bleeding. Obstet Gynecol 2002; 99:6 63-70.
43. Taylor KJ, Holland S. Doppler US. Part I. Basic principles. Instrumentation, and pitfalls. Radiology 1990; 174: 297-307.
44. Tekay A, Jouppila P. Validity of pulsatility and resistance indices in classification of adnexal tumors with transvaginal color Doppler ultrasound. Ultrasound Obstet Gyneco l1992; 2: 338-44.
45. Tepper R, Zalel Y, Goldberger S, Cohen I, Markov S, Beyth Y. Diagnostic value of transvaginal color Doppler flow in ovarian torsion. Eur J Obstet Gynecol Reprod Biol 1996; 68: 115-8.
46. Testa AC, Di Legge A, Bonatti M, Manfredi R, Scam-

bia G. Imaging techniques for evaluation of uterine myomas. Best Pract Res Clin Obstet Gynaecol. 2016; 34: 37-53.

47. Ueland FR, DePriest PD, Pavlik EJ, et al. Preoperative differentiation of malignant from benign ovarian tumors: the efficacy of morphology indexing and Doppler flow sonography. Gynecol Oncol. 2003; 91: 46–50.

48. Varras M. Benefits and limitations of ultrasonographic evaluation of uterine adnexal lesions in early detection of ovarian cancer. Clin Exp Obstet Gynecol. 2004; 31: 85–98.

49. Weiner Z. Beck D. Rottem S, Brandes JM, Thaler I. Uterine artery flow velocity waveforms and color flow imaging in women with perimenopausal bleeding. Acta Obstet Gynecol Scand 1993; 72: 162-6.

50. Zhu RY, Wong YC, Yong EL. Sonographic evaluation of polycystic ovaries. Best Pract Res Clin Obstet Gynaecol. 2016; 37: 25-37.

부인과영역의 3차원 초음파

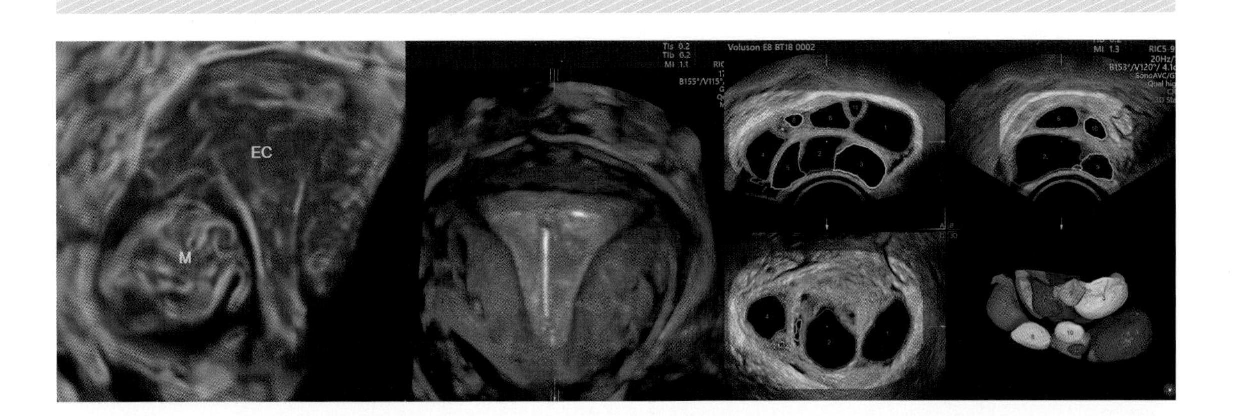

김사진_ 가톨릭의대 산부인과
김미란_ 가톨릭의대 산부인과
김민정_ 가톨릭의대 산부인과
송재연_ 가톨릭의대 산부인과
윤주희_ 가톨릭의대 산부인과
이근호_ 가톨릭의대 산부인과
정윤지_ 가톨릭의대 산부인과
조현희_ 가톨릭의대 산부인과

부인과영역의 3차원 초음파

04

1 3차원 초음파의 역사

- 초음파는 산부인과 영역에서 중요한 진단 도구로, 과거에는 주로 의사의 진찰에 의해 진단이 이루어졌으나, 초음파가 도입되면서 초음파에 대한 의존도가 매우 높아짐.

  1970년대 초에 처음으로 2차원 초음파가 소개되면서 골반안의 구조를 볼 수 있게 되었으며, 1980년대 후반에 3차원 초음파가 소개되면서 산부인과 영역에서 더 많은 정보를 얻을 수 있게 되었음.
- 1973년 Tom Brown이 처음으로 3차원 다평면 스캐너(Multiplaner scanner)를 개발한 이래, 1980년대 초기에 초음파 및 컴퓨터 기술들이 개선되면서 3차원 영상에 대한 연구가 시작됨.
- 부인과 영역에서의 이용은 자궁기형을 정확히 감별하는데 3차원 초음파는 자궁기형의 감별, 자궁강의 평가, 자궁내막종괴, 유착, 자궁관-난소 종괴, 물자궁관, 난소 물혹, 작은 크기의 난소내 종양 및 뮐러관 기형 등의 감별에 유용.

  3차원 색/파워도플러는 종양 내 혈류 흐름을 가시화 할 수 있으며, 특정한 자궁목암과 난소암을 평가하는데 유용함. 전산화 단층 촬영, 자기공명영상 검사 등 보다 정확도는 떨어지나 실시간 시행하고 쉽게 사용할 수 있다는 점에서 부인과 질환을 진단하는데 유용하게 사용할 수 있음

2 부인과 영역

1) 자궁

(1) 자궁의 배아기적 발달

배아기 동안 자궁은 임신 10주경에 두 개의 뮐러관이 정중선에서 결합되어 상부는 세포의 증식이 일어나는 동시에 하부는 세포의 용해가 일어나서 자궁강이 만들어지고 상부의 두꺼운 쐐기 모양의 중격은 서서히 퇴화하여 20주가 되면 완전히 없어짐.

융합과 퇴화 과정의 문제로 단각자궁(한 개 뮐러관만 발달), 쌍각자궁(두개 뮐러관 발달 + 자궁저부 부분융합), 궁상자궁(자궁내막 모양의 변화), 중격자궁(융합된 중격의 소실 부전), 이중자궁(융합 부전) 등이 발생.

쌍각자궁은 자궁저부의 함몰 정도에 따라 완전쌍각자궁, 부분쌍각자궁으로 구별. 중격자궁 역시 완전중격자궁, 부분중격자궁으로 구별함.

완전중격자궁은 자궁 저부에서 자궁목까지 연장되어 있고 때로는 질까지 연장되어 질중격이 동반될 수 있으며 드물게 이중자궁목이 동반되는 경우도 있음(Balasch 등, 1996; Chang 등, 2004; Sharara, 1998; Wai 등, 2001). 이 경우 이중 자궁으로 혼돈되어 진단되는 경우가 많으므로 정확한 진단을 위해 초음파, 전산화 단층촬영, 자기 공명영상 및 자궁관 촬영이 도움을 줄 수 있음.

(2) 선천성 자궁기형

선천성 자궁기형의 빈도는 약 3-4% 로 알려짐. 선천성 자궁기형은 불임, 유산, 무월경, 하복부 동통, 비정상적인 질출혈 등의 산부인과적 문제가 있어야 발견됨.

① 선천성 자궁기형의 분류(그림 4-1)

Buttram과 Gibbons의 분류를 바탕으로 미국불임학회에서 제시한 자궁기형의 분류가 현재 널리 상용되는 분류 방법이나(Buttram 등, 1979) 분류 상에 언급되지 않은 다른 기형이 보고되기도 함(Pavone 등, 2006).

② 선천성 자궁기형의 진단 방법

자궁기형의 진단을 위해서는 자궁의 내부 모양과 외부 모양을 모두 평가하여야 함. 자궁기형의 진단 방법으로는 내진, 자궁관조영술, 자궁경, 복강경, 자기공명영상, 2차원초음파, 3차원초음파, 2차원질초음파, 3차원질초음파 등 여러 가지 방법이 있음.

i) 자궁관조영술

자궁기형 진단을 위한 전통적인 방법. 통증, 골반염 발생, 조영제 부작용, 방사선 노출, 침습적인 과정 등이 단점임. 자궁강과 자궁관 개통성에 대한 가치 있는 정보를 제공하지만 자궁의 외부모양에 관한 명확한 정보를 제공하지는 못함. 쌍각자궁과 부분중격자궁의 구별이 어려워 개복술이나 복강경술을 통해 최종 진단이 내려짐(Braun 등, 2005).

ii) 자궁경

자궁경의 장점은 자궁강을 직접 확인할 수 있으며 중격제거같은 치료를 동시에 할 수 있다는 것임. 단점은 침습적이며 자궁관 개통성 확인이 안된다는 것, 자궁외형 평가가 안된다는 것임. 또한 자궁경에 따르는 자궁천공, 감염, 출혈, 색전증 발생 가능성 있

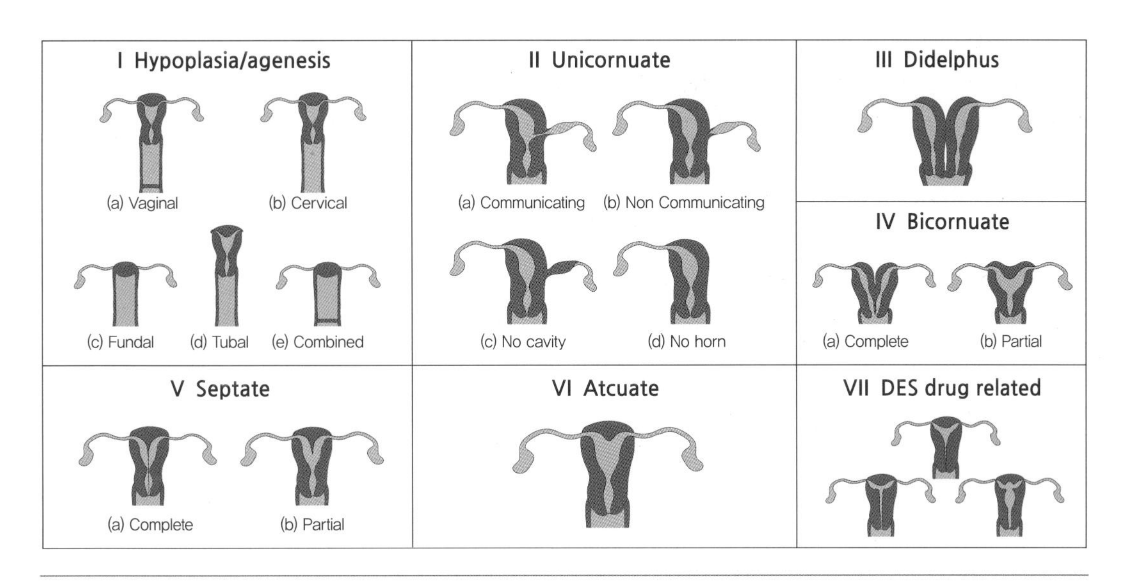

그림 4-1 Classification of congenital uterine anomalies according to the American Fertility Society (1988).

음. 그러나 자궁경과 함께 복강경을 실시하면 자궁의 모양을 확인할 수 있고 쌍각자궁인 경우는 자궁경에 의한 자궁파열 등의 위험성을 피할 수 있으며 유착 및 자궁내막증과 같은 불임에 영향을 미칠 수 있는 요인들을 확인하고 치료할 수도 있음(Goluda 등, 2006;Grimbizis 등, 2001; Lee 등, 1999; Philbois 등, 2004).

iii) 자기공명영상, 전산화 단층촬영

자기공명영상과 전산화 단층촬영은 비교적 정확하게 선천성 자궁기형 진단을 내릴 수 있고 동반된 신장의 기형 및 부인과 질환을 함께 진단할 수 있는 좋은 방법임.

iv) 초음파

- 초음파는 자궁내부와 외부의 모양을 파악하는데 있어서 자기공명영상 대신 사용할 수 있는 유용한 진단방법임. 침습성이 없고 상대적으로 저렴함. 더욱이 질초음파는 골반기관에 근접해서 해부학적으로 더 자세한 영상을 얻을 수 있음(Pellerito 등, 1992). 선천성자궁기형의 선별검사에서 초음파의 민감도는 100%까지도 보고됨. 2차원 초음파의 단점은 기형 종류 구별이 어렵고 검사자 의존적이라는 것임. 제3자가 객관적으로 인정하기 어려운 영상인 경우가 많음. 식염수를 자궁 내에 주입하여 초음파를 시행하는 초음파자궁식염수조영술이 효과적이며 초음파자궁식염수조영술은 월경이 끝난 난포기에 시행하는 것이 좋으며 자궁관조영술보다 더 정확하게 자궁내부의 병적 현상을 진단할 수 있다고 하였음(Bartkowiak 등, 2006; La Torre 등, 2003; Ragni 등, 2005).
- 3차원 질초음파는 2차원 초음파의 문제점을 극복할 수 있는 비침습적인 방법으로 자궁강의 영상과 자궁 외부모양의 영상을 얻을 수 있는 좋은

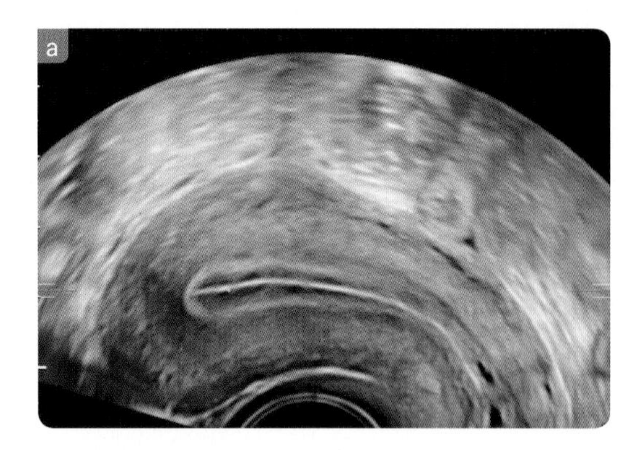

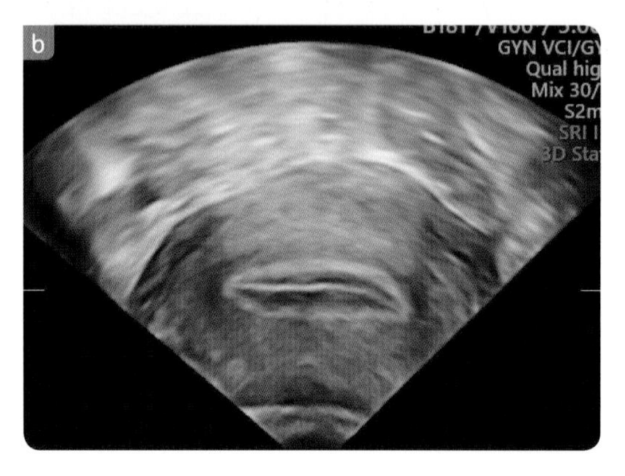

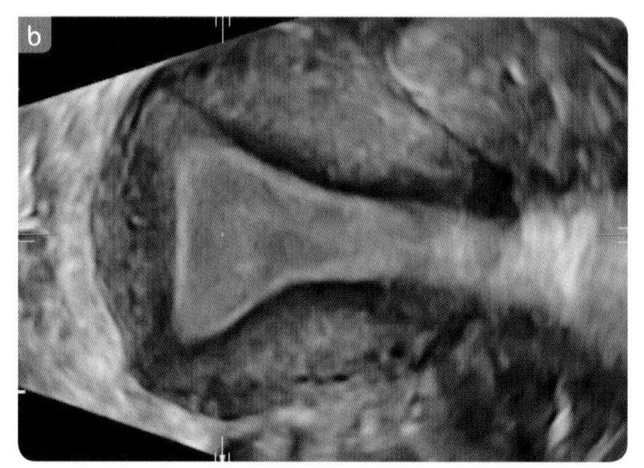

그림 4-2 자궁의 3차원 질초음파. (a) 종단면 (b) 횡단면 (c) 관상면. 관상면에서 자궁저부에서 자궁근층과 자궁내막의 관계를 보여주고 전자궁강의 윤곽과 자궁각의 모양을 볼 수 있음.

방법임. 이 방법은 스캔면의 수와 방향의 제한을 받는 해부학적 제한을 극복한 방법이므로(Jurkovic 등, 1995; Jurkovic 등, 1997) 얻어진 영상은 제3자에 의해서도 쉽게 이해될 수 있음.
연구에 따라 민감성과 특이성의 차이가 있긴 하나 2차원 질초음파와 비교해서 민감성과 특이성이 높음. 또한 자궁강과 자궁근층을 동시에 볼 수 있어서 정확한 진단이 가능함.

가장 유용한 스캔면은 자궁저부로부터 자궁목까지의 전체의 횡단면을 스캔해서 한 영상에서 자궁의 내외부 모양을 볼 수 있는 자궁의 관상면을 얻는 것임. 관상면에서 자궁저부에서 자궁근층과 자궁내막의 관계를 보여주고 전자궁강의 윤곽과 자궁각의 모양을 볼 수 있음(그림 4-2).

3차원 초음파를 이용한 초음파의 자료는 쉽게 얻어지고 저장되어 원래의 자료의 손실이 없이 후향적으로 원하는 시각에 다른 각도에서 영상을 만들 수 있어서 처음에 발견하지 못하였던 부분에 대해서 기형 등의 문제점을 재발견할 수 있고 원하는 부위의 영상을 확대 축소 등 여러 방향으로 영상을 재구성할 수 있는 이점도 있음.

다른 또 하나의 이점은 3차원 확장 영상을 이용하여 2차원영상에서 다중절편 영상과 사면영상을 구할 수 있는 것임. 다중절편 영상에서는 여러 면에 대한 연속적인 영상을 얻음으로써 관상면, 시상면의 여러면에 대한 영상을 한 번에 관찰

표 4-1 Classification of congenital uterine anomalies according to 3D transvaginal ultrasonography

Uterine structure	Fundal contour	External contour
Normal	Straight or convex	Uniformly convex or with indentation <10mm
Arcuate	Concave fundal indentation with central point of indentation at obtuse angle	Uniformly convex or with indentation <10mm
Subseptate/ septate	Presence of septum that dose (septate) or not (subseptate) extend to the cervix	Uniformly convex or with indenatation <10mm
Bicornuate	Two well-formed uterine cornua, with convex fundal contour in each	Fundal indentation >10mm dividing the 2 cornua

출처 : Woelfer B, Salim R, Banerjee S, et al. Reproductive outcomes in women with congenital uterine anomalies detected by three-dimensional ultrasound screening. Obstet Gynecol. 2001; 98: 1099–1103 (oelfer 등, 2001)

할 수 있고 사면 영상을 이용하여 보고자 하는 단면의 모양을 구할 수 있어서 자궁기형의 진단에 효율적인 방법으로 사용될 수 있음.

좋은 영상을 얻으려면 자궁내막이 두꺼워진 분비기와 임신 초기에 관찰하는 것을 권장. 자궁기형 유무의 확인은 임신의 예후 평가에 중요함. 3차원 초음파자궁식염수 조영술은 식염수를 주입하면서 3차원 초음파영상을 얻는 방법으로 특별한 장점이 없음(Ayida 등, 1996). 오히려 식염수 주입과 영상 자료를 조절하는데 시간이 드는 단점이 있다고 하였음(Kupesic, 2001).

- 3차원 초음파를 이용한 자궁기형의 만족할 만한 영상은 약 95%에서 확인되며 위양성 또는 위음성의 진단은 거의 없고 관찰자간에 서로 상이한 진단을 내리는 경우도 드물다고 보고됨(Jurkovic 등, 1995; Salim 등, 2003; Wu 등, 1997).

경질 3차원 초음파가 선천성 자궁기형 진단에 자기공명영상이나 외래 자궁경검사보다 정확도가 높다는 보고도 있으며, 중격자궁과 쌍각자궁의 감별진단 있어서도 효용성이 높다고 하였음(Khaled AAWD 등). 3차원 초음파의 단점은 좋은 영상을 만들기까지의 노력이 필요하다는 점과 큰 자궁근종이 있는 경우 적절한 영상을 얻기가 어렵다는 것임.

③ 자궁기형의 진단적 특징

- 최근에 3차원 초음파를 이용한 자궁기형의 수정분류가 제시되었으며(Woelfer 등, 2001) 이 분류는 초음파에 의한 자궁 기형의 진단을 용이하게 하기 위하여 자궁의 내외양을 언급하였음(표 4-1). 이 분류 방법은 자궁저부의 자궁내막모양과 저부의 외향에 따라서 정상자궁, 궁상자궁, 중격자궁, 쌍각자궁 및 단각자궁으로 나누었으며 자궁목과 질의 융합 및 분리에 따라 이중자궁과 중격자궁에 이중 또는 단일 자궁목과 이중질을 가진 경우들도 포함이 되어야 할 것임.
- 3차원 초음파(그림 4-3) 또는 자기공명영상을 이용한 측정 방법은 관상단면에서 양측의 자궁관구를 연결한 횡선의 중앙점에서 자궁저부의 가장 오목한 점까지의 길이(d)를 측정하여 함몰 길이

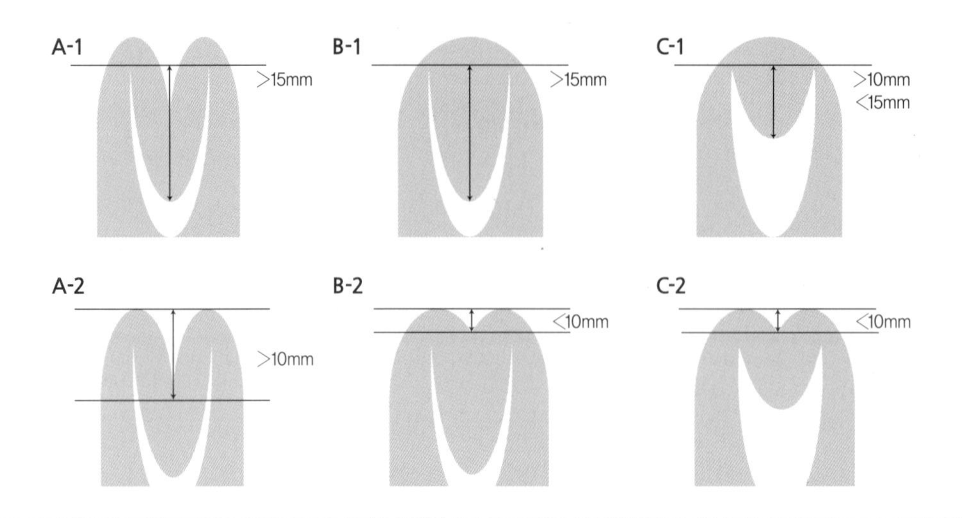

그림 4-3 3차원 경질 초음파와 3차원 경질 초음파 자궁조영술(sonohysterography)를 이용한 쌍각자궁(A), 중격자궁(B), 궁상자궁(C)의 진단. Coronal plan에서 측정한 다음의 기준을 참조한다. (1) 자궁체부에서부터 interostial line의 거리 (2) Intercornual line과 자궁체부 바깥경계부의 첨부 혹은 뿔 사이의 거리(Ludwin 등, 2013)

Ludwin A, Pityński K, Ludwin I et al. Two- and three-dimensional ultrasonography and sonohysterography versus hysteroscopy with laparoscopy in the differential diagnosis of septate, bicornuate, and arcuate uteri. J Minim Invasive Gynecol. 2013 Jan-Feb;20(1):90-9.

로 하여 10 mm 미만인지 그 이상인지 구별하고 자궁강저부 또는 자궁중격의 오목한 중심점에서의 각(r)이 둔각인지 예각인지를 구별함.

i) 정상자궁

정상자궁인 경우 일직선 또는 볼록한 자궁내막 저부와 일정하게 볼록한 자궁저부의 외형을 볼 수 있음.

ii) 궁상자궁

궁상자궁인 경우 둔각으로 만입된 중앙점이 있는 오목한 자궁저부를 보이는 자궁저부의 내막과 10mm 미만으로 만입되거나 일정하게 볼록한 자궁저부의 외형을 보임.

iii) 중격자궁

부분중격자궁은 중격이 자궁목까지는 연장되지 않았고 둔각의 중격을 보이는 자궁저부내막과 10 mm 이하의 만입 또는 일정하게 볼록한 자궁저부외형을 보임. 2차원 초음파로 완전중격자궁인지 부분중격자궁인지 구별이 어려운 경우 3차원 초음파 또는 XI 영상을 이용하여 구별할 수 있음. 완전중격자궁은 자궁저부에서 자궁목 이전까지를 완전히 나누는 중격이 있으며 자궁저부의 외형상 일정하게 볼록하거나 만입이 10 mm 이하로 되어있음. 다중절편영상에 의해서도 관상면에 대한 자궁저부에서 자궁목까지의 여러 면의 자궁 모양을 파악할 수 있음. 드물게 보고되는 자궁기형의 하나로(부분)중격자궁이면서 두 개 또는 한 개의 자궁목과 두 개의 질을 가지고 있는 이중자궁과는 구별되어야 하는 자궁기형도 있음.

iv) 쌍각자궁

- 쌍각자궁인 경우 두 개의 잘 형성된 자궁각과 양

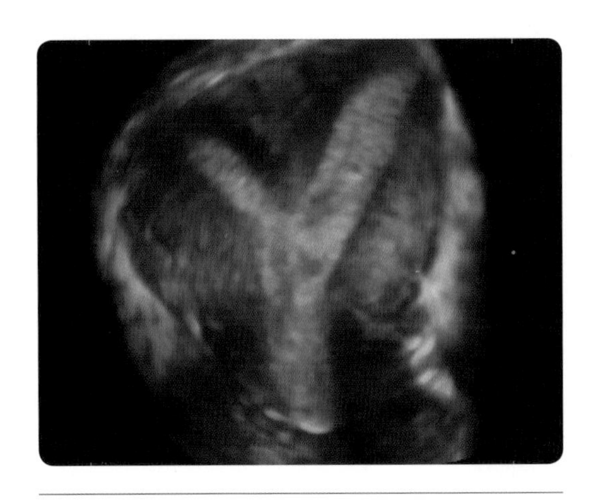

그림 4-4 쌍각자궁.

쪽의 자궁각이 볼록한 모양으로 보이는 자궁저부와 자궁저부의 만입이 10 mm 이상 되어서 양쪽 자궁각으로 나누어지는 모양을 볼 수 있음(그림 4-4). 자궁저부의 만입이 자궁목까지 연장된 경우는 완전쌍각자궁이며 자궁저부의 만입이 자궁목까지 연장되지 않은 경우는 부분쌍각자궁임.

- 부분쌍각자궁의 경우 3차원 초음파에서 10 mm 이상으로 자궁각과 자궁내막이 분리되었으나 자궁목까지는 이어지지 않음.

v) 이중자궁

이중자궁은 각 자궁에 따른 자궁목이 완전히 분리되어 있는 것으로 중격자궁 및 쌍각자궁과 구별됨. 3차원 초음파에서 자궁강은 2개로 완전분리됨과 동시에 자궁목 및 질이 각각 2개씩 관찰됨. 때로는 한쪽의 질이 횡면 또는 사면의 질중격으로 인하여 폐쇄되는 경우도 발생함.

vi) 단각자궁

자궁저부의 외형모양은 함몰이 없이 둥글지만 양각이 비대칭이며 자궁내막이 각이 있는 쪽으로 기울어진 모양을 하고 있음. 만일 연결되거나 연결되지 않은 흔적뿔이 있는 경우 자궁저부가 10 mm 이상의 함몰을 보임. 흔적뿔은 연결 흔적뿔(90% 이상)이 가장 흔하며, 약 40%에서 요로계 기형을 동반함. 초음파에 의한 진단 민감성은 26%이며 임상적 증상 이전에 진단 내려지는 경우는 14% 정도임.

④ 선천성 자궁기형의 관리

- 선천성 자궁기형을 가진 경우 청소년기에 월경혈 유출 폐쇄로 인한 무월경 또는 희발월경의 발생과 월경통 발생을 시작으로 성인이 되어서 생식력의 문제가 발생하고(Pui, 2004) 임신과 관련해서 반복된 유산, 자궁외임신, 흔적뿔임신, 조산, 자궁내태아성장저하, 이상태위, 태반조기박리, 태아긴박증 및 자궁내태아사망, 제왕절개술의 증가, 자궁 파열로(Ben-Rafael 등, 1991; Michalas, 1991)인한 모성사망의 위험성 증가 등이 있음. 수술 적응증은 골반통, 자궁내막증, 폐쇄성기형, 습관성유산 및 반복되는 조산이며, 자궁경, 복강경 또는 개복술 등을 이용하여 자궁격막의 제거, 흔적뿔의 제거 및 자궁성형술 등을 시행함.

(3) 자궁근종

① 자궁근종의 Mapping(그림 4-5, 4-6)

3차원 다평면표시는 직교하는 3면을 보여주어 정확한 근종의 위치와 크기를 확인할 수 있게 함. 특히 각각의 해부학적 스캔들은 x, y, z축을 중심으로 회전시킬 수 있어 근종과 자궁내막의 관계를 정확하게 파악할 수 있음. 내과적 치료를 받는 환자에서 치료 효과판정에 2차원 초음파보다 유용함. 부피를 측정하는 3차원 초음파 기능을 이용하여 근종의 크

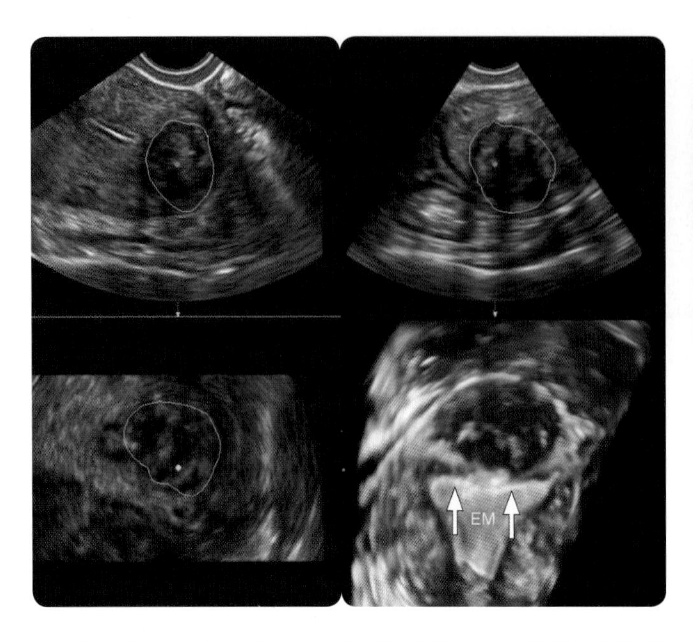

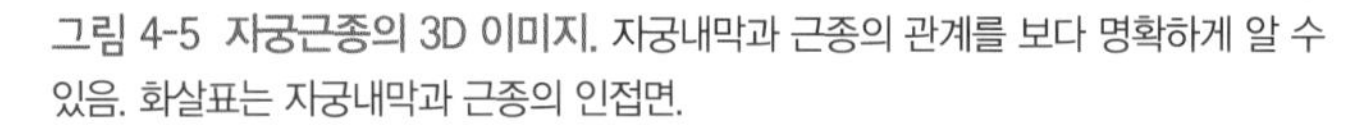

그림 4-5 자궁근종의 3D 이미지. 자궁내막과 근종의 관계를 보다 명확하게 알 수 있음. 화살표는 자궁내막과 근종의 인접면.

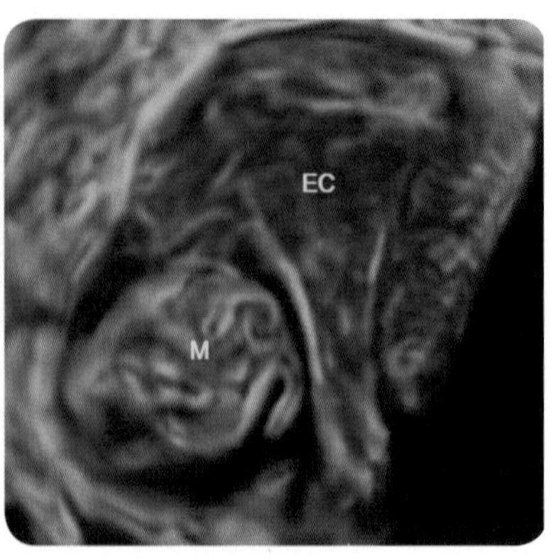

그림 4-6 자궁근종의 크리스탈 뷰를 이용한 3차원 초음파. 3차원 초음파는 벽내형 자궁근종과 점막하 자궁근종을 감별하는 데 유용하다. 사진은 2차원 초음파에서는 점막하 자궁근종처럼 보였으나 3차원 초음파에서 자궁내강(EC, endometrial cavity)으로 들어가지 않는 벽내형자궁근종(M)이 확인되었다.

기를 측정하면 2차원 초음파를 이용하는 경우보다 더 정확한 결과를 얻을 수 있음.

(4) 난소

① 난소 병변 감별진단

i) 질 초음파 검사와 색 및 맥도플러 초음파의 한계

- 질 초음파 검사는 형태학적인 평가에 의하여 악성 종양을 감별하는데 악성 종양을 감별함. 종괴 내벽의 구조, 종괴벽의 두께, 격막의 유무, 종괴 내부의 에코여부(Sassone 등, 1991), 내벽의 음영이나 유두상 돌기의 유무(Lerner 등, 1994)를 기준으로 판별함. Depriest 등(1993)은 난소 용적, 낭벽 구조 및 내격막 구조의 세 가지의 지표에 의한 scoring system을 제안하였음.
- 질 초음파 검사에 의한 형태학적인 평가는 복합 종괴를 진단하는 경우에 위양성률이 상대적으로 높은 것이 문제점이며, 저자마다 통일된 기준이 없어 객관적인 비교가 어렵고, 선별검사로 사용하기에는 민감도와 특이도가 낮음.
- 악성종양의 혈관 저항이 낮을 것을 이용하여 질 색 및 맥도플러초음파를 악성종양 감별에 이용할 수 있음. 종양의 혈관화를 혈관저항지수, 박동성지수 등을 이용하여 측정 평가할 수 있음.
- Fleischer 등(1991)은 악성난소종양으로 예측하는데 의미 있는 혈관저항지수와 박동성지수로 0.4와 1.0을 각각 제시하였는데, 여러 연구자마다 다양한 민감도와 특이도를 보고하고 있어, 정확한 경계치를 정하는데 어려움이 있음. 또한 종양 크기가 크거나 종양의 구성이 낭성인 경우와 복수가 많은 경우에는 위음성률이 높게 나타나고, 측정

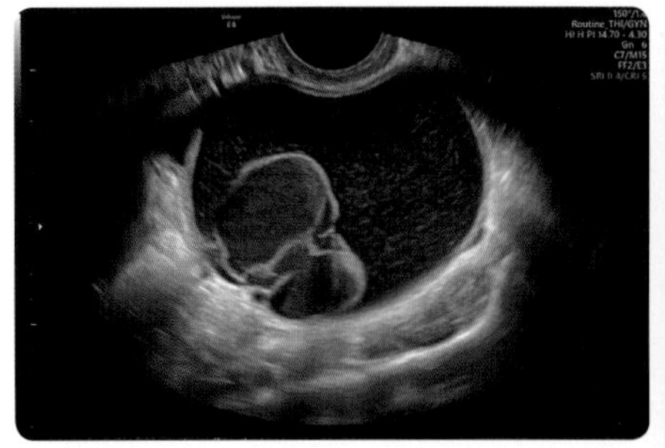

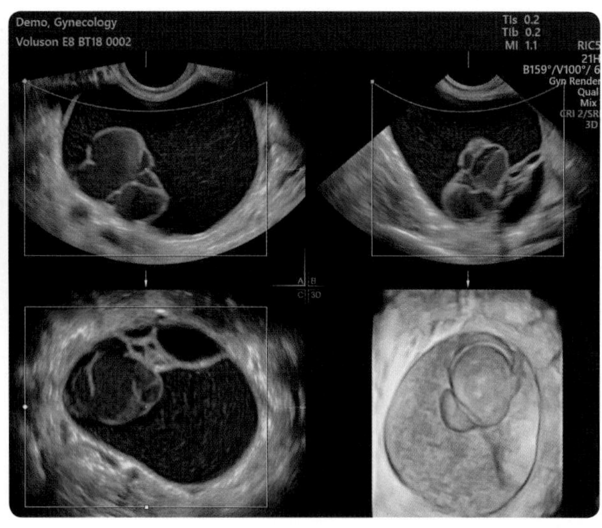

그림 4-7 난소낭종의 이차원 초음파와 삼차원 초음파의 구현.

장비에 의해서도 도플러 파형의 측정이 영향을 받을 수 있어 재현성이 좋지 않은 것이 단점임.

ii) 3차원 초음파 데이터를 이용한 영상화

부인과 영역에서 가장 많이 유용하게 이용되는 3차원 초음파의 표시는 다평면 표시로서 축면, 시상면, 관상면의 3가지를 동시에 볼 수 있어 정확한 위치 측정이 가능하고, 사용이 편리하며 실시간 검사가 가능한 것이 장점임(그림 4-7).

또한 보고자 하는 부위의 단면을 무한정 얻을 수 있고, 표면 재현기법을 통해 병소와 주변 구조물과의 공간적인 관계를 객관적으로 볼 수 있음. 저장된 영상 정보의 추가 분석으로 작은 이상 소견을 발견할 가능성이 높아짐(권, 2005; Brunner 등, 1995). 3차원 초음파 기술을 이용한 3차원 영상은 단순히 영상을 보는 것이 아니라 다음과 같은 기능으로 확장이 가능하여 자궁부속기의 악성 종양 감별에 도움이 됨.

iii) 3차원 공간으로의 거리 측정, 면적 및 체적 측정

- 획득한 3차원 초음파 데이터로부터 임의의 단면을 얻을 수 있다는 것은 3차원 공간에서 임의의 거리를 측정할 수 있다는 것이며 직선거리뿐만 아니라 곡선 형태의 거리 측정도 가능함. 또한 측정하고자 하는 구조물을 완전히 포함하는 3차원 초음파 영상정보를 얻게 되면 그 구조물의 부피를 직접적으로 측정할 수 있게 됨.
- 3차원 초음파의 용적 측정에는 Virtual Organ Computer-aided Analysis (VOCAL) 프로그램을 사용함. 이 방법은 불규칙한 모양의 구조를 가진 경우에도 용적을 측정할 수 있으며, 2차원 초음파 영상에서 얻어진 구조물의 가로, 세로, 높이 등의 정보로부터 부피를 계산하는 것에 비해 더 객관적이고 정확하여, 관찰자내 변이 또는 관찰자간 변이가 적게 나타나고 재현성이 좋음(그림 4-8).

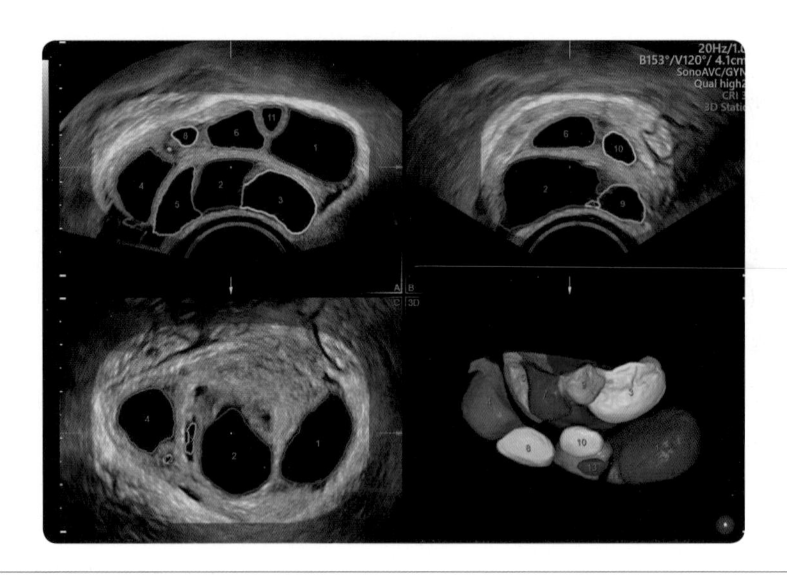

그림 4-8 3차원 초음파 영상을 이용한 난포의 위치와 숫자의 확인. 난소에 발생한 난포의 개수와 위치를 입체적으로 확인할 수 있음. 단면으로 평가하는 것보다 난포의 발달정도를 좀 더 명확하게 판단 가능

iv) 혈류의 3차원 표시

초음파 색 또는 파워도플러 초음파영상을 사용하여 색으로 표시함으로써 혈류가 있는 곳을 검출할 수 있음. 이것을 3차원 초음파 데이터로 획득함으로써 혈류의 흐름을 3차원으로 표시할 수 있을 뿐만 아니라 3차원 공간상에서 혈관 분포를 알 수 있음.

v) 조직의 혈관화 평가

- 3차원 파워도플러 초음파와 VOCAL 프로그램을 사용하면 관심영역 내의 조직의 혈관화를 다음의 3가지 혈관지표를 통하여 평가할 수 있음(Pairleitner 등, 1999).
- 혈관화 지수 - 측정한 용적 내에서 칼라 복셀(화적소)들의 수를 계산한 것으로 %로 표현되며 조직내의 혈관들의 밀도를 의미함.
- 혈류 지수 – 모든 칼라 복셀들의 평균 칼라 값을 계산한 것으로 평균 칼라 강도 즉 조직내의 혈관에서 혈구의 숫자를 반영함.
- 혈관-혈류 지수 – 모든 회색 및 칼라 복셀의 평균 칼라 값을 계산한 것으로, 조직 내의 혈관에서 흐르는 혈구의 숫자와 혈관들의 밀도를 함께 나타낸 것으로 관류로 간주됨.

② 3차원 초음파를 이용한 형태학적 평가

i) 난소의 부피 측정과 외형의 확인

- 정상 난소는 폐경전 여성의 95%, 폐경 후 여성의 85%에서 관찰됨. 이차원 경질 초음파보다 3차원 경질 초음파가 구조와 부피측정에 더 유용함(Ron 등, 2000).
- 난소 부피는 ellipsoid formula 를 사용한 방법으로 가장 많이 측정함(장경 × 단경 × 높이 =0.523). 폐경전 여성의 난소 부피는 배란 전후로 달라지는데 평균적으로 18 cm^3 정도이며, 폐경후에는 8 cm^3이 평균 부피임(Nagell 등 1990). 삼차원 초음

파를 이용하면 난소에 대한 여러 평면에서의 접근이 보다 명확한 3차원적 구조를 알 수 있게 해줌. 난포과자극증후군, 정상 난포, ~등과의 감별진단이 가능하며, 이차원 초음파보다 정확한 부피측정이 가능(King 등, 1991).

- 난포 발달의 관찰이 가능. 난포의 단면으로 성장을 평가하는 것이 아니라 3차원 적인 구조를 가장 큰 평면에서 평가하여 난포의 발달 상황을 보다 면밀히 관찰할 수 있음. 즉 난소의 3차원적 구조를 저장한 후 이를 특정 평면(가장 큰 평면)에서 평가하여 난포의 발달 상황을 보다 면밀히 관찰할 수 있음.

ii) 난소 종괴의 내부 구조 및 외형의 관찰

- 난소 및 자궁관의 종양 혹은 종괴는 산부인과 영역에서 흔히 접하는 문제이며 초음파 검사소견과 혈청학적 검사를 혼합하여 경과 관찰할 것인지 아니면 수술적 접근이 필요한지를 결정하게 됨. 또한 수술적 치료가 필요하다고 판단된 경우 양성 종괴로 판단하여 최소침습 수술을 시행할 것인지 아니면 악성 종괴로 판단하여 개복 수을 시행할 것인지를 결정하여야 함. 이러한 과정에서 3차원 초음파 검사는 또 다른 추가적 검사 방법의 하나로 이용될 수 있음.
- 3차원 초음파를 이용한 난소 종양의 악성유무 감별 시도에서(Roman 등, 1997; Reles 등 1997; Timmerman 등 1998). 대부분의 연구자들은 3차원 초음파를 추가로 시행하여 특이도의 향상을 나타내는 것으로 보고하였음.
- 3차원 초음파는 2차원 초음파 보다 유두상 돌기와 낭종성 종괴벽의 특성 및 종양의 피막침범 정도 확인데 유용함 (Merz, 1999). 또한 3차원 초음파는 모든 공간 단면에서 영상을 얻을 수 있고 "threshold" 기능을 사용하여 에코를 제거할 수 있음. 따라서, 2차원 초음파와는 달리 종괴의 내부 표면을 보다 명확하게 확인할 수 있어 유두상 돌기 혹은 고형성분의 존재 유무를 보다 자세히 평가할 수 있으며, 지방성 및 점액성 마개, 덩이, 조직파편과 같은 고형성 조직을 닮은 내부 에코를 제거할 수 있음. 이러한 특성은 난소의 기형종이나 황체낭종의 진단에서 특히 유용함.
- 이차원 초음파를 이용한 난소암의 진단은 형태학적인 형태학적인 분류표를 이용하여 진단을 시도함. 양성 종양과는 달리 악성 종양은 내부에 고형 덩어리 혹은 유두형태의 신생물이 있으며 여러개의 방을 가지고 있고 벽의 두께가 일정하지 않은 특징을 가짐. 최근 10년간 이차원 초음파를 이용한 난소암 진단의 정확도 역시 향상되어 1997년 민감도 91% 특이도 84%로 보고되었던 것이 2008년 연구에서는 민감도 93% 특이도 90%로 큰 향상을 보였음.
- 3차원 초음파를 이용하는 경우에 난소암은 낭종벽의 불규칙한 덩어리나 여러개의 격막을 직접 영상화하여 보는 것으로 진단함(Fleishcer 등, 2005). 3차원 초음파의 표면 재현 기법은 복막 낭종과 물자궁관증의 확진에 도움이 되며, 종괴 내벽의 불규칙한 표면을 확인시켜 악성종양의 진단에 도움이 됨(그림 4-9).

iii) 이용한 혈관 평가

초음파를 이용한 형태학적 평가 이외에, 3차원 파워 도플러 초음파를 이용하여 종양 혈관의 상태 및 조직의 혈관화를 파악할 수 있음.

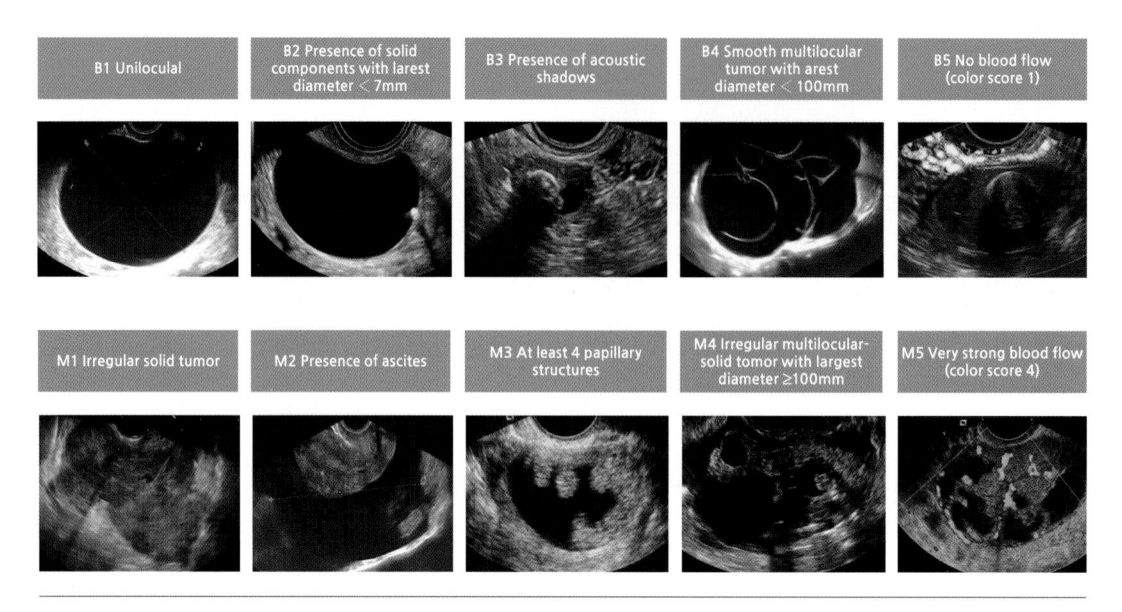

그림 4-9 Simple rule의 10가지 소견(양성 B와 악성 M 소견) (IOTA 홈페이지 발췌)

iv) 혈류의 3차원 표시

- 3차원 파워도플러 초음파는 종양의 혈관분포상태를 잘 나타낼 수 있음.
- 여러 개의 중복 혈관들을 쉽고 빠르게 보여주며, 다른 혈관 및 주변 조직들과의 관계를 잘 이해할 수 있게 함.
- 황체낭종의 혈관의 저항 지수는 대개 낮으며, 혈관 수는 보통 1개 정도임. 악성 종양과는 달리 복잡한 분지나 낭종을 둘러싸는 일이 없음.
- 난소 자궁내막종 혈관은 보통 곧고 규칙적인 분지를 보이며, 문혈관들에서 시작하여 종괴의 표면으로 주행함. 기형종에서도 이와 유사한 양상을 나타냄(Kurjak 등, 1998).
- 악성종양의 신생혈관들은 대게 간질이나 주변부에 무질서하게 확산되어 있으며 그 중 일부는 표면에서 얽히거나 뒤틀려짐. 주 종양혈관의 주행은 불규칙하며 좀 더 복잡한 분자를 나타냄. 혈관들의 직경은 일정하지 않으며, 동정맥지름길, 협착, 미세동맥류와 같은 특징적인 형상을 나타냄. 3차원 파워도플러는 이러한 혈관 소견을 잘 보여주며 직경이 약 1 mm인 혈관도 찾아낼 수 있음.
- 혈관 구조가 선형인가, 무질서한가, 혈관 분지가 단순형인가 복합형인가, 혈관과 주위 조직과의 관계가 정상적인가 아닌가를 점수화하여 악성종양 감별에 이용할 수 있음(Alcázar 등, 2003; Kurjak 등, 2001).

v) 조직의 혈관화 평가

- 종양 혈관이 위치하는 양상을 구분하여 악성 종양 감별에 이용할 수 있음(Geomini 등, 2006, Guerriero, 2002).
- 중심성 혈관 분포를 가진 복합 자궁부속기 종괴는 악성일 가능성이 높으며, 혈관이 없거나 말초성 혈류를 가진 복합 종괴는 대게 양성임. 그러나

낭샘섬유종, 점액 낭샘종, 난소자궁관농양, 브래너 종양, 과립층세포종양, 난소섬유종 등은 중심성 혈관 분포를 가진 복합 종괴로 나타나는 양성 종양임. 이러한 종양은 악성종양과 구별하기 매우 어려움.

- 3차원 초음파 파워도플러 'vascular sampling'란, 자궁부속기 종괴에서 혈류가 있는 중심부위에서만 VOCAL 프로그램을 이용하여 3가지 혈관지표를 평가한 것으로, 악성 유무 감별에 사용 가능함(Alcazar 등 2005).
- 3가지 혈관 지표 중에서는 혈류지수가 가장 중요하며(Geomini 등, 2006), 특히 종괴의 혈류가 가장 많은 5 cm에서 측정한 혈관화 지수와 혈관 혈류지수가 가장 적합한 지표임(Jokubkiene 등, 2007).

③ 난소암 환자의 3차원 초음파

- 난소암은 우리나라에서 2000여 명이 발생하며 여성에게 10번째로 많이 발생하는 암임. 그러나 진행되어 발견을 하는 경우가 많아 5년 생존율이 50%밖에 미치지 않으므로 조기 진단이 매우 중요함. 그러나 아직 난소암의 검진방법은 알려져 있지 않음.
- 1990년대에 Sassone 등은 악성종괴의 초음파 소견을 점수화할 수 있다고 보고하였고, 이어서 Jacobs 등이 악성난소종괴를 예측할 수 있는 점수 시스템으로 Risk of malignancy index (RMI)이 제안되었음(Sassone 등, 1991, Jacobs 등 1990). RMI는 초음파 소견과 함께, 폐경상태와 CA125 수치를 이용해서 난소암의 위험도를 평가함. 수치가 200 이상인 경우 악성가능성이 42배 증가하며, RMI 로 양성과 악성을 구분하는 민감도는 85%, 특이도는 97%로 알려졌음. 아시아계 인종인 경우는 250 이상을 컷오프로 하기도 함(Yavuzcan 등, 2013).
- 2008년 유럽을 중심으로 international ovarian tumour analysis (IOTA) 그룹에서 난소종괴를 수술전에 분류할 수 있는 simple rule을 고안하였음(Timmerman 등, 2008) (그림 4-9). 5개의 악성종양을 의심하는 M 소견과 5개의 양성 B 소견으로 구성하여 M 소견만 있는 경우는 악성을 시사하고 B 소견만 있으면 양성, 그리고 M과 B 소견이 섞여 있으면 결론을 내기 힘들다고 발표하였음. Simplerule을 이용한 다기관 연구에 따르면 76%의 종양에서 응용될 수 있었고 95%의 민감도와 특이도는 각각 95%, 91%로 보고하였음(Timmerman 등 2005). 최근에 IOTA 그룹에서는 로지스틱회귀분석법을 이용하여 12개와 6개 변수를 추가하여 각각 LR1과 LR2 두개의 위험도 예측 모델을 만들어서 초기 난소암 진단에 RMI 보다 높은 진단을 보였고, 홈페이지에서 다운로드할 수 있음(Timmerman 등, 2016) (표 4-2, 4-3).
- 골반종괴가 있는 경우 가장 우선적으로 시행하는 영상검사는 질식 혹은 복식 초음파임. 초음파는 골반 종괴 유무를 처음 판정하기 위하여, BRCA 변이가 있는 고위험군의 추적검사에서도 이용함. 최근 초음파로 양성과 악성을 구분하는 민감도는 93.5%, 특이도는 91.5%로 알려져 있음(Dodge 등, 2012). 난소종괴의 크기가 6cm 이상, 양측성, 격막 복수가 있을 때 난소암의 위험도가 증가함이고 알려졌음(Kondalsamy-Chennakesavan 등, 2013, Patel 등, 2013).

표 4-2 난소암 예측을 위한 Risk of malignancy index (RMI) 공식

공식	RMI = U x M x CA125
U (ultrasound 소견)	양측질환, 전이소견, Solid 여부, 다중낭종, 복수존재 하나도 없으면 U=0, 한 개 U=1, 두개이상 U=3
M (menopause 여부)	폐경이전 M=1, 폐경이후 M=3
CA125	CA125 수치, IU/ml

i) 3차원 초음파

- 3차원 초음파는 3차원 볼륨영상을 디지털로 저장하여 소프트웨어를 이용하여 axial, longitudinal, coronal 서로 다른 3가지의 평면을 보여줄 수 있음. 3차원 초음파는 몇 가지 모드를 선택할 수 있는데 inversion 모드에서는 물이 차있는 구조를 하얗게 보여주어 낭종의 모양을 알 수 있게 해주고 surface rendering은 표면을 알 수 있어 혈관의 3차원 구조를 파악하게 되고, tomographic 이미지는 CT와 같은 영상을 제공함(그림 4-10).
- 3차원 초음파는 관찰자간 차이를 보이지 않아 악성난소을 예측하는데 비교적 정확하며 민감도는 90-100%, 특이도는 78-100%로 보고됨(Alcazar 등, 2007). 또한 3차원 초음파를 이용하면 난소종괴의 종류를 구분하여 관찰자의 직관적 진단에 도움이 된다고 하였음(Alcazar 등, 2010; Raine-Fenning 등, 2008; Guerriero 등, 2014).

ii) 3차원 파워도플러를 이용한 평가

- 초기에 색도플러를 이용하여 pulsatility index와 resistive index를 측정하여 혈류의 흐름변화를 보고자 하는 노력이 있었으나 좋은 결과를 가져오지 못하였음.

표 4-3 난소암 예측을 위한 로지스틱회귀분석 모델1과 모델2

모델	변수
LR1	난소암 병력 현재 호르몬치료 여부 나이 병변 최대 크기 진찰시 통증여부 복수존재여부 고형유두부분의 혈류존재여부 순수고형종괴 존재여부 고형부분 최대크기 불규칙한 내부종벽 초음파 음향 그림자 존재여부 색깔 점수
LR2	나이 복수존재여부 고형유두부분의 혈류존재여부 고형부분 최대크기 불규칙한 내부종벽 초음파 음향 그림자 존재여부

- 3차원 초음파는 종괴의 부피계산에 유용하며, 3차원 파워도플러로 혈관의 분포양상을 확인할 수 있음. 악성을 시사하는 3차원 파워도플러 소견은 혈관이 3개 이상의 가지가 있거나 90도 각으로 가지를 내는 불규칙한 가지양상을 보이는 경우나 혈관 단면이 좁아지거나, 미세 동맥류(microaneurysm)나 혈관호수(vascular lake)를 만드는 경우임.
- 종괴 혈관에서 vascularization index (VI), flow index (FI), vascularization-flow index (VFI)를 측정할 수 있음, VI는 혈관의 발달정도를 나타내고 FI는 혈관 속 혈류의 양을 의미하고, VFI는 두가지를 한꺼번에 나타냄. 난소암에서는 VI나 VFI보다는 FI가 많이 증가되어 있다고 하였음(Jokubkiene 등, 2007).

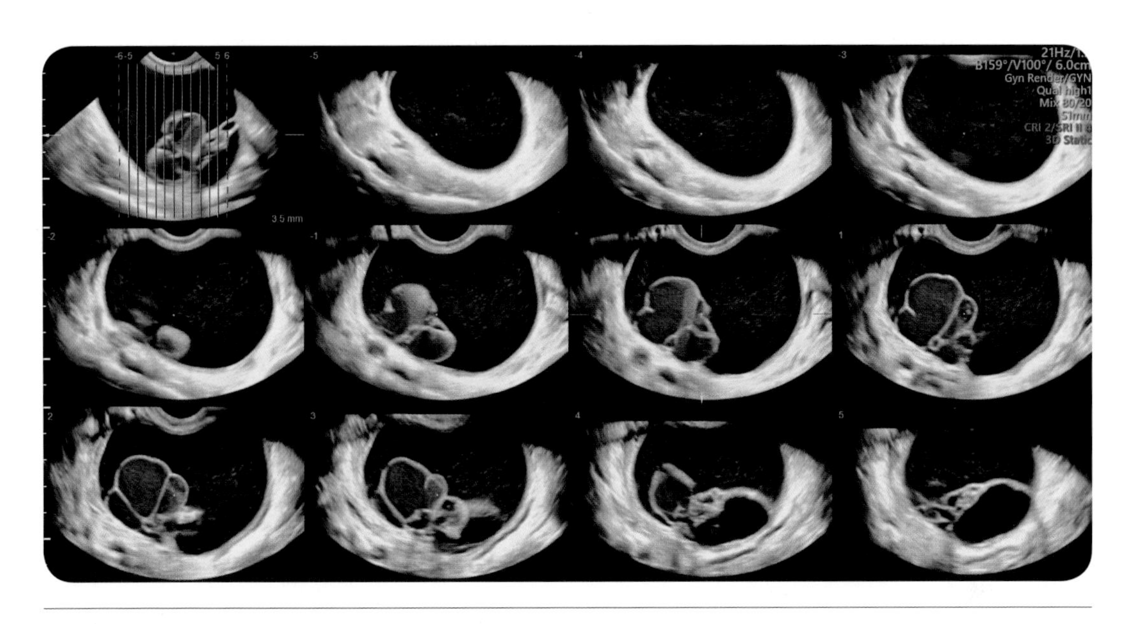

그림 4-10 악성 난소 종괴의 3차원 초음파 영상에서 단면의 확인. 3차원 초음파를 보면서 종괴에서 원하는 부분을 잘라 단면을 확인 할 수 있음. 이는 MRI에서 보여지는 것과 유사한 정도임.

- 3차원 파워 도플러 초음파를 RMI 에 도입하면 난소암 예측도가 88%에서 99%로 상승됨(Mansour 등, 2009). 또한 3D vascularization flow index (VFI)를 RMI나 LR2 모델에 도입했을 때 정확도가 상승함이고 발표되었음(Niemi 등, 2017). 그러나 도플러 초음파로 복막전이를 예측할 수 있는 도플러 초음파의 민감도는 69%로 CT나 MRI (92, 95%) MRI보다 낮음(Tempany 등, 2000).

(5) 자궁관

① 자궁관 농양

- 골반염은 자궁, 자궁관, 난소 등 골반 장기에 발생하는 상행성 감염으로 급성 감염 초기에는 골반 초음파에서 대부분 특별한 이상이 보이지 않지만 염증이 진행되면 자궁관이 늘어나고 자궁관 벽이 두꺼워지는 소견이 보이며 심한 경우 부속기 주위에서 더글라스와까지 체액이 고여 있는 자궁관난소농양이 확인됨.

  자궁관난소농양은 통상적인 질초음파로 쉽게 확인되지만 모양이 복잡하여 종양과의 감별이 어려운 경우가 있음. 또한 골반염의 후유증으로 자궁관수종이 생성되기도 하는데 이는 질초음파에서 길쭉하게 액이 고여 있는 균일한 저음영의 영상을 나타냄.

  자궁관 수종과 골반울혈과의 감별진단에는 3차원 색/파워도플러 초음파가 도움이 됨.

- 자궁관병변의 관찰 시 3차원 초음파가 갖는 장점은 자궁관을 하나의 관 구조물로 확인할 수 있다는 것임. 자궁관 구조물은 2차원 초음파 소견으로는 여러 층에 걸친 단면이 관찰되어 자궁관 자체의 구조를 한 화면에서 확인하기 어려운데 3차원 초음파는 원하는 단면으로 3차원 구조물을 절

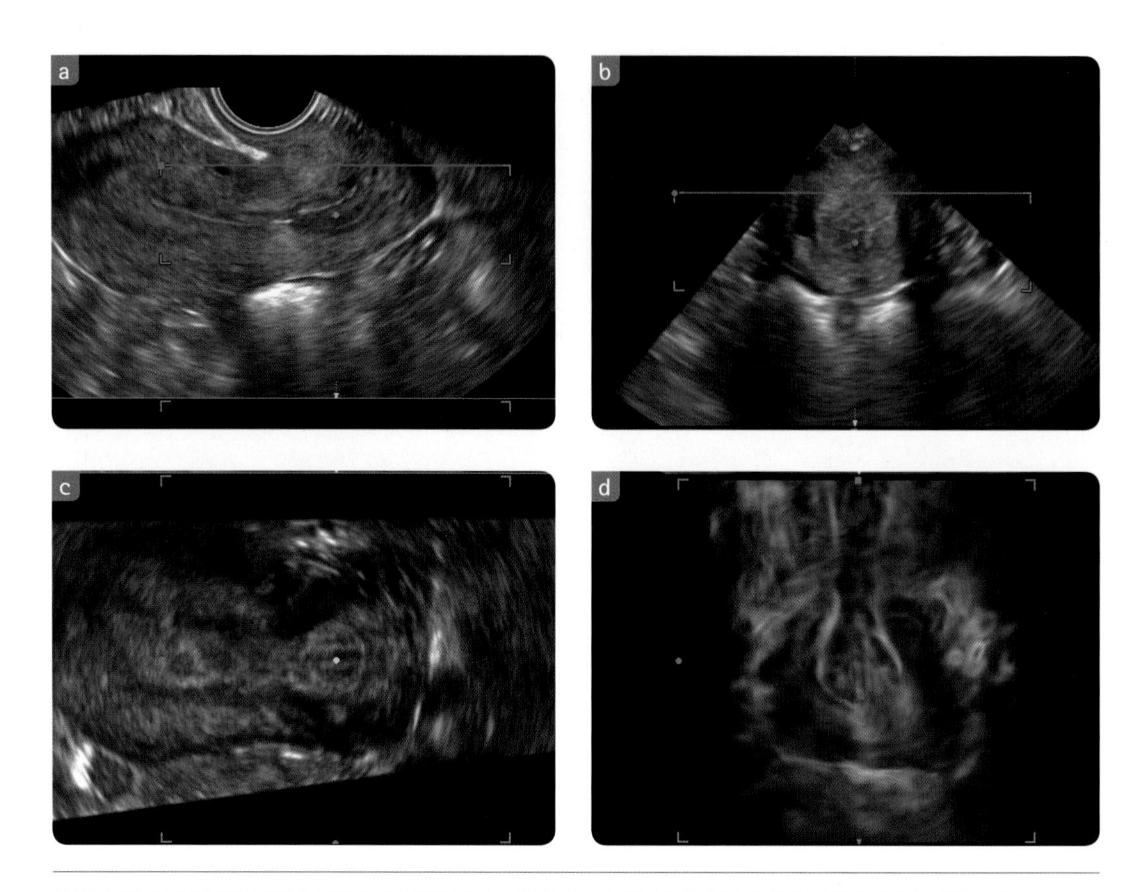

그림 4-11 질초음파로 검사한 자궁목의 3차원 다면 초음파. (a) 시상면 (b) 축면 (c) 관상면 (d) 관상면에서 3차원 영상

단하여 자궁관 전체의 구조 및 상태를 확인할 수 있게 도와준다는 것임.

- 난소의 주변에 경계가 불분명한 고음영의 관모양 낭종성 구조물이 배열되어 있는 3차원 초음파 소견은 자궁관이 팽대되어 있음을 시사하는 것으로 골반내 농양, 특히 자궁관농양에 합당한 초음파 소견임. 자궁관농양의 고식적 질 초음파 소견은 골반 내 불규칙한 모양의 체액 저류 현상으로 나타나는데, 3차원 초음파를 시행하면 원하는 평면에서 여러 단면을 관찰할 수 있어 여러 개의 낭종성 음영은 하나의 팽배된 자궁관이 여러 단면에서 관찰된 것임을 확인할 수 있음.
- 3차원 색/파워도플러 초음파로 확인하면 자궁관난소농양이나 자궁관농양은 혈류가 없거나 매우 적어 보통 혈류가 증가되어 있는 악상 종양과 차이가 있으므로 악성 종양과의 감별이 도움이 됨. 특히 3차원 색/파워도플러 초음파는 자궁관난소농양의 입체적 구조를 따라 존재하는 혈관 분포와 혈류를 확인할 수 있으므로 평면적인 색도플러 초음파에 비해 혈관 구조를 파악하는데 더 우수함.

3차원 색/파워도플러 초음파는 수직으로 지나가

는 혈류도 나타내며 잡음과 실제 혈류를 명확하게 감별하여 초음파의 움직임에 의해 발생하는 잡음을 거의 나타내지 않으므로 자궁관난소 농양의 복잡하고 일그러진 형태의 혈류를 확인하는데 매우 유용함.

- 자궁관수종은 혈류가 없으므로 3차원 색/파워도플러 초음파를 이용하여도 아무런 변화 없이 흑백의 초음파 영상으로만 나타남. 이는 초음파 영상에서 혈류가 매우 증가되어 보이는 골반울혈과의 차이점임. 골반울혈의 진단은 만성골반통증의 병력과 함께 경자궁정맥조영술이 중요한 진단 방법임. 골반울혈환자에게 경자궁 정맥조영술을 시행하면 정맥의 직경이 늘어나 있고 혈류가 감소되어있어 상대적으로 조영제가 오래도록 남아 있는 것을 확인할 수 있음.
- 경자궁정맥조영술은 침습적이며, 방사선 노출 등의 단점이 있음.

통상적인 색도플러는 혈류의 속도를 감지하여 주파수 이동을 표현하는 것으로 혈류가 상대적으로 감소되어 있는 골반울혈의 진단에는 유용하지 않음. 그에 비해 3차원 색/파워도플러 초음파는 혈류의 움직임에 민감하므로 골반울혈 환자의 혈류 확장과 저류를 확인하는데 적합함. 질초음파를 통한 3차원 색/파워도플러 초음파로 골반울혈을 진단하는 방법은 자궁 부속기에서 우신 가장 혈관이 많은 구역을 찾아 해당 구역에서 혈관의 개수를 확인하고 이중 가장 늘어나 있는 혈관에 수직으로 혈관의 직경을 측정한 다음 울혈 부위가 어느 정도인지 가늠하여 이를 종합 평가하는 것임. 혈관 개수가 7개 이상, 혈관 직경이 5 mm 이상, 해당 구역이 전체적으로 울혈되어 보이는 경우는 심한 골반울혈로 간주될 수 있음 (Halligan 등, 2000).

하지만 3차원 색/파워도플러 질초음파로 하지만 3차원 색/ 파워도플러 질 초음파로는 골반울혈의 진단이 어렵고, 이보다는 난소의 난포수가 정맥조영술 결과와 연관되어 있으므로 초음파로 혈관을 평가하는 것보다는 난소의 다낭성 변화를 확인하는 것이 골반울혈 진단에 도움이 되는 것으로 보고된 바 있음(Campbell 등, 2005).

(6) 기타

① 자궁목 및 골반저의 3차원 초음파

질식초음파(TVS)는 자궁 목과 아래 자궁분절을 측정하기 좋은 방법으로 알려져 있으며, 3차원 초음파 영상은 최근 임상적으로 유용하게 사용되고 있음 (Sonek 등, 1990). 3차원 초음파로 획득한 자료는 저장할 수 있으며, 저장된 자료는 여러 단면으로 재설정하여 분석할 수 있어, 실상의 관상과 정중시상면을 직접적으로 검사할 수 있음.

i) 자궁목의 2차원과 3차원 초음파의 정상적 소견

- 일반적으로 자궁목을 측정하기 위해 2차원과 3차원 방식을 모두 시행할 수 있는 다중주파수의 질식 탐색자를 사용해야 함. 환자는 방광을 비운 후 쇄석위 자세를 취하고 초음파로 자궁목을 검사하였음. 초음파 탐색자를 천천히 질 안에 넣고 자궁목의 길이가 인위적으로 길어지지 않도록 지나치게 누르지 않으면서 검사를 시행함. 적합한 영상이 나오면 탐색자를 영상이 희미해질 때 빼며, 영상을 저장하기 위해 점차 탐색자에 충분한 압력을 주면서 전진시킬 수 있음. 자궁의 바닥(fundal) 또는 치골 위 압력은 주지 않도록 함. 자궁목의 시상면에서 자궁내구(internal os), 자궁

목관(cervical canal)과 자궁외구(external os)를 동시에 관찰할 수 있음. 자궁목이 스크린의 75% 정도 되도록 확대하고, 자궁목 길이는 속자궁목 점막으로 경계되는 부분을 포함하여 자궁외구로부터 자궁내구까지 측정함(Sonek 등, 1998). 자궁목의 전후 직경은 자궁목 길이를 측정한 동일면에서 자궁내구와 자구외구 사이의 중심점에서 자궁목관의 세로축에 수직으로 측정할 수 있음(Bergelin 등, 2001). 자궁내구는 닫혀있거나 열려있을 수 있으며, 열려 있는 경우 깔대기화(funneling)라고 하며, 산과 영역에서 조기분만을 예측할 수 있는 중요한 지표가 될 수 있으며, 자궁내구로부터 자궁외구까지 확장되는 무에코의 공간으로 전후 직경은 자궁목관의 세로축에서 수직으로 가장 넓은 곳에서 측정함. 3차원 초음파의 축면에서 깔대기화의 정도를 확인할 수 있음.

- 2차원 초음파로 검사를 시행한 후 3차원 방식으로 바꾸어 진행하며, 초음파 화면의 중심에 정중면의 자궁목이 위치하도록 한 후 3차원 초음파로 정중면에서 탐색자를 멈추고 전체 자궁목을 포함시킨 용적 '상자'를 위치시켜 검사를 시행함. 자동화된 용적 단추를 작동시키면 기계적 탐촉자로 2-3초 내에 미리 선택된 용적을 만들 수 있음. 용적 자료는 분석을 위해 540 Mb의 광-자기-디스크에 저장함. 정중시상면, 축면과 관상면에서 자궁목의 다양한 면에서의 영상을 얻기 위해 조작하여 다시 여러 면으로 설정할 수 있음. 각 평면에서 자궁목 길이, 깔대기 길이와 너비 등을 측정할 수 있음. 구부러진 자궁목관은 측정 시 길이가 짧아지지 않도록 2차원과 3차원 초음파로 측정할 수 있음.
- 자궁목은 2차원 초음파로 검사를 시행하는 것이 일반적이지만, 최근 3차원 초음파의 도입으로 2차원 방식으로 자궁목관 길이를 측정한 후 3차원 방식으로 자궁목관을 시상면에서 검사를 하게 되며, 3차원 다면 초음파는 2차원 초음파보다 자궁목을 좀더 정확하고 완전하게 측정할 수 있음. 일부 보고에서는 자궁목 길이가 2차원 초음파에서 보다 3차원 초음파에서 조금 더 크게 측정된다고 알려져 있음(Towner 등, 2004; Rovas 등, 2006; Bega 등, 2000). 그러나 아직까지 초음파상 자궁목의 길이에 대한 정상 자료는 없으므로, 향후 이에 대한 자료 적립과 임신 중 변화 등을 연구하는 것이 필요할 것으로 생각됨.

② 골반저의 3차원 초음파 영상

최근 기술적 발전으로 실시간으로 빠르게 자동화된 영상을 검사할 수 있으며, 복부에 사용하도록 만들어진 탐촉자를 이용하여 경음순(translabial)/경회음(transperineal) 영상을 볼 수 있음. 골반저의 영상은 정중시상, 관상과 축면에서 잘 관찰할 수 있음 (그림 4-12).

잘 알려지지 않은 복합적 구조인 음핵은 아직까지 3차원 초음파상 검사할 수 있는 객관적 방법이 없었음. 탐촉자를 음핵 앞에 위치시키고, 음핵샘(clitoris gland)과 음핵몸체(clitoris body)를 동시에 충분히 볼 수 있도록 하고 실시간 3차원 영상검사를 시행함. 전체 음핵을 관찰하기 위해, 탐색자를 음핵 다리의 좌우로 움직여봐야 함. 이러한 시스템을 이용하여 요도, 항문 올림근과 질 옆 지지물들, 탈출증과 골반저 제건술과 요실금 수술 등에 사용된 이식물 등을 검사하는데 사용할 수 있음. 또한 여성 생식기관의 이상(선천성 기형 등) (그림 4-13, 4-14)과 분만 등으로 인한 골반저 조직의 손상 등을 진단하

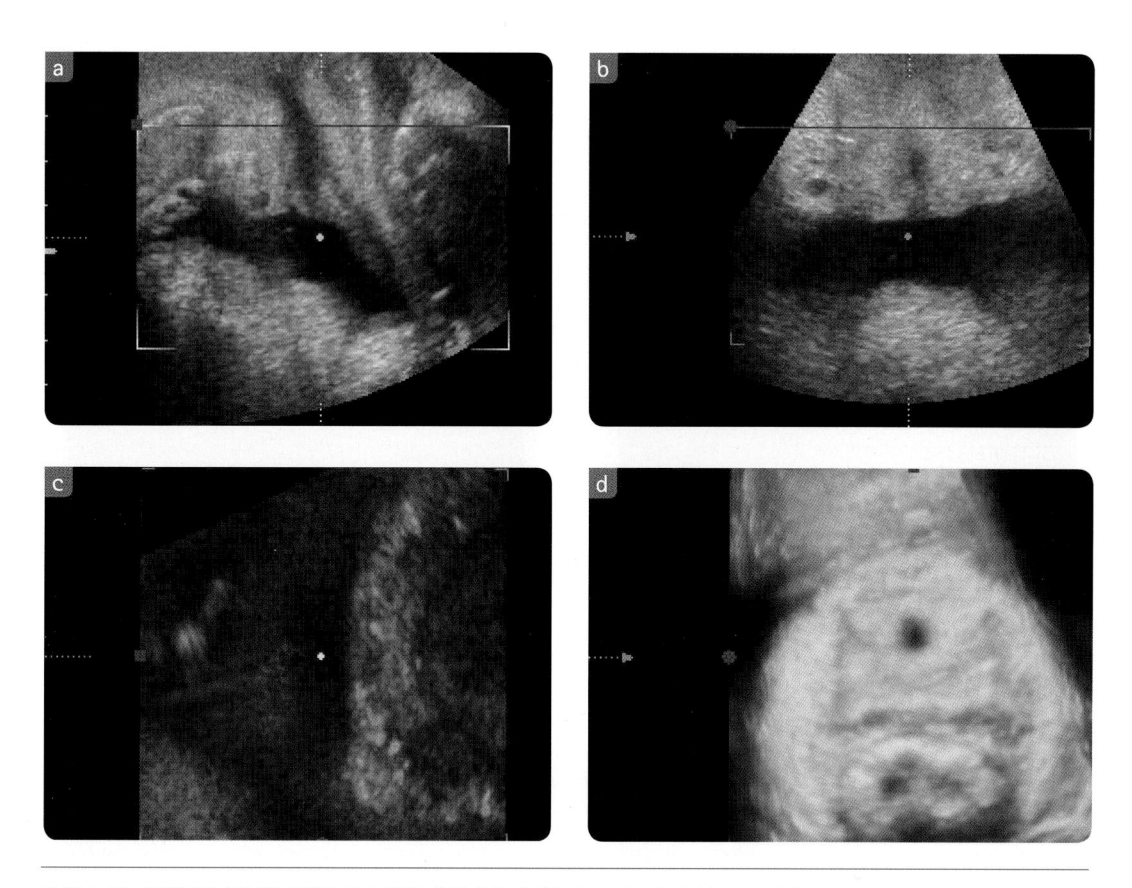

그림 4-12 회음부로 검사한 외음부의 3차원 다면 초음파. (a) 시상면 (b) 축면 (c) 관상면 (d) 관상면에서 3차원 영상

고 이해하는데 도움이 될 수 있을 것임. 아직까지 3차원 골반저 영상에 대한 연구가 되어 있지 않지만, 이러한 방법을 이용하여 기능적 해부학과 역동적 신체 구조의 생리학적 변화를 이해하는데 유용한 도움이 될 것임(Dietz, 2004, Deng 등, 2006).

③ 자궁내장치와 외부물질

자궁내 장치는 효과적이고 가역적인 피임방법 중의 하나이지만, 높은 효과에도 불구하고 장점, 단점과 발생할 수 있는 합병증에 대해서 잘 이해하고 있어야 함. 자궁내장치 삽입 후에 골반염, 복통, 월경과다, 파열, 탈출, 자궁관 임신, 임신 등이 발생할 수 있음(Anteby 등, 1993).

i) 초음파를 이용한 자궁내장치 관리

- 최근 3차원 초음파를 이용하여 자궁을 포함한 골반내 기관을 좀 더 쉽게 관찰할 수 있게 되어 기존의 2차원 초음파로는 자궁기형으로 인한 자궁내 장치의 위치를 알아내기 어려웠던 경우에도 3차원 초음파를 이용하여 좀 더 쉽게 진단할 수 있게 되었음.
- 3차원 초음파로 자궁내장치의 모습을 얻는 방법

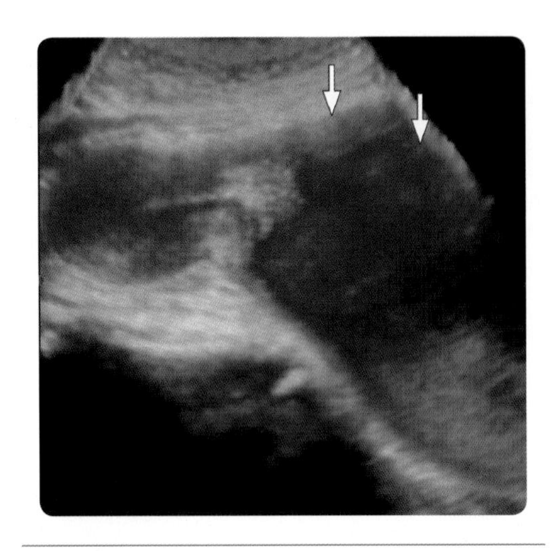

그림 4-13 복부접근으로 검사한 무공성 처녀막의 초음파 영상(시상면) 생리혈이 배출되지 못하여 질에 덩어리를 형성하고 있음(화살표)

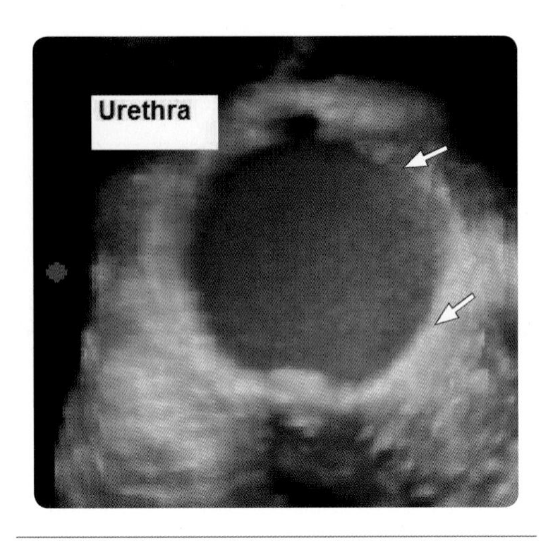

그림 4-14 복부접근으로 검사한 무공성 처녀막의 초음파 영상(관상면). 생리혈이 배출되지 못하여 질에 덩어리를 형성하고 있음(화살표)

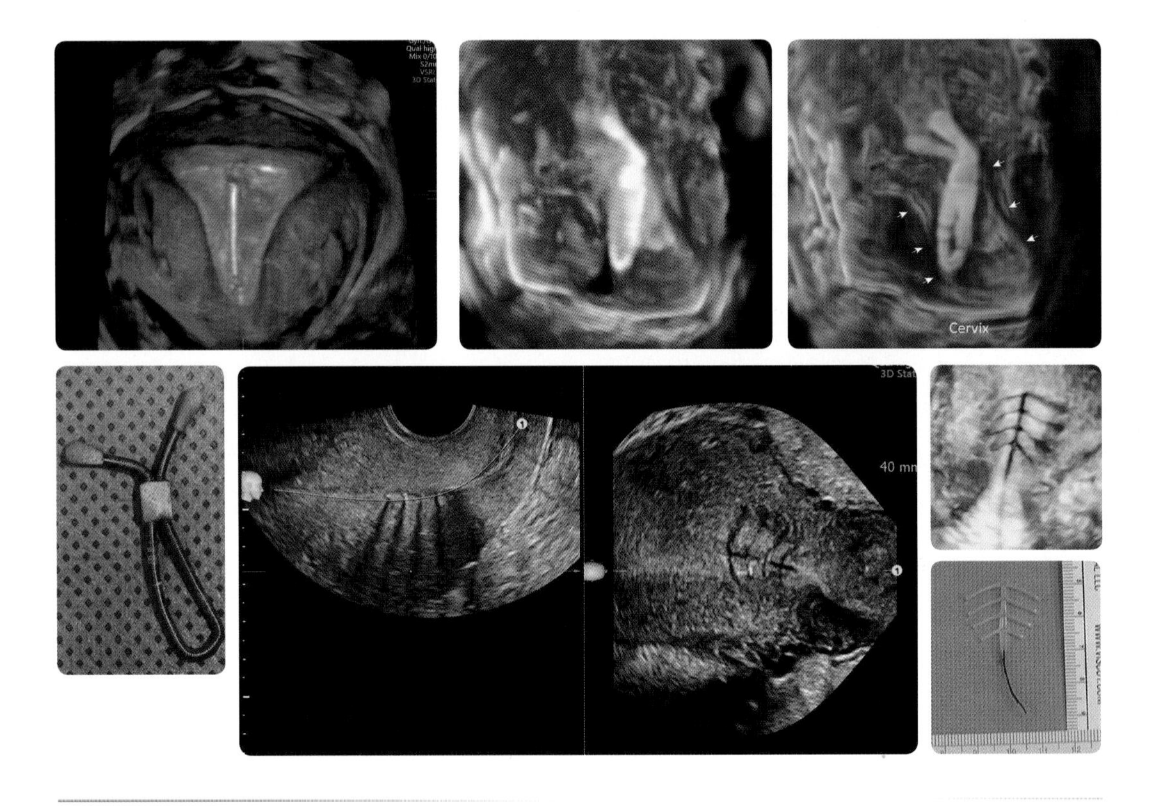

그림 4-15 다양한 형태장의 자궁내장치.

은 자궁내장치의 용적을 얻은 후, 자궁의 앞쪽 면을 나타내는 A면으로 위치를 바꾼 후 이 위치에서 두정위면을 보여주는 B면과 횡단면을 의미하는 C면을 본 후 관심 부위를 재 조정하는 동안 3개의 면이 동시에 움직이면서 자궁내장치의 모습과 위치를 알 수 있음(그림 4-15).

- 자궁내장치가 있는 상태에서 임신이 된 경우 자연 유산이 제일 흔한 합병증임. 이중 절반은 임신 제 2삼분기에 발생하며, 감염이 임신기간동안 발생할 수 있기 때문에 임신이 확인되면 바로 제거해야 함. Inal 등(2005)은 자궁내장치 후에 임신 된 318명 중 64%가 자궁내장치의 위치이탈이 있었으며, 임신 유지를 원한 89명(27.9%) 중 40%가 유산이 되었다고 보고하였음(Inal 등, 2005).
- 자궁내장치 꼬리가 보이는 경우에 자궁내장치를 한 경우에 자연유산은 약 30% 정도임. 꼬리가 보이지 않는 경우에는 자궁경을 이용하여 상처없이 제거할 수 있으며 자연유산의 위험이 더 높아지지 않음. Assaf 등(1992)은 꼬리가 보이지 않는 자궁내 장치가 있는 상태에서 임신한 52명을 자궁경을 이용하여 제거를 시도하여 46예에서 성공적으로 제거를 하였으며, 이중 31예에서 만삭 임신까지 유지하였다고 보고하였음(Assaf 등, 1992). 자궁내 장치외의 여러 가지 외부 물질에 대한 관찰에도 매우 용이한 것으로 알려져 있음.
- 3차원 초음파는 다양한 형태의 자궁내장치의 각 부위의 위치와 방향을 알 수 있기 때문에 종류를 알 수 없는 다양한 자궁내장치를 파악할 수 있으며, 다양한 형태의 이물질의 모양을 쉽고도 정확하게 파악할 수 있기 때문에, 자궁내장치를 삽입한 후의 정기적인 진찰시 초음파 검진의 정확도를 높일 수 있음.

참 고 문 헌

1. 권의철. 진단용 3차원 초음파 영상 장치 및 임상적 유용성. 정보과학지 2005;2338-48.
2. Abramovici H, Faktor JH, Pascal B. Congenital uterine malformations as indication for cervical suture (cerclage) in habitual abortion and premature delivery. Int J Fertil. 1983;28(3):161-4.
3. Alcázar JL, Galán MJ, García-Manero M, et al. Three-dimensional sonographic morphologic assessment in complex adnexal masses: preliminary experience. J Ultrasound Med. 2003 Mar;22(3):249-54.
4. Alcázar JL, Mercé LT, García Manero M.Three-dimensional power Doppler vascular sampling: a new method for predicting ovarian cancer in vascularized complex adnexal masses. J Ultrasound Med. 2005 May;24(5):689-96.
5. Alcázar JL, Garcia-Manero M, Galvan R. Three-dimensional sonographic morphologic assessment of adnexal masses: a reproducibility study. J. Ultrasound Med. 2007;26:1007–11.
6. Alcázar JL, Leon M, Galvan R, et al. Assessment of cyst content using mean gray value for discriminating endometrioma from other unilocular cysts in premenopausal women. Ultrasound Obstet. Gynecol. 2010;35:228–32.
7. The American Fertility Society classifications of adnexal adhesions, distal tubal obstruction, tubal occlusion secondary to tubal ligation, tubal pregnancies, Mullerian anomalies and intrauterine adhesions. Fertil Steril 1988;49:944–55.
8. Anteby E, Revel A Ben-Chetrit A et al. Intrauterine device failure:relation to its location within the uterine cavity. Obstet Gynecol 1993;81(1):112-4
9. Assaf A, Gohar M, Saad S et al. Removal of intrauterine devices with missing tails during early pregnancy. Contraception 1992;45(6):541-

10. Balasch J, Moreno E, Martinez-Román S, et al. Septate uterus with cervical duplication and longitudinal vaginal septum: a report of three new cases. Eur J Obstet Gynecol Reprod Biol. 1996 Apr;65(2):241-3.
11. Bartkowiak R1, Kaminski P, Wielgos M, Bobrowska K.The evaluation of uterine cavity with saline infusion sonohysterography and hysteroscopy in infertile patients.Neuro Endocrinol Lett. 2006 Aug;27(4): 523-8.
12. Bega G, Lev-Toaff A, Kuhlman K, Berghella V, Parker L, Goldberg B, Wapner R. Three-dimensional multiplanar transvaginal ultrasound of the cervix in pregnancy. Ultrasound Obstet Gynecol 2000;16: 351-8
13. Bergelin I, Valentin L. Patterns of normal change in cervical length and width during pregnancy in nulliparous women: a prospective, longitudinal ultrasound study. Ultrasound Obstet Gynecol 2001;18: 217-22
14. Ben-Rafael Z, Seidman DS, Recabi K, et al. Uterine anomalies. A retrospective, matched-control study. J Reprod Med. 1991 Oct;36(10):723-7.
15. Braun P, Grau FV, Pons RM, et al. Is hysterosalpingography able to diagnose all uterine malformations correctly? A retrospective study.Eur J Radiol. 2005 Feb;53(2):274-9.
16. Brunner M, Obruca A, Bauer P, et al. Clinical application of volume estimation based on three-dimensional ultrasonography.Ultrasound Obstet Gynecol. 1995 Nov;6(5):358-61.
17. Buttram VC Jr, Gibbons WE.Müllerian anomalies: a proposed classification. (An analysis of 144 cases). Fertil Steril. 1979 Jul;32(1):40-6.
18. Campbell S, Lees C, Moscoso G, et al. Ultrasound antenatal diagnosis of cleft palate by a new technique: the 3D "reverse face" view. Ultrasound Obstet Gynecol. 2005 Jan;25(1):12-8.
19. Chang AS, Siegel CL, Moley KH, R et al. Septate uterus with cervical duplication and longitudinal vaginal septum: a report of five new cases.Fertil Steril. 2004 Apr;81(4):1133-6.
20. DePriest PD, Shenson D, Fried A, et al. A morphology index based on sonographic findings in ovarian cancer.Gynecol Oncol. 1993 Oct;51(1):7-11.
21. Deng J, Crouch NS, Creighton SM, Linney AD, Todd-Pokropek A, Rodeck CH. Minimally-compressive, three- and four-dimensional ultrasound imaging of the clitoris: a feasibility study. Ultrasound Med Biol. 2006 Oct;32(10):1479-84.
22. Dietz HP. Ultrasound imaging of the pelvic floor. Part II: three-dimensional or volume imaging. Ultrasound Obstet Gynecol 2004;23:615-25.
23. Dodge JE, Covens AL, Lacchetti C, et al. Preoperative identification of a suspicious adnexal mass: a systematic review and meta-analysis. Gynecol Oncol 2012:126:157-66.
24. Faivre E, Fernandez H, Deffieux X, et al. Accuracy of three-dimensional ultrasonography in differential diagnosis of septate and bicornuate uterus compared with office hysteroscopy and pelvic magnetic resonance imaging. J Minim Invasive Gynecol. 2012 Jan-Feb;19(1):101-6
25. Fleischer AC, Rodgers WH, Rao BK, et al. Assessment of ovarian tumor vascularity with transvaginal color Doppler sonography.J Ultrasound Med. 1991 Oct;10(10):563-8.
26. Fleischer AC, Milam MR, Crispens MA, et al. Sonographic depiction of intratumoral vascularity with 2- and 3-dimensional color Doppler techniques.J Ultrasound Med. 2005 Apr;24(4):533-7.
27. Geomini PM, Kluivers KB, Moret E, et al. Evaluation of adnexal masses with three-dimensional ultrasonography.Obstet Gynecol. 2006 Nov;108(5):1167-75.
28. Goluda M, St Gabry M, Ujec M, et al. Bicornuate rudimentary uterine horns with functioning endometrium and complete cervical-vaginal agenesis

coexisting with ovarian endometriosis: a case report. Fertil Steril. 2006 Aug;86(2):462.e9-11. Epub 2006 Jun 27.

29. Grimbizis GF, Camus M, Tarlatzis BC, et al. Clinical implications of uterine malformations and hysteroscopic treatment results. Hum Reprod Update. 2001 Mar-Apr;7(2):161-74.
30. Guerriero S, Alcazar JL, Coccia ME, et al. Complex pelvic mass as a target of evaluation of vessel distribution by color Doppler sonography for the diagnosis of adnexal malignancies: results of a multicenter European study.J Ultrasound Med. 2002 Oct;21(10): 1105-11.
31. Guerriero S, Alcazar JL, Pilloni M et al. Reproducibility of two different methods for performing mean gray value evaluation of cyst content in endometriomas using VOCAL J. Med. Ultrasonics 2014;41: 325–32.
32. Halligan S, Campbell D, Bartram CI, et al. Transvaginal ultrasound examination of women with and without pelvic venous congestion.Clin Radiol. 2000 Dec;55(12):954-8.
33. Jacobs I, Oram D, Fairbanks J, et al. A risk of malignancy index incorporating CA 125, ultrasound and menopausal status for the accurate preoperative diagnosis of ovarian cancer. Br J Obstet Gynaecol 1990;97:922-9.
34. Ianl MM, Ertopcu K, Ozelmas I. The evaluation of 318 intrauterine pregnancy cases with an intrauterine device. Eur J Contracep Reprod Health Care 2005;10(4):266-71
35. Jokubkiene L, Sladkevicius P, Valentin L. Does three-dimensional power Doppler ultrasound help in discrimination between benign and malignant ovarian masses?Ultrasound Obstet Gynecol. 2007 Feb;29(2): 215-25.
36. Jurkovic D, Geipel A, Gruboeck K, et al. Three-dimensional ultrasound for the assessment of uterine anatomy and detection of congenital anomalies: a comparison with hysterosalpingography and two-dimensional sonography.Ultrasound Obstet Gynecol. 1995 Apr;5(4):233-7.
37. Jurkovic D, Gruboeck K, Tailor A, et al. Ultrasound screening for congenital uterine anomalies.Br J Obstet Gynaecol. 1997 Nov;104(11):1320-1.
38. King DL, King DL Jr, Shao MY. Evaluation of in vitro measurement accuracy of a three-dimensional ultrasound scanner.J Ultrasound Med. 1991 Feb; 10(2):77-82.
39. Khaled Abd AlWahab Abo Dewan a, Mohamed Mohamed Hefeda , Dina Gamal ElDein ElKholy Septate or bicornuate uterus: Accuracy of three-dimensional trans-vaginal ultrasonography and pelvic magnetic resonance imaging The Egyptian Journal of Radiology and Nuclear Medicine 2014; 45, 987–95
40. Kondalsamy-Chennakesavan S, Hackethal A, Bowtell D, et al. Differentiating stage 1 epithelial ovarian cancer from benign ovarian tumours using a combination of tumour markers HE4, CA125, and CEA and patient's age. Gynecol Oncol 2013;129:467-71
41. Kupesic S.Clinical implications of sonographic detection of uterine anomalies for reproductive outcome. Ultrasound Obstet Gynecol. 2001 Oct;18(4):387-400.
42. Kurjak A, Kupesic S, Sparac V, et al. Preoperative evaluation of pelvic tumors by Doppler and three-dimensional sonography.J Ultrasound Med. 2001 Aug;20(8):829-40.
43. La Torre R, Prosperi Porta R, Franco C, et al. Three-dimensional sonography and hysterosalpingosonography in the diagnosis of uterine anomalies.Clin Exp Obstet Gynecol. 2003;30(4):190-2.
44. Lee CL, Wang CJ, Swei LD, et al. Laparoscopic hemi-hysterectomy in treatment of a didelphic uterus with a hypoplastic cervix and obstructed hemivagina. Hum Reprod. 1999 Jul;14(7):1741-3.
45. Lerner JP, Timor-Tritsch IE, Federman A, et al. Trans-

vaginal ultrasonographic characterization of ovarian masses with an improved, weighted scoring system. Am J Obstet Gynecol. 1994 Jan;170(1 Pt 1): 81-5.

46. Ludwin, K. Pity ski, I. Ludwin, et al. Two- and three-dimensional ultrasonography and sonohysterography versus hysteroscopy with laparoscopy in the differential diagnosis of septate, bicornuate, and arcuate uteri. J Minim Invasive Gynecol, 20 (1) (2013), pp. 90–99
47. Mansour GM, El-Lamie IK, El-Sayed HM, et al. Adnexal mass vascularity assessed by 3-dimensional power Doppler: does it add to the risk of malignancy index in prediction of ovarian malignancy?: four hundred-case study. Int J Gynecol Cancer 2009;19: 867–72.
48. Merz E, Bahlmann F, Weber G. Volume scanning in the evaluation of fetal malformations: a new dimension in prenatal diagnosis.Ultrasound Obstet Gynecol. 1995 Apr;5(4):222-7.
49. Michalas SP. Outcome of pregnancy in women with uterine malformation: evaluation of 62 cases.Int J Gynaecol Obstet. 1991 Jul;35(3):215-9.
50. van Nagell JR Jr, Higgins RV, Donaldson ES, Gallion HH, Powell DE, Pavlik EJ, Woods CH, Thompson EA. Transvaginal sonography as a screening method for ovarian cancer. A report of the first 1000 cases screened. Cancer. 1990 Feb 1;65(3):573-7.
51. Nicolini U, Bellotti M, Bonazzi B, et al. Can ultrasound be used to screen uterine malformations?Fertil Steril. 1987 Jan;47(1):89-93.
52. Niemi RJ, Saarelainen SK, Luukkaala TH, et al. Reliability of preoperative evaluation of postmenopausal ovarian tumors. Journal of Ovarian Research 2017;10:15.
53. Pairleitner H, Steiner H, Hasenoehrl G, et al. Three-dimensional power Doppler sonography: imaging and quantifying blood flow and vascularization. Ultrasound Obstet Gynecol. 1999 Aug;14(2):139-43.
54. Patel MD, Ascher SM, Paspulati RM, et al. Managing incidental findings on abdominal and pelvic CT and MRI, part 1: white paper of the ACR Incidental Findings Committee II on adnexal findings. J Am Coll Radiol. 2013 Sep;10(9):675-81.
55. Pavone ME, King JA, Vlahos N. Septate uterus with cervical duplication and a longitudinal vaginal septum: a müllerian anomaly without a classification. Fertil Steril. 2006 Feb;85(2):494.e9-10.
56. Pellerito JS, McCarthy SM, Doyle MB, et al. Diagnosis of uterine anomalies: relative accuracy of MR imaging, endovaginal sonography, and hysterosalpingography. Radiology. 1992 Jun;183(3):795-800.
57. Philbois O, Guye E, Richard O, et al. Role of laparoscopy in vaginal malformation.Surg Endosc. 2004 Jan;18(1):87-91. Epub 2003 Nov 21.
58. Pui MH.Imaging diagnosis of congenital uterine malformation.Comput Med Imaging Graph. 2004 Oct;28(7):425-33.
59. Rackow BW, Arici A. Reproductive performance of women with müllerian anomalies.Curr Opin Obstet Gynecol. 2007 Jun;19(3):229-37.
60. Ragni G, Diaferia D, Vegetti W, et al. Effectiveness of sonohysterography in infertile patient work-up: a comparison with transvaginal ultrasonography and hysteroscopy.Gynecol Obstet Invest. 2005;59(4):184-8. Epub 2005 Mar 17.
61. Raine-Fenning N, Jayaprakasan K, Deb S.Three-dimensional ultrasonographic characteristics of endometriomata.Ultrasound Obstet Gynecol. 2008 Jun;31(6):718-24.
62. Reles A, Wein U, Lichtenegger W.Transvaginal color Doppler sonography and conventional sonography in the preoperative assessment of adnexal masses. J Clin Ultrasound. 1997 Jun;25(5):217-25.
63. Ron M, Arie H, Shlomo A, et al. Three dimensional vaginal sonography in obstetrics and gynaecology. Human Reprod update 2000;6:475-484.

64. Roman LD, Muderspach LI, Stein SM, et al. Pelvic examination, tumor marker level, and gray-scale and Doppler sonography in the prediction of pelvic cancer.Obstet Gynecol. 1997 Apr;89(4):493-500.
65. Rovas L, Sladkevicius P, Strobel E, Valentin L. Reference data representative of normal findings at two-dimensional and three-dimensional gray-scale ultrasound examination of the cervix from 17 to 41 weeks' gestation. Ultrasound Obstet Gynecol 2006; 27:392-402.
66 Salim R, Woelfer B, Backos M,, et al. Reproducibility of three-dimensional ultrasound diagnosis of congenital uterine anomalies.Ultrasound Obstet Gynecol. 2003 Jun;21(6):578-82.
67. Sassone AM, Timor-Tritsch IE, Artner A, et al. Transvaginal sonographic characterization of ovarian disease: evaluation of a new scoring system to predict ovarian malignancy.Obstet Gynecol. 1991 Jul;78(1): 70-6.
68. Scarsbrook AF, Moore NR. MRI appearances of müllerian duct abnormalities. Clin Radiol. 2003 Oct; 58(10):747-54.
69. Sharara FI.Complete uterine septum with cervical duplication, longitudinal vaginal septum and duplication of a renal collecting system. A case report.J Reprod Med. 1998 Dec;43(12):1055-9
70. Sonek JD, Iams JD, Blumenfeld M, Johnson F, Landon M, Gabbe S. Measurement of cervical length in pregnancy: comparison between vaginal ultrasonography and digital examination. Obstet Gynecol 1990;76:172-5.
71. Sonek J, Shellhass C. Cervical sonography: a review. Ultrasound Obstet Gynecol 1998;11:71-8.
72. Tempany CM, Zou KH, Silverman SG, et al. Staging of advanced ovarian cancer: comparison of imaging modalities--report from the Radiological Diagnostic Oncology Group. Radiology 2000; 215:761–767.
73. Timmerman D, Testa AC, Bourne T, et al. Logistic regression model to distinguish between the benign and malignant adnexal mass before surgery: a multicenter study by the International Ovarian Tumor Analysis Group. J Clin Oncol. 2005;23:8794–801.
74. Timmerman D, Testa AC, Bourne T, et al. Simple ultrasound-based rules for the diagnosis of ovarian cancer. Ultrasound Obstet Gynecol 2008;31:681-90.
75. Timmerman D, Van Calster B, et al. Predicting the risk of malignancy in adnexal masses based on the Simple Rules from the International Ovarian Tumor Analysis group. Am J Obstet Gynecol 2016;214:424-37.
76. Towner D, Boe N, Lou K, Gilbert WM. Cervical length measurements in pregnancy are longer when measured with three-dimensional transvaginal ultrasound. J Matern Fetal Neonatal Med 2004;16: 167-70.
77. Wai CY, Zekam N, Sanz LE. Septate uterus with double cervix and longitudinal vaginal septum. A case report.J Reprod Med. 2001 Jun;46(6):613-7.75. Woelfer B, Salim R, Banerjee S, et al. Reproductive outcomes in women with congenital uterine anomalies detected by three-dimensional ultrasound screening.Obstet Gynecol. 2001 Dec;98(6):1099-103.
78. Woelfer B, Salim R, Banerjee S, Elson J, Regan L, Jurkovic D. Reproductive outcomes in women with congenital uterine anomalies detected by three-dimensional ultrasound screening. Obstet Gynecol. 2001 Dec;98(6):1099-103.
79. Wu MH, Hsu CC, Huang KE. Detection of congenital müllerian duct anomalies using three-dimensional ultrasound.J Clin Ultrasound. 1997 Nov-Dec;25(9):487-92.
80. Yavuzcan A, Caglar M, Ozgu E, et al. Should cut-off values of the risk of malignancy index be changed for evaluation of adnexal masses in Asian and Pacific populations? Asian Pac J Cancer Prev 2013; 14:5455-5459

정상변이와 허상

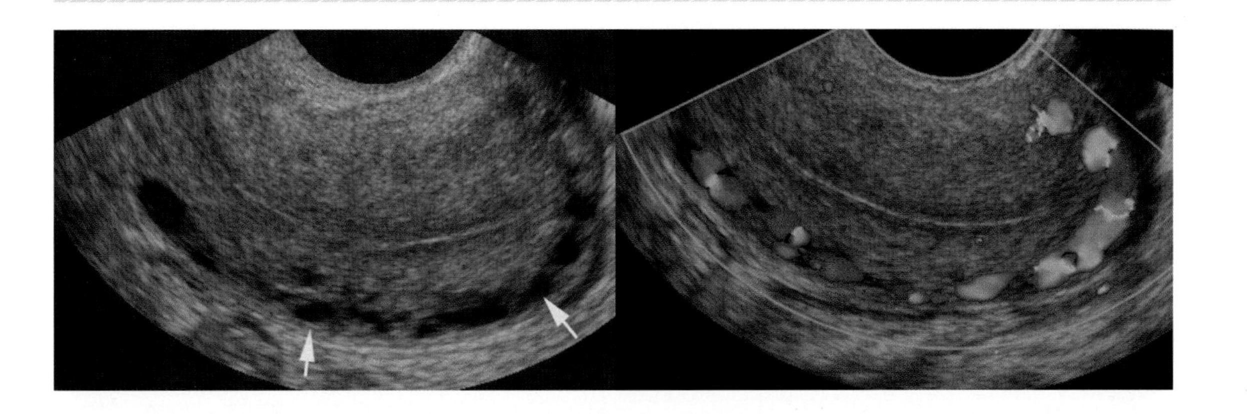

이기환_ 충남의대 산부인과
양정보_ 충남의대 산부인과
이민아_ 충남의대 산부인과
전 섭_ 순천향의대 산부인과
허성은_ 건양의대 산부인과

05 정상변이와 허상

- 초음파는 시행하기 편하고 방사선 조사의 위험성이 없어 진단에 유용한 검사이지만 원하는 골반 장기까지 초음파가 도달하고 다시 반사되어 오는 동안에 통과해야 하는 구조물에 의해 실제의 상태와 다른 영상이 나올 수 있음. 이런 경우 실제소견인지 허상인지 감별하는 것이 중요함.
- 밝기조절과 같은 초음파 세팅이나 초음파 프로브의 잘못된 사용으로도 실제와 다른 영상이 나올 수 있음. 예를 들면 초음파의 강도를 세게 하면 초음파 후방음영의 발생 가능성이 높아 정확한 구조물의 특성을 파악하기 힘듦. 따라서 적절한 초음파 강도를 선택하여야 하고 구조물의 음영이 확실치 않다면 충분한 시간과 인내심을 가지고 다양한 각도로 원하는 구조물을 검사해야 함.
- 중요한 것은 초음파 단독으로 진단을 내리기 보다는 임상적 상황과 부인과 진찰을 통해 얻는 정보를 통합하여 진단을 내려야 한다는 점임.
- 5장에서는 자궁과 자궁부속기의 초음파 진단과정에서 볼 수 있는 다양한 허상과 함정에 대해 그림을 위주로 보고자 함.

1 자궁의 정상변이와 허상

1) 자궁의 혈관

(1) 자궁의 활꼴동맥(arcuate artery)과 정맥이 확장되어 커지면서 무에코 혹은 저에코음영으로 보일 수 있음. 이 경우 작은 근종과 비슷한 모양을 보일 수도 있고 영양막병(Trophoblastic disease)으로 오인할 수 있음. 이 경우 다양한 각도로 틀어보거나 색도플러를 띄워보면 쉽게 구분할 수

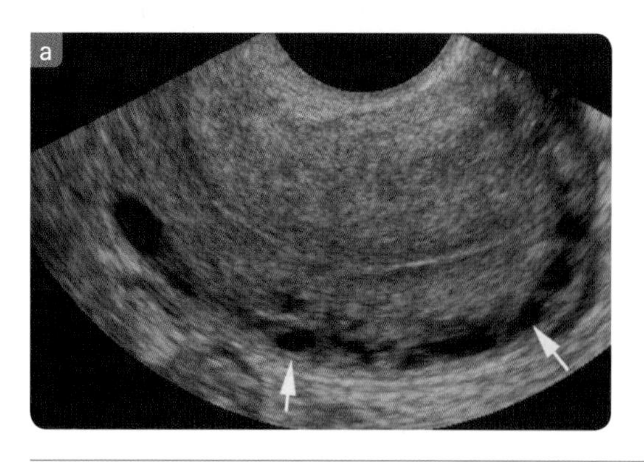

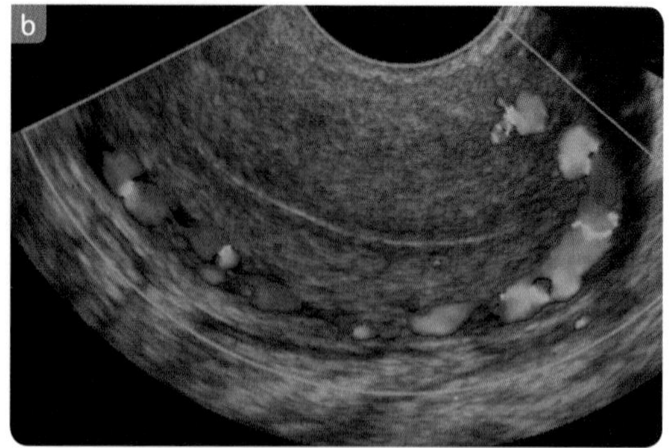

그림 5-1 자궁의 활꼴혈관의 색도플러 전(a), 후(b) 소견.

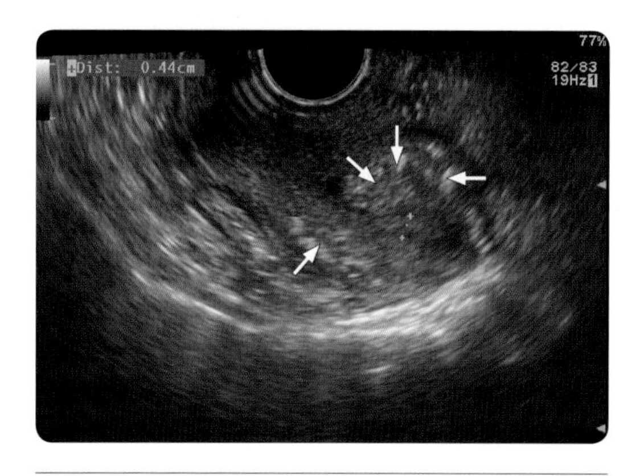

그림 5-2 자궁시상영상(73세). 자궁에 다발성의 석회화 소견(화살표)이 보임.

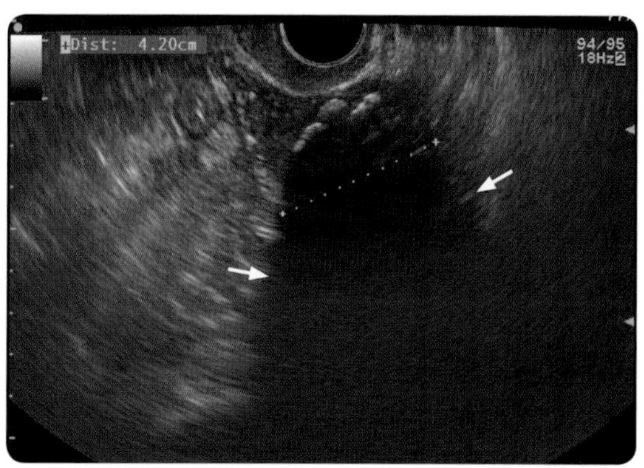

그림 5-3 자궁 가로영상(63세). 근종의 석회화로 인해 초음파 후방음영 상실(화살표)이 보임.

있음(그림 5-1).

2) 자궁의 석회화

(1) 폐경 여성의 자궁은 활꼴동맥이 석회화가 되면서 자궁근육의 외측에 수 밀리미터의 다발성 고에코 음영이 보일 수 있는데 이는 정상소견임. 이러한 변화는 당뇨를 가지고 있는 경우 더 일찍 발생함. 간혹 좀 더 안쪽의 자궁근육층에도 석회화가 발생할 수 있지만 임상적으로 큰 의미는 없음. 석회화가 있는 경우 석화화 뒤쪽으로 초음파후방음영상실(Posterior acoustic shadowing)이 관찰 됨. 대개 병변의 크기가 작아 후방구조물의 확인이 가능함(그림 5-2).

(2) 이전에 있던 자궁근종에도 시간이 지나면서 석회화가 발생하는 경우가 있음. 이 경우 초음파 후방음영이 심해져 전체적인 근종의 음영이나 근종 뒤쪽의 구조물을 파악하기 어려운 경우가 있

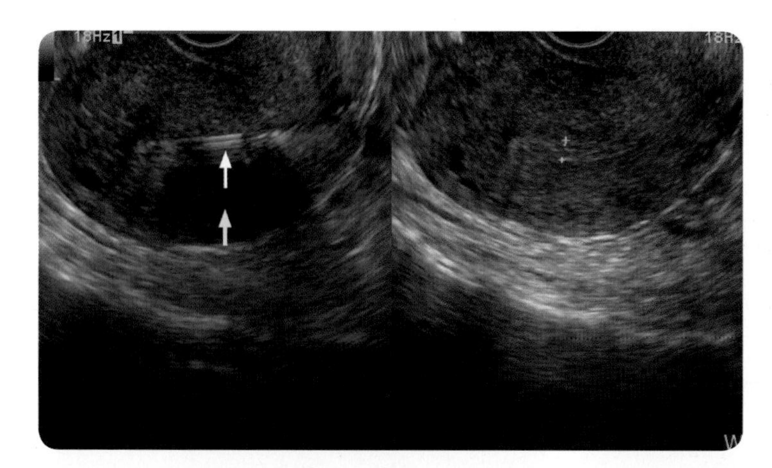

그림 5-4 자궁내장치(좌측)와 자궁내막(우측) 초음파(46세). 반향에 의한 여러 개의 고에코 음영이 보이고(흰색화살표) 초음파 후방음영상실이 보인다(노랑화살표).

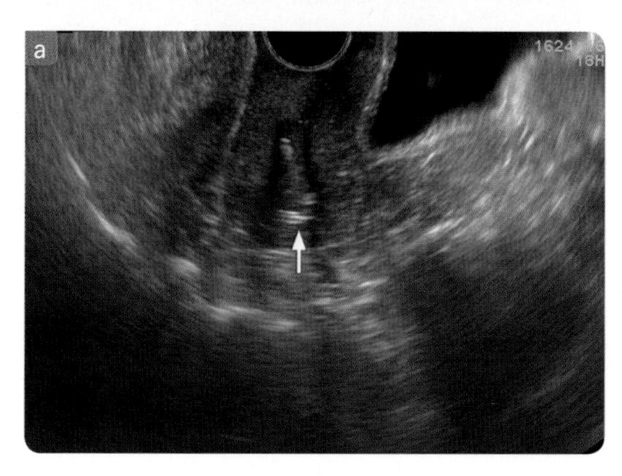

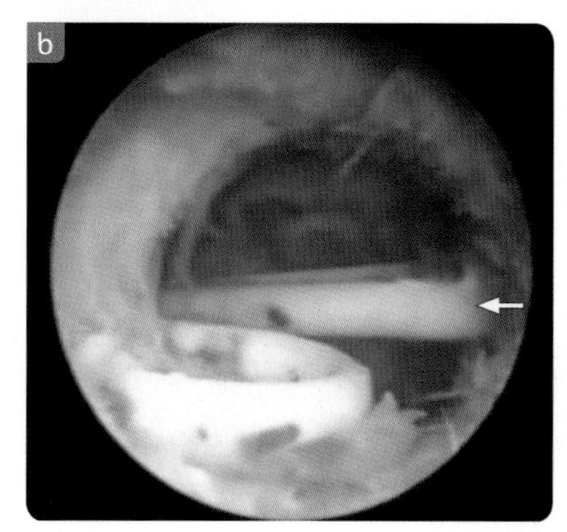

그림 5-5 리페스 자궁내장치의 초음파 자궁시상영상 소견(a)과 자궁경 소견(68세). (a) 초음파프로브를 돌려가면서 보면 리페스 자궁내장치(화살표)의 모양을 파악할 수 있다. (b) 같은 환자의 자궁경소견상.

음. 이러한 경우 후방구조물의 확인을 위해 MRI나 CT가 필요할 수 있음. 일반적으로 근종의 석회화는 큰 의미를 가지지는 않음(그림 5-3) (Rashid SQ. 등, 2016).

3) 자궁내장치

(1) 자궁내장치는 초음파가 통과하지 못하고 반사되는 구조물이기 때문에 고음영의 에코를 보이면서 초음파후방음영 상실이 나타남. 또한 반향(reverberation) 현상으로 인해 실제의 음영과 비슷한 음영이 뒤쪽으로 보이게 되어 여러 개의 고에코 음영 라인이 보임. 자궁내 장치는 복부초음파로도 확인이 가능함. 자궁내장치를 착용한 과거력이 있으나 골반초음파로 고에코 음영이 확인 되지 않는다면 반드시 단순 복부 X선 촬영을 하여 자궁내장치의 유무를 확인해야 함(그림 5-4, 그림 5-5).

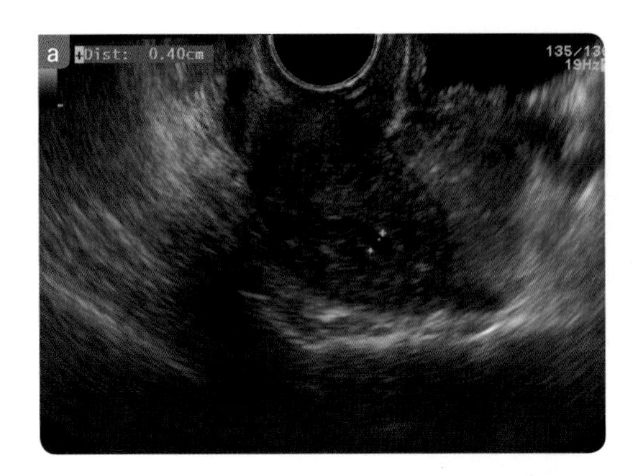

그림 5-6 (a) 69세. 자궁내막 안쪽에 3 mm 두께의 무음영 자궁내막액이 관찰됨. 자궁내막의 이상소견은 보이지 않는다. (b) 75세. 자궁시상영상. 질분비물로 내원한 여성의 자궁초음파. 자궁내막에 24 mm 무음영 자궁내막액이 관찰됨. (c) B환자의 자궁내막액 흡입후 사진. 흡입액의 배양검사상 Eshcerichia coli 검출됨.

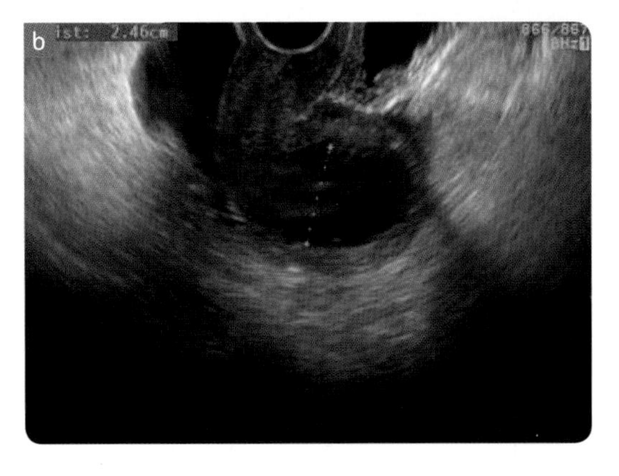

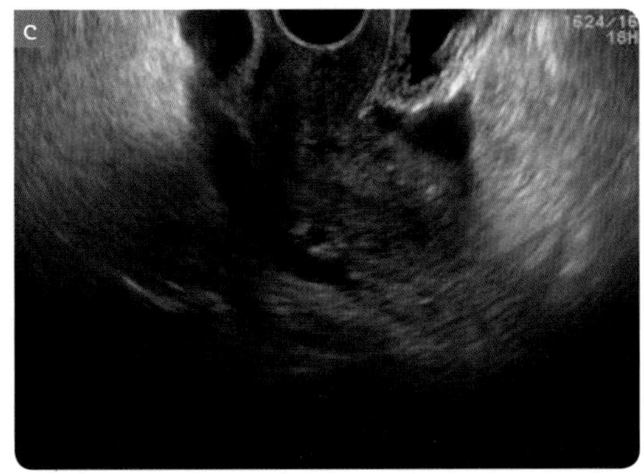

4) 자궁내막액(Endometrial fluid)

(1) 폐경 후 여성에서 자궁 경부의 위축과 경관의 협착으로 인해 액체가 고이면서 무에코성 음영으로 보이는 경우가 있음. 이 경우 자궁내막의 두께가 얇고 대칭성을 보이면 문제가 없는 경우가 많지만 자궁내막암의 가능성도 완전히 배제할 수는 없음(Zalel Y. 등, 1996). 감염이 원인인 경우도 있어 고여 있는 액체의 양이 많다면 제거하여야 함(그림 5-6).

5) 곧창자자궁오목(Douglas pouch) 액체

(1) 복강에는 보통 50-75 mL의 복수가 존재하며 곧창자자궁오목에 고이는 액체의 양은 월경주기에 따라 또는 개인에 따라 차이가 있음. 문헌에 따르면 초기 난포기에 평균 5 mL (2-8 mL), 배란 직전에 평균 10 mL (4-18 mL), 초기 및 중기 황체기에 평균 20 mL (8-33 mL)이고 이후에는 감소함(Younis JS. 등, 2015). 난포가 발달하면서 혹은 황체가 형성된 후 발생되는 삼출물이나 배란 후 배란액이 고일 수 있음. 다양한 부인과 질환과 곧창자자궁목에 고인 액체양과의 관련성은 밝혀진 바가 없음. 하지만 무음영이 아닌 균질한 저음영 또는

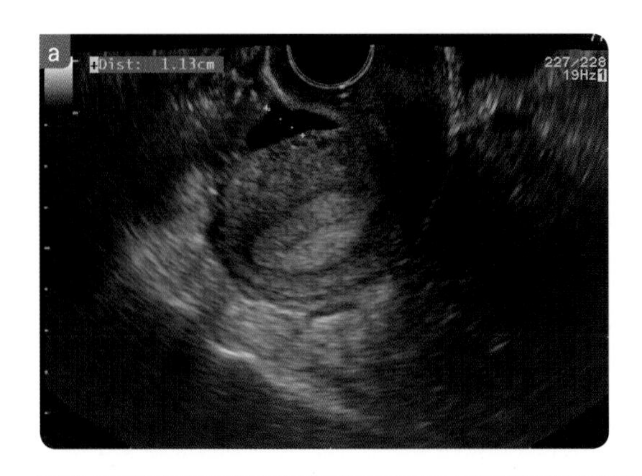

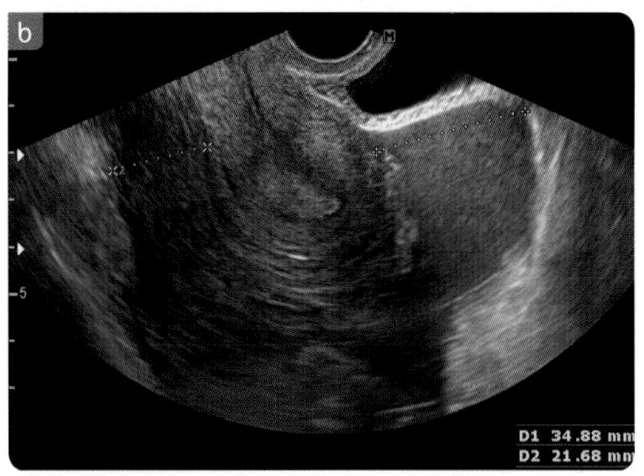

그림 5-7 곧창자자궁오목의 액체 고임. (a) 31세. 월경 후 16일째 초음파. 곧창자자궁오목에 11 mm 가량의 무에코성 액체가 관찰됨. (b) 23세. 월경 후 20일째 황체낭종파열에 의한 혈복강. 자궁의 앞뒤로 저음영의 균질성 에코를 보이는 액체가 관찰됨.

비균질 복잡음영을 보이는 경우 염증, 출혈, 낭종 파열과 같은 부인과적인 질환을 의심해 봐야 함 (그림 5-7) (Hanbidge AE. 등, 2003).

6) 자궁경부의 정상변이와 허상 : 자궁경부의 낭종

나보시안낭종(Nabothian cyst)이 자궁경부에서 흔히 관찰 됨. 나보시안낭종은 자궁경관 분비선이 막히면서 점액이 축적되어 발생함. 대부분 1 cm 미만이고 초음파를 보다가 우연히 발견되는 경우가 대부분이고 커지는 경우는 드묾. 양성이지만 출혈이 동반되거나 다발성으로 커지는 경우 minimal deviation adenocarcinoma나 adenoma maligum 등 매우 드믄 자궁경부암과의 감별이 필요함(그림 5-8) (Wildenberg JC. 등, 2016).

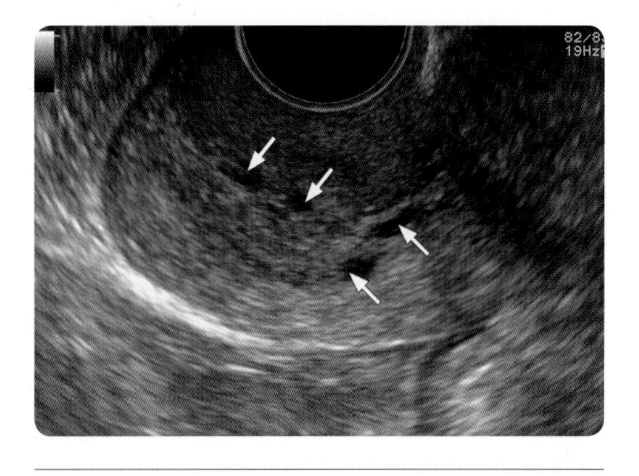

그림 5-8 38세. 자궁시상영상. 여러 개의 나보시안낭종(화살표)이 보임.

2 자궁부속기의 정상변이와 허상

1) 정상 난소

(1) 가임여성의 난소는 월경주기에 따라 다양한 모습을 보임.

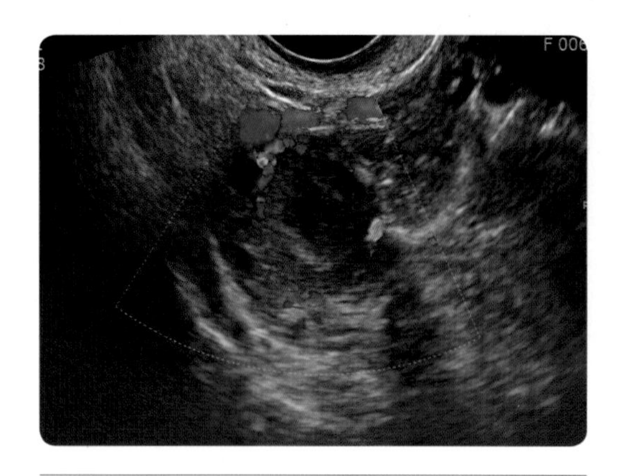

그림 5-9 32세. 황체. 색도플러검사에서 'ring of fire'양상을 보임.

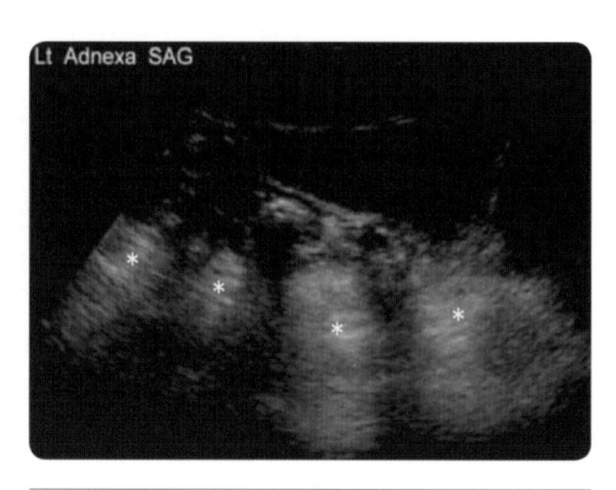

그림 5-10 장 가스(*).

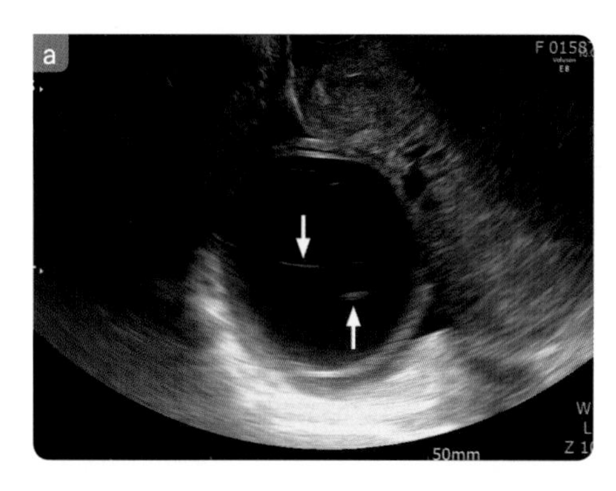

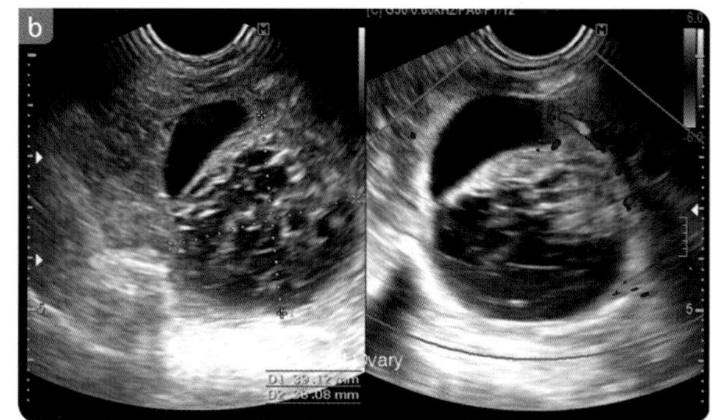

그림 5-11 출혈성 낭종. (a) 29세. 낭종내부의 미세한 피브린 가닥(화살표)이 확인됨. (b) 32세. 낭종내부에 혼합성의 불규칙한 에코를 보이기도 함.

- 전 월경주기에 걸쳐 발달하는 미성숙 난포(follicle)는 2-9 mm 의 크기로 단방성(unilocular)이며 경계가 뚜렷한 무에코성(anechoic) 낭종으로 확인됨.
- 월경주기 8-12일까지 한 개 이상의 우성난포(dominant follicle)가 발달하며 20-25 mm까지 커지게 됨.
- 배란 이후 황체는 전형적으로 두껍고 균질한 에코의 벽과 배란시 출혈에 의한 다양한 양상의 내부에코를 보이며 종종 균질한 저에코성으로 관찰되는 경우 고형종물로 오인할 수 있음. 황체의 크기는 보통 3.0 cm을 넘지 않으며 색도플러검사에서 황체벽을 따라 둥글게 혈류가 증가되는 소위 'ring of fire' 양상을 보임(그림 5-9).

2) 난소종물(ovarian mass) 진단의 함정(pitfall)

(1) 장과 방광

- 장 가스

초음파가 통과하지 못하는 구조물에 의한 초음파

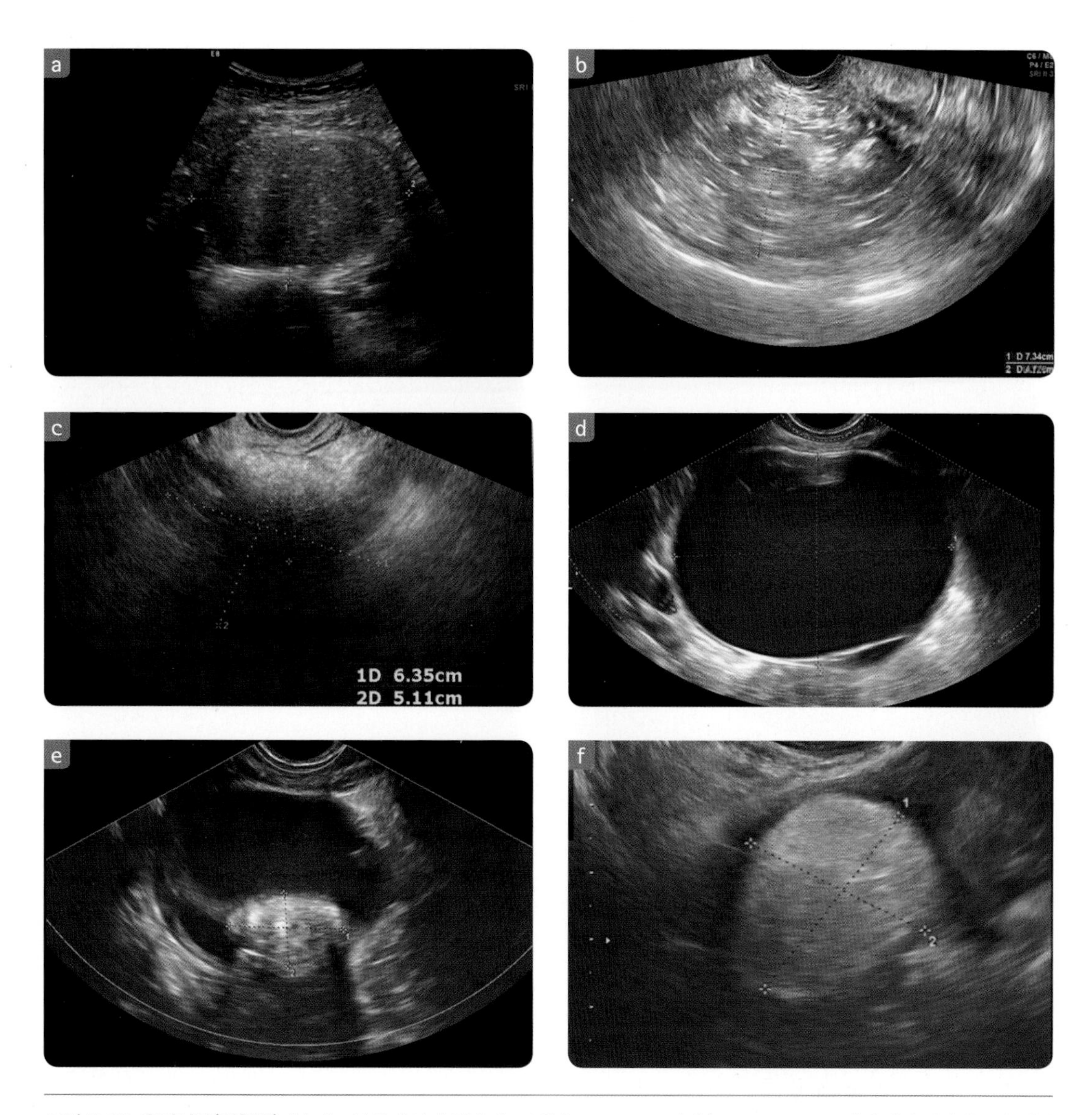

그림 5-12 유피낭종(기형종). (a) 에코성 선과 점이 반복되는 소위 'dot-dash sign' (b) Dermoid mesh, 액체 내에 떠다니는 털, 지방이 만들어내는 그물망같은 에코 (c) 전형적인 'tip of the iceberg' sign, 즉 고에코성 음영을 만들어 종물의 뒷 부분 경계가 잘 확인되지 않음. (d) 유피낭종은 자궁내막종과 초음파영상에서 감별해야 하는 대표적인 종물로써 이 경우처럼 낭성종물로 보일 수 있음 (e) 이러한 낭성 종물에서 dermoid plug (측정부분, 털이나 지방이 뭉쳐 고에코성 종물로 보이는 것)가 보여 유피낭종으로 진단하는 데 도움됨 (f) 대부분 지방 및 털로 이루어진 고에코성의 dermoid plug

후방음영이 장에 차 있는 가스에 의해서도 발생함. 질초음파의 경우 장 가스에 의한 영향이 복부 초음파에 의한 경우보다 적음. 가스로 팽창된 장은 진성 난소낭종과 비교하여 전체 경계가 명확하지 않고 낭종 하부로 증강된 에코가 나타나는 '투과 후 증강효과'가 없음. 장가스로 인해 원하는 위치의 구조물이 정확히 확인이 안되는 경우 시간이 경과한 후에 재검하여야 함(그림 5-10).

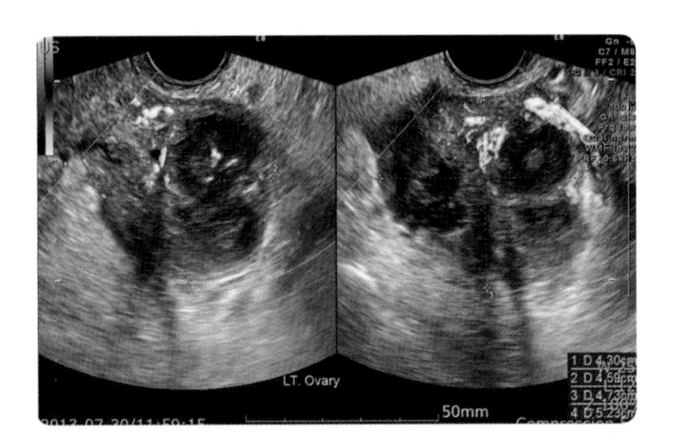

그림 5-13 53세. 난소난관농양.

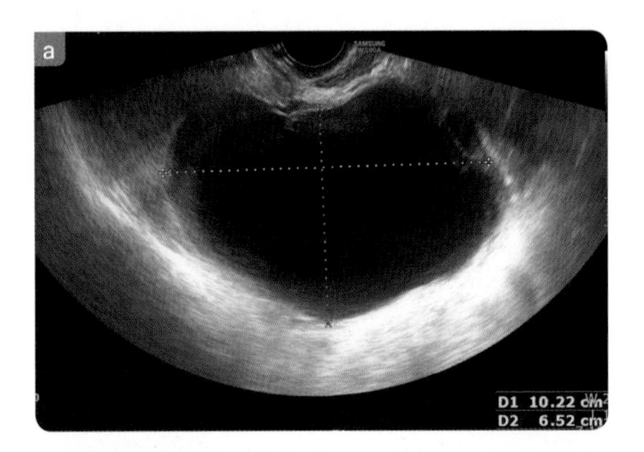

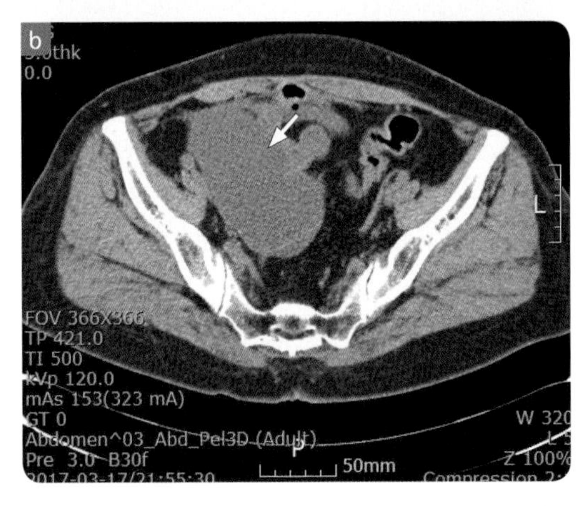

그림 5-14 복막봉입낭. (a) 초음파 사진 (b) 전산화단층촬영(화살표)

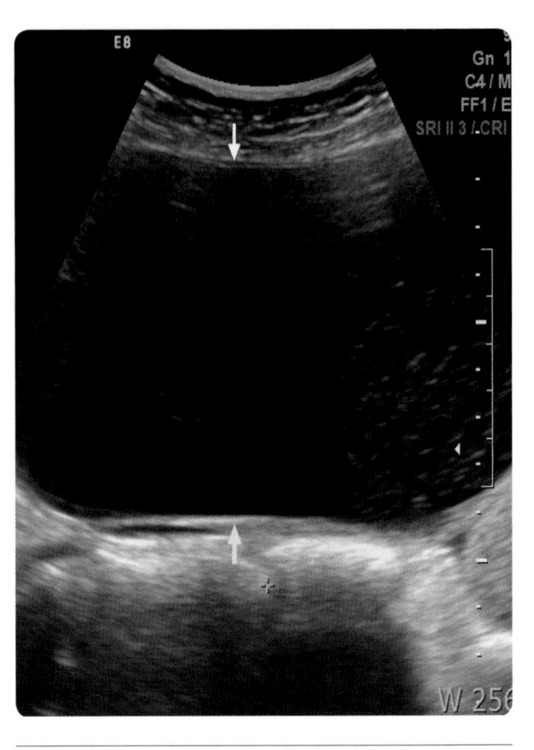

그림 5-15 40세. 복부초음파. 초음파 탐색자에서 가까운 낭종벽(흰색화살표) 보다 탐색자에서 먼 낭종벽(노랑화살표)이 더 고에코음영으로 보임.

(2) 출혈성낭종(hemorrhagic cyst)

- 황체낭종의 급성출혈 → 피떡형성(clot formation) → 피떡수축(clot retraction)의 경과를 거치는 동안 초음파를 언제 시행하느냐에 따라 다양한 양상을 보임. 전형적인 소견은 낭종 내부가 피브린 가닥들(fibrin strands)에 의해 미세한 그물양상(fine reticular pattern) 혹은 액체-부유물 경계면(fluid-debris level)을 보이는 것이며 보통 크기는 3.5 cm를 넘지 않음. 간혹 난관임신과 유사한 양상으로 두꺼운 에코성 테두리가 중앙의 무에코성 공간을 둘러싸는 소견을 보이기도 함. 출혈의 아급성기에는 피떡이 형성되고 용해는 시작되지 않아 두꺼운

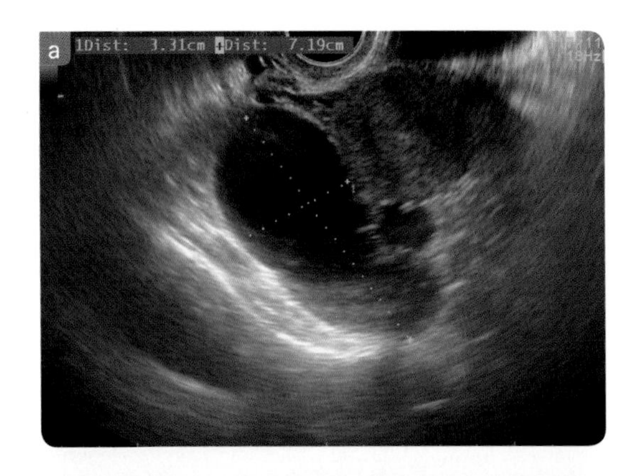

그림 5-16 34세. 우측 자궁부속기 가로영상. (a) 수술 전 초음파검사상 우측 난소낭종 추정진단으로 수술 받음. (b) 수술 소견상 초음파로 보이던 소견은 난관수종(화살표)으로 진단되었고 (c) 우측난소(화살표)는 정상소견이었음.

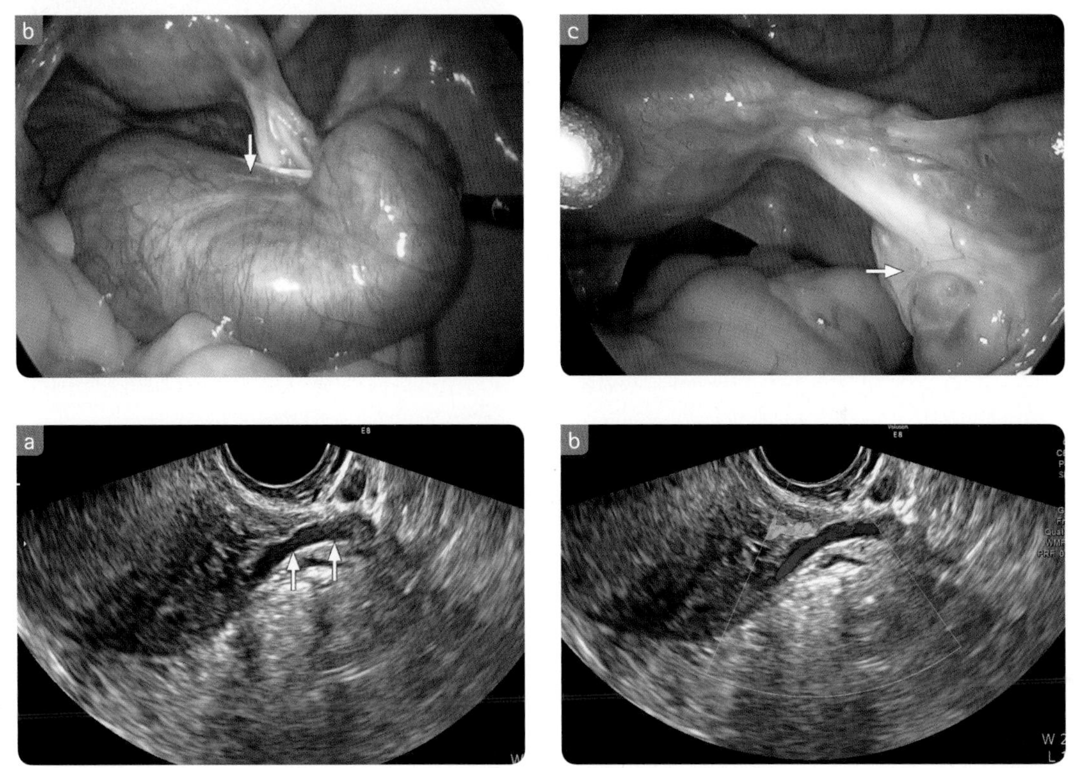

그림 5-17 난관수종으로 오인 될 수 있는 난소 주변의 혈관 확장, (a) 그레이스케일 초음파, (b) 색도플러 초음파

내부 에코를 보이는 고형종물로 확인되기도 하고 부분적으로 용해되는 경우 전체적으로 혼합성의 불규칙한 덩이양상을 보여 악성종물로 오인할 수도 있음(Jain KA. 등, 2002) (그림 5-11 a, b).

(3) 유피낭종(dermoid cyst)

- 전형적인 소견은 머리카락과 피지물질 및 뼈, 치아로 인해 국소적 혹은 전반적인 고에코성 함유물을 갖는 낭종이거나 혹은 내부의 머리카락에

의해 에코성 선과 점이 반복되는 소위 'dot-dash sign' 이 특징적(그림 5-12). 이러한 소견은 주위의 장과 혼동을 가져오며 탐촉자로 외부압박을 하면 모양이 변하거나 연동운동을 보이는 것으로 감별에 도움이 될 수 있음(Ong CL. 2004) .

(4) 그 외 오인하기 쉬운 자궁부속기덩이의 예

- 난소암으로 오인한 자궁난관난소농양(그림 5-13)
- 난소종양으로 오인한 목 있는 자궁근종(pedunculated leiomyoma)
- 난소낭종으로 오인한 복막봉입낭(peritoneal inclusion cyst) (그림 5-14)

(5) 증강(enhancement)에 낭종후벽의 고에코음영

- 증강은 액체로 채워진 낭종 종양에서 뒤쪽 낭종벽이 음영이 앞쪽보다 더 고에코음영으로 보이는 것을 말함. 이는 정상 소견으로 발생하는 원인은 낭종에 채워져 있는 액체로 인해 깊은 쪽 벽에서 반사되는 초음파의 속도가 느려지면서 초음파 신호가 중첩되거나 액체성분이 볼록렌즈의 역할을 하는 것이 원인으로 생각되고 있음(그림 5-15).

3) 난관수종

(1) 정상적인 난관은 초음파로 확인 되지 않음. 하지만 난관원위부 폐쇄로 인해 난관의 점막에서 분비되는 분비물, 역류된 생리혈이 정체되면 초음파로 음영이 확인 됨. 동측의 난소가 명확히 확인이 안되거나 크기가 커진 경우, 심하게 뒤틀려 있는 경우 난소에서 발생한 낭종인지 난관수종인지 감별이 힘들 수 있음(그림 5-16).

(2) 경우에 따라서는 난소 주변의 혈관의 확장이 난관수종으로 착각될 수 있음. 이 경우 색도플러를 이용하여 감별할 수 있음(그림 5-17).

참 고 문 헌

1. Callen PW. Artifacts, pitfalls, and Normal variant: Ultrasonography in Obstetrics and gynecology 5th ed. Philadelphia, Saunder, 2008 P 1098-1104.
2. Hanbidge AE, Lynch D, Wilson SR. US of the peritoneum. Radiographics. 2003 23(3):663-84
3. Jain KA. Sonographic spectrum of hemorrhagic ovarian cysts. J Ultrasound Med 2002;21:879-86
4. Malpica A. Cervical benign and non-neoplastic conditions. Pathology of the female reproductive tract. 3rd ed. London, England: Churchill Livingstone, 2014; P 160–87.
5. Ong CL. Pitfalls of gynecological ultrasonography, Singapore Med J 2004;45(6):289-94
6. Rashid, SQ, Chou, YH, Tiu, CM. Ultrasonography of Uterine Leiomyomas. J Med Ultrasound 2016;24: 3-12
7. Wildenberg JC, Yam BL, Langer FE, Jons LP. US of the Nongravid Cervix with Multimodality Imaging Correlation: Normal Appearance, Pathologic Conditions, and Diagnostic Pitfalls. Radiographics. 2016; 36(2): 596-617.
8. Younis JS, Laufer N. Peritoneal fluid in the pouch of Douglas: strategically located and affecting reproductive events. Fertil Steril. 2015;104(4):831-2.
9. Zalel Y, Tepper R, Cohen I, Goldberger S, Beyth Y. Clinical significance of endometrial fluid collections in asymptomatic postmenopausal women. J Ultrasound Med. 1996;15(7):513-5.

자궁 질환의 초음파

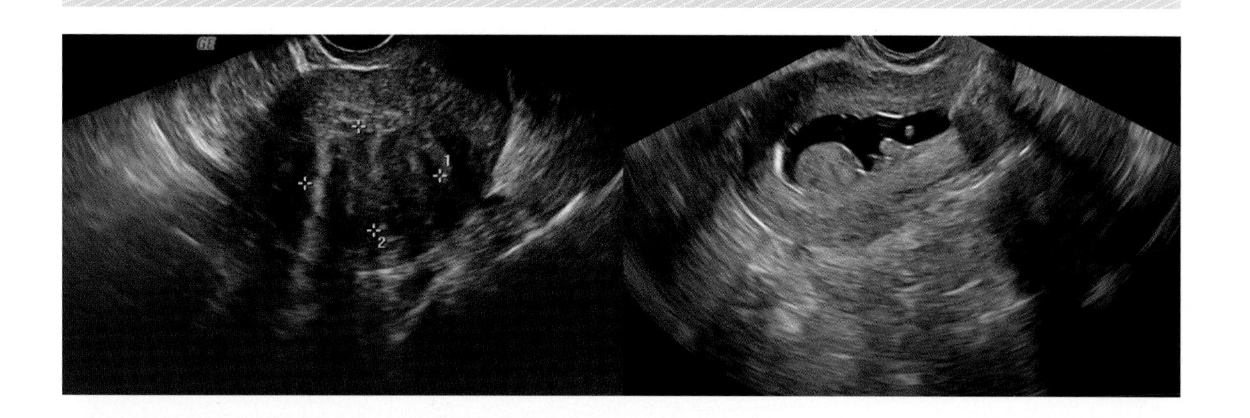

김 탁_ 고려의대 산부인과
이택후_ 경북의대 산부인과
김미주_ 경북의대 산부인과
박준철_ 계명의대 산부인과
주종길_ 부산의대 산부인과

자궁 질환의 초음파

I 체부 : 자궁의 양성질환

1 자궁근종(uterine leiomyoma)

1) 정의

- 자궁의 근육세포에서 기원하는 양성 평활근종양(smooth muscle tumor)

2) 빈도

- 여성에서 가장 많은 골반종양
- 35세 이상 여성에서 1/3-1/2 정도의 발생율
- 50세 이상 여성에서 40-80%가 가지고 있음.
- 호발연령은 40-50대

3) 증상

- 자궁근종을 가진 여성의 25% 정도에서 증상을 유발
- 근종의 위치와 크기가 증상유발에 중요한데 위치가 더 중요
- 월경과다, 월경간출혈, 파탄성출혈등과 같은 비정상자궁출혈과 철결핍성 빈혈, 월경통, 만성 골반통, 급성복통 그리고 덩이의 압박증상으로 빈뇨, 변비, 물콩팥증등이 나타날 수 있으며 불임의 원인이 되기도 함.

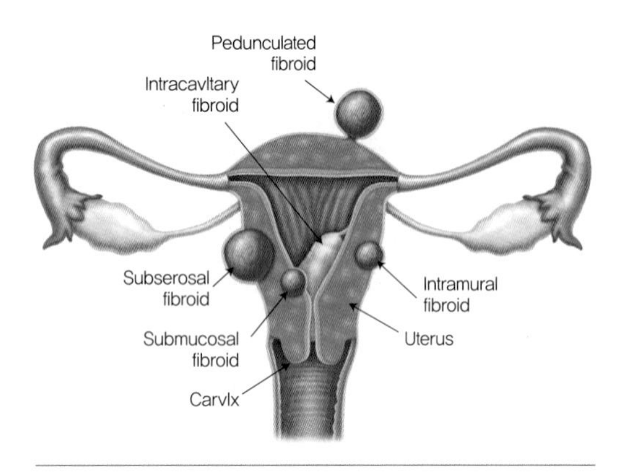

그림 6-1 자궁근종의 종류.

4) 종류

- 장막하 자궁근종, 근층내 자궁근종, 점막하 자궁근종, 경부자궁근종, 넓은 인대 자궁근종(그림 6-1)

5) 진단

- 골반진찰, 초음파, 전산화단층촬영, 자기공명영상, 자궁경등이 있는데 초음파가 first imaging technique으로 사용된다.

(1) 자궁근종의 초음파진단소견

경계가 명확한 둥근모양을 하고 있으며 메아리결(echotexture)은 균질메아리양상(homogeneous echo pattern)을 보이며 주위조직 대비 낮은메아리(hypoechoic) 양상을 보이나 다양한 양상으로 보이기도 한다(그림 6-2).

5 cm 이상의 큰 자궁근종의 경우 특별히 자라는 속도가 빠르다면 세포가 변성된 부분도 나타나기 때문에 메아리결(echotexture)이 종종 비균질한메아리양상(heterogeneous echo pattern)을 보인다(그림 6-3) .

낭성 변성을 보인 경우는 메아리없는(anechoic) 양상을 보이고 출혈변성이 있는 경우에는 출혈이 일어난 시기에 따라서 메아리없는 양상부터 메아리발생(echogenic) 양상까지 나타날 수 있다.

주위의 자궁근육층과 동일한메아리(isoechoic)를 보이는 자궁근종은 자궁근종과 주위 정상조직 사이에 edge refraction과 조직사이에 collagen 이나 두꺼운 섬유성 세포외 물질 같은 것이 존재하기 때문에 빗모양(comb-like)의 구조를 보이는 acoutic shadowing을 보여 구별이 가능하다(그림 6-4).

폐경여성의 경우 칼슘이 침착되어 석회화 또는 높은메아리양상의 피막(capsule)이 보임(그림 6-5).

색도플러영상에서는 혈관이 말초에 주로 분포하는데 때때로 내부에 혈관이 분포하는 경우도 있는데 이때는 악성변성을 의심해 보아야 한다.

(2) 자궁근종과 감별진단

자궁 : 임신
혈종
자궁육종
자궁이외 기관 : 난소 낭종
난소암
자궁외임신
고름자궁관(pyosalpinx)
물자궁관증(hydrosalpinx)
원발자궁관종양(primary fallopian tube neoplasm)
골반농양
대장직장암
방광암

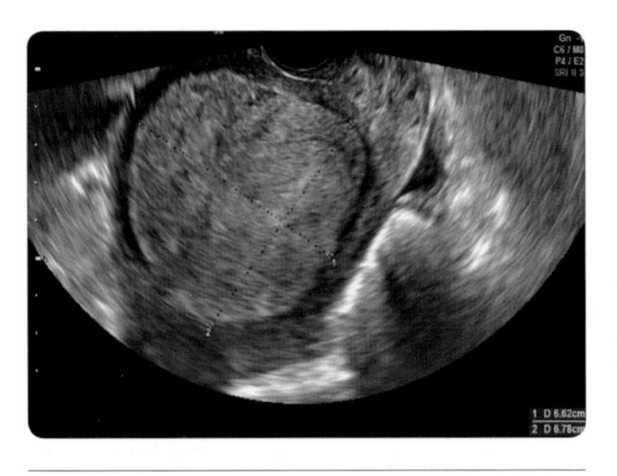

그림 6-2 균질한 메아리양상과 높은 메아리 양상을 보이는 자궁근육층내 자궁근종.

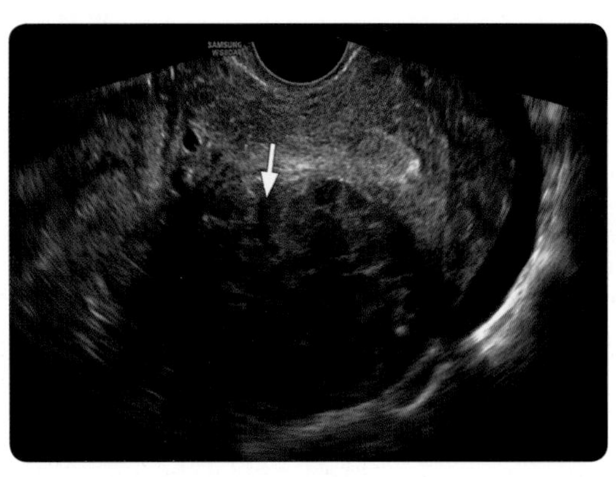

그림 6-3 비균질한 메아리양상을 보이는 근종(화살표).

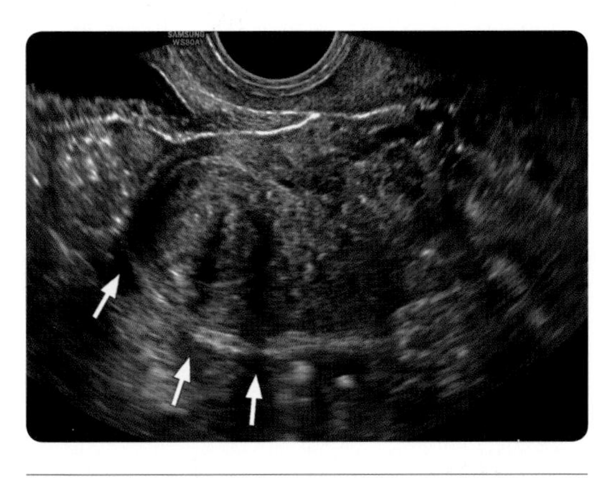

그림 6-4 근종 뒤쪽으로 빗모양의 acoustic shadowing(화살표)을 보이는 자궁근종.

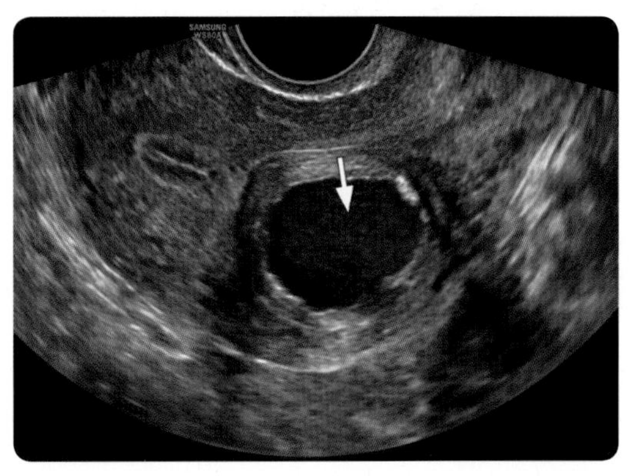

그림 6-5 낭성변화(화살표)를 보이는 자궁근종.

6) 치료

(1) 보존적 치료

증상이 없는 자궁근종의 경우 특별한 치료는 필요없고 1년 주기로 근종의 크기를 초음파검사를 통하여 관찰

(2) 약물 치료

① 생식샘자극호르몬분비호르몬 작용제 : 근종의 크기를 40-60% 정도 줄일 수는 있으나 중단하면 다시 커지고 6개월 이상 장기사용 시 골다공증을 유발

② 호르몬을 분비하는 자궁내피임장치(levonorgestrel releasing IUD) : 월경과다와 같은 비정상자궁출혈에 효과적

③ 선택적프로게스테론수용체 조절제 : 경구로 하루 1정을 한번 복용해서 질출혈을 효과적으로 줄일 수 있다. 3개월 단위로 복용

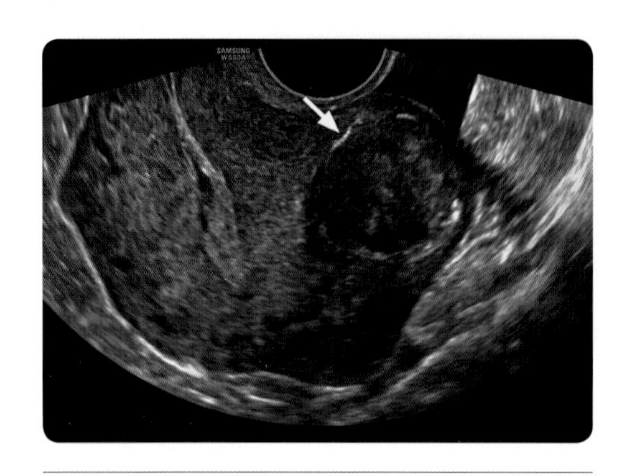

그림 6-6 석회화 또는 높은 메아리양상의 피막(화살표)이 보이는 자궁근종.

④ 경구피임제 : 일시적으로 월경양을 줄이는데 도움

(3) 수술 치료

① 근종절제술 : 자궁을 보존하면서 근종만을 제거하는 방법. 복강경이나 로봇수술이 선호되나 향후 임신을 해야하는데 접근이 어렵거나 자궁내막에 근접한 경우에는 개복수술이 권고됨.

② 전자궁절제술 : 임신이 필요 없는 여성에서 근종의 재발을 원치 않는 여성에서 선호됨. 복강경이나 개복술 또는 질식접근 방법이 있음.

(4) 기타 치료

① 자궁동맥색전술 : 자궁근종으로 가는 혈관만을 선택적으로 막아 자궁근종에 허혈이 발생하여 퇴화시키는 방법. 수술로 모두 제거가 어려운 다발성근종에 효과적

② High Intensity Focused Ultrasound(HIFU) : 초음파나 MRI 가이드하에 초음파열을 이용하여 근종 속에 있는 단백질을변성시켜 세포사를 유도하여 치료. 근종의 크기를 33%정도 감소시킴. 시술후 임신을 원하는 여성에 대한 데이터는 충분치 않음.

2 자궁선근증(Adenomyosis)

1) 정의

- 자궁내막선과 간질조직이 자궁근층 내에 존재하는 경우.
- 이소성 자궁내막조직이 다양한 정도의 평활근 세포 과다형성(hyperplasia)과 연관.
- 월경주기에 따라 침윤조직이 증식하거나 월경 시 오래된 조직과 혈액이 자궁근층에서 빠져나오지 못하면 매달 월경통 발생.
- 일부 혈액이 근층에서 빠져나와 지연된 월경으로 나타나기도 함.
- 발생 원인으로 자궁 절개 등으로 자궁내막세포가 직접 근육으로 파고 들어간다는 설, 태생기 자궁이 만들어지는 시기에 이미 자궁근육에 자궁내막세포가 존재한다는 설, 산욕기에 자궁 lining 파괴 및 염증에 의해 자궁내막세포가 근육층으로 침투한다는 설 등이 있음.

2) 빈도

- 정확한 유병률은 알 수 없으나 자궁절제 조직의 20~30% 빈도를 보인다고 함.
- 주로 가임기 후반인 40대 여성에서 호발.

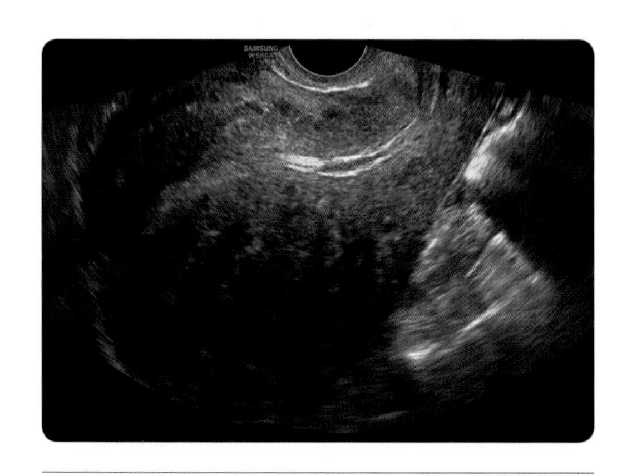

그림 6-7 **자궁선근종**. 자궁근육층에 낮은 메아리의 가는선이 부채꼴 모양으로 펼쳐지는 소견(Fan-shaped shadowing)을 보임.

3) 증상

- 월경 과다 혹은 오래 지속되는 월경
- 월경곤란증
- 성교통, 만성 골반통

4) 징후

- 골반진찰 시 흔히 압통이 동반된 비대해진 자궁 촉지됨.
- 자궁의 움직임은 제한되지 않으며 동반된 자궁 부속기 병변은 없음.
- 자궁근종과 동반 시 단단하게 만져질 수 있음.

5) 진단

자궁선근증은 임상적으로 추정진단이 가능하지만, 확진은 병리조직 소견으로만 할 수 있음. 골반초음파검사와 CT 및 MRI 등 영상검사는 진단에 도움이 되기는 하나 한계가 있으며 확진을 내릴 수 없음.

(1) 임상증상

- 비정상자궁출혈
- 월경곤란증, 월경과다
- 성교통, 만성골반통
- 자궁내막증이 동반된 경우 직장이나 하부천골부에 연관통증(referred pain)
- 내진상 자궁이 전반적으로 커져 있으며 압통이 있음.

(2) 초음파검사

- 자궁 비대(uterine enlargement)
- 자궁이 전반적으로 공모양으로 커지거나 자궁근육층의 전벽이나 후벽이 비대칭적으로 두꺼워짐(그림 6-7).
- 경계가 불분명한 비정상음영이 자궁근육층내에 존재
  - 대부분 메아리결(echotexture)이 비균질적이며, 때때로 불규칙한 그림자가 있고 다발성의 작은 (2~3 mm) 자궁근육층낭(myometrial cyst)이 높은메아리(hyperechoic)조직과 섞여 있음.
  - 메아리결(echotexture)이 균질한 높은메아리 소견
- 자궁근육층에 낮은메아리의 가는 선이 부채골 모양으로 펼쳐져 보이는 경우도 있음(그림 6-7).
- 자궁근육층내로 침범한 자궁내막이 팽창하게 되면 자궁근육층의 일부에 메아리없는(anechoic) 낭성병변이 보이기도 하는데 월경중/직후에는 낮은메아리나 혼합메아리를 보일 수도 있음(그림 6-8).

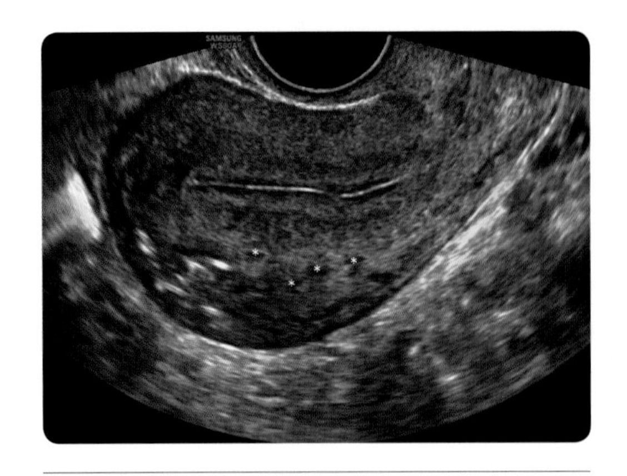

그림 6-8 후벽 자궁근육층이 전벽에 비해 두꺼워져 있으면서 후벽 자궁근육층의 일부분에서 낭성병변(*)을 동반한 자궁선근증.

- 자궁근육층 중 자궁내막과 연접한 부위는 조직학적으로 평활근세포가 밀집되어 있으면서 세포외기질과 수분이 상대적으로 적어서 낮은메아리 상태로 보이는데 이 곳을 junctional zone이라 함. 이 위치는 2D 보다는 3D에서 더 명확하게 확인할 수 있음. 자궁선근증에서는 junctional zone에서 자궁내막과 직각방향으로 연결되어 있는 높은메아리의 선이나 버드(bud)가 관찰될 수 있는데, 이들은 자궁내막조직이 junctional zone으로 침범하여 증식하고 있음을 나타냄(그림 6-9, 그림 6-10). 자궁내막조직이 junctional zone 전체를 침범하게 되면 자궁내막과 자궁근층의 경계가 애매할 수 있음(그림 6-11).

(3) 병리소견 - 확진

- 육안적 소견 : diffuse uterine enlargement, 특히 involvement in posterior wall
- 현미경적 소견
- EM tissue scattered throughout the muscle
- EM island should be noted at least one/HPF

자궁선근증과 자궁근종의 초음파상 감별소견

- 가장자리를 확인할 수 있게 경계가 명확한 경우 자궁근종을 강하게 시사.
- 자궁근육층 병변 내 작은 낭 및 높은메아리 부위가 있을 시 자궁선근증을 시사.
- 월경주기 동안 병변의 모양에 변화가 있을 시 자궁선근증을 시사.

6) 치료

(1) 내과적 치료

- 비스테로이드소염제
  : 자궁의 경련성 동통 감소, 월경량 감소
- 경구피임제 또는 프로게스틴
  : 월경 억제하여 증상 감소
  경구형, 주사형, 자궁내 장치
- 생식샘자극호르몬분비호르몬 작용제
  : 병변 크기를 감소시켜 수술시 절제부위를 감소
  임신을 원하는 경우 사용
  치료 중단 시 재발, 장기간 사용할 수 없음.

(2) 수술적 치료

- 자궁절제술
  : 더 이상 출산을 원하지 않을 경우
- 자궁벽 쐐기 절제술
  : 자궁보존을 원할 경우 자궁을 부분 절제하는 수술
- 이중 피판법
  : 최근에 개발된 자궁보존을 원할 경우
- 자궁경하 내막 절제술
  : 출산을 원치는 않으나 자궁도 보존하고 싶은 경우

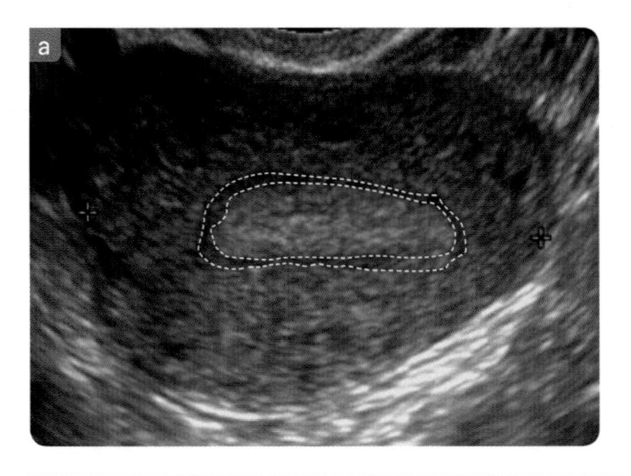

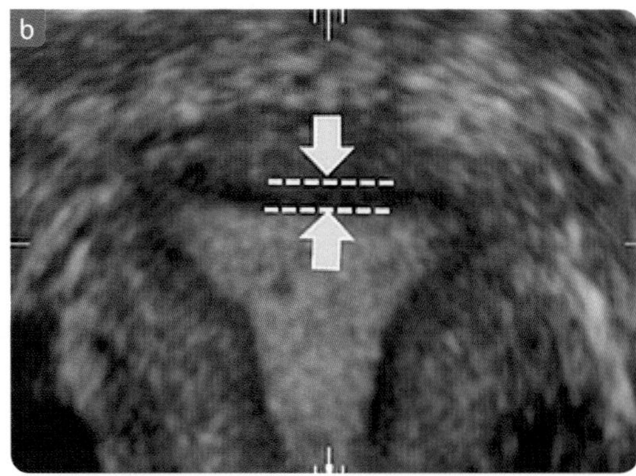

그림 6-9 Junctional zone. (a) 2D (b) 3D

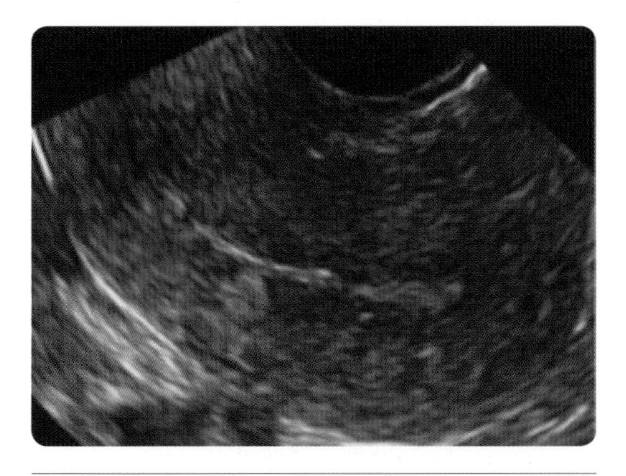

그림 6-10 Sub-endometrial echogenic bud.

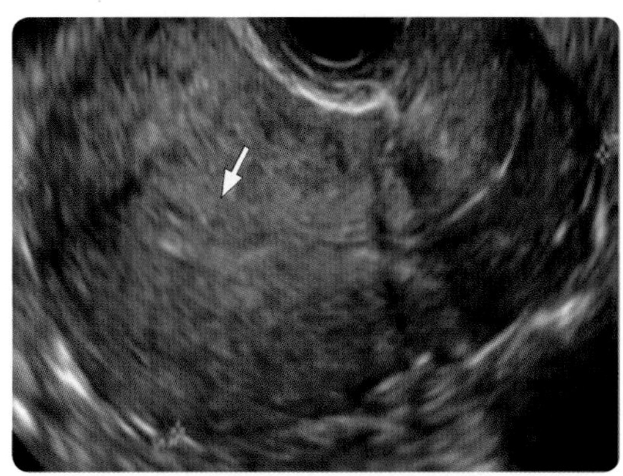

그림 6-11 Non-visualization of junctional zone.

(3) 기타치료

- High Intensity Focused Ultrasound (HIFU)
  : 자궁근종치료와 유사한 원리로 치료하나 효과는 아직 검증되지 못함.

II 체부 : 자궁의 악성질환

1 자궁육종 (Uterine Leiomyosarcoma)

1) 정의

- 자궁의 평활근에서 기원하는 악성종양

2) 빈도

- 자궁체부암의 1%
- 호발연령은 43~53세(다른 육종보다 다소 젊은 연령에서 발생)
- 양성 자궁근종에서 악성 자궁육종으로의 변화는 매우 드물어 0.13~0.81% 정도
- 자궁체부암을 갖고 있는 환자의 약 4%에서 골반 방사선치료의 기왕력

3) 증상 및 징후

- 비특이적인 증상으로 질출혈, 골반동통, 압박감, 복부골반덩이
- 골반덩이의 존재가 중요한 이학적 소견
- 폐경 후 급격한 자궁 비대가 있으면 의심

4) 진단

(1) 임상증상

- 폐경 후 여성에서 심한동통과 골반덩이가 동시에 있을 경우

(2) 초음파검사

- 자궁근종과 유사한 소견
- 일반적으로 수술 전 진단이 어려움.
- 자궁근종으로 보이는 덩이가 폐경 후 여성에서 커지면 평활근육종 가능성 고려
- 보통 자궁근종 보다 크기가 크다. - 8 cm 이상인 경우가 많다.
- 자궁근종에 비해 중앙에 현저한 혈관분포를 보이는 경우가 더 많음.

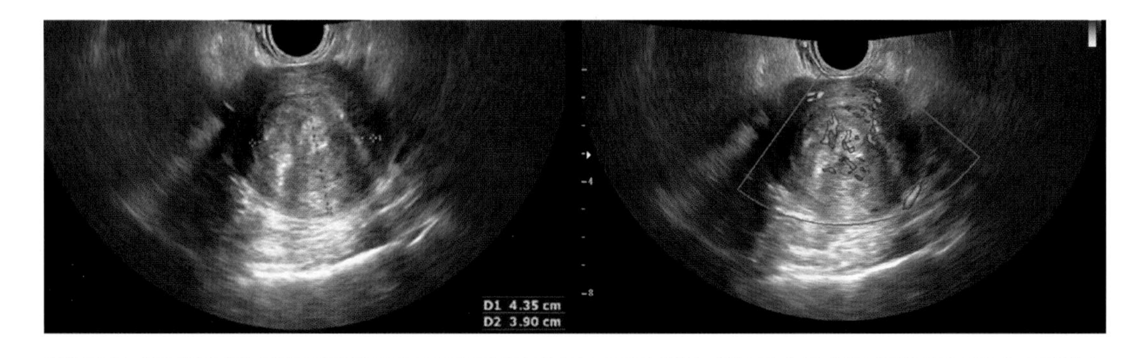

그림 6-12 자궁육종의 초음파 소견(39세).

(3) CT

- low attenuation의 irregular central zones 이 보일 수 있음.
- suggesting extensive necrosis and haemorrhage
- foci of calcification may be present but rare

(4) MRI

- an irregular margin of a uterine leiomyoma on MRI is suggestive of sarcomatous transformation, this is not considered that specific.

(5) 병리 조직 – 확진

자궁근증과 자궁육종의 영상의학적 감별소견(그림 6-12)
: 다음 소견 시 자궁육종을 의심

- 괴사소견
- 출혈소견
- 경계가 불명확한 결절 가장자리(ill-defined or nodular margin)
- 석회화
- 초기 비균질한 조영증강후 소견(early/postcontrast enhancement)
- impeded diffusion on diffusion-weighted imaging

5) 치료

(1) 수술

- 초기 자궁육종 첫 단계는 시험적 개복술
- 전자궁 절제술 & 양측 자궁부속기 절제술 & 복강 및 림프절 절제.
- 폐경전 자궁평활근육종 환자는 BSO 제외할 수도 있음.

(2) 방사선치료

- 자궁평활근육종 환자의 경우 방사선 치료의 효과에 아직 논란의 여지가 있음.

(3) 항암화학요법

- Doxorubicin이 가장 효과가 좋은 단일 약제 – 반응률 25%
- 생존률을 증가시키진 않음.

III 내막

1 자궁내막증식증

자궁내막 조직의 비정상적인 증식을 의미하며, 자궁내막 샘의 구조적인 복잡성과 세포학적 비정형성에 따라 분류됨(표 6-1). 황체호르몬의 길항작용이 없이 지속적인 난포호르몬의 자극에 의해 발생할 수 있음. 다낭난소증후군이나 난포호르몬을 분비하는 난소 종양과 연관성이 있으므로 초음파검사 시 난소에 대한 관찰도 중요함. 비정상 자궁출혈이 흔히 발생하며, 자궁내막암의 전구병변일 수 있음.

1) 원인

① 무배란
② 다낭난소증후군
③ 난포호르몬 분비 난소종양 : 과립막세포종, 난포막세포종,
④ 부신피질증식증
⑤ 비만, 당뇨, 고혈압, 기타 간질환

표 6-1 자궁내막증의 분류

	자궁내막암 병립가능성	자궁내막암 진행위험도
Hyperplasia without atypia	<1%	RR 1.01–1.03
Atypical hyperplasia / endometrioid intraepithelial neoplasia	25–33%	RR 14–45

⑥ 에스트로겐 단독치료

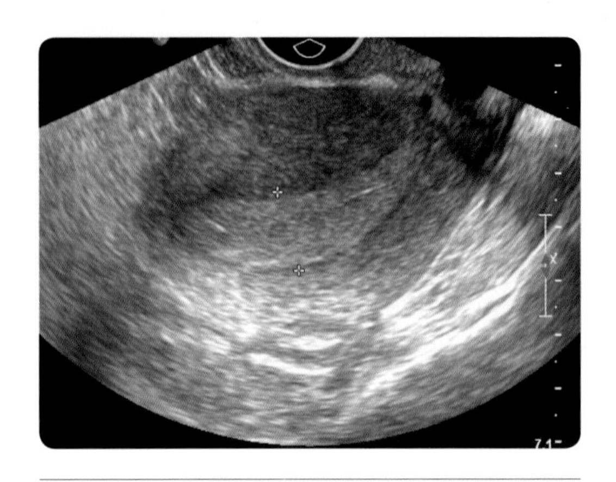

그림 6-13 자궁내막증식증. 자궁내막두께가 증가되어 있으나 자궁근층과의 경계는 유지됨.

2) 진단

(1) 임상 증상

① 비정상 자궁출혈 : 가장 흔한 증상

- 비정상적인 출혈을 보인 가임기 여성의 10% 정도에서 자궁내막증식증이 원인일 수 있으며, 자궁내막용종이나 자궁내막암을 배제하는 것이 중요함.
- 폐경 후 여성에서 출혈이 있는 경우 위축성 출혈이 가장 흔하지만, 15%에서 자궁내막증식증, 10%에서는 자궁내막암이 원인일 수 있음.

② 만성 무배란과 연관되어 비만, 여드름, 다모증 등이 관찰될 수 있음.

(2) 초음파

자궁내막의 두께, 균질성, 혈관분포, 자궁근층과의 경계부위가 정상적인 형태인지 검사한다(Kim 등, 2016) (그림 6-13, 그림 6-14, 그림 6-15).

① 자궁내막의 두께

- 폐경 후 여성에서 비정상 자궁출혈을 보일 때, 자궁내막의 두께가 5 mm 이상이면 자궁내막증식증 또는 자궁내막암 가능성 증가(민감도 96%, 위음성율 8%) (Smith-Bindman 등, 2004) → 자궁내막조직검사 시행
- 폐경 전 여성에서 비정상 자궁출혈을 보이는 경우, 자궁내막 두께가 8mm 이상일 때 자궁내막증식증 가능성이 증가한다는 보고가 있으나(민감도 100%, 특이도 63.7%), 기준치는 확립되어 있지 않음(Nazim 등, 2013).

② 자궁내막의 두께 측정 방법

- 방광을 비운 뒤 질식 초음파를 이용하여 정중면(sagittal plane)에서 두 층의 자궁내막 전체 두께를 측정
- 자궁내강에 액체가 고여있는 경우 그 두께를 빼고 자궁내막 두께만을 측정
- 자궁내막 전체를 스캔하여 가장 두꺼운 부위를 측정
- 자궁근종, 이전의 수술력, 고도 비만 등의 이유로 자궁내막 전체를 확인할 수 없다면 초음파자궁조영술이나 자궁경검사 고려

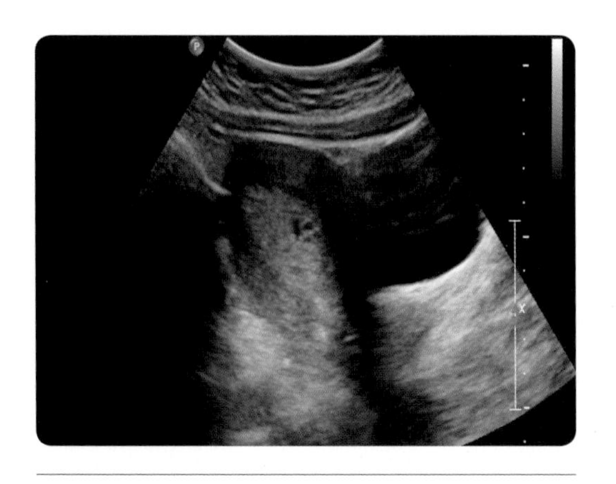

그림 6-14 자궁내막증식증. 비후된 자궁내막과 낭성 변화.

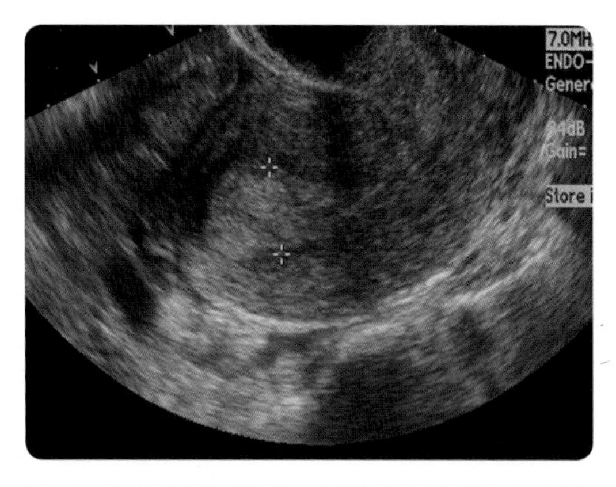

그림 6-15 자궁내막증식증. 비균질성 용종양 자궁내막.

- 호르몬 치료 중인 환자에서는 소퇴성 출혈 직후에 측정함으로써 위양성률을 줄일 수 있음.

③ 형태적 변화

- 자궁내막의 불규칙한 음영, 다발성 용종, 또는 낭성 변화를 보이는 경우
- 자궁내막과 자궁근층의 경계는 유지됨.

(3) 자궁내막 생검

- Pipelle을 이용한 자궁내막 흡인생검
- 자궁내막 소파술

(4) 자궁경검사

- 자궁내강을 직접 관찰하여, 자궁용종이나 점막하 근종 등의 질환을 배제하거나 치료할 수 있음.
- 폐경 후 질출혈을 보인 환자에서 자궁경검사는 민감도 94%, 특이도 92%, 양성 예측도 92%, 음성 예측도 96.9%를 보임(Alfhaily 등, 2009).

(5) 초음파자궁조영술

- 자궁경검사에 비하여 통증이 적을 뿐 아니라 외래에서 비교적 손쉽게 시행할 수 있음.
- 자궁내 국소적인 병변을 감별하여 다음 단계 검사로 자궁내막 검사를 시행할 지, 자궁경검사를 시행할 지 결정하는 데 도움을 줄 수 있음.

3) 치료

(1) 프로게스틴 치료

① 경구용 프로게스틴 : 치료 용량과 치료기간은 확립되어 있지 않다.

- 약제 및 용량 : medroxyprogesterone acctate 10-20 mg, megestrol acetate 160-320 mg
- 주기요법(매달 10-13일 투여) 또는 지속요법
- 3-6개월 치료 후 자궁내막 생검으로 확인

② 프로게스틴 함유 자궁내 장치

(2) 수술적 치료 : 자궁적출술

표 6-2 자궁내막암의 분류
자궁내막양선암
점액성암
장액성암
투명세포암
신경내분비암
혼합성세포암
미분화세포암

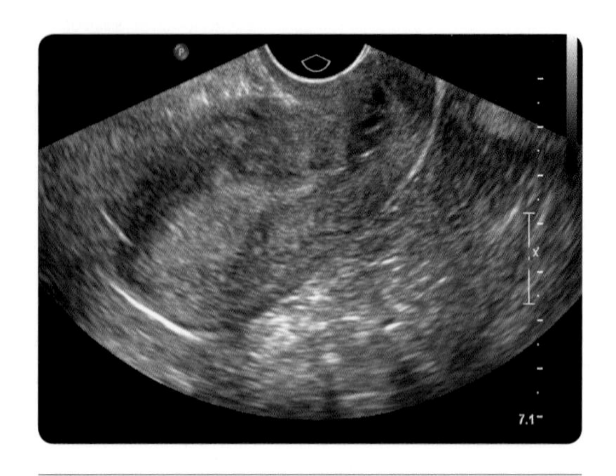

그림 6-16 자궁내막암. 자궁내막 두께가 증가하였으며, 자궁근층과의 경계가 불규칙함.

2 자궁내막암

최근 국내에서도 자궁경부암은 감소하는 반면, 자궁내막암의 발병 빈도가 증가하고 있음. 자궁내막암은 폐경기 이후 호발하지만, 젊은 여성에서도 무배란과 같이 프로게스틴의 길항작용이 감소한 경우 발생할 수 있음. 에스트로겐 의존성 자궁내막암은 가임기 여성이나 폐경기 전후 여성에서, 프로게스틴의 길항작용이 없이 내인성 또는 외인성 에스트로겐에 노출된 여성에서 자궁내막증식증이 발병한 후 자궁내막암으로 악화된 것임. 에스트로겐 비의존성 자궁내막암은 폐경 여성에서 위축된 자궁내막에서 발생한 것으로 분화도가 나쁘며, 예후도 좋지 않음. 조직학적 분류로는 선암이 가장 흔한 조직유형임(표 6-2).

1) 증상 및 신체진찰

(1) 증상

① 비정상 자궁출혈

- 폐경 후 비정상 자궁출혈의 3-10%에서 자궁내막암이 진단되지만, 자궁내막암 환자의 90-95%에서 출혈이 유일한 증상이었으므로, 폐경 후 출혈을 보이는 경우 자궁내막암을 배제하는 것이 중요함(Alfhaily 등, 2009).
- 폐경 전 여성의 경우 불규칙한 월경과다, 희발월경

② 하복통, 혈뇨, 빈뇨, 직장출혈

(2) 신체진찰

골반내진검사 및 직장수지검사

2) 진단

(1) 초음파

부정출혈 환자를 평가하여 자궁내막 생검 등의 추가 검사를 시행할 환자를 선별하는 데 중요함(그림 6-16, 그림 6-17, 그림 6-18).

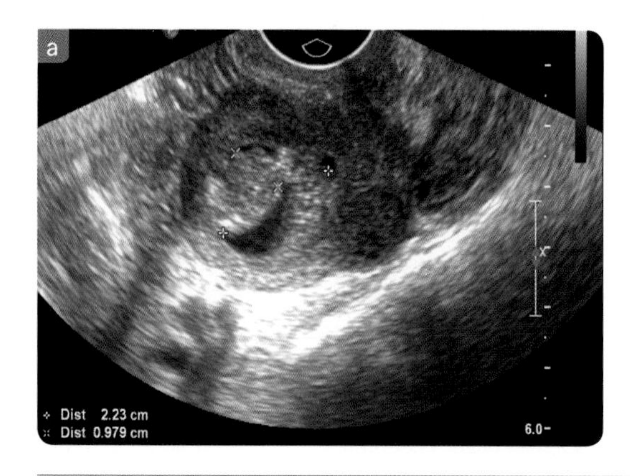

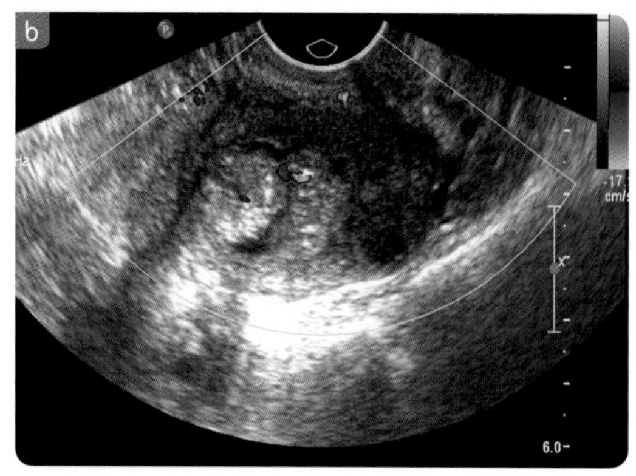

그림 6-17 **자궁내막암.** (a) 자궁내 용종성 종괴가 관찰되며, (b) 혈관 분포가 증가되어 있음.

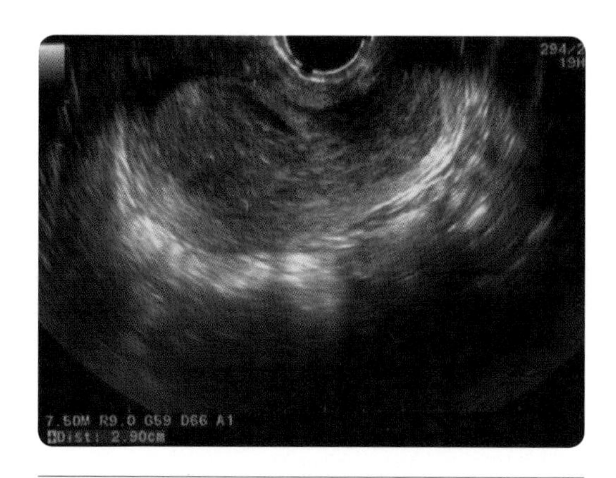

그림 6-18 **자궁내막암.** 자궁내막의 불규칙한 음영 및 낭성 변화

① 자궁내막 두께

- 폐경 후 자궁출혈을 보인 여성에서 자궁내막의 두께가 5 mm 이상이라면 자궁내막 조직검사가 권유됨(Shifren 등, 2014).
- 폐경기 여성의 자궁내막은 대부분 위축되어 있고 일부분에서 자궁내막증식증이나 자궁내막암이 발생할 수 있으므로 초음파검사 시 자궁내막 전체를 스캔하여 가장 두꺼운 부위를 측정하여야 함. 따라서 전체 자궁내막을 확인할 수 없다면 초음파검사만으로 자궁내막암을 배제할 수 없고 초음자궁조영술이나 자궁경검사를 시행하여야 함.

② 형태적 변화

- 자궁내막과 자궁근층의 경계가 모호하거나 불규칙할 때
- 물자궁증(hydrometra)이 있거나
- 자궁내막의 불규칙한 음영, 용종성 종괴, 또는 낭성 변화를 보이는 경우

③ 3차원 초음파 및 도플러스캔 : 자궁 또는 자궁내막의 용적 증가, 혈류 지표의 증가(Kim 등, 2015)

(2) 조직검사

① 자궁내막 검사 : Pipelle을 이용한 자궁내막 검사의 자궁내막암 진단율은 90-98% 임. 그러나 채취된 조직이 진단에 불충분할 수 있으며, 국소적인 병변은 진단하지 못할 수 있음.

② 자궁내막소파술 : 흡인검사로 충분한 평가를 할 수 없거나, 흡인생검에서 음성이었으나 자궁출혈이 재발한 경우에는 자궁내막소파술을 시행함.

③ 자궁경부 세포검사 : 자궁내막암 환자의 30-50%에서 비정상 결과를 보일 수 있음.
⑤ 자궁경을 통한 조직검사 : 가장 정확한 방법이며, 특히 국소적인 병변을 진단할 때 도움이 됨.

(3) 치료 전 평가

방광내시경, 대장내시경, 정맥성신우조영술, 자기공명영상, 복부골반 전산화 단층촬영, CA125

(4) 병기 설정(표 6-3)

표 6-3 자궁내막암의 병기

1	자궁체부에 국한
1A	자궁근층 1/2미만 침범
1B	자궁근층 1/2이상 침범
2	자궁경부 기질 침범
3	국소적 침범
3A	자궁장막 또는 자궁부속기 침범
3B	질 또는 자궁주위조직 침범
3C	골반 림프절 또는 대동맥주위 림프절 침범
4	방광, 장 또는 전신적 침범
4A	방광 또는 장 점막 침범
4B	복강내 전이 또는 원격 전이

3) 치료

환자의 병기, 세포의 분화도, 조직학적 분류뿐만 아니라, 환자의 연령, 전신 상태 등이 중요함.
(1) 수술적 치료
(2) 방사선 치료
(3) 항암치료
(4) 고용량 프로게스틴
젊은 환자에서 가임력 보존을 원할 때, 병변이 자궁내막에 국한되어 있고 분화도가 좋은 경우에 시도해볼 수 있음.

3 자궁강내 공간을 차지하는 병변(Endometrial cavity space-occupying lesion)

자궁강내 종괴가 있는 경우, 단순 초음파검사로 진단이 어려운 경우가 많음. 이러한 병변 중 가장 흔한 것은 자궁내막용종과 점막하근종이며 자궁내막용종의 경우 다발성인 경우가 많지만, 점막하근종의 경우 하나만 존재하는 경우가 많음. 치료로 자궁소파술을 흔히 시행하지만 완전히 제거되지 않을 수도 있음(Kendall, 1975).

1) 자궁내막용종

자궁내막용종은 자궁강내 어디에서나 발생 가능한 자궁내막의 국소 과증식임. 샘(glands), 간질(stroma), 혈관(blood vessels) 조직을 모두 포함하고 있으며, 각 조직의 구성 정도에 따라 형태, 크기가 결정됨(Clark 등, 2015).

(1) 빈도

① 무증상 여성의 경우, 일반적으로 10-15%(Clark 등, 2005)
② 무증상인 폐경 전 여성의 12%, 불임 여성의 6-11%, 폐경 후 여성의 13%의 빈도를 보임(de Ziegler,

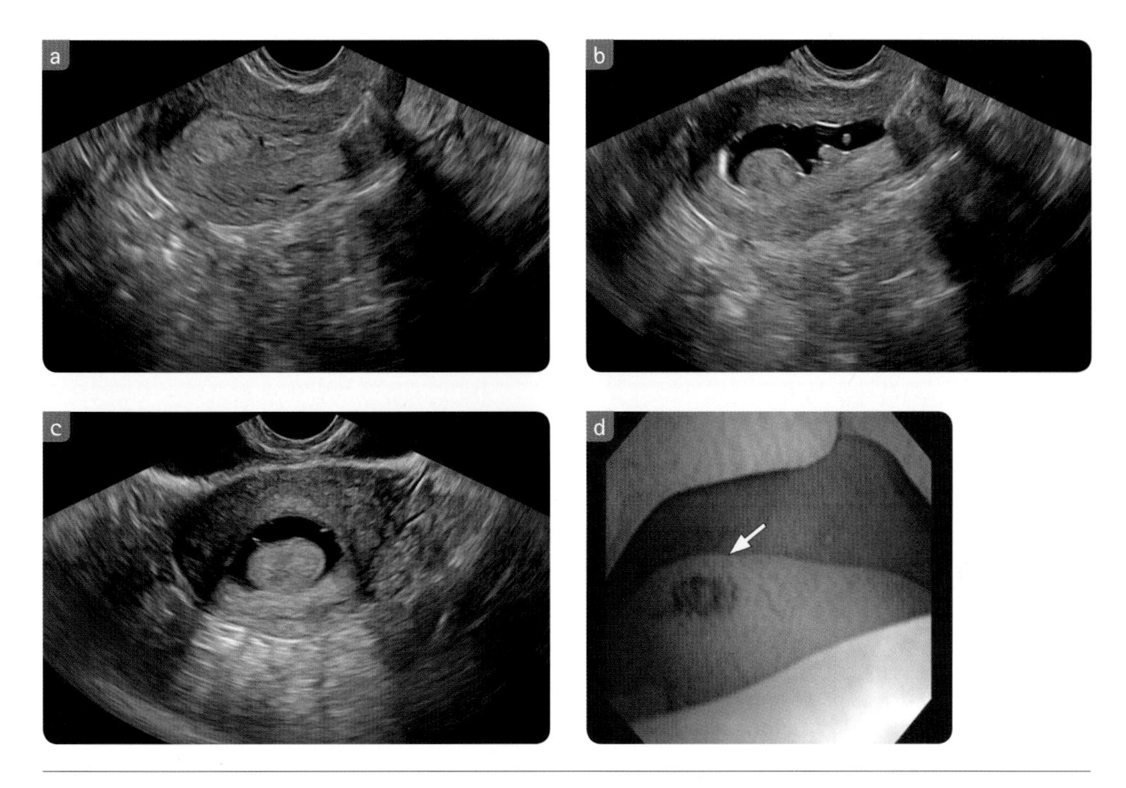

그림 6-19 자궁내막용종의 진단. (a) 질초음파검사. 자궁내막이 두꺼워진 소견을 보인다. (b), (c) 초음파자궁조영술. 용종의 기저부를 확인할 수 있다. 질초음파검사에서 확인할 수 없었던 작은 크기의 용종이 관찰된다. (d) 진단자궁경검사. 직접 용종을 확인할 수 있다.

2009, Dreisler 등, 2009).

③ 비정상 자궁출혈과 같은 증상이 있는 경우 20-30%의 빈도를 보임(Bakour 등, 2000).

④ 대부분 양성으로, 1-3%에서 악성이 보고됨(Lieng 등, 2010).

(2) 진단

① 증상

i) 대부분 무증상

ii) 비정상 자궁출혈

iii) 월경과다

iv) 드물지만 월경통 발생 가능

② 초음파소견

i) 질초음파검사에서 용종은 자궁내막의 두꺼워짐이나, 엷은 고음영에 둘러 쌓인 매끈한 윤곽을 가진 음영으로 보임(Martinez-Perez 등, 2003) (그림 6-19 a).

ii) 질초음파검사는 증식기(proliferative phase)에 시행하는 것이 좋음.

iii) 도플러초음파검사를 시행할 경우, 혈관(vascular pedicle)을 용종의 기시부에서 발견할 수 있다. 기능성 용종과 위축형 용종으로 구별되며, 기능성 용종의 경우 하나의 동맥이 흔히 발견되나, 위축형 용종에서는 이러한 소견이 보이지 않음(Jakab 등, 2005) (그림 6-20).

③ 초음파자궁조영술(Saline infusion sonohysterography, SIS)

i) 초음파자궁조영술은 자궁강내 이상을 발견하기 위한 술기로서, 자궁강내에 식염수를 주입한 상태에서 초음파검사를 시행하여 용종, 점막하근종, 유착 등 자궁강내 이상을 확인하는 방법임(그림 6-19 b, c).
시술 전, 초음파검사를 통해 골반내 구조를 확인 후, 소독된 질경을 질내에 삽입하여 자궁경부를 소독하고 8 French 도뇨관을 자궁경관 내구를 통과하여 자궁강내로 넣고 생리식염수 2 cc를 이용하여 부풀려 빠지지 않도록 함. 질경을 제거하고 질식초음파의 프로브(probe)를 질내에 넣고 도뇨관의 풍선이 자궁경관 내구를 막을 수 있도록 부드럽게 잡아당기면서 위치가 적절한지 확인함. 생리식염수 50cc를 주사기에 넣고 약 5-30 cc 정도를 질식초음파 확인 하에 천천히 자궁강내로 주입함. 이 때 공기가 섞여 병변의 경계를 모호하게 하지 않도록 주의함. 이 후 질식초음파를 통해 시상평면과 횡단평면에서 자궁내강을 관찰하고 특히 자궁내막의 윤곽, 두께, 균등도, 음영을 기록함(Obstetricians ACo, 2008; Cho 등, 2006).

ii) 초음파자궁조영술은 질초음파검사에 비해 더 높은 진단 정확도를 가지며, 질초음파검사에서 감별이 어렵던 작은 용종의 기저부를 좀 더 명확하게 파악할 수 있음.

④ 자궁경(Hysteroscopy)

i) 용종의 표준진단법임.

ii) 직접 용종을 확인할 수 있으며, 확인과 동시에 제거하여 조직 검사를 시행할 수 있음(그림 6-19 d).

(3) 치료

① 무증상일 경우, 명백한 치료 가이드라인은 없음. 용종의 제거는 악성 가능성 여부와 불임 연관성 등을 고려하여 결정하여야 함.

② 증상이 있을 경우, 폐경 유무와 관계 없이 함.

i) 자궁경하 용종절제술 : 표준치료법

ii) 자궁소파술 : 흔히 사용되는 방법이나, 제거에 실패할 가능성이 있으며, 최근에는 자궁경으로 용종 제거 후 추가적인 자궁소파술을 시행하는 경우가 많음(Clark 등, 2002).

iii) 맹검 용종절제술(Blind polypectomy) : 포셉(forcep)으로 잡아 당겨 제거하는 방법으로 과거에 사용되었지만, 자궁 천공 및 장기 손상 가능성이 있다. 자궁경으로 위치 확인 후 시행할 수도 있음.

(4) 자연경과

대부분의 용종은 치료하지 않으면 그 상태를 유지함. 일부 작은 용종의 경우 저절로 사라지기도 함. 일부 연구에 따르면 폐경 전 여성의 용종을 1년간의 추적관찰하자 27%에서 이전에 비해 크기가 감소했다고 함(Lieng 등, 2009; DeWaay 등, 2002).

2) 점막하근종

자궁근종은 양성 평활근종양으로 자궁 종양 중 가장 흔하다. 근종은 흔히 장막하, 근층내, 점막하근종으로 분류함. 이 중 점막하근종의 경우 자궁내강의 일부를 차지하며 진단 및 용종과 감별이 쉽지 않음(Fraser 등, 2007).

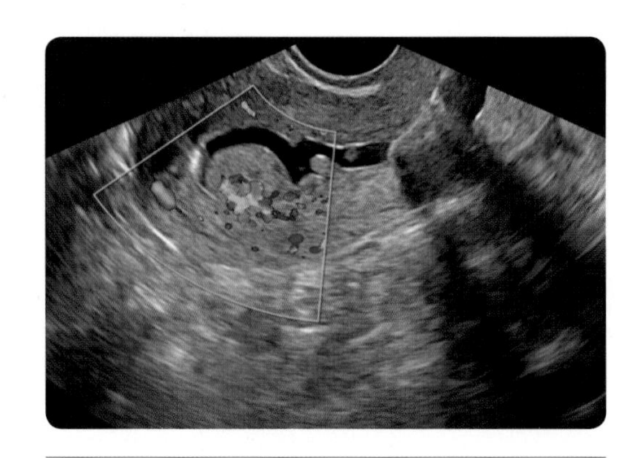

그림 6-20 자궁내막용종의 도플러초음파검사. 용종 기저부의 혈관을 확인할 수 있다.

(1) 빈도

자궁근종 자체는 자궁에서 발생 가능한 종양 중 가장 흔하며 50% 이상에서 무증상임. 이 중 점막하근종의 정확한 빈도는 명확하지 않지만, 한 연구에 따르면 비정상 자궁출혈이 있는 여성의 57%에서 점막하근종이 발견되는 것으로 보고되었음(Jacobson 등, 1956).

(2) 분류 - FIGO

FIGO (International Federation of Gynecology and Obstetrics)에서 제안한 자궁근종 분류법에서 점막하근종은 근종과 자궁강의 위치 관계에 따라 다음과 같이 분류함(Munro 등, 2011).

(1) Type 0 – 자궁강내로 완전히 돌출된 경우
(2) Type 1 – 자궁강내로 돌출되어 있으며 전체 근종의 50% 미만이 자궁근층내에 있는 경우
(3) Type 2 – 자궁강내로 돌출되어 있으나 근종의 50% 이상이 자궁근층내에 있는 경우

(3) 진단

① 증상

자궁근종의 증상으로 월경과다, 월경통, 골반통, 요로계 및 장 압박으로 인한 증상, 성교통, 불임 등이 있음. 그러나 점막하근종의 경우 그 해부학적 위치와 특징으로 인해 월경과다 및 불임을 유발하는 것으로 알려져 있음.

② 혈액학적 검사

혈액학적 검사로 점막하근종을 진단할 수는 없으며, 다만 월경과다가 있는 경우 혈색소 등 빈혈에 대한 검사를 시행함.

③ 초음파검사

i) 근종은 국소적이며, 근육층과는 잘 구분되는 경계를 가진 종양으로, 주로 저음영을 보이지만,고음영, 정상음영 어느 것이든 가능함(그림 6-21 a).
ii) 주변 근층이 압박을 받음에 따라 가성피막(pseudocapsule)을 형성하여 구별이 용이할 수도 있음.
iii) 점막하근종은 초음파검사 단독으로 진단되기보다는 초음파자궁조영술이나 3차원 초음파검사를 병용 시행하는 것이 추천됨(Callen, 2011).

④ 초음파자궁조영술(Saline infusion sonohysterography, SIS)

i) 초음파자궁조영술을 사용하면 명확히 구분되지 않는 점막하근종의 구별이 용이해지며, 자궁강내 돌출 정도를 명확히 확인할 수 있어 FIGO stage에 따른 분류와 자궁경하 근종절제술의 시행가능 여부 판단이 용이함(그림 6-22).
ii) 근종을 덮고 있는 음영을 띈 얇은 자궁내막층

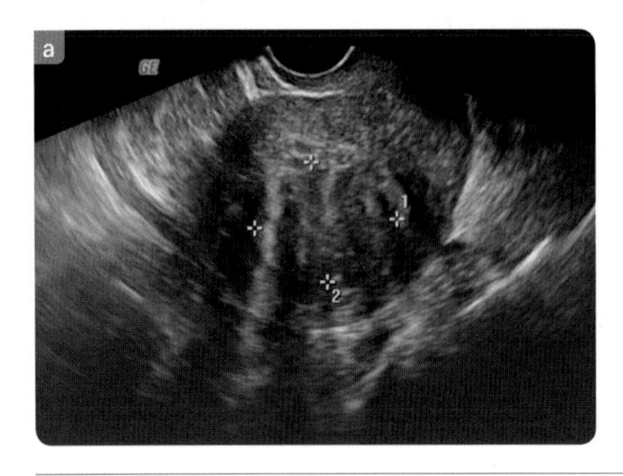

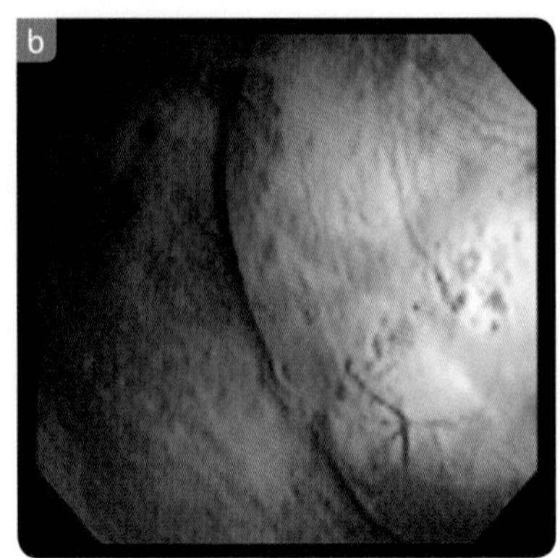

그림 6-21 점막하근종의 초음파검사(a)와 자궁경소견(b).

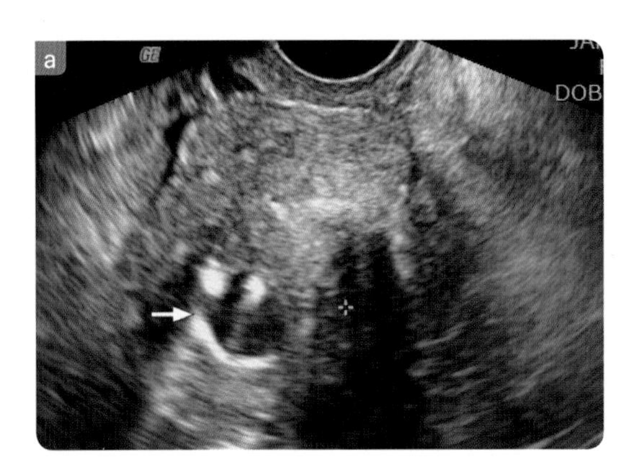

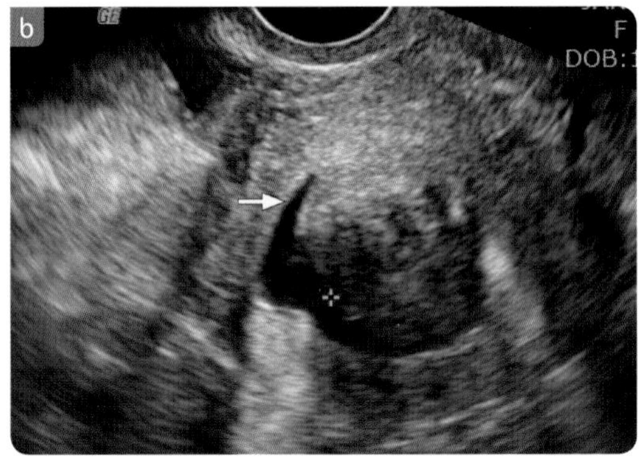

그림 6-22 점막하근종의 초음파자궁조영술. (a) 유아용도뇨관(화살표) 삽입 후 생리식염수 주입 전의 초음파 소견. (b) 생리식염수 주입으로 점막하근종(화살표)이 확인된다.

을 확인함으로써, 넓은 기저부위를 가지는 자궁내막용종과 구분을 가능하게 함.

⑤ 자궁경(Hysteroscopy)

i) 직접 볼 수 있어, 명확한 진단이 가능함(그림 6-21 b).

ii) 일부 근종에서는 근종을 뒤덮고 있는 혈관이 보이기도 함(그림 6-23).

iii) 진단과 동시에 조직 제거를 통한 치료를 시행할 수 있다는 장점이 있음.

(4) 치료

일반적으로, 증상이 없다면 치료가 필요 없으며 증상이 있다면 환자의 나이, 폐경 여부, 향후 임신 계획 등에 따라 치료 방법을 결정함(Lasmar 등, 2017). 점막하근종의 경우, 불임이나 비정상 자궁출혈, 조기 분만 등의 원인으로 알려져 있어 적극적 치료를 시행하는 것이 좋음(Jayakrishnan 등, 2013).

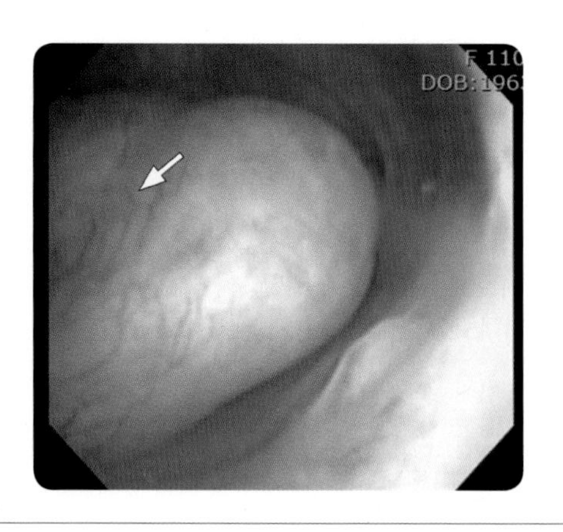

그림 6-23 점막하근종의 자궁경소견. 근종표면에 혈관을 확인할 수 있다.

① 약물 치료

다양한 약물 치료가 이용될 수 있으나, 근층내 자궁근종에 비해 효과가 감소되거나 없는 경우가 많아 수술적 제거가 선호됨.

i) NSAID
ii) 경구피임약
iii) LNG-IUS (Levonorgestrel-intrauterine system, LNG-함유 자궁내삽입기구)
iv) Ulipristal acetate
v) GnRH analogue

② 수술적 치료

i) 자궁경하 자궁근종절제술(Hysteroscopic myo mectomy) : 표준치료법
ii) 자궁절제술(Hysterectomy)
iii) 자궁동맥색전술(Uterine artery embolization) : 동반된 내과적 질환으로 수술이 어렵거나 수술을 원하지 않고 자궁보존을 원하는 경우

4 자궁혈종(hematometra)/ 자궁축농증(Pyometra)

1) 자궁혈종

(1) 정의

자궁 경부 폐쇄 등의 원인으로 자궁강내에 혈액이 차이는 것

(2) 원인

① 선천적인 원인 : 무공처녀막, 횡질중격(Transverse vaginal septum) (Chou 등. 2016)

② 후천적인 원인

i) 자궁내막 또는 자궁경관의 위축(Senile atrophy of endocervical canal and endometrium)
ii) 자궁내막 유착으로 인한 자궁 입구의 막힘(Scarring of the isthmus by synechiae)
iii) 수술, 방사선 치료, 자궁경부 레이져 시술, 또는 자궁내막절제술 등으로 인한 경관 폐쇄(Martirosian 등, 2010)
iv) 자궁경부 원추절제술 후

(3) 증상

무증상인 경우가 많으나 무월경이나 주기적인 복부통증을 호소하기도 함.

(4) 진단

① 초음파 : 자궁강내 비교적 음영이 균질한 액체(homogeneous fluid collection)가 발견됨.
② 확장자(dilator)를 이용하여 자궁경부를 열어서 비

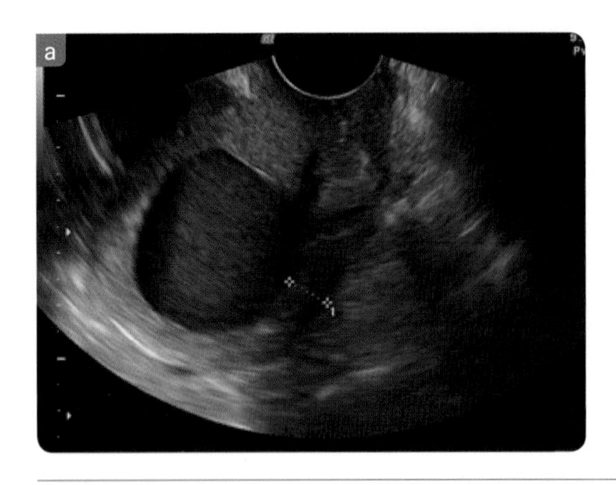

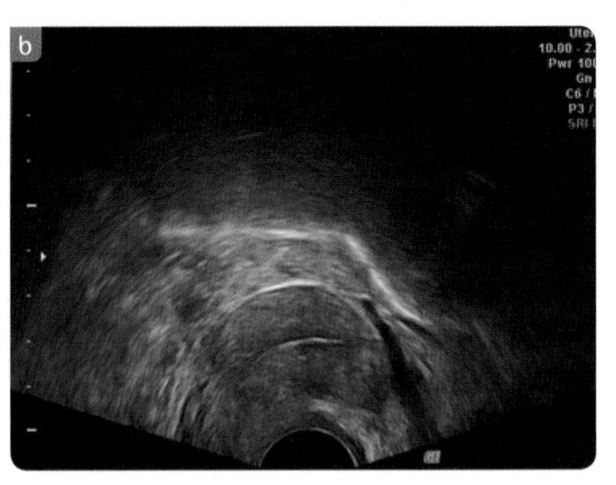

그림 6-24 (a) 60세 여자 환자가 간헐적인 복통으로 외래를 방문하였다. 초음파 상, 자궁강 내 약 20 cc 정도의 비교적 균일한 음영의 액체가 관찰되었고, 자궁경부문을 열고, 진한 갈색의 액체를 drain 하였다. (b) 같은 환자에서 배액 약 1달 후 질초음파를 시행하였으며, 이전에 보이던, 자궁강 내 액체는 보이지 않았다. 배액과 동시에 시행한 자궁내막 조직 검사 및, 자궁경부암 검사는 특이소견이 없었다.

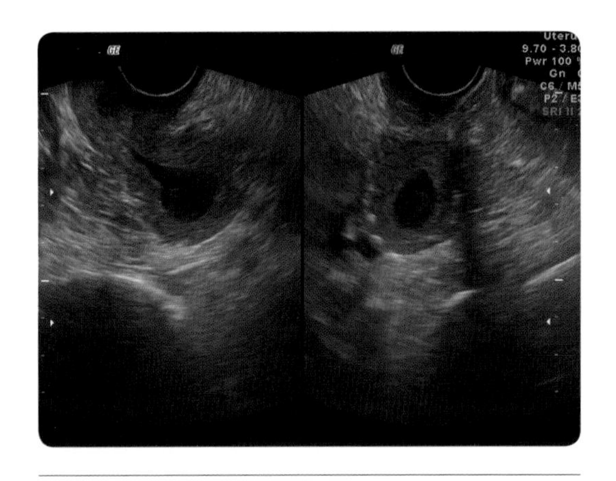

그림 6-25 60세 여자 환자가 정기 검진 차 외래를 방문하였다. 복통 등의 증상은 없었으나 질초음파 상, 자궁강 내 hematometra 의심되었으며, 질경 검사 상, 자궁경부의 심한 위축이 관찰되었다.

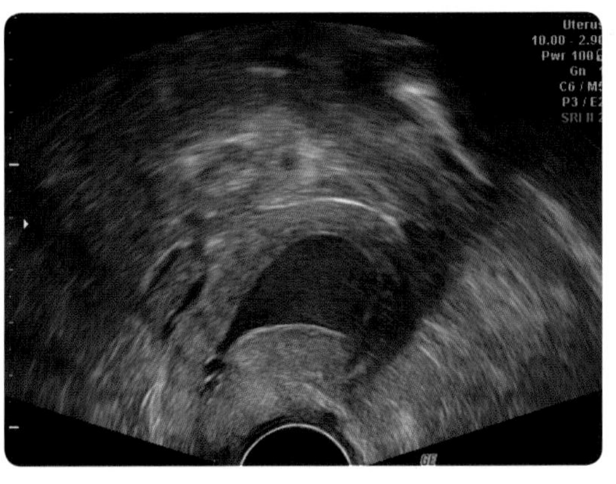

그림 6-26 55세 여자 환자가 자궁경부암으로 진단되어 외래를 방문하였다. 질초음파 상, 자궁강 내 hematometra가 의심되는 소견이 있었다.

교적 진한 갈색의 액체가 나옴으로 확진할 수 있음.

(5) 치료

① 자궁경부를 확장자를 통해 열어서 자궁강내 액체를 유출시키고 항생제를 사용함.

② 자궁경부를 폐쇄하는 원인을 찾기 위해 조직검사를 시행하여야 함.

2) 자궁축농증

(1) 정의

자궁경부 폐쇄로 인한 감염으로 자궁강 내 고름이

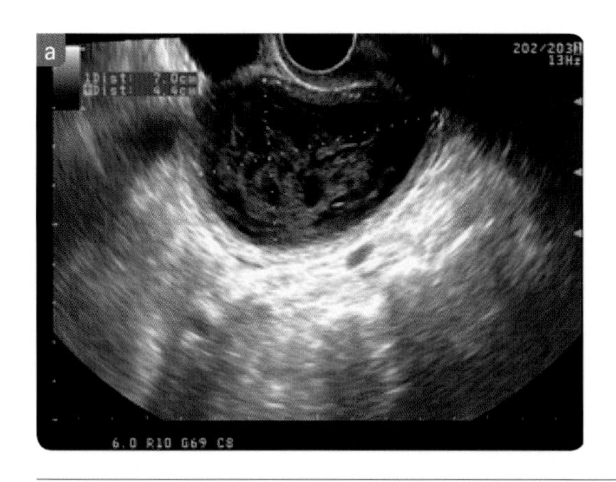

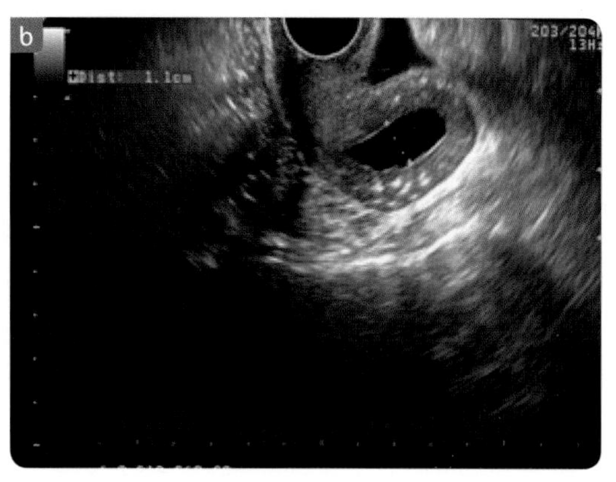

그림 6-27 (a) 88세 여자 환자가 질출혈로 병원 외래를 방문하였다. 초음파 상, 자궁강 내 heterogeneous 액체가 고여있었다. (b) 자궁경부를 열고 배농한 후 항생제를 사용하면서 자궁강 내 액체가 많이 줄었고, 색깔도 균일해졌다.

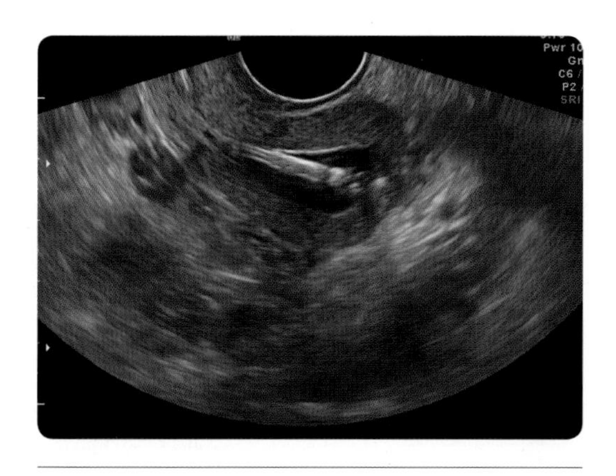

그림 6-28 55세 여자 환자 간헐적인 복통으로 내원하였다. 질 초음파 상, 자궁강내 약 10 cc 정도의 액체가 있었으며, 20년 전에 삽입한 루프가 있었다. 질경검사 상, 루프 실이 보이지 않아서, 자궁내시경을 시행하였고, 자궁경부를 열자 피가 섞인 고름이 배농되었다.

차이는 것(accumulation of pus in the uterine cavity)

(2) 빈도

드묾, 약 0.01-0.5%. 폐경 후 여성에서 흔하나 젊은 여성에게서 진단되기도 함(Sharma 등, 2016).

(3) 원인

암, 양성 종양, 방사선 자궁경부염(radiation cervicitis), 위축성 자궁경부염(atrophic cervicitis), 선천성 기형, 분만 후 감염, 수술이나 자궁 내 장치로 인한 자궁경부 폐쇄 등에 의해 주로 발생하나, 원인 없이 발생하는 경우도 많음(Sharma 등, 2016).

① 자궁경부암 등에 의해 자궁경부가 막히면서 잘 생김(Kerimoqlu 등, 2015).

② 자궁내막용종 또는 자궁근종이 자궁경부 가까이 자라면서, 자궁경부의 입구를 막고, 상행 감염의 통로 역할을 하게 됨.

③ 원인이 없는 경우, 전신상태가 쇠약하고 나이가 많은 고령의 여성에서 잘 발생하는데, 이는 감염에 취약하기 때문임(Ikeda 등, 2013).

(4) 증상

질출혈, 냄새나는 질 분비물 증가, 복통, 열감 복부 팽만감. 그러나, 자궁이 파열되지 않은 환자의 50% 이상은 무증상임. 자궁이 파열되는 경우는 드물지만, 매우 위험함(Saha 등, 2008).

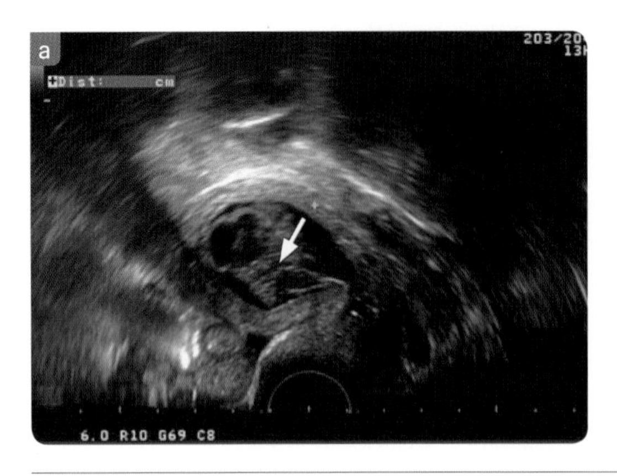

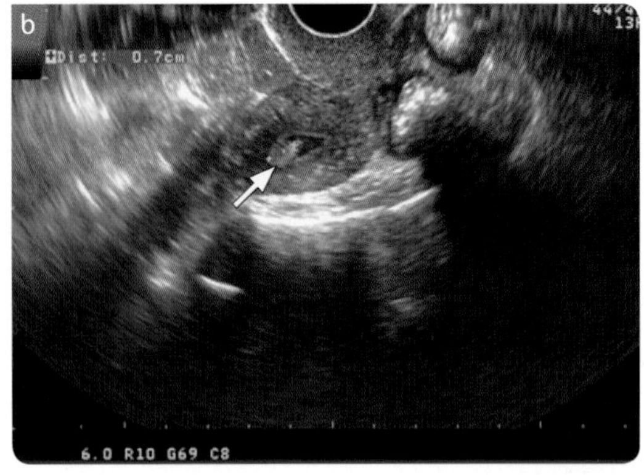

그림 6-29 74세 여자 환자가 피 섞인 냄새나는 질분비물을 주소로 내원하였다. (a) 질식초음파 상, 자궁강내에 pyometra가 의심되는 액체(화살표)가 있었고, 광범위 항생제를 쓰면서 배농하였다. 배농 당시 자궁내막 생검 및 자궁경부암 검사는 특이소견이 없었다. (b) 외래에서 시행한 질초음파 상, 이전에 보이던 고름은 많이 사라졌으나 자궁강내 7 mm 정도의 SOL(화살표)이 있어, 내시경을 시행하였고, 자궁내막용종으로 진단되었다.

(5) 원인균

Escherichia coli, Bacteroides fragilis (Sweet, 2011)

(6) 진단

초음파, CT (Inui 등, 1999) (그림 6-27, 6-28, 6-29)

(7) 치료

자궁파열 전 진단 시, 자궁경부를 확장자로 열고, 배농함(Chan 등, 2001).

① 치료 전, 자궁경부암 검사를 시행하는 것이 좋음.
② 시술 시 자궁파열의 위험성이 있으므로 조심스럽게 배농해야 함.
③ 시술 전, 항생제 투여를 하여야 한다. 이는 배농 과정에서 자궁 혈류로 균이 들어갈 수 있으며, 패혈증, 오한, 저혈압 등을 유발하기 때문임(Ikeda 등, 2013).
④ 심한 자궁경부 협착이 있을 경우, 경직장 초음파 유도가 도움이 될 수 있음.
⑤ 자궁절제술은 응급 상황이 아닌 경우에는 추천되지 않음(감염된 자궁 조직은 출혈 가능성이 크고, 재감염의 위험이 높으며, 방광이나, 요관, 직장 등 주변 장기의 손상 가능성이 큼) (Ikeda 등, 2013).

5 자궁강내 유착(Intrauterine adhesion, uterine synechiae, Asherman's syndrome)

1) 정의

자궁내막 또는 자궁경부 등의 손상에 의해 자궁내막의 유착이 생기고, 그로 인해 자궁강의 전부 또는 일부가 막히는 것.

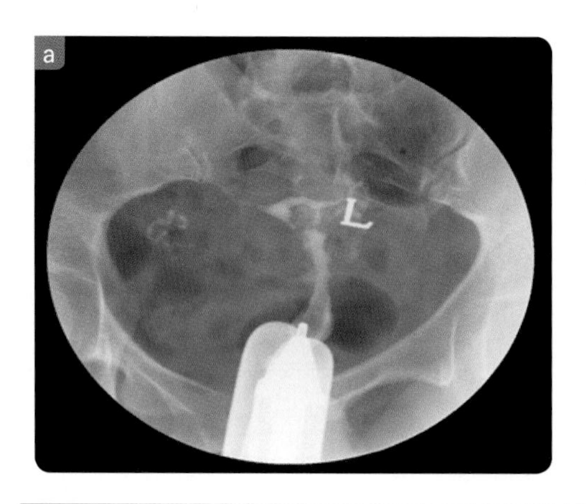

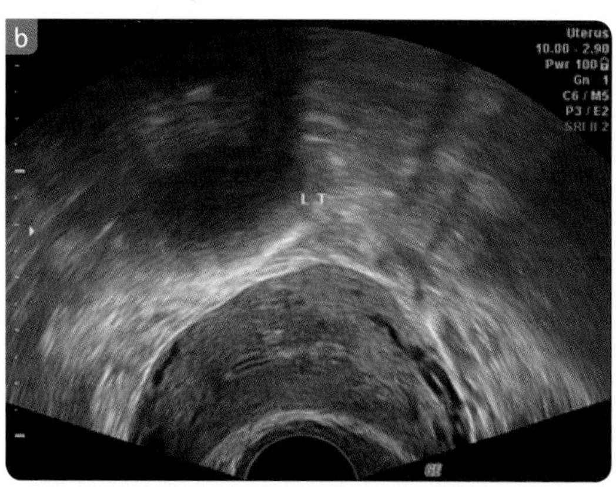

그림 6-30 산과력이 2-0-3-2인 39세 환자가 이차성 난임으로 병원을 왔다. 평소 생리양이 매우 적었으며 주기가 불규칙하였다. 난임 검사를 시행하였으며, (a) 자궁난관조영술 상, central, peripheral type의 광범위한 자궁내막 유착이 관찰되었다. (b) 질초음파 상, 자궁내막의 경계가 불규칙 하였다. 이 환자는 자궁내시경을 통해 자궁내막 유착박리술을 시행하였다.

2) 원인

자궁내막 조직을 제거하거나 또는 파괴하는 요인 모두 원인이 될 수 있음(Conforti 등, 2013).

(1) 자궁내막소파술(특히 임신 관련) – 전체 원인의 90%를 차지함(Schenker 등, 1982).

① 임신 시 자궁내막 조직은 외부의 힘에 특히 취약함, 특히 산후 2-4주 사이(Al-Inany 등, 2001)

② 계류유산, 불완전유산, 산후 태반 잔류 등에 의한 소파술 시 흔함.

③ 시술의 횟수가 많을수록 유착의 빈도 및 정도가 심함.

(2) 내시경 수술 후 : 자궁내막절제술, 자근근종 절제술, 중격절제술(Al-Inany 등, 2001)

(3) 자궁경부 원추 절제술, 제왕절개술, 자궁근종제거술, 자궁성형술, 자궁동맥색전술

(4) 골반염, 골반 결핵(Schenker 등, 1982, Bukulmez 등, 1999)

(5) 자궁 내 피임 장치

3) 발생 빈도

- 확실하지는 않으나, 점점 증가하는 추세임.
- 속발성 무월경 환자의 약 2-7%, 국내에서는 속발성 무월경 환자의 약 7-21% 에서 자궁내막유착증이 진단된다고 보고되었음.

4) 증상

① 무증상(Yu 등, 2008)

② 월경 관련 문제 : 월경량 감소, 속발성 무월경, 월경통

③ 난임

④ 반복 유산

- 자궁내막의 기능층이 줄어들고, 섬유화 및 염증 반응이 태반혈류장애(placental insufficiency)를 유발함.

5) 진단

(1) 병력 청취
(2) 에스트로겐-프로게스테론 소퇴성 출혈 유도에 반응이 없는 경우 의심할 수 있음.
① 에스트로겐 21일 간, 마지막 5-7일 간 프로게스테론을 순차적으로 투여하여도 소퇴성 출혈이 없으면, 무월경의 원인이 호르몬의 문제가 아닌, 해부학적인 문제임을 알 수 있음.
② 무월경이면서, 자궁내막소파술 등의 위험인자가 있는 환자에서 sound가 잘 통과하지 않고, 소퇴성 출혈에 반응하지 않는다면, 의심해봐야 함.
(3) 초음파자궁조영술(sonohysterogram) 또는 자궁난관조영술(HSG) (그림 6-30)
(4) 자궁경(Hysteroscopy) : 진단 및 치료의 확실한 방법
(5) 자궁내막결핵 : 자궁내막 생검 또는 흡인물의 AFB stain(Bukulmez 등, 1999)

6) 치료

(1) 자궁경을 이용한 유착제거술이 일차적인 치료법임(Conforti 등, 2013).
(2) 자궁 입구에서, 위쪽까지 점진적으로 올라가면서, 자궁강 중간에서 자궁 강 가장자리의 순서로 유착을 박리하는 것이 정상적인 해부학적 구조를 복원하는데 좋음.
(3) 유착이 너무 심하여 해부 구조가 잘 드러나지 않을 경우에는 복부 초음파나 복강경을 통해 직접 위치를 확인하는 것이 자궁 천공의 위험성을 줄일 수 있음(Kresowik 등, 2012, Schlaff 등, 1995).
(4) 시술 전, 자궁경부를 연화시켜 자궁경의 수월한 삽입을 위해 misoprostol 200ug 을 사용해볼 수 있으며, 이는 수술 중 합병증을 줄여줌.
(5) 수술 후 유착의 재발을 막기 위해 자궁강내장치(IUD)나 풍선 카테타를 사용하는데, 이는 술 후 정상 월경으로 회복되는데 도움을 주고 임신율을 향상시킴(Ventoloni 등, 2004, polishuk 등, 1976).
(6) 수술 후 자궁내막세포의 빠른 재생과 재발을 막기 위해 고농도의 에스트로겐을 투여하기도 하는데, 이에 대한 데이터는 없음.
(7) 합병증 : 드물지만, 자궁천공, 전해질 불균형, 출혈, 감염, 재유착, 임신 시 자궁파열 등의 합병증이 있을 수 있음(Conforti 등, 2013).

7) 예후

(1) 수술 결과는 정상 월경이 돌아왔다 하더라도 자궁난관조영술이나, 초음파자궁조영술을 통해 평가해야 함.
(2) 70-90%에서 정상 월경으로 돌아옴(Zikopoulos 등, 2004).
(3) 25-75%에서 임신 후 만삭 분만을 함(Roy 등, 2010, Yu 등, 2008).
(4) 유착의 정도가 심하지 않을수록 치료의 예후는 좋음.

참 고 문 헌

1. 대한산부인과학회. 자궁내막증식증. 제5판 In: 부인과학. 군자출판사; 421-8.
2. 대한산부인과학회. 자궁내막암과 육종. 제5판 In: 부인과학. 군자출판사; 893-908.
3. 대한산부인과학회. 자궁내막증식증과 자궁내막암. 제4판 In: 산부인과학 지침과 개요. 군자출판사; 575-88.
4. Smith-Bindman R, Weiss E, Feldstein V. How thick is too thick? When endometrial thickness should prompt biopsy in postmenopausal women without vaginal bleeding. Ultrasound Obstet Gynecol. 2004;24:558-65.
5. Alfhaily F, Ewies AA. The first-line investigation of postmenopausal bleeding: transvaginal ultrasound scanning and endometrial biopsy may be enough. Int J Gynecol Cancer. 2009;19:892-5.
6. Nazim F, Hayzat Z, Hannan A, Ikram U, Nazin K. Role of transvaginal ultrasound in identifying endometrial hyperplasia. J Ayub Med Coll Abbottabad 2013;25:100-2.
7. Kim MJ, Kim JJ, Kim SM. Endometrial evaluation with transvaginal ultrasonography for the screening of endometrial hyperplasia or cancer in premenopausal and perimenopausal women. Obstet Gynecol Sci 2016;59:192-200.
8. Shifren JL, Gass ML, Group NRfCCoMWW. The North American Menopause Society recommendations for clinical care of midlife women. Menopause. 2014;21:1038-62.
9. Kim A, Lee JY, Chun SW, Kim HY. Diagnostic utility of three-dimensional power doppler ultrasound for postmenopausal bleeding. Taiwan J ObstetGynecol 2015;54:221-6.
10. Kendall Smith I. Space occupying lesions of the uterus at hysterography. Australasian radiology. 1975;19(4):338-43.
11. Clark TJ, Middleton LJ, Am Cooper N, Diwakar L, Denny E, Smith P, et al. A randomised controlled trial of Outpatient versus inpatient Polyp Treatment (OPT) for abnormal uterine bleeding. Health technology assessment (Winchester, England). 2015;19(61):1.
12. Clark TJ, Gupta J. Handbook of outpatient hysteroscopy: a complete guide to diagnosis and therapy: CRC Press; 2005.
13. de Ziegler D. Contrast ultrasound: a simple-to-use phase-shifting medium offers saline infusion sonography–like images. Fertility and sterility. 2009;92(1):369-73.
14. Dreisler E, Stampe Sorensen S, Ibsen P, Lose G. Prevalence of endometrial polyps and abnormal uterine bleeding in a Danish population aged 20–74 years. Ultrasound in obstetrics & gynecology. 2009;33(1):102-8.
15. Bakour SH, Khan KS, Gupta JK. The risk of premalignant and malignant pathology in endometrial polyps. Acta obstetricia et gynecologica Scandinavica. 2000;79(4):317-20.
16. Lieng M, Istre O, Qvigstad E. Treatment of endometrial polyps: a systematic review. Acta obstetricia et gynecologica Scandinavica. 2010;89(8):992-1002.
17. Martinez-Perez O, Perez-Medina T, Bajo-Arenas J. Ultrasonography of endometrial polyps. Ultrasound Review of Obstetrics and Gynecology. 2003;3(1):43.
18. Worldwide AAMIG. AAGL practice report: practice guidelines for the diagnosis and management of endometrial polyps. Journal of Minimally Invasive Gynecology. 2012;19(1):3-10.
19. Jakab A, Óvári L, Juhász B, Birinyi L, Bacskó G, Tóth Z. Detection of feeding artery improves the ultrasound diagnosis of endometrial polyps in asymptomatic patients. European Journal of Obstetrics &

Gynecology and Reproductive Biology. 2005;119(1): 103-7.

20. Obstetricians ACo, Gynecologists. ACOG Technology Assessment in Obstetrics and Gynecology No. 5: sonohysterography. Obstetrics and gynecology. 2008;112(6):1467.
21. Cho HJ, Nam KH, Kim HT, Kim JS, Chung SH, Lee KH, et al. The diagnostic value of saline infusion sonohysterography in evaluation of patients with abnormal uterine bleeding. Korean Journal of Obstetrics and Gynecology. 2006;49(4).
22. Schwärzler P, Concin H, Bösch H, Berlinger A, Wohlgenannt K, Collins W, et al. An evaluation of sonohysterography and diagnostic hysteroscopy for the assessment of intrauterine pathology. Ultrasound in Obstetrics and Gynecology. 1998;11(5):337-42.
23. Edinburgh RCoPo. Royal College of Obstetricians and Gynaecologists. Consensus conference April 1997. Transfusion Medicine. 1997;7:143-4.
24. Clark TJ, Khan KS, Gupta JK. Current practice for the treatment of benign intrauterine polyps: a national questionnaire survey of consultant gynaecologists in UK. European Journal of Obstetrics & Gynecology and Reproductive Biology. 2002;103(1): 65-7.
25. Lieng M, Istre O, Sandvik L, Qvigstad E. Prevalence, 1-year regression rate, and clinical significance of asymptomatic endometrial polyps: cross-sectional study. Journal of Minimally Invasive Gynecology. 2009;16(4):465-71.
26. DeWaay DJ, Syrop CH, Nygaard IE, Davis WA, Van Voorhis BJ. Natural history of uterine polyps and leiomyomata. Obstetrics & Gynecology. 2002;100(1): 3-7.
27. Emons G, Beckmann MW, Schmidt D, Mallmann P; Uterus commission of the Gynecological Oncology Working Group (AGO). Geburtshilfe Frauenheilkd. 2015;75:135-6.
28. Fraser IS, Critchley HO, Munro MG, Broder M. A process designed to lead to international agreement on terminologies and definitions used to describe abnormalities of menstrual bleeding . Fertility and sterility. 2007;87(3):466-76.
29. Jacobson FJ, Enzer N. Uterine Myomas and the Endometrium: Study of the mechanism of bleeding. Obstetrics & Gynecology. 1956;7(2):206-10.
30. Munro MG, Critchley HO, Broder MS, Fraser IS. FIGO classification system (PALM COEIN) for causes of abnormal uterine bleeding in nongravid women of reproductive age. International Journal of Gynecology & Obstetrics. 2011;113(1):3-13.
31. Callen PW. Ultrasonography in obstetrics and gynecology: Elsevier Health Sciences; 2011.
32. Lasmar RB, Lasmar BP. The role of leiomyomas in the genesis of abnormal uterine bleeding (AUB). Best Practice & Research Clinical Obstetrics & Gynaecology. 2017;40:82-8.
33. Jayakrishnan K, Menon V, Nambiar D. Submucous fibroids and infertility: Effect of hysteroscopic myomectomy and factors influencing outcome. Journal of human reproductive sciences. 2013;6(1):35.
34. Martirosian TE, Smith SC, Baras AS, Darracott MM. Depot medroxyprogesterone acetate: a risk factor for cervical stenosis after loop electrosurgical excisional procedure management of cervical intraepithelial neoplasia? J Low Genit Tract Dis. 2010;14(1):37–42
35. Hoffman BL, Schorge JO, Schaffer J, Halvorson L, Bradshaw K, Cunningham F, Calver L. Williams Gynecology 3rd ed. New York City: McGraw-Hill Companies, Inc.; 2016.
36. Sharma N, Singh AS, Bhaphiralyne W. HYPERLINK "https://www.ncbi.nlm.nih.gov/pubmed/27152313" Spontaneous Perforation of Pyometra. J Menopausal Med. 2016 Apr;22(1):47-9.
37. Saha PK, Gupta P, Mehra R, Goel P, Huria A. Spontaneousperforation of pyometra presented as an acute

abdomen: a case report. Medscape J Med 2008; 10: 15.

38. Inui A, Nitta A, Yamamoto A, Kang SM, Kanehara I, Tanaka H, et al. Generalized peritonitis with pneumoperitoneum caused by the spontaneous perforation of pyometra without malignancy: report of a case. Surg Today 1999; 29: 935-8.
39. Kerimoglu OS, Pekin A, Yilmaz SA, Bakbak BB, Celik C. Pyometra in elderly post-menopausal women: a sign of malignity. HYPERLINK "https://www.ncbi.nlm.nih.gov/pubmed/25872336" \o "European journal of gynaecological oncology." Eur J Gynaecol Oncol. 2015;36(1):59-61.
40. Sweet RL: Treatment of acute pelvic inflammatory disease. Infect Dis Obstet Gynecol 2011;2011:561909
41. Ikeda M. Takahashi T. ¡¤ Kurachi H Spontaneous Perforation of Pyometra: A Report of Seven Cases and Review of the Literature. Gynecol Obstet Invest 2013;75:243-249
42. Schenker JG, Margalioth EJ: Intrauterine adhesions: an updated appraisal. Fertil Steril. 1982, 37: 593-610
43. Bukulmez O, Yarali H, Gurgan T: Total corporal synechiae due to tuberculosis carry a very poor prognosis following hysteroscopic synechialysis. Hum Reprod. 1999, 14: 1960-1961. 10.1093
44. Yu D, Wong YM, Cheong Y, Xia E, Li TC: Asherman syndrome-one century later. Fertil Steril. 2008, 89: 759-779. 10.1016/j.fertnstert.2008.02.096
45. Al-Inany H: Intrauterine adhesions: an update. Acta Obstet Gynecol Scand. 2001, 80: 986-993.
46. Kresowik JD, Syrop CH, Van Voorhis BJ, Ryan GL: Ultrasound is the optimal choice for guidance in difficult hysteroscopy. Ultrasound Obstet Gynecol. 2012, 39: 715-718
47. Schlaff WD, Hurst BS: Preoperative sonographic measurement of endometrial pattern predicts outcome of surgical repair in patients with severe Asherman's syndrome. Fertil Steril. 1995, 63: 410-413.
48. Zikopoulos KA, Kolibianakis EM, Platteau P, de Munck L, Tournaye H, Devroey P, Camus M: Live delivery rates in subfertile women with Asherman's syndrome after hysteroscopic adhesiolysis using the resectoscope or the Versapoint system. Reprod Biomed Online. 2004, 8: 720-725
49. Roy KK, Baruah J, Sharma JB, Kumar S, Kachawa G, Singh N: Reproductive outcome following hysteroscopic adhesiolysis in patients with infertility due to Asherman's syndrome. Arch Gynecol Obstet. 2010, 281: 355-361
50. Yu D, Li TC, Xia E, Huang X, Liu Y, Peng X: Factors affecting reproductive outcome of hysteroscopic adhesiolysis for Asherman's syndrome. Fertil Steril. 2008, 89: 715-722.
51. Ventolini G, Zhang M, Gruber J: Hysteroscopy in the evaluation of patients with recurrent pregnancy loss. Surg Endosc. 2004, 18: 1782-1784
52. Polishuk WZ, Weinstein D: The Soichet intrauterine device in the treatment of intrauterine adhesions. Acta Eur Fertil. 1976, 7: 215-218.

난소 질환의 초음파

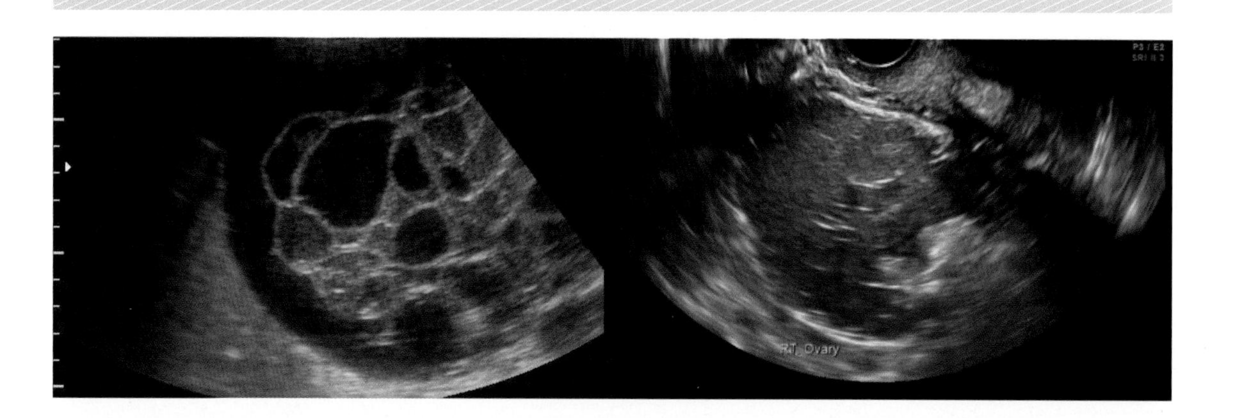

김용만_울산의대 산부인과
나용진_부산의대 산부인과
김휘곤_부산의대 산부인과
송용중_부산의대 산부인과
이영재_울산의대 산부인과

07 난소 질환의 초음파

I 난소의 악성질환

골반초음파 검사를 이용한 난소 종양의 진단은 다른 영상 검사에 비해 비용이 저렴하며 검사가 용이하고 비침습적이라는 장점이 있으면서 악성종양을 감별하는 데에도 85-100%의 민감도와 62-96%의 특이도를 보여 기본적이면서 우수한 진단 방법으로 사용되고 있음.

1 난소암(Ovarian carcinoma)

1) 개요

- 두 번째로 흔한 부인암으로 부인암 중 가장 높은 사망 원인
- 난소암의 80%가 폐경 후 여성에서 진단되며 50세 이상의 나이가 많은 여성에서 호발
- 난소암은 2/3에서 골반 외로 파급된 병기 3기 이상에서 진단됨.
- 기원 세포에 따라 악성 상피세포(Epithelial) 종양, 악성 종자세포(Germ cell) 종양, 악성 성끈기질(Sex cord-stromal) 종양 및 전이암으로 분류하며(빈도순), 드물게 림프종, 악성중배엽성혼합종양 및 육종이 있음.

- 5년 생존율이 병기 3기 이상인 경우 28%인 반면 병기 1기에 진단된 경우 94%이므로 조기 진단이 매우 중요

2) 선별검사

(1) CA 125

- 난소암의 종양표지자
- 상피세포암 환자의 80%에서 증가되나, 병기 1기의 50%, 점액성 종양의 30%에서 위음성을 보임.
- 자궁내막증, 골반염, 자궁근종 및 자궁선근증 등의 양성 질환에서 위양성을 나타낼 수 있으므로 선별검사로는 유용하지 않음.

(2) 초음파검사

- 난소 종괴가 임상적으로 의심될 때 일차적으로 선택되는 선별검사
- 종양과 비종양성 병변을 구분하고 진단된 종양의 조직형 예측 및 양성과 악성을 감별
- 난소암 병기 결정에 있어서는 제한점이 존재함
- 치료 결과의 판정 및 재발의 진단에는 제한적으로 이용 가능
- 해상도 : 경질 초음파>경복부 초음파

① 악성을 시사하는 난소 종양 초음파 소견

- 불규칙한 형태의 고형성 우세 종괴
- 복수
- 4개 이상의 유두상 돌기
- 최대 직경이 10 cm를 넘는 불규칙한 다방성 고형 종괴
- 종괴 내부의 저저항성 혈류 증가(color score 4)
  : 민감도 89-100%, 특이도 70-84%
- 이외 : 불규칙한 종괴 변연, 종괴 내 음영 증가, 불규칙한 다발성 중격, 양측성
- 단점 : 초음파검사자간 해석 차이
  건강한 여성에서 낮은 특이도 및 양성예측치(1-27%)
  높은 위음성 및 위양성률(점액성 낭선종과 점액성 경계성암은 초음파적 형태가 많은 부분 중첩됨)

2 악성 상피세포 종양(Malignant epithelial cell tumor)의 개요와 초음파 검사에 의한 감별

1) 개요

- 전체 난소암의 60-75%를 차지
- 전체 상피세포 종양 중 25-30%가 악성이며, 다시 경계성암과 침습성암으로 구분됨.
- 분류: 장액성 낭선암종, 자궁내막모양샘암종, 투명세포암종, 점액성 낭선암종, 브레너씨암, 미분화암 및 혼합상피세포암(빈도 순)

2) 진단

- 오직 초음파 검사만으로 난소 종양의 악성을 평가하는 것은 위양성률이 높아 정확도에 한계가 있음.

- 형태점수평가법을 이용하거나 색도플러초음파촬영(술)을 이용하여 종양의 혈류를 확인하여 종양의 악성 가능성을 평가함으로써 난소 종양 감별진단의 정확도를 높일 수 있음.

(1) 형태점수평가법(morphologic scoring system)

- 유두상 돌기, 고형 성분, 다방성 낭종, 불규칙한 경계와 두꺼운 내벽 및 중격 형성, 낭성 부위 음영의 증가 유무 등의 형태학적 소견을 근거로 각각의 요소를 점수화하여 난소 종양을 평가하는 방법
- 양성과 악성 골반 종괴 구별에 사용된 다른 초음파 기법들(단순분류평가법 simple classification systems, 점수평가법 scoring systems, 악성 위험도 계산을 위한 수리모델 mathematical models for calculating the risk of malignancy)에 비하여 우월성을 보임.
- 민감도 82-91%, 특이도 68-81%

(2) 색도플러초음파촬영(술)

- 악성 신생물은 신생혈관증식이 활발하여 혈관이 증가되고 확장되며 근육층이 없어 혈관운동 조절을 받지 않음.
- 혈관 분지가 불규칙하고 동정맥지름길(arteriovenous shunt)이 존재하며 혈관이 맹관으로 끝나는 등 분지 형성의 양상이 정상적인 혈관 형성과 다르게 나타남.
- 색도플러초음파촬영(술)을 이용하여 신생혈관증식에 의한 종양 중심부의 증가되고 확장된 혈관을 관찰
- 펄스도플러(pulsed Doppler) 초음파를 이용하여 저항이 감소되고 혈류가 증가된 악성 종양 혈관에서 저항지수(resistance index)가 0.4 미만, 박동지수(pulsatility index)가 1.0 미만으로 감소되는 것을 확인
- 일반적인 그레이스케일초음파촬영에 도플러초음파촬영술을 추가하는 것은 진단 정확도에 큰 향상을 주지는 못하는 것으로 나타났으나 양성 또는 악성의 진단 시 판독이 정확하다는 신뢰도를 증가시킬 수 있음.
- 민감도 86%, 특이도 91%

(3) 난소 악성 종양을 시사하는 초음파 소견

① 유두상 돌기(papillary projection)

- 상피세포암의 특징적인 소견으로 경계성암에서보다 자주 나타남.
- 보통 양성 종양에는 없거나 있더라도 수가 적고 크기가 작음.
- 하지만 선섬유종(70%), 장액성낭선종(37%), 점액성낭선종(21%) 등에서도 나타나 추가적인 감별이 필요

② 고형 성분

- 경계성암보다 침습성암에서 크기가 크고 모양이 불규칙
- 중등도 또는 고에코를 보이나 내부에 부종, 출혈 및 괴사로 인한 저에코 부위를 가질 수 있음.
- 현저한 혈류증가 동반

③ 3 mm 이상의 두껍고 불규칙한 중격 및 내벽

④ 다방성(multilocularity)

⑤ 색도플러초음파에서 중격 및 고형성분 중심부 혈류의 증가 및 저항지수 감소

⑥ 석회화음영, 양측성

⑦ 자궁 또는 난관 등의 골반 장기 침습, 복수, 복막,

대망 및 장간막 전이, 림프절 전이, 간 전이, 악성 늑막 삼출 및 늑막전이

- 난소암은 초기에는 난소에 국한되나, 점차 진행되면 난소 피막의 침윤과 주변 장기로의 직접적인 침범이 발생하여 자궁 장막 및 근층, 난관 및 광인대, 맹낭, 골반 복막, 구불창자 및 소장 등으로 파급
- 초음파 소견

i) 난소 피막의 불분명한 경계 또는 피막 외부의 종괴
ii) 자궁 윤곽의 변형 또는 자궁 장막의 불규칙한 소결절
iii) 자궁근층과의 불명확한 경계
iv) 구불창자 또는 방광 사이의 조직경계 소실
v) 결장 또는 소장벽의 비후 또는 직접적인 파급
vi) 복수, 복막의 불규칙한 비후, 표면의 소결절 또는 판형종괴, 석회화 음영
vii) 대망 및 장간막의 비후, 소결절 및 경계가 불명확한 종괴

* 하지만 이러한 기법을 병용하더라도 초음파만으로 난소의 악성종양과 양성종양을 완벽하게 구분하는 것은 한계가 있음.
* 따라서, 복합성의 모양을 보이는 난소 종양의 경우 반드시 악성종양의 가능성을 염두에 두고 환자의 병력, 가족력, 증상 확인 및 CA-125 등 종양표지자 검사를 시행하고 필요한 경우 복부 및 골반에 대한 컴퓨터단층촬영술 또는 자기공명영상을 시행하여 감별에 도움을 받아야 함.

3 경계성 상피세포암(Borderline epithelial tumor)

1) 개요

- 기질을 침범하지 않는 경계성 상피세포암은 양성 종양 및 침습암종과는 구별되는 질환
- 전체 난소 상피세포 종양의 약 15%를 차지
- 침습암종보다 젊은 나이인 평균 40-48세(폐경 전)에 발생
- 오랜 기간 동안 난소에 국한, 대부분 진단 시 병기가 낮으며 예후가 양호
- 20%에서 반대측 난소, 자궁 장막, 난관, 장간막, 횡경막, 대장 및 소장, 복수 등의 복강 내로의 전파와 후복막 림프절 전이를 보이나 이러한 경우에도 기질의 침범은 없음.
- 장액성 경계성암과 점액성 경계성암이 대부분을 차지하고 장액성이 보다 흔함.
- 장액성 상피세포 종양의 10%가 경계성암, 25%가 침습암종이고, 점액성 상피세포 종양의 10-15%가 경계성암, 5-10%가 침습암종임.
- 자궁내막양암의 대부분과 투명세포암 및 미분화암의 전부는 침습암종임.

2) 진단

(1) 초음파 소견

① 낭내막 증식증

- 1.5 cm 이하 크기의 낭벽의 유두상 돌기를 의미함.
- 내낭성(endocystic) 또는 외낭성(exocystic)

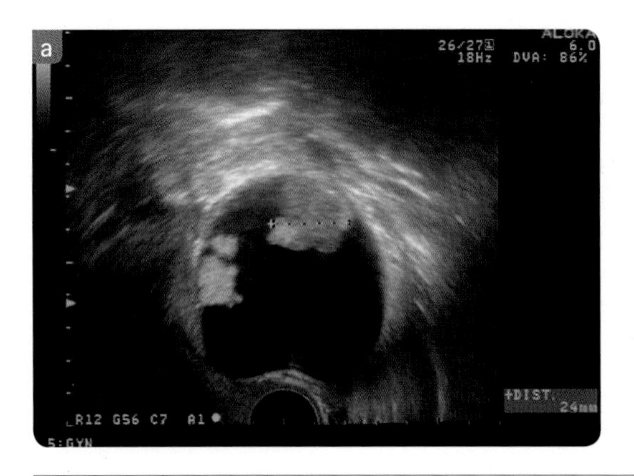

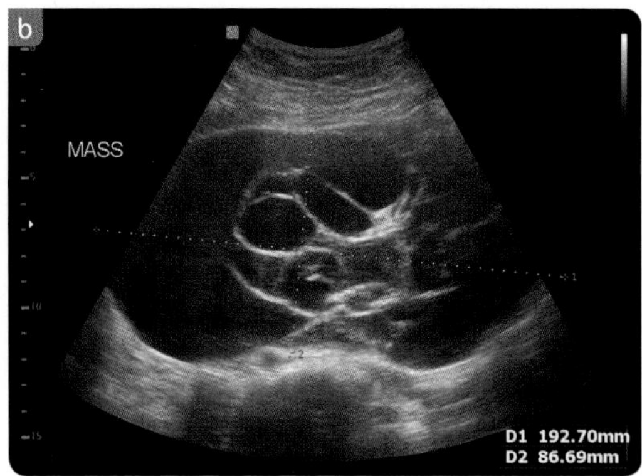

그림 7-1 경계성 상피세포암. (a) 장액성 경계성암은 점액성에 비하여 크기가 작고 유두상 낭내막 증식증을 가진 단방성 낭성 종괴의 소견을 보임. (b) 점액성 경계성암은 크기가 크고 내벽 및 중격의 불규칙한 비후와 서로 다른 에코의 낭액을 가진 다방성 종괴의 소견을 보임.

- 대개는 3-6 mm 이상의 크기로 여러 개가 관찰됨.
- 두형(papilliform), 매끈한 원형, 판형(plaque-like)의 고형상 비후
- 딸낭(daughter cyst)의 형태로 관찰되는 경우 또 하나의 소낭과 구분이 어려움.
- 양성 종양의 13%, 침습암종의 38%에서도 관찰될 수 있으나 경계성암에서 67%로 가장 높은 빈도로 관찰되며 양성 종양보다는 크기가 크고 수가 더 많으며 내부에 혈류를 보이고, 침습암종보다는 크기가 작은 경향을 보임.

② 고형 성분
- 1.5 cm 이상 크기의 고형 성분은 침습암종보다 비특이적
- 지방 또는 섬유성 조직이 아닌 중등도 또는 고에코
- 원형 또는 유두형, 판형 및 불규칙한 형태
- 판형의 경우 내벽 또는 중격의 고형상 비후와 감별이 어려움.

* 낭내막 증식증 및 고형성분은 피덩이(blood clot), 섬유소가닥(fibrin strand), 자궁내막종의 콜레스테롤 결정, 낭선섬유종(cystadenofibroma)의 섬유성 조직 등과 감별이 어려움.

③ 불규칙한 중격 또는 내격 비후(3mm 이상)를 보이는 다방성 낭성 종괴

④ 색도플러초음파검사 – 종양 내벽, 중격, 고형 성분 또는 낭내막 증식증에서의 저저항성 중심부 혈류. 침습암종과의 감별은 어려움.

(2) 장액성과 점액성 경계성암의 감별

① 장액성 경계성암
- 25-30%에서 양측성
- 크기가 작고 더 뚜렷한 유두상 돌기 형태의 낭내막 증식증
- 균일한 무에코의 낭액을 가진 단방성 종괴

② 점액성 경계성암
- 8-12%에서 양측성
- 크기가 크고 서로 다른 에코의 낭액을 가진 다방성 종괴.
- 낭내막 증식증 소견은 드묾(그림 7-1).

4 악성 상피세포 종양(Malignant epithelial cell tumor)

1) 장액성 낭선암종(Serous cystadenocarcinoma)

(1) 개요

- 상피세포암의 30-50%를 차지하는 가장 흔한 유형
- 50-70%에서 양측성
- 점액성 낭선암종보다 크기가 작음.

(2) 초음파 소견

① 내낭성 및 외낭성 낭내막 증식증
② 경계성암에 비해 유두형의 고형 성분이 많고 불규칙
③ 단방성의 낭성 우세 종괴 형태가 흔하나 다수의 중격을 포함한 다방성 낭성 종괴의 형태일 수도 있음.
④ 내부에 출혈 또는 괴사로 인한 저에코 부위 형성으로 인해 불균일한 에코
⑤ 현저한 저저항성 혈류증가
⑥ 모래종(psammomatous) 미세 석회화 음영

- 종양의 고형 성분이나 전이 부위의 30%에서 관찰됨.
- 양성 장액성 낭종 또는 다른 종양에서도 보일 수 있어 비특이적이나 심하고 광범위한 석회화 음영은 높은 악성 가능성을 시사함.
- 난소 피막 밖으로 파급 시 피막 경계의 소실로 불규칙한 변연, 주변 조직과 유착, 복수 및 복막 표면 전이에 의한 복막암종증이 발생(그림 7-2)

2) 점액성 낭선암종(Mucinous cystadenocarcinoma)

(1) 개요

- 상피세포암의 5-10%를 차지
- 8-10%에서 양측성
- 점액성 낭선암종보다 젊은 나이에 호발하며 크기가 큼(15-30 cm).

(2) 초음파 소견

① 두껍고 불규칙한 중격 및 내벽을 가진 다방성 낭성 종괴
② 다수의 낭들은 점액 및 출혈 등에 의해 서로 다른 에코의 낭액을 포함
③ 무수한 작은 소낭들로 구성된 벌집모양(honey-comb-like)의 고에코 고형성 부위(그림 7-3)

3) 자궁내막모양샘암종(Endometrioid adenocarcinoma)

(1) 개요

- 상피세포암의 약 10%를 차지하며 흔히 자궁내막증과 연관됨.
- 15-25%에서 양측성
- 15-20%에서 자궁내막암이 동반됨.
  (5년 생존률: 자궁내막암의 난소 전이 시 30-40% vs. 동시 다병소 질환 시 75-80%)

(2) 초음파 소견

① 고형 성분을 갖는 낭성 우세 종괴로 혈액 성분으로 차있는 저에코의 낭액

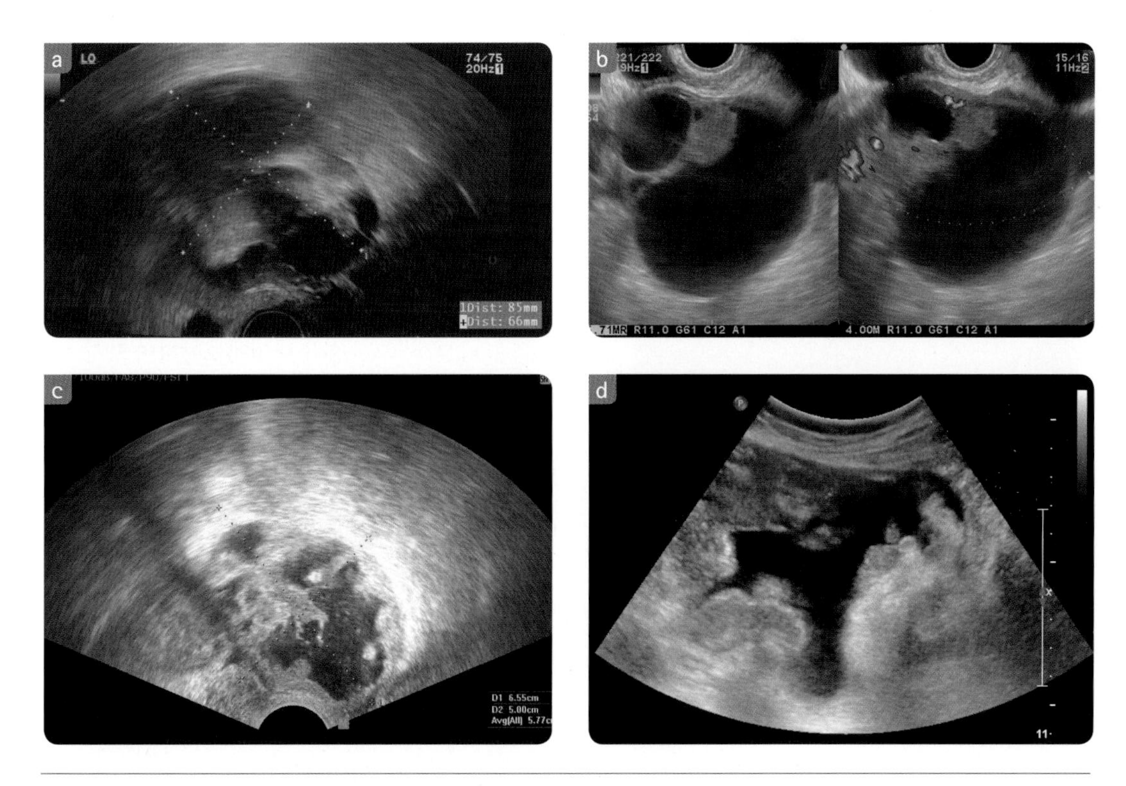

그림 7-2 장액성 낭선암종. (a) 장액성 낭선암종은 고형 성분을 가지는 단방성의 낭성 우세 종괴로 고형 성분이 크고 불규칙한 유두상이며 괴사에 의한 불균일한 내부 에코를 보임. (b) 색도플러초음파에서 고형 성분 내부의 저저항 지수의 증가된 혈류가 관찰됨. (c) 불규칙한 변연을 가진 고형성 종괴 내부에 고에코의 모래종 미세 석회화 음영이 산재함. (d) 장액성 낭선암종의 복막암종증은 복수와 동반되고, 골반 복막의 결정성 비후 및 대망의 종괴를 보임.

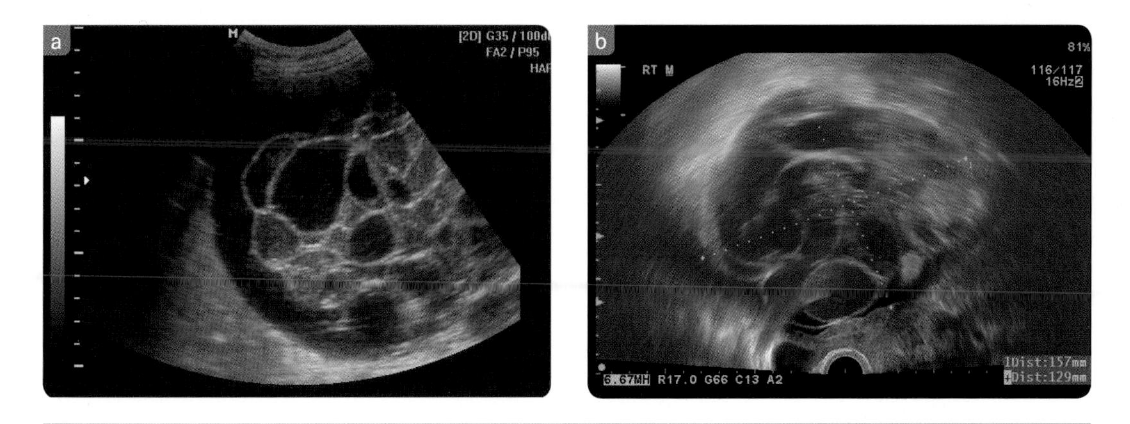

그림 7-3 점액성 낭선암종. (a) 점액성 낭성암종은 두껍고 불규칙한 중격 및 내벽을 가진 큰 다방성의 낭성 우세 종괴로 다수의 낭들은 점액 및 출혈 등에 의해 서로 다른 에코의 낭액을 포함함. (b) 매우 큰 크기의 다방성 낭성 종괴 소견 및 고에코의 고형성 부위 소견을 보임.

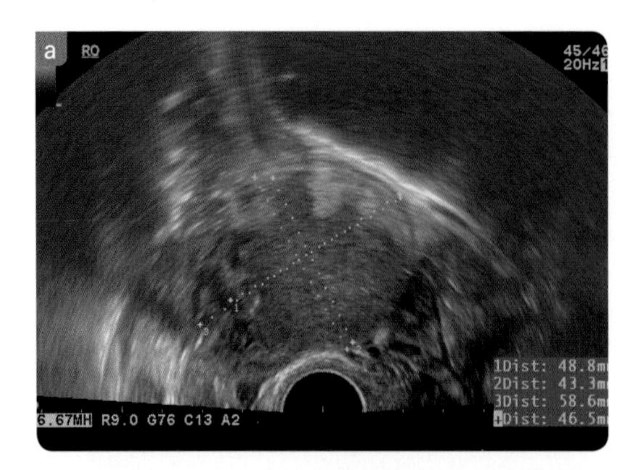

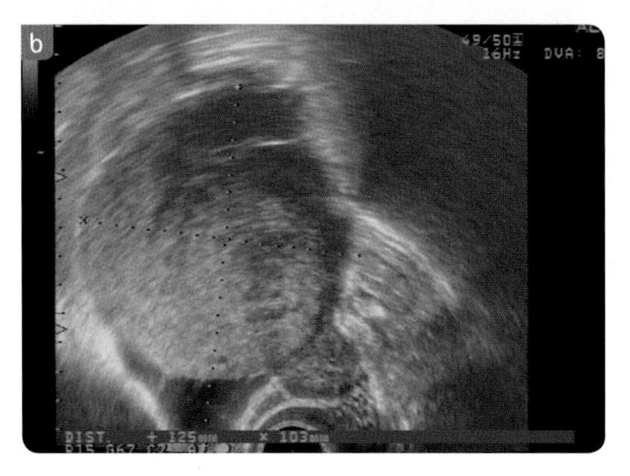

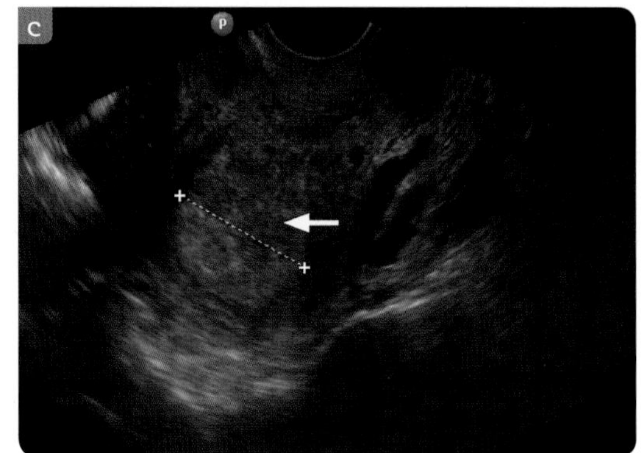

그림 7-4 자궁내막모양샘암종. (a) 자궁내막모양샘암종은 고형 성분을 갖는 낭성 우세 종괴 또는 복합성 종괴로 혈액 성분으로 차 있는 저에코의 낭액을 보임. (b) 내부에 다수의 낭성 부위를 가지는 고형성 우세 종괴로 보일 수도 있음. (c) 자궁내막모양샘암종에 동반된 자궁내막암은 자궁내막의 비후와 불분명한 저에코의 소견을 보임(화살표).

② 유두상 돌기를 갖는 낭성 종괴 또는 혼합성, 고형성 우세 종괴 소견을 보일 수도 있음(그림 7-4).

4) 투명세포암종(Clear cell carcinoma)

(1) 개요

- 상피세포암의 약 10%를 차지
- 양측성은 2%로 드묾.
- 대부분은 발견 당시 병기 1기

(2) 초음파 소견

① 주로 하나 또는 다수의 유두상 고형성 돌기를 보이는 단방성 낭성 종괴로 장액성 경계성암 또는 낭선암종과 유사한 형태(비특이적)

② 낭의 변연은 주로 매끈하며 다양한 에코의 낭액을 보일 수 있음.

③ 다수의 낭성 부위를 가진 고형성 우세의 혼합성 종괴의 소견을 보일 수도 있음(그림 7-5).

5) 브레너씨암(Malignant Brenner tumor)

(1) 개요

- 상피세포암의 2-3%의 빈도로 드물게 발생
- 양성 종양보다 나이가 많은 여성에서 발생

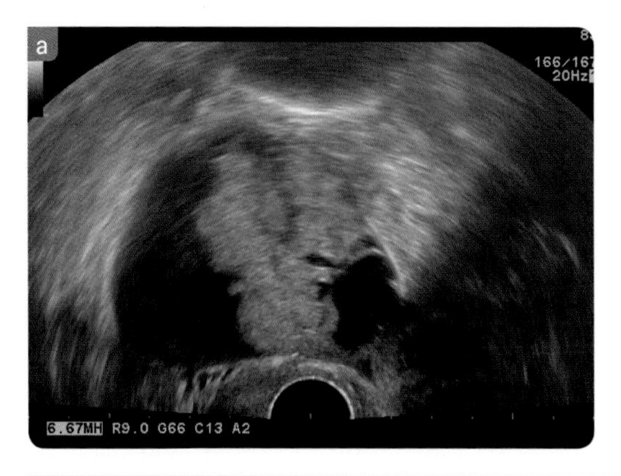

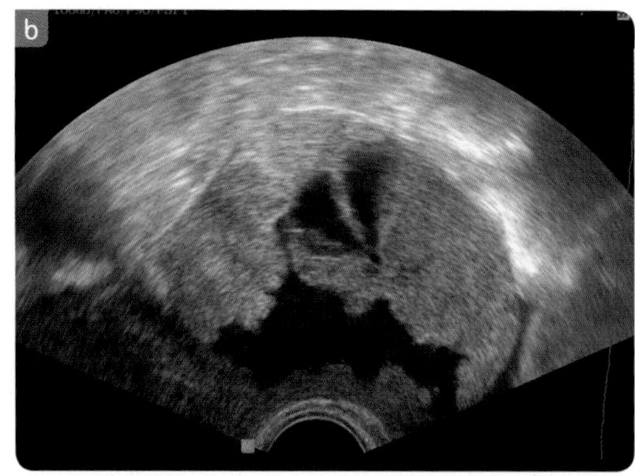

그림 7-5 **투명세포암종.** (a) 투명세포암종은 하나 또는 다수의 고형성 돌기를 보이는 단방성 낭성 종괴로 보임. (b) 다수의 낭성 부위를 가진 고형성 우세 종괴의 소견을 보일 수도 있음.

- 5-7%에서 양측성
- 30%에서 다른 상피세포암을 동반하며, 난소 외 파급 및 전이가 흔함.

(2) 초음파 소견

① 양성 브레너씨 종양

- 대부분 크기가 작고 균일한 저에코의 완전 고형성 종괴 또는 낭성 부위를 일부 포함하는 고형성 우세 종괴 소견

② 증식성 브레너씨종양(경계성), 이행세포암종(transitional cell carcinoma, 침습성암)

- 크기가 크고, 고형 성분을 가지는 경계가 불분명한 복합성 또는 낭성 우세 종괴
- 종종 유두상 고형 성분을 가지는 다방성 낭성 종괴로 보이기도 함.
- 고형 부위는 치밀한 섬유성 기질로 인하여 저에코를 보임.
- 괴사 또는 출혈에 의한 저에코, 중등도 이상의 과혈류 소견을 보일 수 있음(그림 7-6).

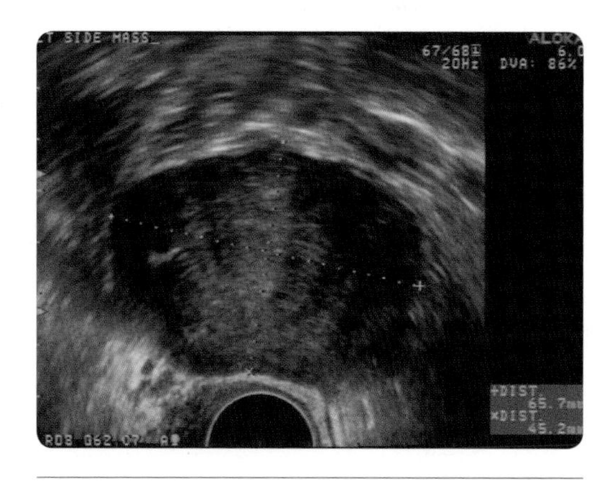

그림 7-6 **이행세포암종.** 이행세포암은 낭성 부위를 가지는 변연이 불규칙한 복합성 종괴로 저에코의 고형 성분 내부에 무정형의 석회화 음영을 보임.

6) 미분화암종(Undifferentiated carcinoma)

(1) 개요

- 미분화암의 대부분은 여러 상피세포암 부위를 포함하는 혼합성 종양이며 순수한 미분화암은 매우 드묾.
- 모두 침습성으로 병기 3기 이상이며 예후가 불량

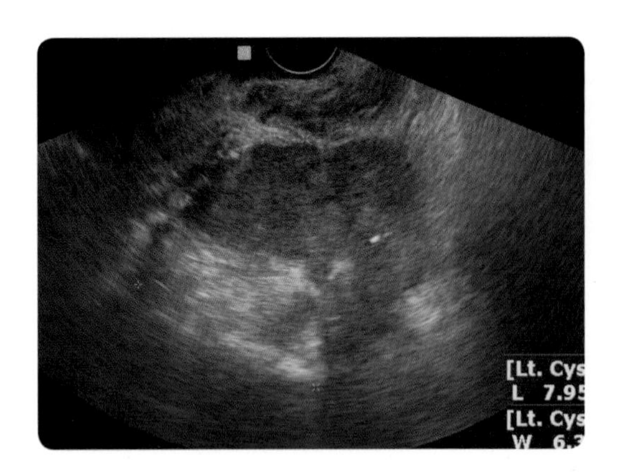

그림 7-7 미분화암종. 미분화암종은 크고 변연이 불규칙하며 불균일한 내부에코를 갖는 고형성 종괴로 보일 수 있음.

(2) 초음파 소견

① 비특이적

② 크고 경계가 불분명하며 불균일한 에코의 고형성 종괴로 보일 수 있음(그림 7-7).

7) 자궁내막증에서 발생한 난소암

(1) 개요

- 자궁내막종(endometrioma)의 0.7-1%에서 발생
- 자궁내막모양샘암종, 투명세포암, 장액성 및 점액성 낭선암종, 이행세포암, 편평세포암 등
- 악성 종양의 일반적인 경우보다 10-20세 정도 젊은 나이에 발생

(2) 초음파 소견

① 전형적인 자궁내막종이 갑자기 커지거나 크기가 10 cm 이상

② 내벽의 유두상, 꽃양배추상 돌기 또는 고형 성분

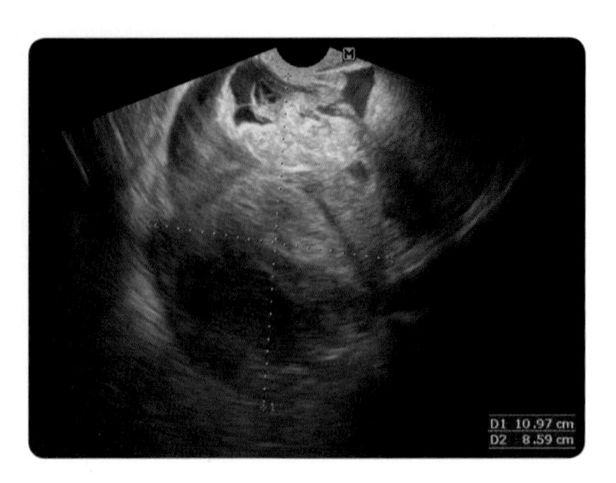

그림 7-8 자궁내막증에서 발생한 자궁내막모양샘암종. 미만성 저에코의 낭액을 가지는 자궁내막종이 10 cm 이상으로 크고, 내벽의 유두상 돌기 또는 고형 성분 및 불규칙하고 두꺼운 중격의 소견을 보임.

③ 불규칙하고 두꺼운 중격과 내벽 및 벽 내 결절의 혈류(그림 7-8).

8) 원발성 복막 장액성 유두모양암종(primary serous papillary carcinoma of the peritoneum)

(1) 개요

- 복막 및 난소 표면상피에서 기원하는 드문 종양으로 폐경기 여성에서 호발
- 미만성 복막 침윤 및 난소 표면 침범
- 난소에는 종양이 없거나 난소 표면과 표면 하 피질 5 mm 이하의 표재성 침범만 있는 것이 특징
- 양측성이 흔하며 대부분 난소의 크기는 정상이거나 4 cm 이하
- 대부분 병기 3기 이상으로 진단

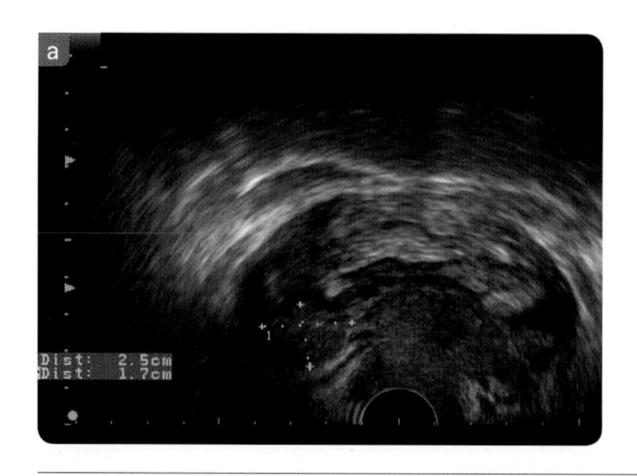

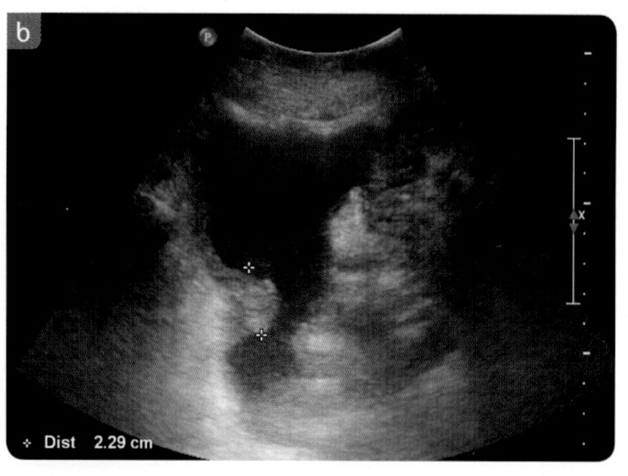

그림 7-9 **원발성 복막 장액성 유두모양암종.** 원발성 복막 장액성 유두모양암종은 정상 난소 크기(a)의 복수와 미만성 복막 종괴(b)가 동반된 소견을 보임.

(2) 초음파 소견

① 난소 표면의 불규칙한 소결절 또는 크기가 작은 유두상, 분엽상, 고형성 유두상 돌기를 가지는 낭성 및 혼합성 종괴

② 복수 동반, 복막의 결절성 비후 및 대망과 장간막의 전이 소견, 복막의 석회화 음영

③ 병리조직학적으로 동일 난소의 장액성 낭선암종의 복막암종증(peritoneal carcinomatosis)과 감별이 필요(그림 7-9)

5 악성 종자세포종양(Malignant germ cell tumor)

1) 개요

- 전체 난소암의 5% 미만의 빈도를 보이나, 젊은 여성에서 가장 흔한 난소암
- 20세 미만에서 발생한 난소 종양의 70%를 차지하며 이 중 1/3이 악성임.
- 악성 상피세포종양에 비하여 빨리 자람 – 골반통, 종괴 내부 출혈, 괴사 동반
- 대부분 크고 혼합성이지만 고형성 우세의 형태를 보임.

2) 난소고환종(미분화세포종, Dysgerminoma)

(1) 개요

- 난소암의 1-3%, 종자세포종양의 30-40%를 차지
- 20-30세 이전 젊은 나이에 호발하며 10-15%에서 양측성
- 25%에서 전이가 진단됨(주로 림프계).
- 사춘기 이전에 발생한 경우 이형성 생식샘에서 발생했을 가능성을 고려하여 핵형을 반드시 확인해야 함.

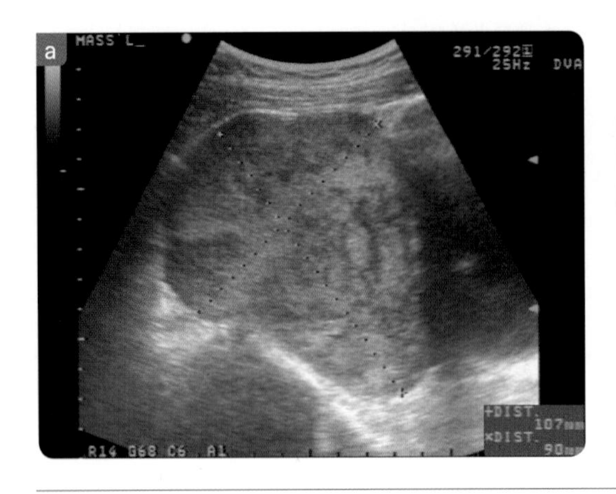

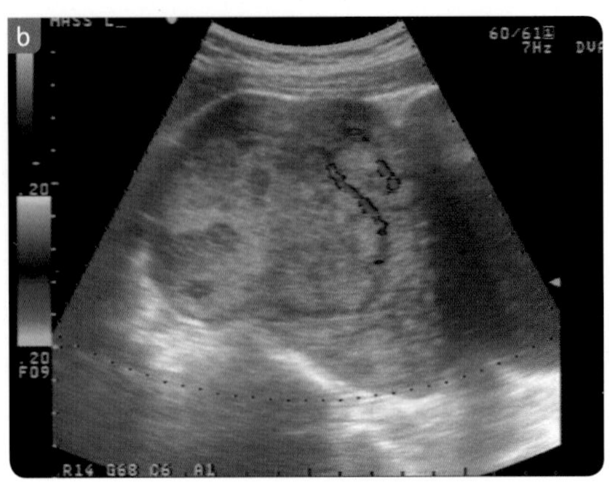

그림 7-10 난소고환종. (a) 난소고환종은 뚜렷한 중격으로 나뉘어지는 다엽성의 고에코 고형성 종괴의 소견을 보임. (b) 색도플러초음파에서 소엽 사이의 섬유혈관성 중격 내부의 증가된 혈류를 보임.

(2) 초음파 소견

① 뚜렷한 섬유혈관성 중격(fibrovascular septa)으로 나뉘어지는 다엽성의 고에코 고형성 종괴

② 색도플러초음파에서 소엽 간 중격 내부의 확장된 동맥 혈류를 확인할 수 있음.

③ 내부에 괴사와 출혈로 인한 무에코 또는 저에코 부위를 보일 수 있음.

④ 드물지만 반점 모양의 석회화 음영을 보일 수 있음(그림 7-10).

3) 내배엽동종양(Endodermal sinus tumor)

(1) 개요

- 난황낭종양(Yolk sac tumor)으로도 불렸으며 종자세포암 중 세번째로 많은 종양
- 전체 난소암의 1% 이하의 빈도
- 10-20세 이전에 호발, 일측성
- 고악성으로 빠르게 성장하고 침습성을 보여 예후가 나쁨.
- 75%에서 복통 또는 골반통 동반

(2) 초음파 소견

① 대부분 크고 특징적으로 일부 낭성 부위를 가진 고형성 우세 종괴

② 흔히 내부에 광범위한 출혈과 괴사로 인한 불균일한 에코 양상을 보임.

③ 다양한 크기의 낭들이 종괴 전체에 산재하여 벌집모양을 보일 수 있음.

④ 성숙 기형종을 동반할 수 있으며 이 경우 석회화 음영을 보일 수 있음.

⑤ 다른 종자세포암처럼 복수와 복막 전이, 간 전이를 흔히 보임(그림 7-11).

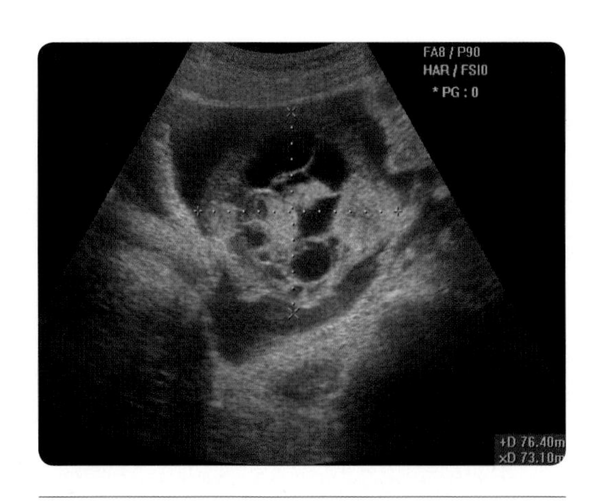

그림 7-11 내배엽동종양. 내배엽동종양은 일부 낭성 부위를 가진 고형성 우세 또는 복합성 종괴로 고형 부위는 광범위한 출혈 및 괴사로 불균일한 에코 양상을 보임.

4) 악성기형종(Malignant teratoma)

(1) 미성숙기형종(Immature teratoma)

① 개요

- 원시신경외배엽조직(primitive neuroectodermal tissue)을 포함하는 악성기형종
- 전체 난소암의 1%이하의 빈도, 종자세포암 중 두 번째의 빈도를 보임.
- 20대 이전 호발, 대부분 일측성
- 26%에서 동측 난소, 10-15%에서 반대측 난소에 성숙기형종 동반
- 빠르게 자라 일찍 피막을 뚫고 인접장기를 침습하며 원격 전이

② 초음파 소견

i) 성숙기형종보다 크고 고형 성분이 많아 고형성 우세 또는 복합성 종괴를 보임.

ii) 거칠고 굵은 석회화 음영과 소량의 지방조직을 포함하는 큰 고형성 부위가 특징

iii) 불규칙하고 분지 형태를 가지며 고에코가 아닌 중등도 에코의 고형 성분이 반대측 벽까지 연결되고 색도플러초음파에서 과혈류를 보임.

iv) 고형 성분 내와 중격에 인접하여 거친 결절성 또는 선상의 석회화 음영이 종양 전체에 흩어져 있음.

v) 출혈 또는 괴사, 난소 피막 천공 및 국소적 침습의 소견 등을 보일 수 있음.

vi) 파열 시 복강 내로의 피지 성분의 유출로 육아종성복막염(granulomatous peritonitis)을 야기

vii) 성숙신경교세포조직의 복막 전이로 인한 복막신경아교종증(gliomatosis peritonei)을 동반할 수 있음(그림 7-12).

(2) 성숙기형종에서 발생한 기형암종(Teratocarcinoma)

① 개요

- 성숙기형종의 악성변성은 1-3%로 매우 드물며, 대부분 폐경 후에 발생
- 편평세포암종(squamous cell carcinoma)이 가장 많고, 이외에 샘암종(adenocarcinoma), 선편평세포암종(adenosquamous carcinoma), 육종 및 흑색종(melanoma) 등이 발생할 수 있음.
- 이미 존재하던 성숙 기형종이 갑자기 커지거나 보다 많은 고형 성분을 보이면 의심.

② 초음파 소견

i) 종양의 크기가 10 cm 이상으로 크고 고형 성분을 포함한 낭성 우세 종괴를 보임.

ii) 고형성분은 상대적으로 크고, 불규칙한 변연과 괴사 또는 출혈 부위를 흔히 포함하여 불균일한 에코를 보임.

iii) 내강으로 돌출하거나 전층의 벽을 통과하여 주

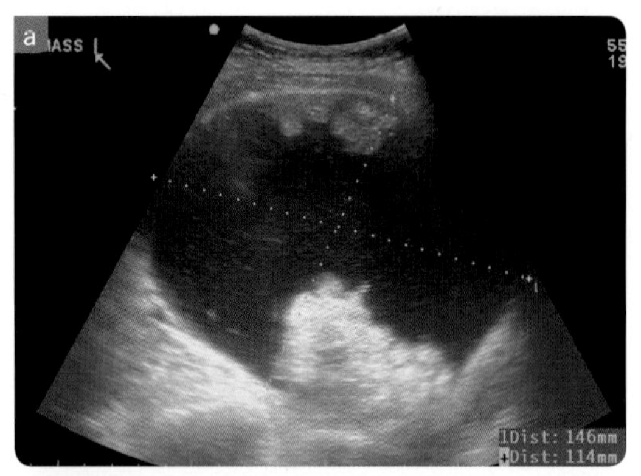

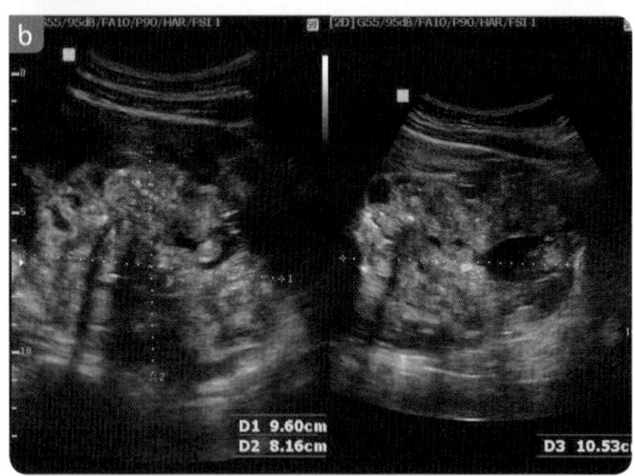

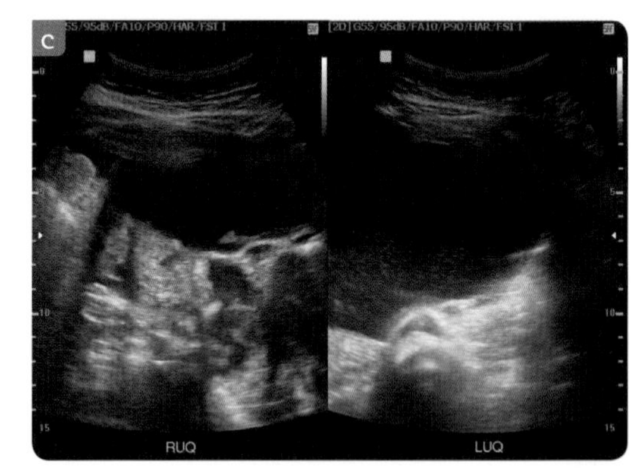

그림 7-12 미성숙기형종. (a) 미성숙기형종은 소량의 지방 조직과 거칠고 굵은 석회화 음영을 포함하는 크고 불규칙한 고형 부위를 가지는 복합성 종괴로 지방성 피지 성분의 저에코의 낭액을 보임. (b) 성숙기형종보다 크고 고형 성분이 많아 고형성 우세 종괴로 보일 수 있음. (c) 미성숙기형종의 파열로 인한 신경아교종증이 복강을 채우고 있는 소견을 보임.

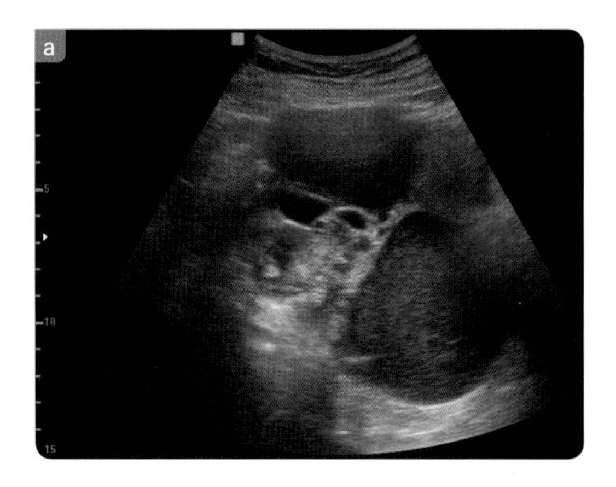

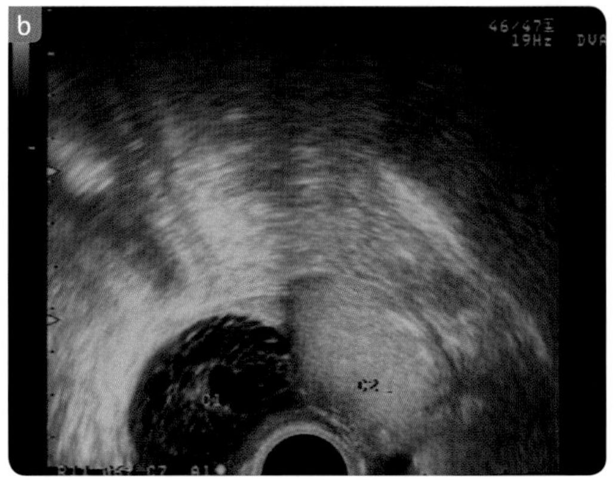

그림 7-13 악성 난소갑상선종. (a), (b) 다수의 낭성 부위와 두꺼운 중격, 석회화 음영, 고형부위를 가지는 복합성 종괴의 소견을 보임.

변 조직으로 침습하는 양상을 보일 수 있으며 저 저항의 과혈류를 동반함.

(3) 단배엽성기형종

① 개요

- 악성 난소갑상선종(malignant struma ovarii)은

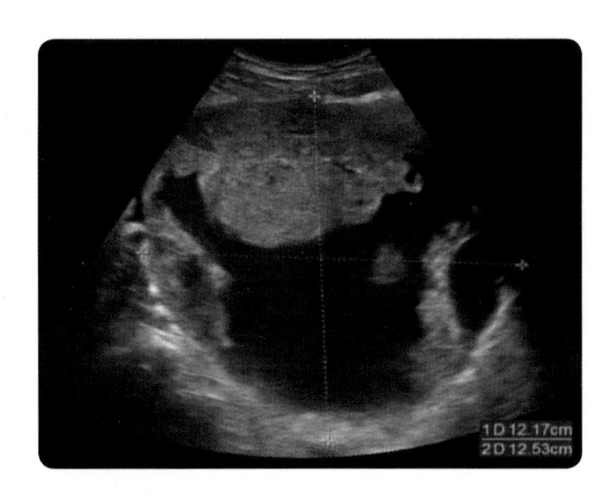

그림 7-14 **혼합생식세포암.** 경계가 명확한 저에코의 고형성 우세 종괴로 내부에 괴사와 출혈에 의한 낭성 또는 저에코 부위를 보임.

대부분 또는 전부가 갑상선 조직으로 구성된 난소갑상선종의 5-10% 이하에서 발생

- 기형종의 0.1%를 차지하는 드문 종양으로 50대에 호발
- 대부분 일측성이며 전이는 드묾.
- 갑상선 기능항진증 동반 가능

② 초음파 소견

i) 평균적으로 10.5 cm 크기

ii) 내부에 다수의 작은 낭구조를 포함하는 다엽성의 고형성 우세 종괴

iii) 두꺼운 중격, 석회화 음영, 고형부위 또는 낭벽의 과혈류 소견을 보이는 복합성 종괴의 소견을 보임(그림 7-13).

5) 혼합생식세포암(Malignant mixed germ cell tumor)

(1) 개요

- 생식세포암의 8%를 차지
- 가장 흔한 구성요소는 난소고환종으로 80%에서 동반됨(내배엽동종양 70%, 미성숙기형종 53%)
- 구성 요소에 따라 AFP, hCG 등의 생체표지자 분비 여부가 결정됨.
- 전체 종양의 크기와 더불어 고악성 요소 부분의 크기가 일차적 예후를 결정

(2) 초음파 소견

① 혼합성 또는 고형성 우세 종괴로 다양한 양상을 가짐.

② 배아세포암종(Embryonal cell carcinoma) – 경계가 명확한 저에코의 고형성 종양

③ 흔히 심한 괴사와 출혈을 보임(그림 7-14).

6 악성 성끈기질종양(Malignant sex-cord stromal cell tumor)

1) 개요

- 전체 난소암의 5-8%를 차지
- 과립세포종양(Granulosa cell tumor)과 세르토리라이디히종양(Sertoli-Leydig cell tumor)
- 다른 난소암과 달리 호르몬을 생성하여 임상 증상을 일으킴.

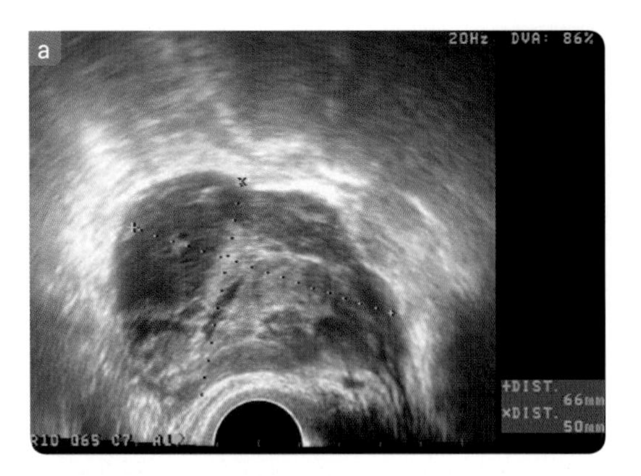

그림 7-15 과립세포종양. (a) 과립세포막 종양은 다수의 크고 불규칙한 낭성 또는 저에코 부위를 가진 고형성 우세 종괴로 보임. (b) 경계가 명확한 고형성 우세 종괴의 소견을 보임. (c) 과립세포종양에 동반된 자궁내막증식증에 의하여 자궁내막의 비후 소견을 보임.

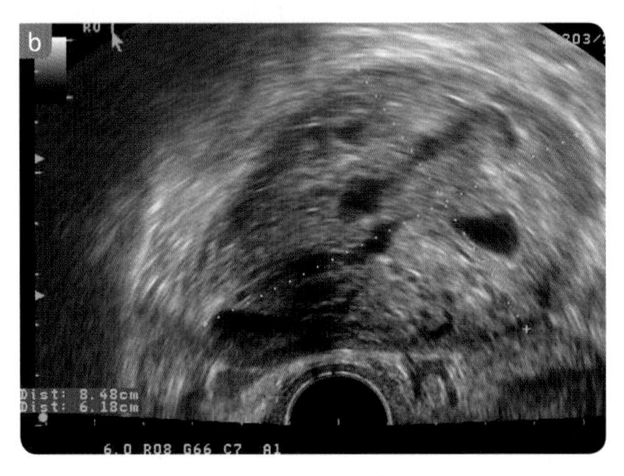

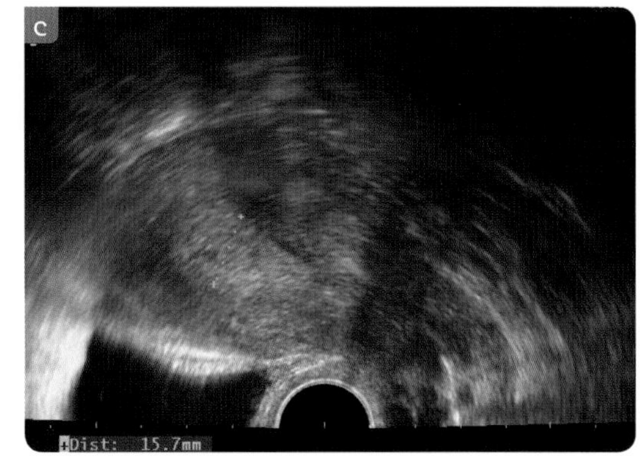

- 대부분 양성이고 악성이더라도 저악성으로 난소에 국한되어 발견되는 것이 특징

2) 과립세포종양(Granulosa cell tumor)

(1) 개요

- 여성호르몬 분비 종양
- 양측성은 드물고 상피세포암에 비하여 크기가 큼
- 흔히 늦게 재발하는 경향을 보임(초진단으로부터 5-30년 후).
- 성인형 : 폐경 전후에 호발, 이상 자궁출혈, 자궁내막의 증식증, 용종 및 암을 동반
  소아형 : 드묾, 성조숙증 발현
- 환자의 5%에서 저등급 자궁내막암, 25-50%에서 자궁내막증식증이 동반되므로 반드시 자궁내막에 대한 조직검사를 시행해야 함.

(2) 초음파 소견

① 다수의 크고 불규칙한 낭성 부위와 출혈, 경색 및 섬유성 변성 등에 의해 불균일한 에코를 보이는 고형성 우세 종괴, 또는 해면상(sponge-like) 소견이 전형적임.

② 경계가 명확하고 균일한 저에코의 완전 고형성 종괴 또는 얇거나 불규칙하게 두꺼운 벽을 가진 단방성 낭성 종괴로 보일 수도 있음.

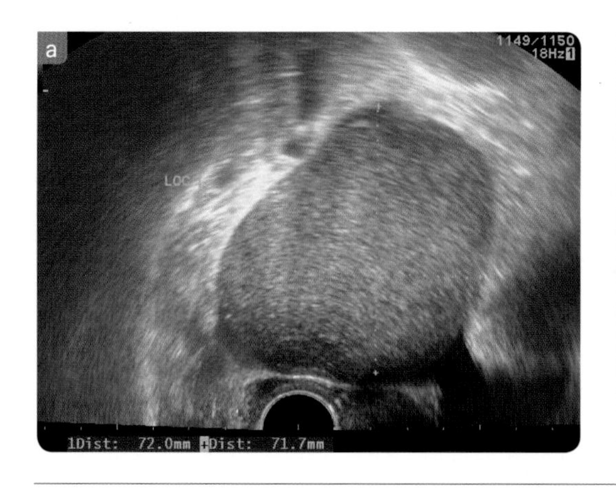

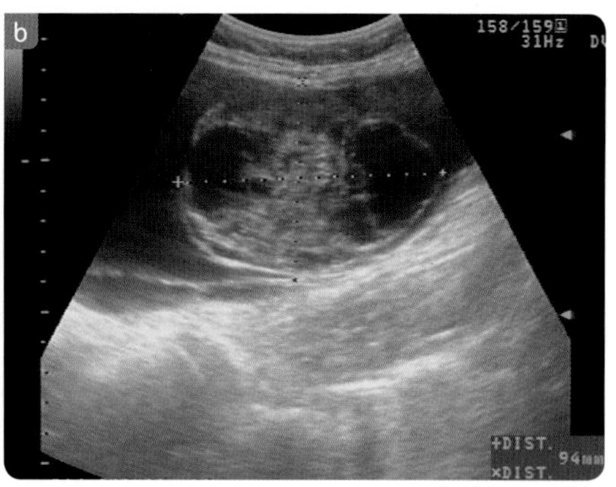

그림 7-16 세르토리라이디히종양. (a) 세르토리라이디히종양은 완전 고형성 또는 큰 다방성 낭성 부위를 가지는 고형성 우세 종괴로 보임. (b) 다양한 크기의 변연부 괴사를 보일 수 있으며 전이암, 과립세포종양 및 미분화세포종 등의 고형성 종양과 감별이 어려움.

③ 흔히 종괴의 내부 출혈을 동반하므로 종양 내 다수의 출혈성 낭종이 특징적인 소견임.

④ 여성호르몬 수치 증가에 따른 자궁비대와 자궁내막의 비후 또는 종괴를 흔히 동반할 수 있음.

⑤ 색도플러초음파에서 중심부와 종양 전체에 산재하는 저저항의 과혈류 소견을 보임.

⑥ 대부분 난소에 국한되나 난소 피막 외 및 골반장기로의 국소적인 침범과 복수, 복막 파급이 10-15%에서 보일 수 있으며 림프절 전이와 드물게 간, 폐, 뼈로의 원격전이를 보일 수 있음(그림 7-15).

3) 세르토리라이디히종양(Sertoli-Leydig cell tumor)

(1) 개요

- 남성호르몬(androgen) 분비 종양
- 남성화(70-85%): 희발월경, 무월경, 유방 위축, 여드름, 남성형다모증 등
- 20-30대에 호발, 10-18%에서 악성 임상 행태를 보임.
- 대부분 크기가 작고 일측성으로 난소에 국한
- 3%에서 난소 밖으로 파급되나 골반강 내에 국한됨.

(2) 초음파 소견

① 완전 고형성 또는 큰 다방성 낭성 부위를 가지는 고형성 우세 종괴로 보임.

② 고형 성분은 섬유성 기질 때문에 경계가 명확한 저에코를 보이며 다양한 크기의 변연부 괴사를 보일 수 있으나 출혈성 낭종 또는 석회화 음영은 흔하지 않음.

③ 현저히 증가된 저저항혈류를 보임.

④ 전이암, 과립세포종양 및 미분화세포종 등의 고형성 종양과 감별이 어려움(그림 7-16).

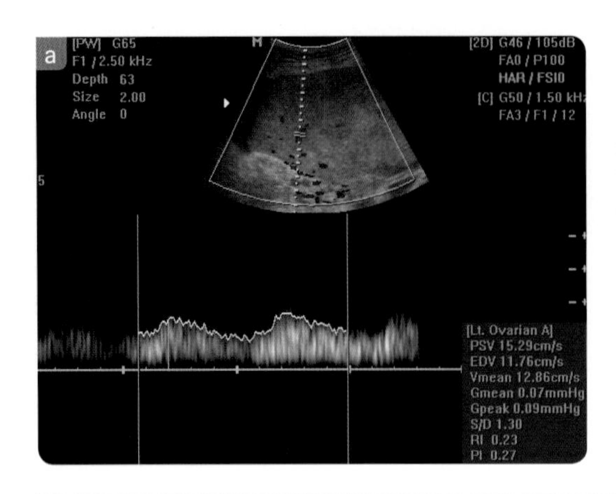

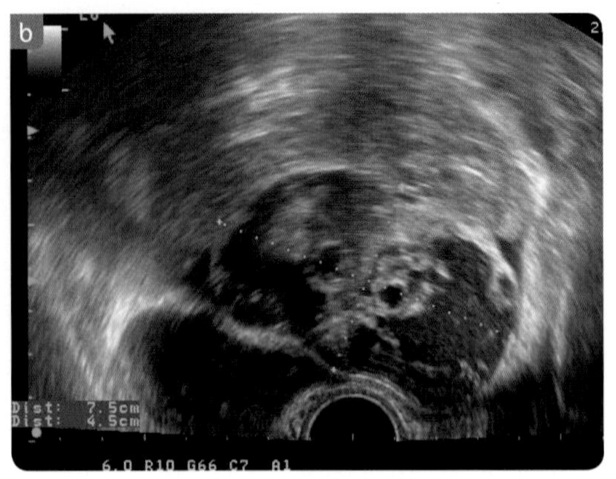

그림 7-17 **크루켄버그종양.** (a), (b) 크루켄버그종양은 대개 양측성의 완전 고형성 종괴 또는 경계가 분명한 낭성 부위를 가진 고형성 우세 종괴로 난소의 모양이 유지되고 매끈하고 분명한 변연을 보임. (b) 대장암의 전이암은 두껍고 불규칙한 중격과 고형 성분을 가진 낭성 우세 종괴의 소견을 보임.

7 전이성 난소암(Metastatic ovarian carcinoma)

1) 개요

- 전체 난소 종양의 5-6%를 차지하며 젊은 가임기 여성에서 발생
- 자궁 및 난관암, 위장관암, 간담도암, 유방암 및 흑색종 등이 난소에 흔히 전이되며 이 중 대장암과 위암에서의 전이가 가장 많고 80%에서 양측성

2) 크루켄버그종양(Krukenberg tumor)

(1) 개요

- 전이성 난소암의 30-40%를 차지
- 점액 분비 반지세포(mucin-secreting signet ring cell)로 구성
- 주로 위장관에서 발생하며, 대부분 양측성
- 대개 일차 질환이 진행되었을 때 발견되므로, 대부분의 환자가 1년 이내 일차 질환과 관련하여 사망함.

(2) 초음파 소견

① 원발성 난소암에 비하여 양측성이 많고 대부분 고형성 종괴이거나 경계가 좋은 낭성 부위를 갖는 복합성 종괴를 보이며 난소의 외형이 매끈하고 분명한 변연을 가져 원형 또는 난형이 유지됨

② 종종 낭성 변성 또는 괴사에 의한 저에코 부위를 포함.

③ 아교질성 간질 반응(collagenous stromal reaction)에 의한 저에코의 종괴

④ 피막하 경화 또는 피막 비후 점액을 포함하는 고에코의 낭성 부위를 보임.

⑤ 흔히 복수 동반

⑥ 대장암의 전이암은 보다 낭성 형태로 낭성 우세

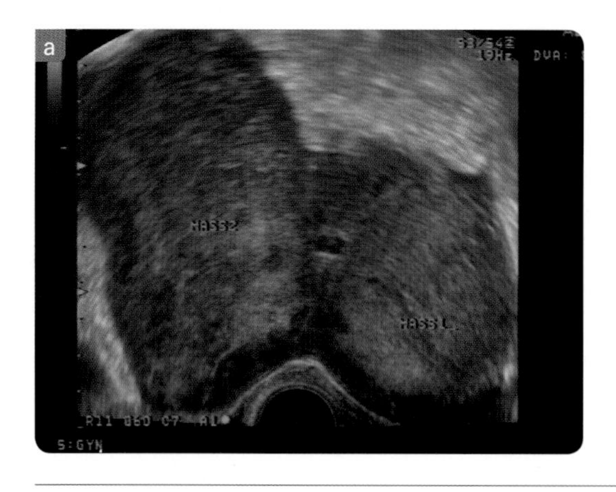

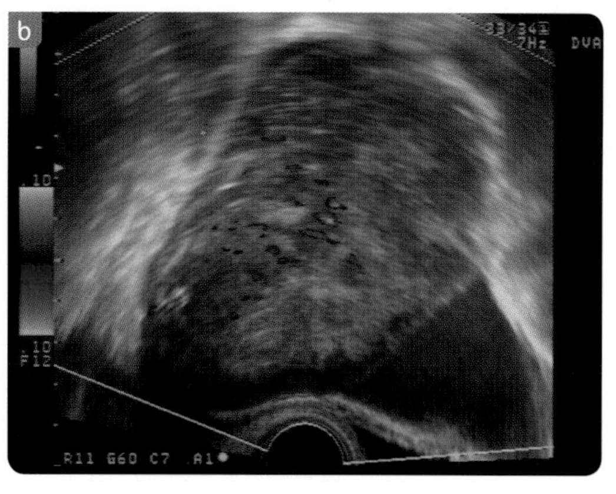

그림 7-18 림프종. (a) 림프종은 대부분 양측성의 매끈한 피막과 균일한 저에코를 보이는 다엽성의 고형성 종괴 소견을 보임. (b) 출혈 또는 괴사로 인한 불균일한 에코와 약한 혈류증가를 보일 수 있음.

또는 혼합성 종괴를 보임(그림 7-17).

8 림프종(Lymphoma), 악성중배엽성혼합종양(Malignant mixed müllerian tumor) 및 육종(Sarcoma)

1) 림프종

(1) 개요

- 전신성 림프종이 난소에 병발
- 대부분 양측성, 5 cm 이상 크기

(2) 초음파 소견

① 매끈한 피막과 균일한 저에코를 보이는 다엽성의 고형성 종괴

② 반흔양 띠 또는 섬유성 중격, 출혈 또는 괴사로 인해 불균일한 에코, 약한 혈류증가

③ 복수는 흔하지 않음(그림 7-18).

2) 악성중배엽성혼합종양

(1) 개요

- 여성 생식기와 복막에서 기원하며 자궁에서 가장 많이 발생
- 난소의 악성중배엽성혼합종양은 전체 난소암의 1% 이하로 매우 드물고 대부분 폐경 후 60-70세 이상에서 발생
- 약 70%가 병기 3-4기에 신단되며 예후노 불량
- 조직학적으로 상피성과 육종성 성분을 포함.
- 육종성 성분은 난소의 구성성분에서 기원한 자궁내막간질육종(Endometrial stromal sarcoma), 섬유육종(Fibrosarcoma), 평활근육종(Leiomyosarcoma) 등의 동종형(homologous type)과 그렇

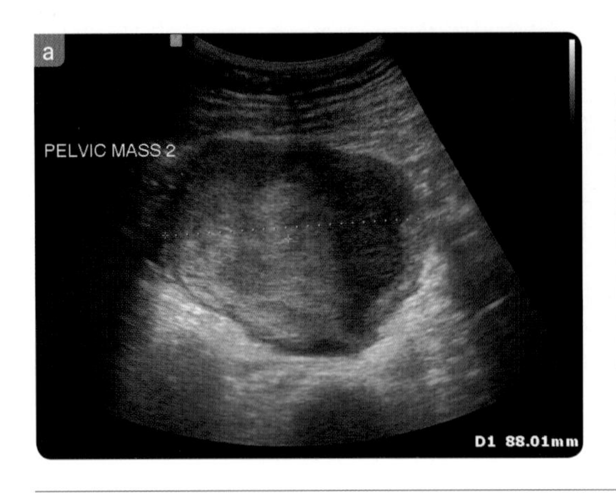

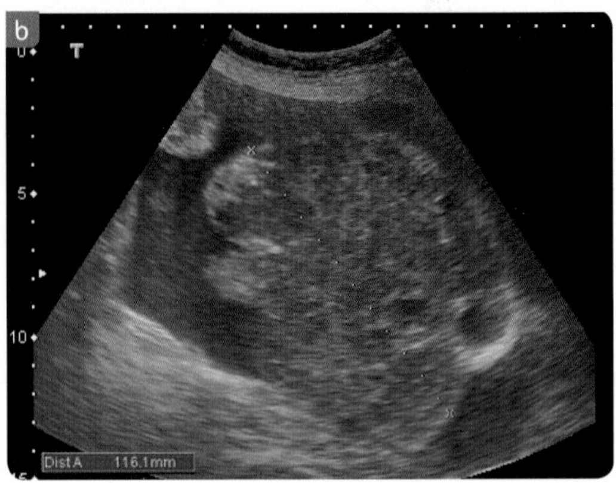

그림 7-19 악성중배엽성혼합종양. (a) 악성중배엽성혼합종양은 다엽성의 고형성 또는 복합성 종괴로 고형 부위의 괴사에 의한 저에코 및 불균일한 에코를 보임. (b) 불균일한 에코의 고형성 종괴로 복수를 동반할 수 있음.

지 않은 횡문근육종, 지방육종, 골육종, 연골육종 등의 이종형(heterologous type)으로 나뉨.

(2) 초음파 소견

① 양측성, 대부분 10cm 이상으로 크고 피막으로 잘 싸여진 다엽성의 고형성 또는 복합성 종괴

② 두꺼운 내벽과 중격을 가진 다낭성 종괴를 보일 수 있음.

③ 중심부 저에코 부위 및 괴사에 의한 불균일한 에코, 출혈에 의한 액체-액체층

④ 중등도 또는 현저한 혈류증가와 복수 및 복막 전이(그림 7-19)

3) 난소육종

(1) 개요

- 매우 드묾
- 자궁내막간질육종, 섬유육종, 평활근육종 및 카르시노이드종양(Carcinoid tumor) 등이 생길 수 있음.

(2) 초음파 소견

① 대부분 크고 일측성이며 후방 음영감쇄를 가지는 균일한 저에코의 고형성 종괴

② 경계가 불명확하고 괴사와 출혈 부위를 동반하며 석회화 음영 및 과혈류를 보일 수 있음(그림 7-20).

II 난소의 양성질환

난소 덩이의 진단에서 골반초음파촬영은 다른 영상검사에 비해 비용이 저렴하며 검사가 용이하고 비침습적이며 악성 덩이의 감별에도 우수한 진단 방법임. 난소 덩이의 약 75%는 가임기 여성에서 발생하는데 대부분 증상이 없어 우연히 발견됨. 난소 덩이의 약 80%는 양성 덩이로 대부분 전형적인 초음

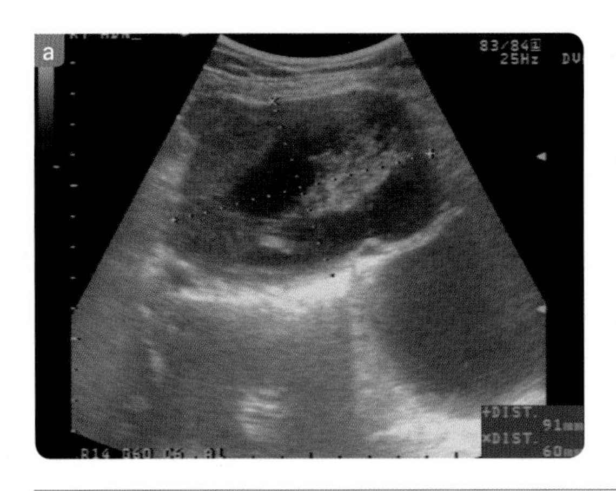
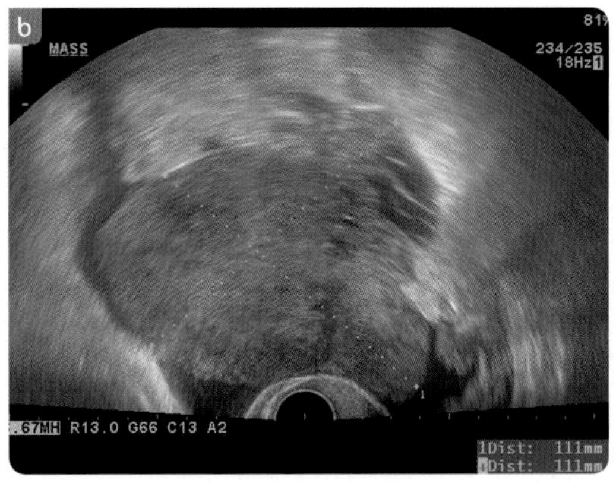

그림 7-20 **섬유육종.** (a), (b) 섬유육종은 크고 불명확한 변연과 괴사와 출혈 부위를 가진 불균일한 에코의 고형성 종괴 형태를 보임.

파 형태를 보이기 때문에 진단이 쉬움.

1 기능성낭(Functional cyst)

기능성낭은 배란을 하는 여성에서 가장 흔하게 볼 수 있는 난소 덩이임. 기능성낭은 난포낭(follicular cyst), 황체낭(corpus luteum cyst), 난포막황체낭(theca-lutein cyst)의 세 종류가 있음.

1) 난포낭(Follicular cyst)

(1) 개요

- 기능성낭 중에서 가장 흔히 볼 수 있는 낭
- 성숙난포가 배란시기에 파열되지 않거나 퇴축되지 않고 커지면서 발생.
- 정상적으로 성숙난포의 크기는 직경 1.5~2.5 cm 정도이나 난포낭의 크기는 직경 3~8 cm이며 20 cm까지 커질 수도 있음.
- 난포낭은 대부분 2~3개월 이내에 사라지기 때문에 4~8주 이후 초음파촬영으로 추적 관찰함.
- 증상이 없이 우연히 발견되는 경우가 많으며, 간혹 비틀리거나 파열되어 통증이 유발될 수 있음.

(2) 초음파 소견

- 단방성으로 얇은 막 두께(3 mm 미만)를 가진 낭으로 크기는 직경 3~8 cm 정도임(그림 7-21).

2) 황체낭(Corpus luteum cyst)

(1) 개요

- 황체는 성숙 난포에서 난자가 방출된 후에 형성되는 황색의 기능성 덩이.
- 정상적인 크기는 직경 3 cm 이하임.
- 황체가 내부에 출혈을 동반하면 크기가 증가하여 직경 4~5 cm의 낭종이 되는데 이를 출혈성 황

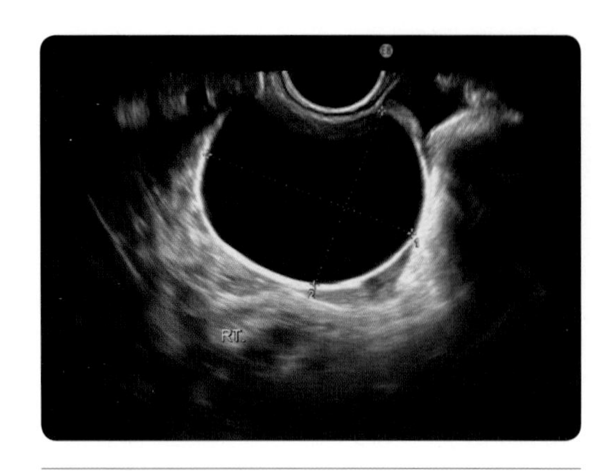

그림 7-21 난포낭.

체낭(hemorrhagic corpus luteum cyst)이라고 함.

- 배란된 난자가 수정이 되지 않을 경우 황체의 수명은 약 2주이나 수정이 되면 태반이 기능을 시작할 때까지 연장되어 임신 제 1 삼분기(first trimester) 이후에도 발견될 수 있음.
- 임신된 경우 황체낭은 임신 7주에 최대 크기에 이른 후 점차 줄어듦.
- 배란통을 동반할 수 있음.
- 황체낭은 난포낭에 비해 파열되기 쉬움.
- 크기가 커지면 비틀림(torsion)이나 파열 없이도 난소피막을 자극하여 통증이 유발될 수 있음.

(2) 초음파 소견

- 급성 출혈기에는 낭벽이 두껍고 내부에 고음영의 에코를 보여 고형 덩이처럼 보임.
- 가끔 낭 내부에서 관찰되는 균일한 저음영은 자궁내막종과 유사한 모양을 보이기도 함.
- 급성 출혈기가 지난 후에는 낭 내부의 혈액이 응고되어 응집된 혈구가 가라 앉아 액체층(fluid-fluid level)이 나타남.
- 시간이 지나면 핏덩이가 용혈되어 내부가 전체적으로 저음영을 보이면서 섬유소가 실처럼 얽혀 그물과 같은 망상 형태의 출혈낭으로 관찰됨.
- 출혈낭이 고형 덩이의 형태로 관찰되는 경우는 반드시 악성 덩이와 감별해야 하는데, 색도플러 초음파촬영을 이용하여 혈관분포를 파악하는 것이 도움이 됨. 출혈낭의 경우 고형 덩이가 의심되는 부위에 혈관분포가 거의 없어 악성 덩이와 구분됨(그림 7-22).

3) 난포막황체낭(Theca-lutein cyst)

(1) 개요

- 기능성낭 중에서 가장 드물고, 다방성(multiseptated) 및 양측성으로 발생하며, 크기는 가장 큰 편임.
- 영양막병(trophoblastic disease) 또는 배란 유도에 의한 난소 자극으로 증가된 사람융모생식샘자극호르몬(hCG)에 의해 주로 발생됨.
- 영양막병, 태아수종, 다태임신과 같이 사람융모생식샘자극호르몬이 증가된 경우나 불임치료 목적으로 외인성 호르몬을 주사한 경우에 나타나므로 자세한 환자 병력 청취가 중요함.

(2) 초음파 소견

- 대부분 양측 난소에 비교적 균일한 크기의 다방성 낭이 보임.
- 보조생식술에서 과배란유도에 의해 난소과자극증후군이 발생하면 난소가 난포막황체낭과 같은 모양으로 변하며, 복수가 동반됨.
- 난포막황체낭은 사람융모생식샘자극호르몬의 영향이 없어지면 수주 이내에 소실됨(그림 7-23).

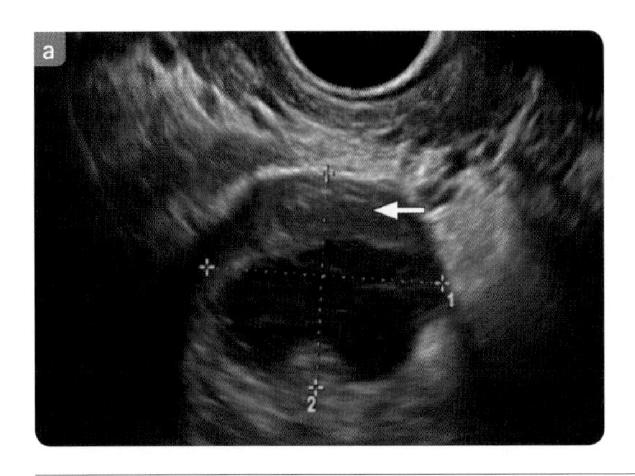

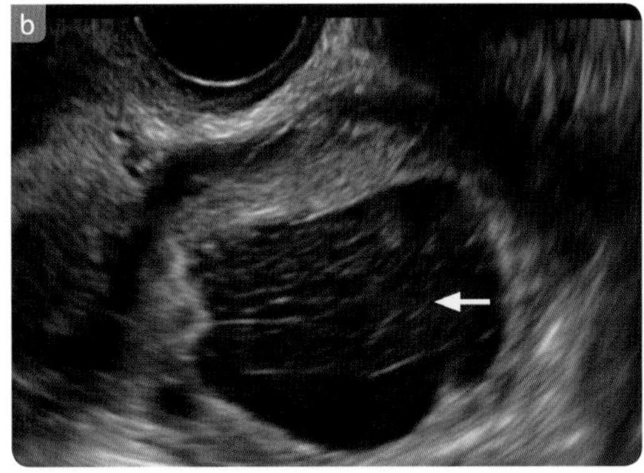

그림 7-22 황체낭. (a) 급성 출혈기에는 낭 내부의 음영이 증가하여 고형 덩이의 형태가 관찰될 수 있음. (b) 내부에 망상형태가 관찰됨.

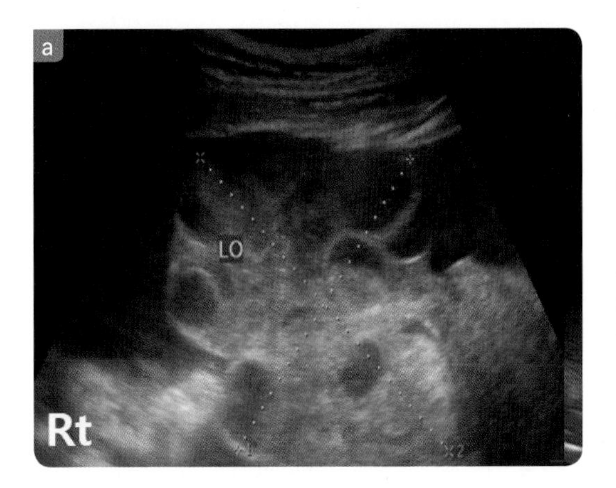

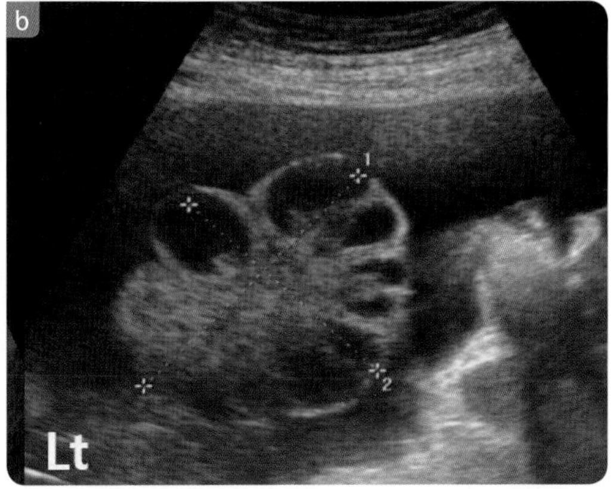

그림 7-23 난포막황체낭. 난소가 커져 있으며 양측에 비슷한 크기의 다방성 낭이 관찰됨.

2 자궁내막종(endometrioma)

(1) 개요

- 자궁내막증(endometriosis)은 자궁내막조직이 자궁 이외의 장소인 복막 표면, 난소, 더글라스와, 자궁인대 등에 존재하는 질환임.
- 정확한 발생 빈도는 알기 어렵지만 가임기 여성의 약 15%로 추측됨. 골반통이 있는 불임 여성은 30%까지 보고되지만, 무증상 여성의 3-43%에서도 발견될 수 있음.
- 월경통, 하복부통, 골반통, 성교통, 불임 등의 증상을 유발하지만 질병의 정도와 증상의 심각성은 연관이 없음.

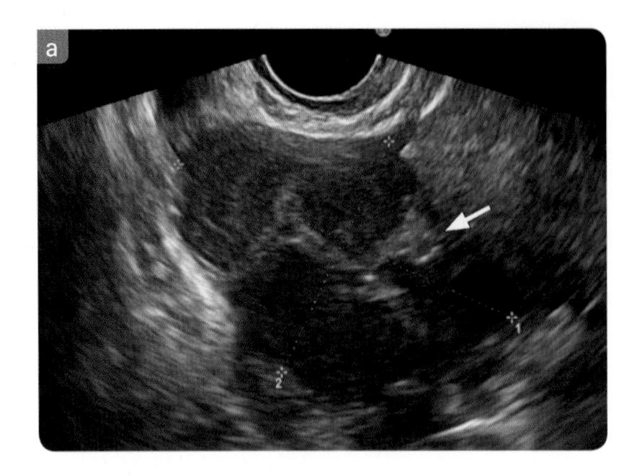

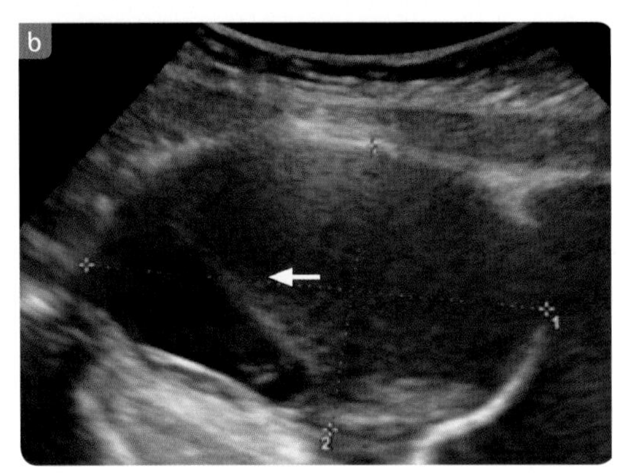

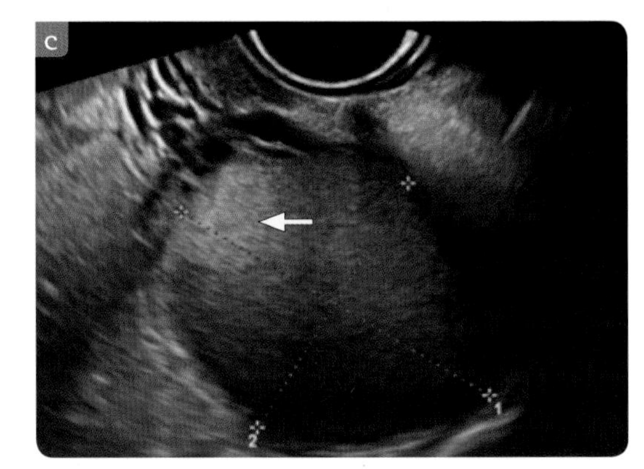

그림 7-24 **자궁내막종.** (a) 다방성 낭종의 형태가 관찰됨. (b) 액체층의 소견이 보이면 출혈낭과 감별이 필요함. (c) 낭종벽에 고음영 점이 관찰됨.

(2) 초음파 소견

- 내부가 매우 균일한 저에코나 중간에코로 나타나기 때문에 젖빛유리모양(ground glass appearance)으로 보이며, 덩이의 벽이 두껍게 관찰되는 것이 전형적인 특징임.
- 덩이를 형성하지 않고 유착이나 만성적 염증반응만 있을 때는 초음파 검사에서 정상소견을 보일 수 있음.
- 내막종의 크기와 수 및 내부 내용물에 따라 다양하게 나타날 수 있음.
- 난소낭 형태인 경우 내부에 출혈성 음영이 균일하게 저음영으로 나타나서 황체낭과 감별이 어려울 수 있음.
- 낭벽의 소결절형성(nodularity)은 악성 덩이의 소견일 수 있지만 자궁내막종의 20%에서도 관찰될 수 있음.
- 출혈성 낭이 종양으로 밝혀지는 경우는 아주 드물며 섬유성 끈모양(fibrous strand)과 응축되는 핏떡(retracting clots)의 형태로 나타나며, 자궁내막종의 8%에서 이와 같은 소견을 보임.
- 낭종벽에 고음영 점(hyperechoic foci)이 보이는 것은 자궁내막종을 강하게 시사하는 소견으로 35%에서 나타남. 고음영 점은 파괴된 세포벽에 함유된 콜레스테롤이 모여서 보이는 것으로 추정됨(그림 7-24).

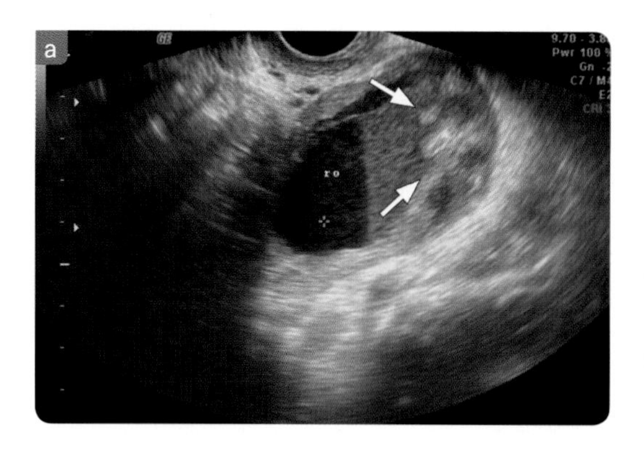

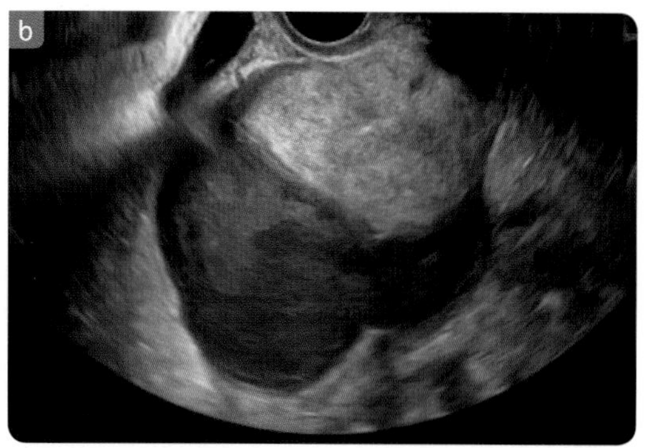

그림 7-25 난관난소농양. (a) 자궁부속기에 두꺼운 벽을 가진 낭성 종괴가 있으며, 안쪽 벽을 따라 톱니바퀴 모양의 돌출이(화살표) 보임. (b) 난관과 난소의 정상적인 구조가 확인되지 않는 복잡한 낭종 형태가 관찰됨.

3 난관난소농양(Tubo-ovarian abscess)

(1) 개요

- 하부 생식기 감염이 진행되어 골반염이 발생하면 염증이 자궁, 난관, 난소를 침범하면 골반염이 발생 심해지면 정상적인 해부학적 구조가 파괴되는 난관난소농양을 형성할 수 있음.
- 임상 증상으로는 복통이나 골반통을 호소하며 발열, 질분비물, 비뇨기 증상을 동반하기도 함.

(2) 초음파 소견

- 질경유 초음파검사가 복부 초음파검사에 비해 진단의 민감도와 정확도가 더 높음.
- 난관난소농양의 초음파소견은 매우 다양하며 낭성 부위, 중격, 두꺼운 낭종벽, 고형 부위 등이 혼재되어 나타나므로 신생물이나 출혈낭과 유사한 모양을 띠게 됨.
- 관모양의 구조가 보이면 화농 자궁관(pyosalpinx)의 소견인데, 낭성부위 내부 에코가 없는 수난관증(hydrosalpinx)과 달리 내부 에코가 있는 것이 차이점임.
- 초음파 소견은 염증의 정도에 따라 다양하게 나타나는데 초기에는 정상으로 보일 수 있음. 염증이 진행됨에 따라 난관 원위부가 막히고 점차 난관이 확장되어 초음파 단면 영상에서 두꺼워진 난관내막 주름들이 마치 톱니바퀴처럼 보이는 톱니바퀴징후(cogwheel sign)을 보일 수 있음(그림 7-25 a).
- 염증이 더 심해지면 난소와 난관의 정상구조가 파괴되어 서로 구분이 되지 않는 액체 저류를 동반하는 난관난소농양의 소견을 보임(그림 7-25 b). 난관난소농양은 특징적인 초음파 소견은 없고 복합낭으로 나타나므로 반드시 종양과 감별해야 하며, 환자의 임상 증상과 연관지어 진단하는 것이 바람직함.

4 양성신생물(Benign neoplasm)

1) 양성낭기형종(Benign cystic teratoma)

(1) 개요

- 잘 분화된 세 배엽층으로 구성되어 있고 머리카락, 치아, 뼈 및 피지 등으로 내부가 채워져 있으며, 매끈한 표면을 가진 종양임. 흔하게 발견되며, 난소 신생물 전체의 약 5-25%를 차지함.
- 양성낭기형종의 80%는 가임기 여성에서 발생하며 대부분 일측성이나 약 10%에서는 양측성으로 발견됨.
- 특별한 증상이 없어 우연히 발견되는 경우가 많으며 간혹 복통, 복부 덩이, 질출혈 등의 증상을 동반하기도 함.
- 가장 흔한 합병증은 비틀림(torsion)으로 약 15%에서 발생하며 임신 중이나 산후에 호발함.

(2) 초음파 소견

- 보통 광범위하게 밝은 에코를 보이며 종양의 후방음향을 감소시켜 음향음영(acoustic shadow)을 나타내거나, 고음영의 선과 점들이 종양을 채우고 있는 소견과 함께 액체층이 관찰되기도 함(그림 7-26 a).
- 가장 흔한 초음파 소견은 후방의 음향을 감소시키는 광범위한 고음영의 고형종인데, 낭종 내부를 채우고 있는 머리카락이나 벽의 내강으로 솟아오른 로키탄스키융기(Rokitansky protuberance)의 피지 때문에 만들어지는 영상임(그림 7-26 b).
- 음향음영은 양성낭기형종의 진단에 약 80%의 양성예측도를 갖는 것으로 보고된 바 있음(Patel 등, 1998). 종양을 구성하는 뼈나 치아에 의해 석회화가 관찰되기도 하는데 이때에도 음향음영이 나타남.
- 종양의 고음영 부위 아래쪽이 음향음영 때문에 전혀 보이지 않는 경우가 있는데 이를 '빙산의 일각' 징후라고 함(그림 7-26 c). 이런 경우 자기공명영상으로 종양 전체를 확인하는 것이 진단에 도움이 됨. 로키탄스키융기는 대장의 장내 가스나 대변과 유사하게 보여 간혹 대장 내부를 양성낭기형종으로 착각하기도 함.
- 고음영의 선과 점들이 그물처럼 종양을 채우고 있는 소견은 출혈낭, 자궁내막종 등과 감별해야 함.
- 난소의 기형종은 대부분 양성으로 약 2%만 악성으로 전환되는데, 악성을 감별할 수 있는 초음파 소견에 대해서는 거의 알려진 바 없음.
- Patel 등(1998)은 동일한 에코를 보이는 고형부위가 분지(branching)를 이루는 것이 악성을 시사하는 것으로 보고한 바 있음. 형태점수평가법(morphologic scoring system)을 이용한 부속기종양의 진단은 양성낭기형종을 진단하는데 93%의 민감도와 99%의 특이도를 보였으며, 혈관분포를 확인하기 위해 색도플러 초음파를 추가하였을 경우에는 99%의 민감도와 특이도를 보임(Kurjak 등, 1997).

2) 상피성 종양(Epithelial cell tumor)

상피성 종양은 가장 흔한 난소의 신생물로 전체의 약 60%를 차지하며 연령이 증가할수록 발생율이 높아짐. 일반적으로는 양성이지만 전체 난소암의 80-

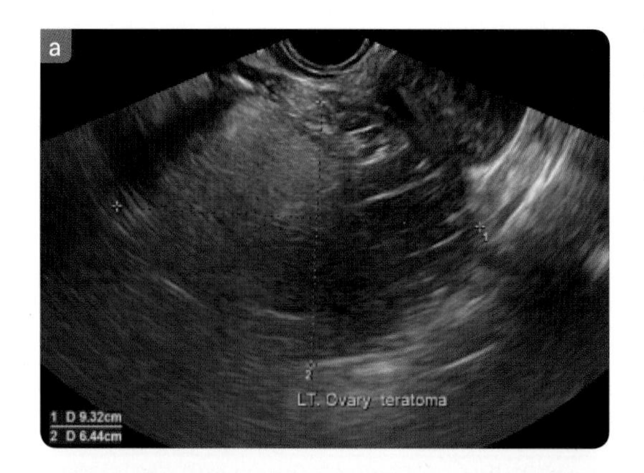

그림 7-26 양성낭기형종. (a) 전체적으로 고에코의 고형성 종괴 소견. (b) 고에코의 로키탄스키융기(화살표) 소견. (c) 음향음영에 의해 종양의 아래쪽이 명확하게 확인 되지 않는 '빙산의 일각' 징후 소견.

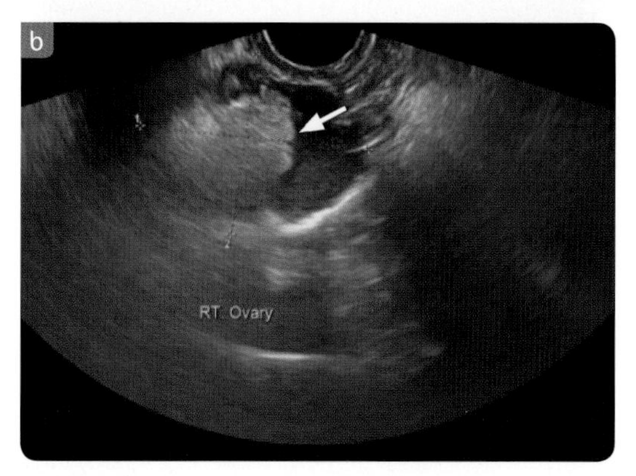

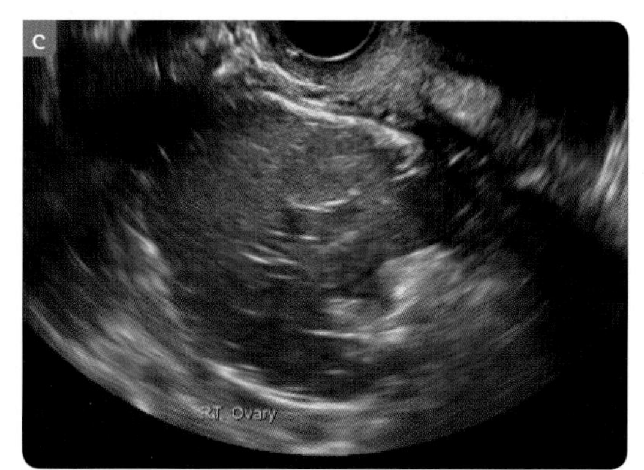

90%가 상피성 종양이므로 감별이 매우 중요한 종양임. 간혹 종양의 크기가 급격하게 증가하는 경우는 복통, 질출혈, 소화기계 증상 등을 호소하기도 하지만 보통 별다른 증상 없이 발견되는 경우가 많음.

(A) 장액낭샘종(Serous cystadenoma)

(1) 개요

- 장액종양은 상피성 종양 중 가장 흔하며 대부분 양성이나 약 20-25%가 악성이며 주로 40-50대에 호발함. 대부분 단방성이지만, 간혹 다방성으로 나타나기도 하며 크기는 통상 직경 10 cm 가량 되지만 30cm 까지도 증가하는 등 다양함.

(2) 초음파 소견

- 장액낭샘종의 초음파 소견은 비교적 크기가 큰 단방성 낭종으로 경계가 뚜렷하며, 내부에 음영이 없는 장액으로 채워져 있는 것이 특징임(그림 7-27 a).
- 내부에 얇은 막으로 중격이 형성되기도 하며 간혹 유두상 돌기가(papillary projection) 보이기도 하는데(그림 7-27 b) 이때는 악성과 감별하여야 함.

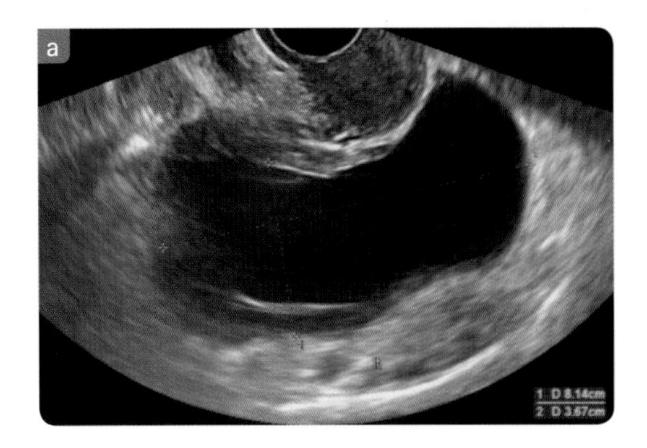

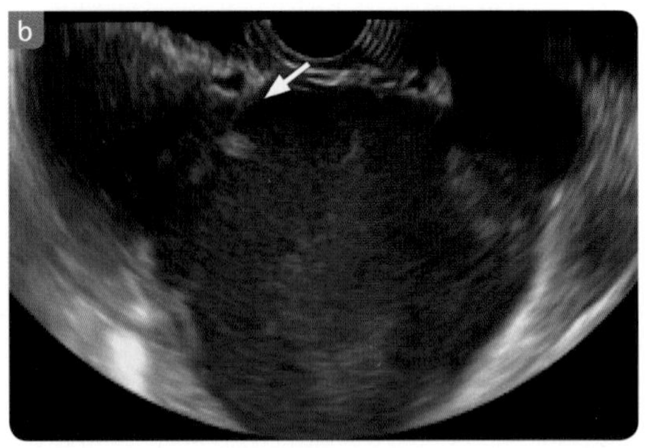

그림 7-27 **장액낭샘종.** (a) 경계가 뚜렷하고 얇은 벽으로 이루어진, 내부에 음영이 없는 단방성 낭종 소견. (b) 내부에 얇은 격막이(화살표) 보임.

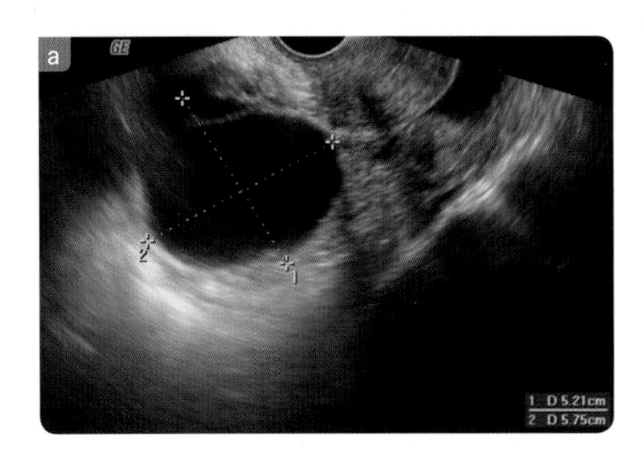

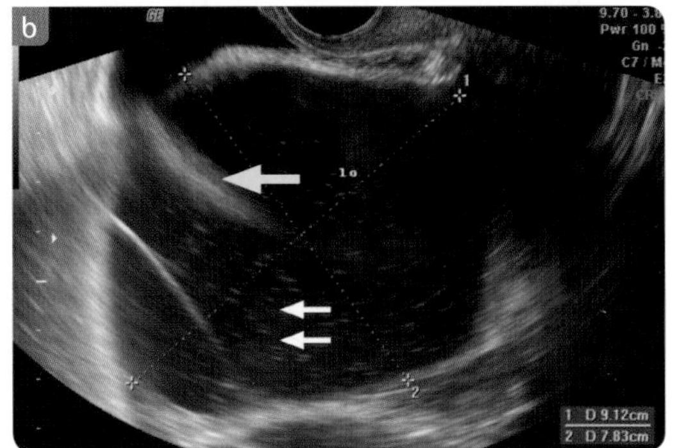

그림 7-28 **점액낭샘종.** (a) 경계가 뚜렷하고 얇은 벽으로 이루어진 내부에 음영이 없는 단방성 낭종 소견. (b) 내부의 두꺼운 중격(노랑화살표) 및 고음영 파편 (흰색화살표) 소견.

(B) 점액낭샘종(Mucinous cystadenoma)

(1) 개요

- 난소의 점액낭은 대부분 양성이지만 약 5-10%는 악성임. 보통 30-50대에 호발하며 대부분 일측성이지만 양측성인 경우도 10%임.
- 단방성 소견을 보일 수도 있지만(그림 7-28 a), 대개 다방성으로 직경 50 cm 까지도 커질 수 있음. 표면은 매끈하지만 비교적 두꺼운 벽으로 이루어져 있으며 내부는 탁하고 끈끈한 점액으로 채워져 있음.

(2) 초음파 소견

- 초음파검사 소견은 다방성으로 여러 개의 두꺼운 중격으로 나뉘어 있는데 내부가 탁한 내용물로 채워져 있으므로 고음영의 파편이 보이기도 함(그림 7-28 b).
- 보통 고형 부위는 존재하지 않으며, 장액낭샘종

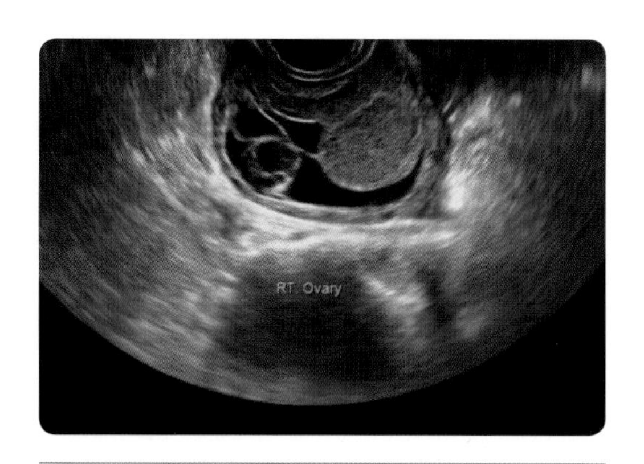

그림 7-29 성끈기질종양. 난소의 내부에 자궁근종과 비슷한 균일한 에코를 보이는 것이 종괴가 관찰.

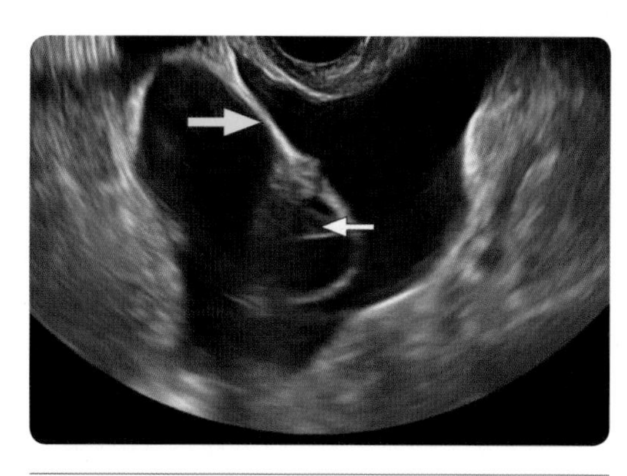

그림 7-30 복강봉입낭. 낭종안에 정상 난소(흰색화살표)가 보이면서, 중격(노랑화살표)이 존재함.

과 마찬가지로 유두상 돌기가 보이는 경우는 악성을 감별하여야 함.

3) 성끈기질종양(Sex cord stromal tumor)

(A) 섬유종(Fibroma)

(1) 개요

- 섬유종은 항상 양성종양으로 전체 난소 종양의 약 4%를 차지함.
- 모양은 균일한 고형 덩이로 보이므로 자궁근종과 감별해야 함.
- 약 1%에서는 복수와 가슴막삼출(pleural effusion)을 동반하는 메이그 증후군(Meigs' syndrome)이 합병되어 발생하기도 함.

(2) 초음파 소견

- 초음파검사 소견은 전체적으로 음영이 감소하여 다층의 그림자를 보이고 간혹 석회화가 동반되어 있음. 따라서 부속기에 이러한 고형종이 보이면 종양이 있는 쪽 난소가 관찰되는지 확인하여 자궁근종과 감별이 필요함(그림 7-29).

(B) 난포막종(Thecoma)

(1) 개요

- 전체 난소 신생물의 1% 미만을 차지하고 폐경기에 호발하며 항상 양성임.

(2) 초음파소견

- 섬유종과 유사함.

4) 복강봉입낭(Peritoneal inclusion cyst)

(1) 개요

- 복강유착에 의해 액체가 저류되어 발생하며 복강거짓낭(peritoneal pseudocyst), 낭성 중피종(cystic mesothelioma)이라고도 함.

- 대부분의 경우에서 골반 수술, 자궁내막증, 골반염 등 골반 내 유착을 유발할 수 있는 병력이 있음. 하복부 통증, 하복부 종괴 등의 증상이 있지만, 무증상인 경우도 있음.

(2) 초음파 소견

- 낭종 안에 정상 난소가 존재하고 중격과 액체로 둘러싸여 다발성의 불규칙한 무음영 낭종으로 구성되어 있는 것이 특징임(그림 7-30).

참 고 문 헌

1. 김종철. 난소 과립막세포 종양의 방사선학적 소견. 대한방사선의학회지 1997;37:711-7.
2. 김황조, 김홍수, 유은애 외. 난소 내배엽동 종양의 방사선학적 소견. 대한방사선의학회지 1998;38:131-6.
3. 김희경, 박철민, 최재웅 외. 난소에서 발생한 배아세포암종의 방사선학적 소견: 1예 보고. 대한초음파의학회지 2004;23:151-4.
4. 박원규, 정재천, 조재호 외. 원발성 복막 장액성 유두암종: 1예 보고. 대한초음파의학회지 2004;23:151-4.
5. 손홍주, 이은주, 주희재 외. 난소갑상선종의 초음파 소견: 악성종양과의 감별이 어려운 초음파소견과 병리소견의 비교. 대한초음파의학회지 1996;15:277-84.
6. 이은주, 김보현, 주희재. 난소의 자궁내막증에서 발생한 악성 종양의 방사선학적 소견. 대한방사선의학회지 1999;41:98-108.
7. 이은주, 박동원, 장용선 외. 난소 경계영역 악성 상피 종양의 초음파 소견. 대한초음파의학회지 1997;16:373-81.
8. 지성우, 김정식, 손철호 외. 미성숙 난소기형종의 전산화 단층촬영과 초음파소견. 대한방사선의학회지 1996;35:777-82.
9. 최진수, 김영화, 신형철, 한건수, 김일영, 급성 골반강내 염증성 질환의 질초음파 검사. 대한초음파의학회지 1999;18:299-301
10. Alcazar JL, Galan MJ, Ceamanos C, et al. Transvaginal gray scale and color Doppler sonography in primary ovarian cancer and metastatic tumors to the ovary. J Ultrasound Med 2003;22:243-7.
11. Brammer HM 3rd, Buck JL, Hayes WS, et al. From the archives of the AFIP. Malignant germ cell tumors of the ovary: radiologic-pathologic correlation. Radiographics 1990;10:715-24.
123. Cho SB, Park CM, Park SW, et al. Malignant mixed mullerian tumor of the ovary: imaging findings. Eur Radiol 2001;11:1147-50.
13. Clarke-Pearson DL. Clinical practice. Screening for ovarian cancer. N Engl J Med 2009;361:170-7
14. Cohen LS, Escobar PF, Scharm C, et al. Three-dimensional power Doppler ultrasound improves the diagnostic accuracy for ovarian cancer prediction. Gynecol Oncol 2001;82:40-48.
15. Fruscella E, Testa AC, Ferrandina G, et al. Ultrasound features of different histopathological subtypes of borderline ovarian tumors. Ultrasound Obstet Gynecol 2005;26:644-50.
16. Jonathan S. Berek. Berek & Novak's Gynecology. 15th ed. California: Lippincott Williams & Wilkins. p.1361,1366, 2012.
17. Kurjak A, Kupesic S, Sparac V, et al. The detection of stage I ovarian cancer by three-dimensional sonography and power Doppler. Gynecol Oncol 2003;90:258-264.
18. Mlikotic A, McPhaul L, Hansen GC, et al. Significance of the solid component in predicting malignancy in ovarian cystic teratomas. J Ultrasound Med 2001;20:859-66.
19. Mol BW, Boll D, De Kanter M, et al. Distinguishing the benign and malignant adnexal mass: an external validation of prognostic models. Gynecol Oncol

2001;80:162-7.

20. Outwater EK, Wagner BJ, Mannion G, et al. Sex cord-stroma and steroid cell tumors of the ovary. Radio-Graphics 1998;18:1523-46.
21. Peter W. Callen. Ultrasonography in Obstetrics and Gynecology. 15th ed. Califonia: Saunders Elsevier. p.969, 2008.
22. Rim SY, Kim SM, Choi HS. Malignant transformation of ovarian mature cystic teratoma. Int J Gynecol Cancer 2006;16:140-4.
23. Siegel R, Ward E, Brawley O, et al. Cancer statistics, 2011. CA Cancer J Clin 2011;61:212-36.
24. Timmerman D, Testa AC, Bourne T, et al. Simple ultrasound-based rules for the diagnosis of ovarian cancer. Ultrasound Obstet Gynecol 2008;31:681-90.
25. Timmerman D, Van Calster B, Testa A, et al. Predicting the risk of malignancy in adnexal masses based on the Simple Rules from the International Ovarian Tumor Analysis group. Am J Obstet Gynecol 2016;214:424-37.
26. Ueland FR, DePriest PD, Pavlik EJ, et al. Preoperative differentiation of malignant from benign ovarian tumors: the efficacy of morphology indexing and Doppler flow sonography. Gynecol Oncol 2003;91:46-50.
27. Valentin L, Ameye L, Testa A, et al. Ultrasound characteristics of different types of adnexal malignancies. Gynecol Oncol 2006;102:41-8.
28. van Nagell JR Jr, DePriest PD, Reedy MB, et al. The efficacy of transvaginal sonographic screening in asymptomatic women at risk for ovarian cancer. Gyncol Oncol 2000;77:350-6.
29. van Nagell JR Jr, Higgins RV, Donaldson ES, et al. Transvaginal sonography as a screening method for ovarian cancer: a report of the first 1000 cases screened. Cancer 1990;65:573-7.
30. Wagner BJ, Buck JL, Seidman JD, et al. From the archives of the AFIP. Ovarian epithelial neoplasms: radiologic-pathologic correlation. Radiographics 1994;14:1351-74.
31. Harris RD, Javitt MC, Glanc P, et al: ACR Appropriateness Criteria® clinically suspected adnexal mass. Ultrasound Q 29(1):79-86, 2013
32. PW Callen. Ultrasound evaluation of the ovaries; in Callen's Ultrasonography in Obstetrics and Gynecology 6th Ed. Mary EN, Leslie MS, Vickie AF. Philadelphia, PA: Elsevier, [2017] 919-933.
33. Levine D, Brown DL, Andreotti RF, et al: Management of asymptomatic ovarian and other adnexal cysts imaged at US: Society of radiologists in Ultrasound Consensus Conference Statement, Radiology 256(3):943-954, 2010.
34. Kim JH, Lee SM, Lee JH, et al: Successful conservative management of rupture ovarian cysts with hemoperitoneum in healthy women. PLoS ONE 9(3):e91171, 2014.
35. Lee HJ, Park YM, Jee BC, et al: Various anatomic locations of surgically proven endometriosis: a single-center experience. Obstet Gynecol Sci 58(1):53-58, 2015.
36. Ackerman S, Irshad A, Lewis M, Anis M: Ovarian cystic lesions: a current approach to diagnosis and management. Radiol Clin North Am 51(6):1067-1085, 2013.
37. Brown DL: A practical approach to the ultrasound characterization of adnexal masses. Ultrasound Q 23(2):87-105, 2007.
38. Goldstein SR, Subramanyam B, Snyder JR, et al: The postmenopausal cystic adnexal mass: the potential role of ultrasound in conservative management. Obstet Gynecol 73(1):8-10, 1989.
39. Parsons A: Whither the simple ovarian cyst in postmenopausal women? Ultrasound Obstet Gynecol 20 (2):112-116,2002
40. Valentin L: Use of morphology to characterize and manage common adnexal masses. Best Pract Res

Clin Obstet Gynecol 18(1):71-89, 2004

41. Patel MD: Pitfalls in the sonographic evaluation of adnexal masses. Ultrasound Q 28(1):29-40, 2012
42. Patel MD, Feldstein VA, Chen DC< et al: Endometriomas; diagnostic performance of US. Radiology 210(3):739-745, 1999.
43. Guerriero S, Ajossa S, Mais V, et al: The diagnosis of endometriomas using colour Doppler energy imaging, Hum Reprod 13(6):1691-1695, 1998.
44. Arthur C. Fleischer. Clinical Gynecologic imaging. Lippincott-Raven. Philadelphia 1997. 51-3
45. Kurman RJ: Blasustein's Pathology of the female genital tract. 4th ed. New York, Sringer-Verlat. 1994 Foulk RA, Martin MC
46. Wang YC, Su HYT, Liu JY, Chang FW, Cheu CH. Maternal and female fetal virilization caused by Pregnamy luteomas. Fertil Steril 2005; 84(2): 509
47. Choi JR, Levine D. Finberg H. Luteoma of pregnancy sonographic findings in two cases. J Ultrasound Med. 2000; 19(2): 877-81
48. PW Callen. Ovarian sonography; in Ultrasonography in obstetrics and Gynecology 4th Ed. W. B Saunders. Philadelphia. 2000. 866
49. Tassone M, Kuhn R, Talbot JM: Ovarian hyperstimulation syndrome. Aust NZ Obstet Gynecol 1997; 37: 95
50. Kurman RJ: Blasustein's Pathology of the female genital tract. 4th ed. New York, Springer-Verlat. 1994
51. Jaime F.A, Tommaso F. alejando C.A. Dvarian hyperstimulation syndrome. Crit Care Clin 2004; 20 : 679-95.
52. Navot D. Severe ovarian hyperstimulation syndrome. In: Gardner DK, editor. Textbook of assisted reproductive techniques: laboratory and clinical perspectives. 1st edition. London: Martin Dunitz; 2001. P645-54
53. J. phy, S Foong, D. Session, A. Thornhill. Transvaginal ultrasound detection of multifollicular ovaries in non-hirsute ovulatory women. Ultrasound Obstet Gynecol 2004; 23; 183-7
54. Babieri RL, Gordon AMc. Hormonal therapy of endometriosis: the estradiol target. Fertil Steril 1991; 56: 820-2
55. Candiani GB, Vercellini P, Fedele L, Bainchi S, vendola N, Candiani M. Conservative surgical treatment for severe endometriosis in infertile women: are we making progress? Obstet Gynecol Surv 1991; 46: 490-8 Radiology 1999; 210; 739-45
56. Patel MD, Feldstein VA, Lipson SD, Chen DC, Filly RA. Cystic teratomas of the ovary, diagnostic value of sonography. An J Roentgenol 1998; 171: 1061-5.
57. Kurjak A, Kupesic S, Babic MM, Goldenberg M, Ilijas M. Kosuta D, Preoperative evaluation of cystic teratoma, what does color Doppler? Clin Ultrasound 1997:25:309-16.
58. Rim SY, Kim SM, Choi HS, Malignant transformation of ovarian mature cystic teratoma. Int J Gynecol Cancer 2006;16:140-4.
59. Wagner BJ, Buck JL. Seidman JD, McCabe KM. Ovarian epithelial neoplasm, radiologic-pathologic correlation, Radio Graphics 1994;4:351-74.

나팔관 질환의 초음파

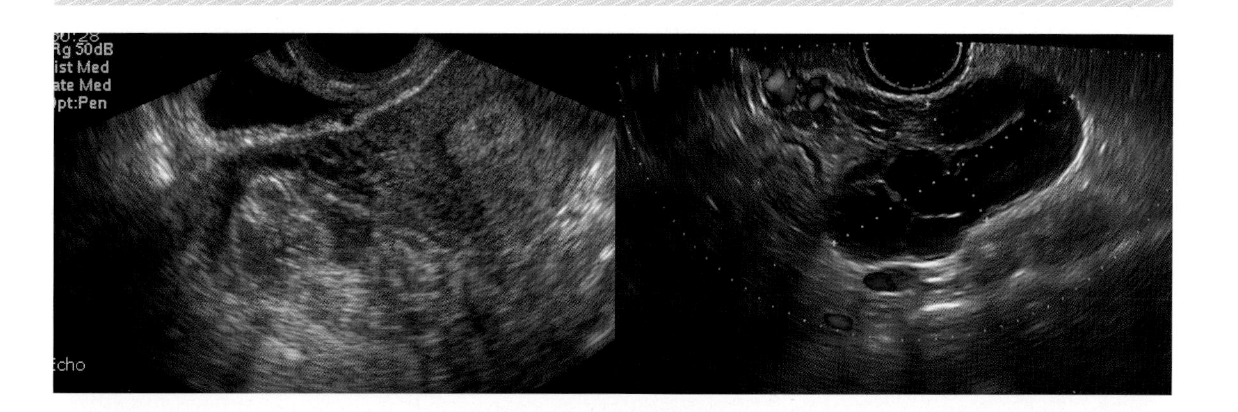

김광준_ 중앙의대 산부인과
양선혜_ 중앙의대 산부인과
임소이_ 가천의대 산부인과
임혜원_ 원광의대 산부인과

나팔관 질환의 초음파

1 자궁관

자궁관의 주 역할은 난자와 정자의 이동통로 역할. 이 통로가 염증 등에 의해 좁아지거나 막혔을 때 불임이 되거나 수정란이 자궁관 이동중에 걸려서 자궁외 임신이 발생함. 본 장에서는 자궁관의 해부학, 자궁관의 소통 여부를 초음파를 이용하여 검사하는 방법, 자궁관염, 자궁관종양 등에 대해 살펴보고자 함.

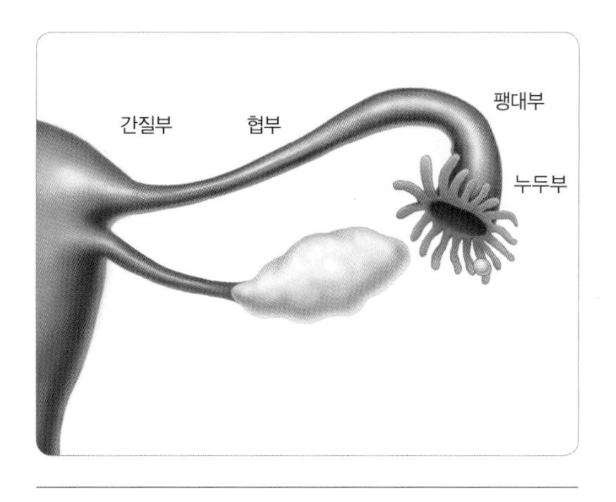

그림 8-1 자궁관의 구조.

자궁관의 해부학적 구조

- 자궁관은 자궁강과 난소를 이어주는 통로 역할을 하며 길이는 8~14 cm 정도.
- 자궁관은 자궁체부에서 가까운 쪽으로부터 간질부(interstitial part), 협부(isthmic part), 팽대부(ampullary part), 누두부(infundibular part)로 나뉨. 협부가 가장 좁아서 자궁관의 내강이 2~3 mm 정도되고, 팽대부는 비교적 넓어서 5~8 mm 정도. 자궁관은 두 층의 근육이 배열되어 있는데 안쪽 근육층은 회전하듯이 둥글게 배열되어 있고, 바

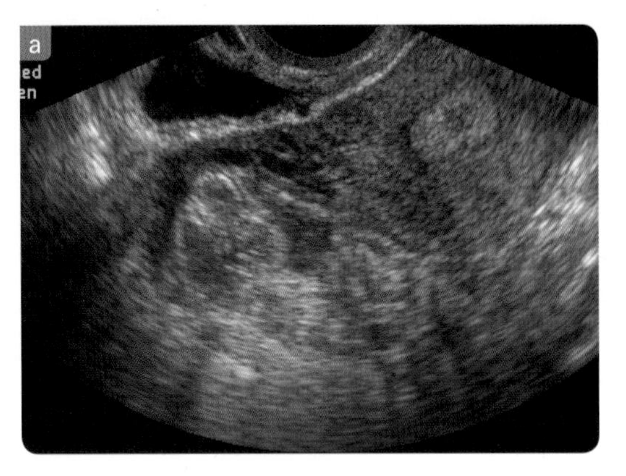

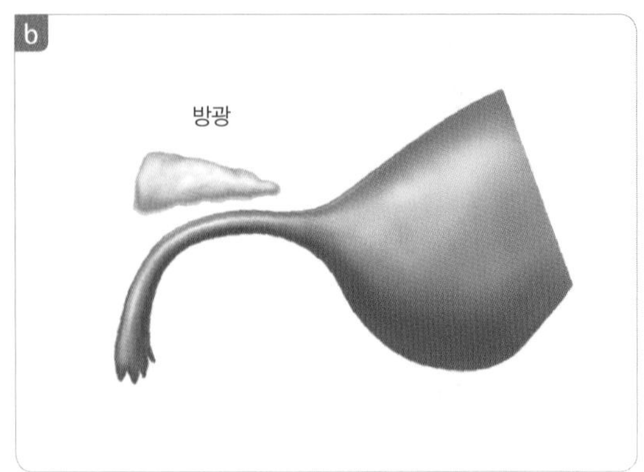

그림 8-2 정상적인 우측 자궁관.

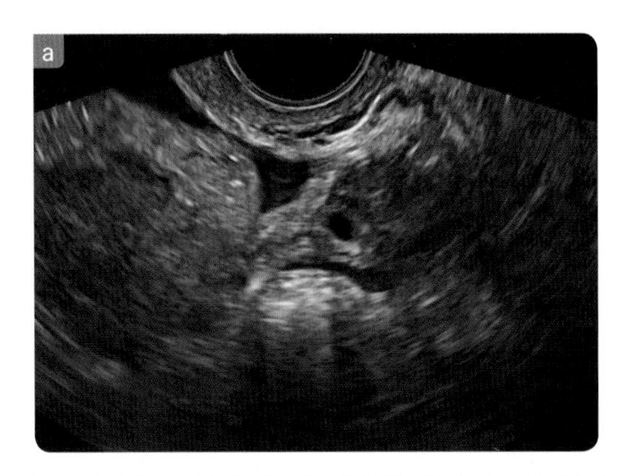

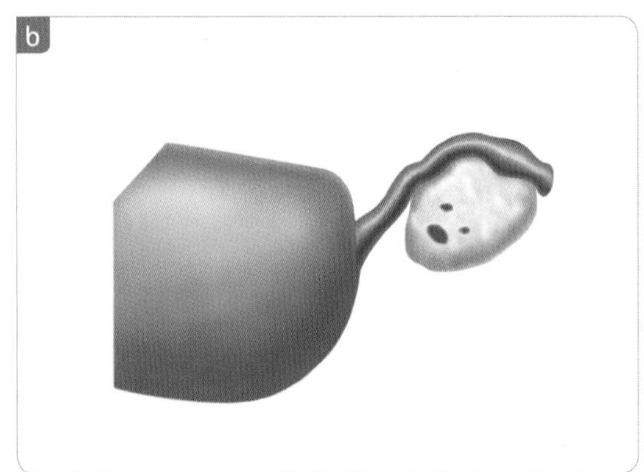

그림 8-3 정상적인 좌측 자궁관.

깥쪽 근육층은 길이로 길게 배열됨. 자궁관은 이 근육들에 의해 난소의 호르몬 변화에 따라 강도를 달리하면서 운동을 함. 초음파상 자궁관은 질환으로 인해 변형이 되지 않는 한, 쉽게 보이지 않으며 특히 원위부는 소장사이에 파묻혀서 관찰이 안되는 경우가 많음. 근위부는 자궁저부 양끝을 조심스럽게 관찰하면 질초음파로 대부분 관찰되지만 자궁관의 내강은 좁고 닫혀있어서 내강을 액체로 채워서 관찰하기 전에는 관찰이 불가능함.

2 자궁관의 소통검사

- 자궁관의 소통여부는 불임검사에서 기본적인 검사임. 여성불임의 약 삼분의 일이 자궁관요인. 이차성 불임의 경우는 자궁관요인이 60%까지 차지하는데, 이는 자궁관에 발생되는 염증이나 자궁내막증에 의해 자궁관이 막히는 것이 원인.
- 자궁관의 소통여부는 전통적으로 자궁-자궁관 조영술(hysterosalpingography, HSG)이나 methy-

lene blue나 indigocarmine을 자궁강을 통해 주입한 후 복강경으로 관찰하는 복강경 자궁관 소통검사(chromolaparoscopy)에 의해 이루어져왔음. 1995년 독일 schering사에서 초음파 조영제(Echovist)가 개발된 후에는 초음파를 이용한 자궁관 소통검사가 많이 사용되었음. 초음파를 이용한 자궁관소통의 확인은 일반 이면상(2D)초음파, 입체(3D)초음파, 색도플러를 이용할 수 있으며 자궁관에 주입하는 조영제의 종류는 생리 식염수나 galactose 현탁액(Echovist, Levovist)이나 공기(air)를 이용할 수 있음. 생리 식염수 자체는 초음파에 나타나지 않으면서 주변의 구조를 잘 보이도록 하는 음성 조영제이고, galactose 현탁액이나 공기입자는 그 자체가 강한 음영을 나타내는 양성 조영제임. 생리 식염수가 자궁관을 관통하여 지나는 현상은 이면상 초음파(2D)로는 관찰하기 힘들며 약한 흐름도 잡아낼 수 있는 Power Doppler 를 이용하는 것이 유리함.

공기를 이용한 자궁관소통검사(Air contrast sonohysterography)

Philippe Jeanty는 115명의 여성을 대상으로 공기를 조영제로 사용하였을 때 Chromopertubation과 비교하여 일치율이 79.4%, 민감도가 85.7%,특이도가 77.2%로 보고함. 각각의 지궁관을 관찰히기 위해 주입된 공기양은 각각 평균 12 mL 정도였으며 잘 안보여서 70 mL까지 주입한 경우 복통과 어깨통증을 호소하였음. 7.2%에서 복통과 어깨통증을 호소하였으며 vasovagal 반응을 보인 경우는 한 명이었음. 그는 공기를 조영제로 이용한 초음파 자궁관소통검사는 간편하고 비용이 저렴하며 안전한 검사라고 결론지었음. Chenia F 등에 의하면 자궁자궁관조영술과 일치율은 85%.

초음파 자궁난관조영술(Hysterosalpingo-contast-sonography, HyCoSy)

초음파를 이용한 자궁난관조영술은 자궁경부를 통해 조영제를 주입하여 주입 전과 후의 자궁과 자궁관 그리고 양측 부속기의 형태를 관찰하는 방법. 초음파를 이용한 자궁자궁관조영술은 전통적인 자궁자궁관조영술이나 복강경 검사에 비해 여러 장점이 있음. 우선적인 자궁관소통검사로서 연구한 여러 연구자가 있으며 복강경 자궁관소통검사와 비교해 볼때 진단 일치율은 76~90.9%정도로 보고됨. 또한 안전하며 빠르고 쉽게 초음파를 통해 자궁관, 자궁강, 난소 및 자궁내막의 상태를 쉽고 빠르게 알 수 있음. 초음파 자궁난관조영술(HyCoSy)과 자궁난관조영술(HSG)은 난임여성에서의 자궁관폐쇄 진단에 있어서 두 가지의 테스트를 복강경과 비교하

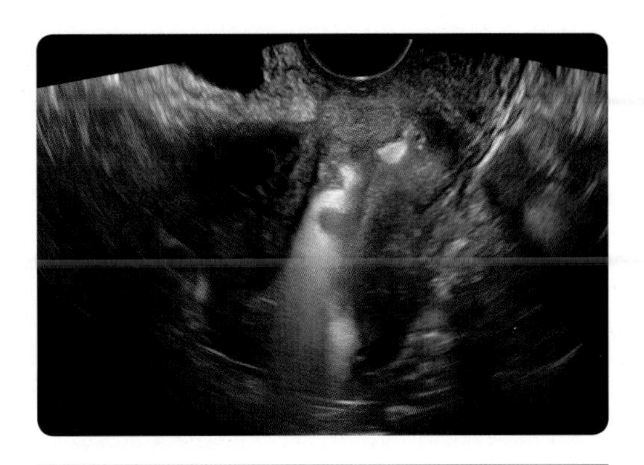

그림 8-4 초음파자궁난관조영술(Hysterosalpingo-contrast-sonography, HyCoSy).

였을 때 각각 높은 진단적인 정확성을 보이는 것으로 확인되었으며 검사 사이에 유의한 차이는 없었음. 초음파 자궁난관조영술(HyCoSy)이 자궁관폐쇄의 진단에 있어서 민감도는 0.92 (95% CI 0.82-0.96)이며 특이도는 0.95 (95% CI 0.90-0.97)를 보였음. 하지만 자궁자궁관조영술(HSG)의 유용성 때문에 일상적으로 초음파 자궁자궁관조영술(HyCoSy)을 사용하지는 않으며 조영제 부작용이나 다른 금기증이 있어 자궁자궁관조영술(HSG)을 시행할 수 없을 경우 선택사항으로 사용되어질 수 있음.

자궁난관조영술(Hysterosalpingography, HSG)

- 자궁관소통검사로서 가장 흔히 사용되는 표준적인 검사임. 자궁난관 조영술은 자궁 및 자궁관의 안쪽 윤곽의 방사선적 평가를 위한 검사이며 자궁 경부의 너비/길이, 자궁강의 모양 자궁각의 윤곽선 , 각각의 자궁관의 내강의 정보 및 자궁관으로부터의 조영제의 유출 여부의 정보를 얻을 수 있음. 또한 자궁관 주변의 복막유착 여부도 알 수 있음. 여성 불임의 평가 및 자궁기형이 의심될 때 자궁경을 위한 시술계획 및 자궁관 결찰술 또는 복원술 후 평가를 위해서도 이용됨. 비용이 저렴하나 1~3%에서 골반감염이 발생되는 것이 주된 합병증. 검사중 난소가 방사선에 노출되는 것도 단점으로 지적되며 자궁난관조영술 동안 평균적인 방사선 조사량은 2.7 mGY이며 효과적인 조사량은 1.2 mSv. 자궁외임신의 병력이 없고, 골반염이 없으며 자궁내막증이 아닌 여성에서 자궁관소통검사는 우선적으로 자궁자궁관조영술(HSG)이 권장됨. <National Institute of Clinical Excellence guideline, UK> 자궁난관조영술(HSG)과 초음파 자궁관조영술(HyCoSy)를 비교해 보면 다음 표(표 8-1)와 같이 요약될 수 있음.
- 시술상의 어려움은 C stacey의 발표에 의하면 HyCoSy가 118명 중 6명에서 기술적인 어려움으로 시행하지 못했고, HSG는 116명 중 3명에서 시행하지 못하여 HyCoSy가 좀 더 시술상의 어려움이 있음을 암시함.

표 8-1 복강경으로 자궁관소통여부를 확인하였을 때 두 방법의 비교 〈 From Darwish AM,1999 〉

		HyCoSy	HSG
일치도	우측자궁관	72.4%(k=0.16)	94%(k=0.52)
	좌측자궁관	60.5%(k=0.13)	90.4%(k=0.51)

표 8-2 자궁관소통외의 다른 병변을 진단할 수 있는 정도의 비교 〈 C.Stacey, 2000 〉

Pathology	HyCoSy	HSG
Uterine fibroids	5	2
Endom.polyp	2	3
Nodul at endometrium	–	2
Synechiae	–	4
Bicornuate uterus	1	2
Unicornuate uterus	–	1
Polycystic ovary	5	–
Ovary cyst	16	–
Hydrosalpinx	–	6

복강경을 이용한 자궁관소통검사 (Chromolaparoscopy, laparoscopy and dye test)

불임의 평가에 있어서 복강경의 역할은 아직 논란의 여지가 있음. 복강경은 침습적이고 가격이 비싸며 초기 불임 검사들이 정상이었을 때 또는 심각한 남성요인 불임일 때 복강경 결과에 의해 불임의 초기 치료는 달라지지 않음. 자궁관소통여부를 가장 확실하게 알 수 있는 방법으로 자궁관과 난소 등 내부 생식기의 자세한 관찰이 가능하며 자궁내막증의 평가 및 치료도 가능한 장점이 있으나 자궁강 내부의 형태는 알 수 없다. 진단적 복강경 검사의 주요 합병증은 혈관 파열, 장손상, 방광이나 요관 손상등 이며 0.06%~0.2%정도로 보고됨. 복강경 자궁관소통검사는 정확도가 높아서 다른 자궁관소통검사의 정확성을 비교하는 기준(gold standard)으로 사용됨. 하지만 시술자의 경험부족이나 자궁관의 일시적인 경련으로 자궁관폐쇄가 위양성으로 진단될 수 있으므로 이상적인 기준검사라고는 할 수 없음. 복강경은 신체검사, 자궁난관조영술 및 과거력상 자궁내막증 또는 복막 유착, 자궁관질환이 의심되어질 때 고려될 수 있음. 복강경이 시행될 때 자궁관 소통을 평가하기 위해 자궁관소통검사(Chromotubation)를 시행하며 자궁강을 평가하기 위해 자궁경을 시행하기도 함. 복강경의 장점은 수술적인 치료가 필요한 골반 유착 및 자궁내막증이 의심되는 여성에 있어서 초기 평가를 가능하게 하며 배란 유도를 위한 비효과적이고 불필요한 경험적 약물 치료를 피할 수 있게 해준다는 점임.

자궁경(hysteroscopy)과 자궁관경(Falloscopy)

자궁강내를 관찰하는 데 유리하며 자궁용종이나 점막하근종을 정확히 감별할 수 있고 자궁강 유착이나 자궁기형의 치료도 가능함. 단점으로는 자궁천공, 출혈,감염이나 마취의 위험성이 있다.자궁관경은 자궁경을 통하여 아주 가는 내시경을 사용함으로 시행할 수 있으며 자궁관의 폐쇄를 진단할 수 있고 근위부 자궁관체쇄는 진단과 동시에 치료도 가능함. 자궁관경을 추가로 시행하는 경우에 흔히 발생할 수 있는 합병증으로는 자궁관에 작은 구멍이 생길 수 있는 것인데, 별 치료 없이 자연치유 되는 것이 상례임. 하지만 자궁관경 검사는 시행이 쉽지 않아서 대규모 연구에서 발표한 바에 의하면 57%에서만이 자궁관경 검사가 완전하게 이루어 졌다고 함(S.Papaioannou 등, 2004).

3 골반 염증성 질환

- 골반 염증성 질환은 질이나 자궁목에서 자궁내막, 자궁관으로 미생물의 상행 확산에 의한 급성 임상 증후군으로 정의. 골반염의 원인 병원체 중에는 Neisseria gonorrhea, Chlamydia trachomatis 등이 가장 흔한 것으로 알려져 있으며 감염된 환자의 절반 이상이 특별한 증상없이 자궁관 손상을 동반하는 것으로 알려져 있음.
- 초음파 소견과 관련되어 골반염은 자궁관농, 난소자궁관농양을 형성하는 급성골반염과 물자궁관과 반흔을 형성하는 후골반염증후군, 즉 만성 골반염으로 나뉨.

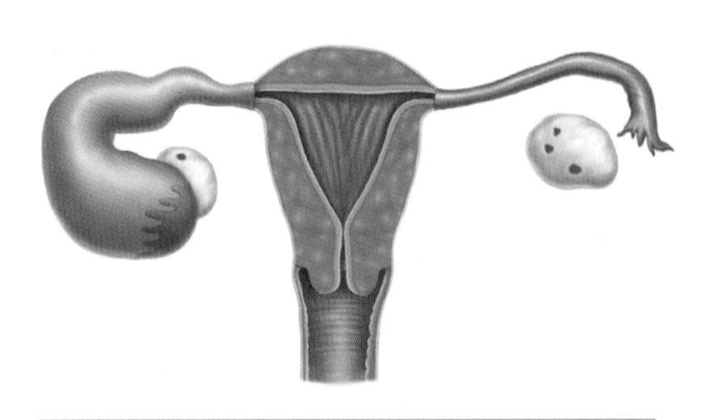

그림 8-5 골반염. 자궁관이 유착으로 막히고, 농이 차서 부어 오름.

자궁관농

자궁관 부위의 폐쇄에 의해 자궁관은 농의 충만으로 확장되며 질초음파에서 벽의 에코가 높은 광강상의 소시지 같은 구조로 보임. 자궁관농이 더욱 진행되면 난소자궁관농양이된다. 자궁관 벽에서 낮은 혈관저항치를 쉽게 얻을 수 있음.

난소자궁관농양

난소로 확산되는 자궁관의 농양으로 난소는 복합성의 종괴의 형태를 띄게됨.

물자궁관증

관상형의 난소외 구조물로 대게 구불구불한 관상형의 낭성종괴의 소견을 특징적으로 보이나 과거 수술병력으로 인한 유착이나 난소위축이 동반된 경우 소수에서는 난소종양과 감별할 수 없는 형태를 나타낼 수 있음. 물자궁관증은 흔히 소시지 모양 혹은 마차바퀴 형태로 액체가 흘러들어간 형태로 흔

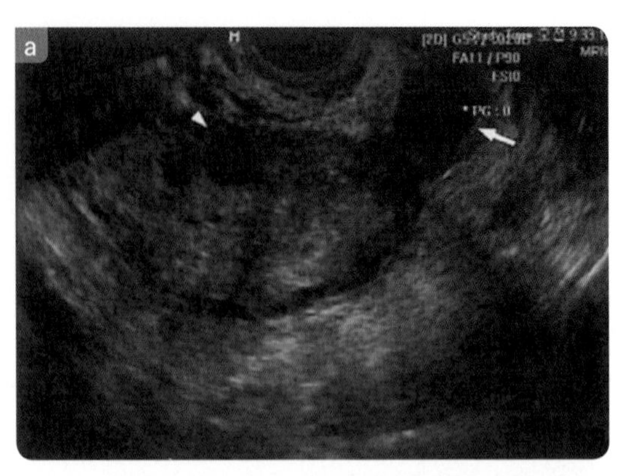

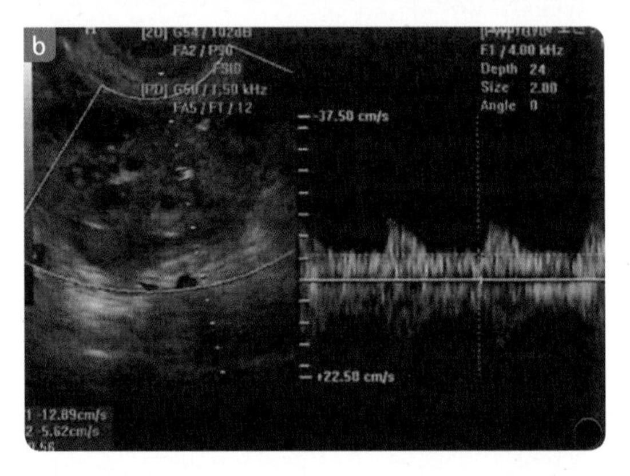

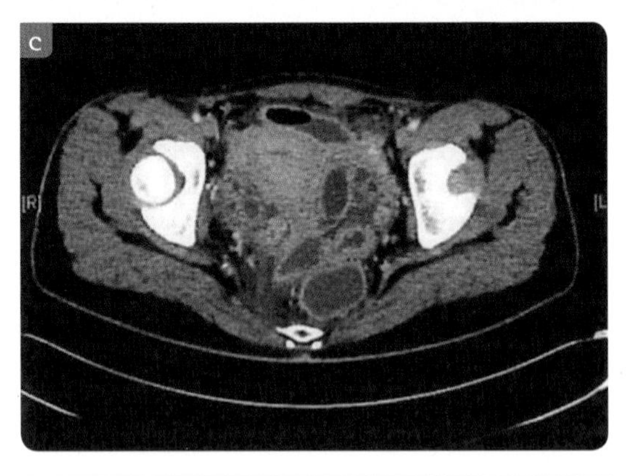

그림 8-6 (a) 골반염의 초음파사진: 자궁관이 염증변화로 두꺼워짐(화살표). (b) 골반염의 혈류 도플러: 혈류 저항이 낮게 측정됨. (c) 골반염 CT 사진

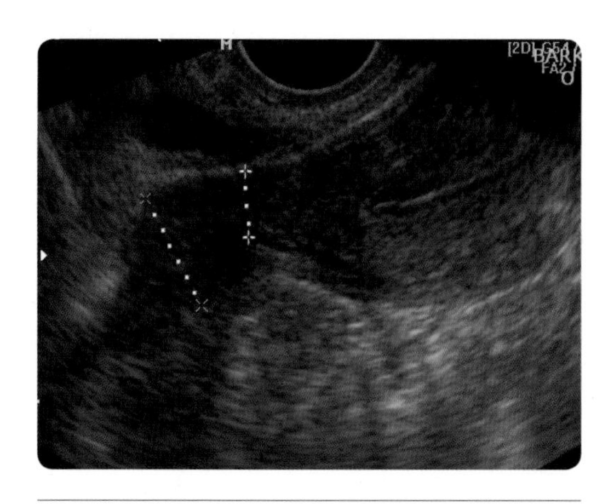

그림 8-7 **자궁관염.** 자궁관염의 초기 변화로 자궁관이 염증(점선)에 의해 부어오름

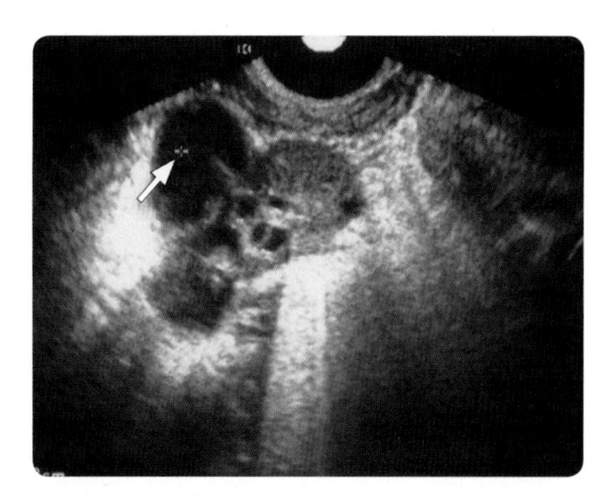

그림 8-8 자궁관(화살표)과 난소주위가 유착으로 한 덩어리가 되어 있음.

히 나타나며, 난소의 물혹과의 감별은 정상 난소를 찾은 후 서로 연결된 것인지 확인하는 것이 중요함.

Fitz-Hugh-Curtis Syndrome

- 골반염의 한 합병증으로 염증이 우측 대장옆 홈통(right paracolic gutter)을 따라 전파되어 복막의 우측 상단 사분면에 염증이 퍼지게 됨.
- 수술 소견상 특징적인 것으로 '바이올린 줄' 처럼 생긴 유착이 간의 앞면에서 복막까지 생김.
- 간 표면의 염증은 초음파로 보이지는 않음.
- 담낭이 이환되어 있다면 벽이 두꺼워지고 담낭주변의 액체저류가 초음파상 관찰될 수 있음.
- 액체와 염증성 변화가 골반에서 시작되어 우측 대장옆 홈통을 따라 우측 상복부까지 연장된 소견이 초음파에서는 복막의 격막이나 간주위에 방형성액체저류(loculated perihepatic fluid)로 관찰될 수 있음.

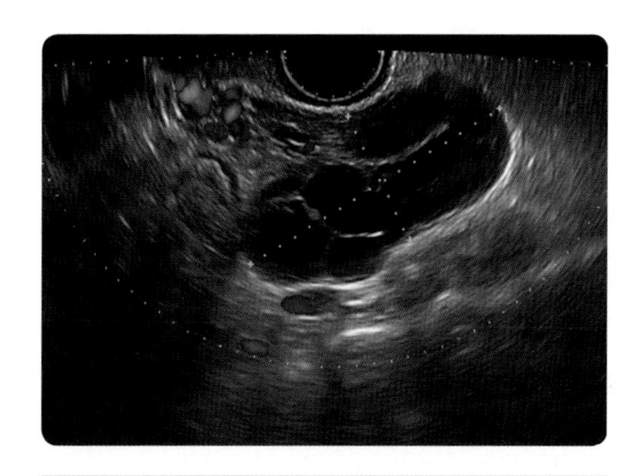

그림 8-9 **물자궁관증.** 물자궁관증의 특징적인 초음파소견인 구불구불한 관상형의 낭성종괴가 보이고 안쪽에 격막들이 관찰됨.

복막가성낭종

복막가성낭종은 엄밀히 말해서 자궁관 질환의 일부로 분류될 수는 없지만 이전의 반복적인 복강내 수술이나 심한 염증성 유착으로 인하여 난소 및 자궁관 주위 체액저류로 형성되는 것으로서 자궁부속기 낭종성 질환의 감별에 반드시 고려되어야 할 질환임.

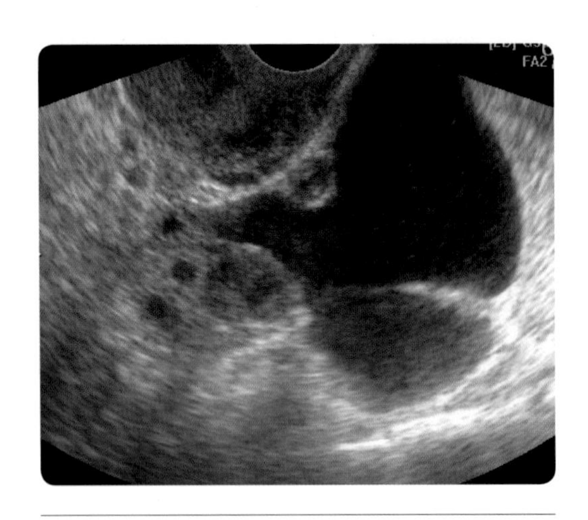

그림 8-10 복막내 가성낭종. 낭종의 형태가 기이하며, 정상적인 난소가 낭종 옆에 관찰됨.

(1) 병태월경

복막가성낭종의 형성은 주로 배란기 여성에서 발생됨. 정상적인 복막은 배란으로 인해 복막에 고인 난포액을 쉽게 흡수할 수 있는데 반하여 과거 감염성 질환을 앓았거나 복강내 수술로 인한 물리적 손상을 받은 복막은 흡수기능의 장애를 가져와 체액의 흡수가 느려지고 따라서 난포액의 저류가 초래됨.

(2) 초음파 소견

- 낭종의 경계가 불분명하여 기이한 형태.
- 동측 난소가 마치 거미줄에 엮인 형태로 낭종내에 관찰됨.
- 일측성 병변인 경우가 많음.
- 대부분 격막이 존재함.

(3) 처치

아직까지 확립된 치료원칙은 없으나 가능한 보존적 방법이 권장됨. 그 이유는 첫째, 종양성병변이 아니며 둘째, 수술 후 재발률이 30-50%에 이르며 셋째, 대부분 수술 중 낭종이 파열되며 제거하여야 할 조직 절제면을 확인하기 쉽지 않음. 보존적방법으로는 경구용 피임약의 복용, 간헐적인 소염제 복용을 통한 통증조절, 낭종흡인술, 주머니 형성술, 초음파 유도 에탄올 경화술 등이 이용될 수 있음.

4 자궁관암

원발성 자궁관암은 부인과 악성 종양 중 매우 드문 형태의 하나로 임상적으로 상피성난소암과 일반적으로 유사한 의미를 갖음. 자궁관 종양의 초음파 소견은 특징적이라 할 수는 없으나 Haratz-Rubinstein 등이 2004년 발표한 연구에 의하면 다음과 같은 소견을 보일 수 있는 것으로 알려져 있음.

1) 체액저류소견을 보이는 자궁부속기 구조물 내부에 뚜렷한 고형성 종괴
2) 유두상 돌기를 동반한 낭성종괴
3) 불완전 중격을 갖는 낭성종괴
4) 수레바퀴모양의 다낭성 종괴
5) 도플러 초음파에서 낮은 혈관저항

5 부난소낭종(Parovarian cyst)

- 자궁부속기 종괴이 약 10-20%가 부난소낭종. 부난소낭종은 대부분 광인대의 peritoneal mesothelium에서 발생하고, 드물게는 paramesonephric 또는 mesonephric remnants에서도 발생. paramesonephric duct에서 발생하는 것은 자궁

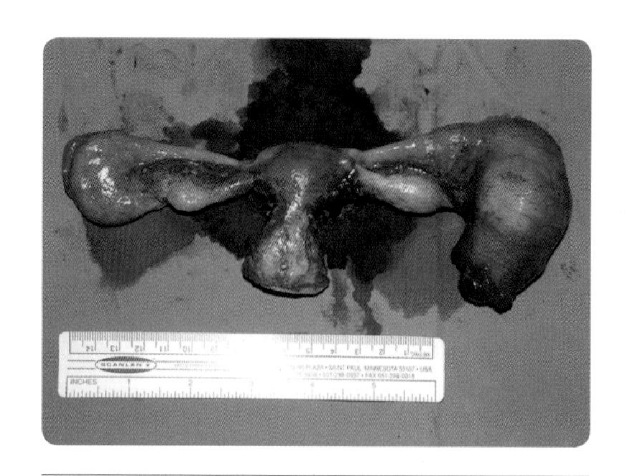

그림 8-11 자궁관암의 병리 사진 좌측 자궁관암의 발생으로 두꺼워져 있음.

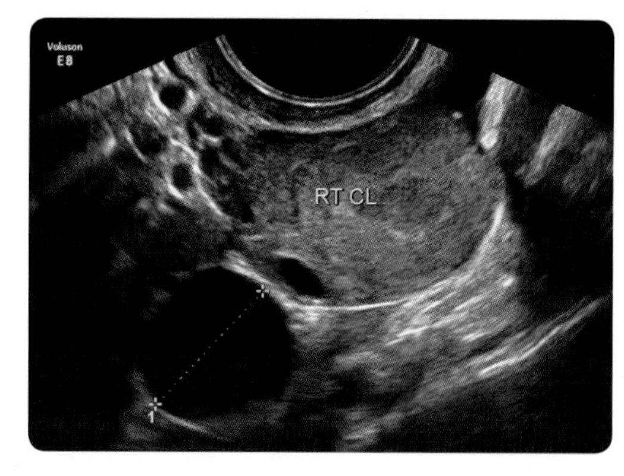

그림 8-12 우측 난소아래쪽으로 관찰되는 부난소낭종, RT CL; 우측난소의 황체

관의 가장 긴 fimbriae의 낭종성 확장으로 인해 생기고, fimbrial cysts or hydatid cysts of Morgagni라고도 함.

- 부난소낭종은 주로 30-40대 연령의 여성에서 발생하고 대부분 증상이 없어서 우연히 발견됨. 증상이 생기는 경우는 크기가 크거나(>5 cm) 염전이 되어서 통증을 유발하거나 복부사이즈가 커지거나 생리불순, 식욕부진, 오심, 구토등이 발생. 부난소낭종과 연관된 합병증은 출혈, 파열, 감염, 염전, 그리고 종양으로의 변화등이 있음. 초음파상 난소는 정상적으로 보이고, 난소와 분리되어 얇은 벽을 가진 무에코성 종괴의 소견을 보임. 난소낭종과는 달리 부난소낭종은 시간이 가도 저절로 소실되지는 않음. Fimbrial cyst는 일반적으로 단방성(unilocular)임.

참고문헌

1. Khan Y, Haq AN, Nasar R. Primary fallopiantube cardinoma presenting with a sinus in the posterior portion of cervix. Int J Gynecol Cancer 2004;14:166-8
2. Ludovisi M. Imaging in gynecological disease: clinical and ultrasound characteristics of tubal cancer. Ultrasound Obstet Gynecol 2014;43:328-35
3. Samrad N, Watring W, Fu YS, Hallatt J, Fallopian tube adenocarcinoma: Common extraperitoneal recurrence. Gynecl Oncol 1986;24:230-5

비정상적 자궁출혈의 부인과 초음파

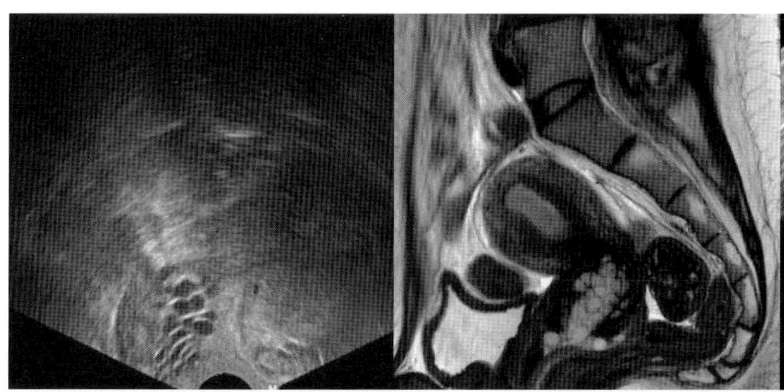

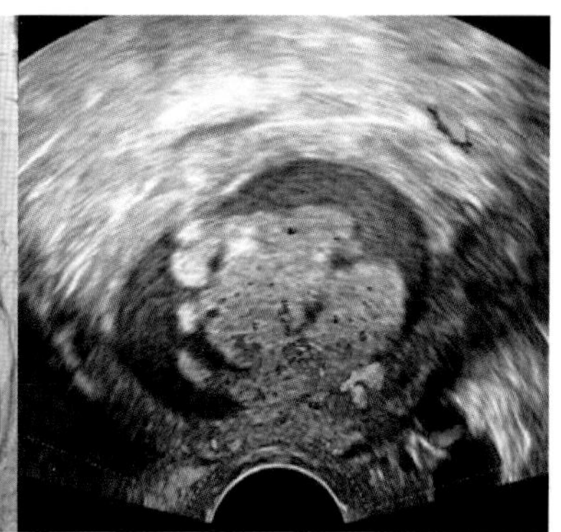

김재원_ 서울의대 산부인과
박찬우_ 단국의대 산부인과
구화선_ 차의과학대 산부인과
김미선_ 서울의대 산부인과
서동훈_ 서울의대 산부인과
송인옥_ 단국의대 산부인과

09 비정상적 자궁출혈의 부인과 초음파

I 악성

1 자궁내막증식증(endometrial hyperplasia)

자궁내막증식증이란 비정상적인 자궁출혈을 주증상으로 동반하는 병적 상태로서, 자궁내막의 분비선들과 조직의 비정상적인 증식을 의미함. 구조적인 복잡성(architectural complexity) 정도에 따라 단순성(simple)과 복잡성(complex)로 나뉘고, 세포학적 또는 핵의 특징에 따라 비정형성(atypical)이 있는지 없는지(non-atypical)로 나뉨.
최근에는 이중분류기법으로 세포의 비정형성 유무만을 기준으로 자궁내막증식증과 자궁내막상피내종양(endometrial intraepithelial neoplasia, EIN)으로 분류하기도 함.

1) 빈도

(1) 자궁내막증식증은 연간 인구 10만명당 단순성의 경우 142명, 복잡성인 경우 213명, 그리고 비정형성의 경우 56명으로 발생 보고된 바 있음.

2) 진단

(1) 발생 위험인자

① 무배란 주기
② 에스트로겐 과다 또는 프로게스테론 부족 상태
③ 에스트로겐을 분비하는 난소 종양(과립막세포종, 난포막세포종 등), 부신피질증식증 및 다낭성

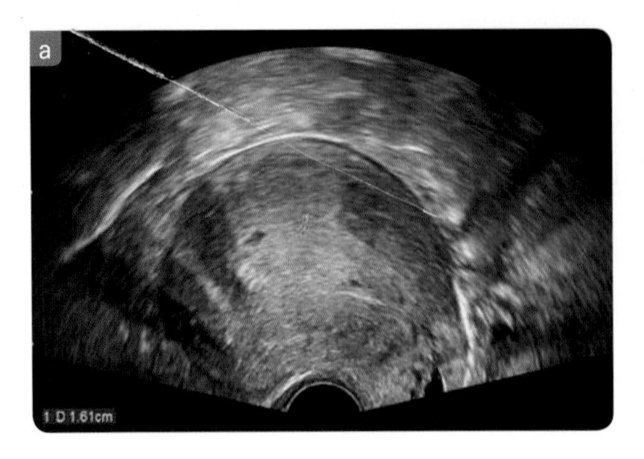

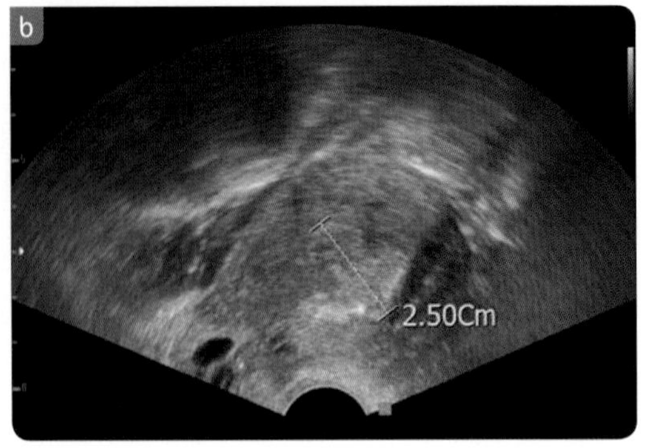

그림 9-1 (a) 2주 이상 지속되는 생리를 주소로 내원한 38세 여성의 질초음파 사진. 경관확장 소파술에서 비정형성 복잡성 자궁내막증식증이 확인되었음. 전반적으로 고르게 두꺼워진 균질한 에코성의 자궁내막 소견이 관찰됨. (b) 정기 검진으로 시행한 질초음파에서 자궁내막 비후 소견을 보인 48세 여성. 비대칭적/부분적인 내막 두께의 증가가 특징적임. 환자는 경관확장 소파술을 통해 자궁내막암을 진단받음.

난소질환

④ 호르몬 대체요법

⑤ 비만, 당뇨, 고령

(2) 증상

① 비정상 자궁출혈

② 월경과다 또는 불규칙과다월경

③ 폐경 이후의 질출혈

④ 복통 또는 월경통

(3) 초음파 소견

① 월경주기 5-10일째인 초기 증식기(early proliferative phase)에 검사를 시행하는 것이 자궁내막 두께 측정에 오차를 최소화할 수 있음.

② 대개는 전반적으로 고르게 두꺼워진 균질한 에코성의 자궁내막 소견을 보이며, 드물게 부분적으로 고에코성 자궁내막 두께 증가가 관찰됨(그림 9-1).

③ 식염수주입 초음파자궁조영술에서 이러한 소견을 좀 더 명확히 확인할 수 있음.

④ 폐경 전 여성

i. 월경주기에 따라 정상 내막 두께는 달라질 수 있으나, 15 mm를 증식기(secretory phase)의 상한선으로 하기도 함.

ii. 자궁내막의 두께가 6 mm 미만인 경우 자궁내막증식증이 배제된다는 보고가 있음.

⑤ 폐경 후 여성

i. 자궁내막 두께가 5 mm 이상일 때, 자궁내막증식증이나 자궁내막암의 진단 민감도가 90%에 이른다는 보고가 있음.

⑥ 자궁내막증식증과 자궁내막암 사이의 초음파 소견은 차이점을 명확히 하기는 어려우나, 균일한 내막 두께의 증가가 아닌 비대칭적/부분적인 내막 두께의 증가는 자궁내막암을 의심할만한 소견임(그림 9-1).

⑦ 감별진단

i. 월경주기에 따른 정상적인 내막 증식

ii. 목이 없는(sessile) 자궁내막 용종

iii. 점막하 근종

iv. 자궁내 혈종

v. 자궁외 임신을 포함한 임신 상태

(4) 진단적 검사

① office 자궁내막 생검

② 자궁경하 소파검사 또는 경관확장 자궁소파술

3) 치료

(1) 프로게스틴 치료 : 경구용 또는 프로게스틴 함유 자궁내장치

(2) 수술적 치료 : 자궁적출술 또는 자궁내막 절제술/소작술

4) 경과

(1) 비정형이 없는 증식증의 경우 자연 소멸의 경향이 있는 반면 비정형이 있는 경우에는 점차 진행하는 경향이 있음.

(2) 침윤성 암으로의 진행

① 단순증식증 : 1%

② 복잡증식증 : 3%

③ 단순비정형증식증 : 8%

④ 복잡비정형증식증 : 29%

(3) 이중분류기법 상에서의 침윤성 암으로의 진행

① 자궁내막증식증 : 5% 미만

② 자궁내막상피내종양(EIN) : 28%

2 자궁내막암(endometrial cancer)

자궁내막암은 자궁 체부 중 내벽을 구성하는 자궁내막에서 발생하는 암으로, 자궁체부암의 대부분을 차지하고 있음(97%). 조직병리학적으로 자궁내막양형(endometrioid type)이 80%를 차지함.

1) 빈도

(1) 미국에서는 가장 흔한 부인암으로, 2016년 한 해 60,050명의 자궁내막암 환자가 발생하였음.

(2) 우리 나라의 경우 부인암 중에서는 난소암, 자궁경부암보다 낮은 발생률을 보이며, 2014년 2,068건으로 전체 여성암 발생의 2.0%를 차지함. 연령대별로는 50대가 39.2%로 가장 많았음.

2) 진단

(1) 발생 위험인자

① 비만, 당뇨병 및 노화

② 미산부(경산부보다 2-3배의 발생 빈도)

③ 장기간 에스트로겐에 노출(다낭성 난소증후군, 기능성 난소 종양, 에스트로겐 보충요법, 이른 초경 또는 늦은 폐경 등)

④ 유방암 및 타목시펜(tamoxifen)의 복용

(2) 증상

① 폐경 이후의 질출혈(전체 자궁내막암 사례의 90%에 해당)

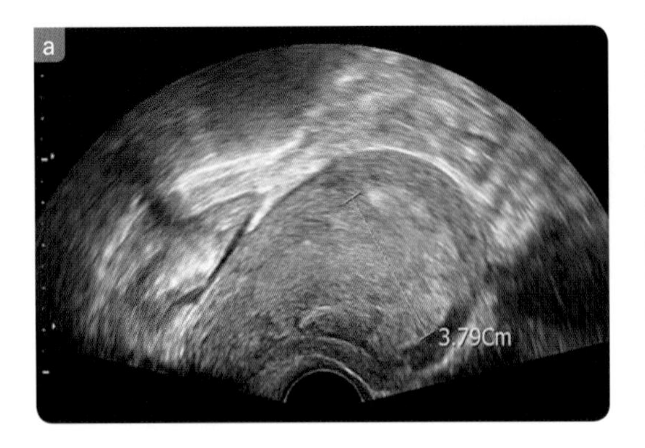

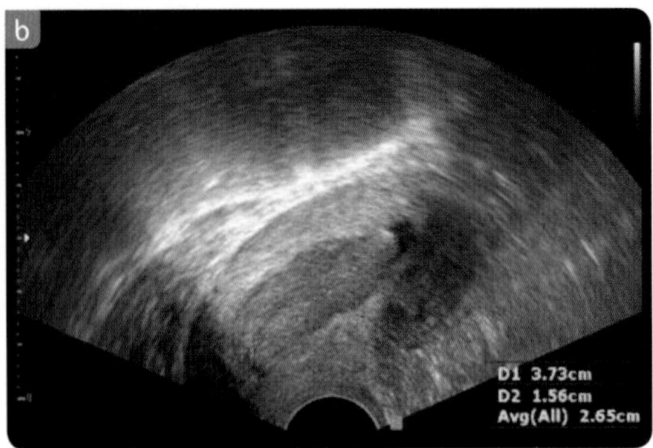

그림 9-2 (a) 하복부 통증을 동반한 질출혈을 주소로 내원하여 자궁내막암으로 확인된 74세 여성의 질초음파 소견. 현저한 자궁 내막 비후 소견이 관찰됨. (b) 간헐적인 질출혈 증상이 있었던 65세 자궁내막암 환자의 질초음파 소견. 3.7 cm 크기 자궁내막 용종 모양의 종양이 자궁강 내에 위치하고 있음.

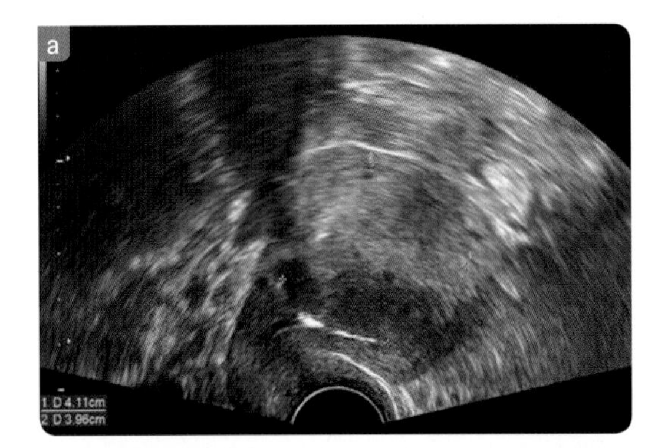

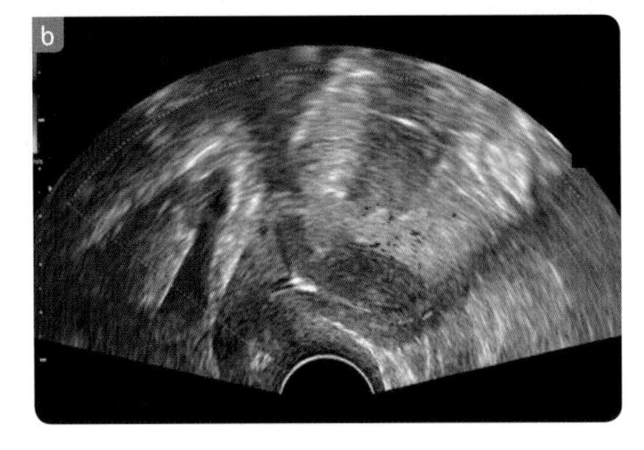

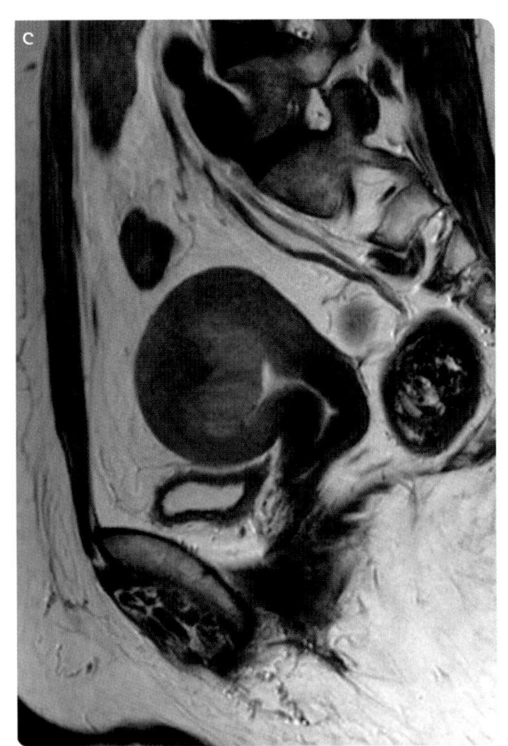

그림 9-3 질출혈로 내원하여 자궁내막암을 진단받은 55세 여성의 질초음파 (a), (b)와 골반 자기공명영상 (c) 소견. 자궁강 내부에 4.1 cm 크기의 종양이 관찰됨.

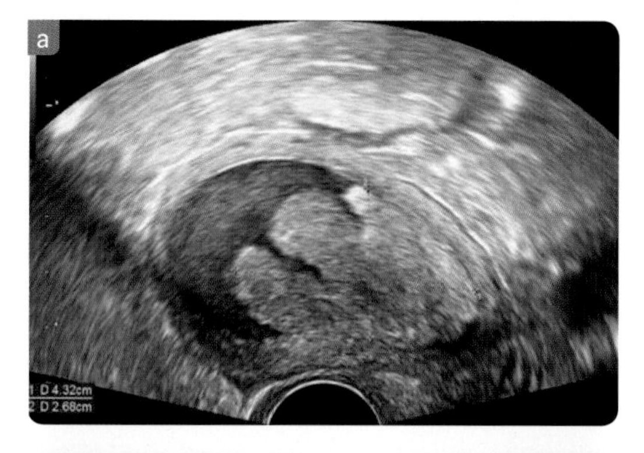

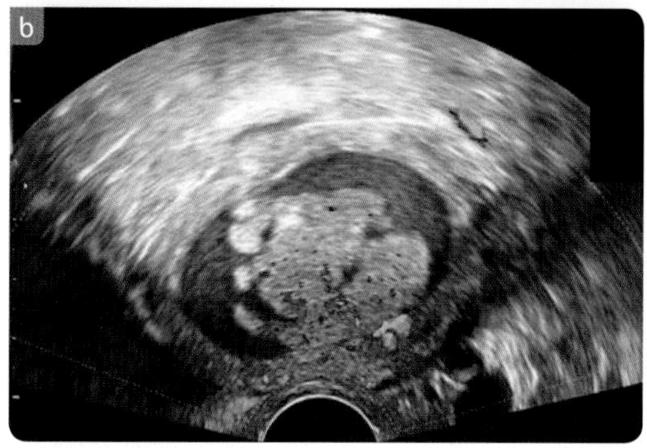

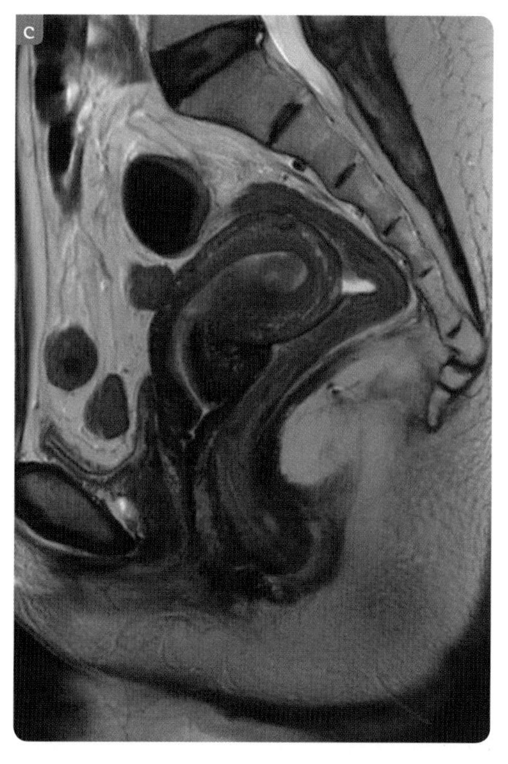

그림 9-4 간헐적인 질출혈을 주소로 내원하여 자궁내막암을 진단받은 56세 여성의 질초음파 (a), (b)와 골반 자기공명영상 (c) 소견. 액체 저류를 동반한 자궁내막 용종 모양의 종양이 자궁강 내부에 위치하고 있음.

② 폐경 전 과다월경 또는 부정 질출혈

③ 혈액이 섞인 질분비물

④ 골반 통증

(3) 초음파 소견

① 현저한 자궁내막의 비후(그림 9-2)

i. 폐경 여성에서 5-8 mm 이상의 자궁내막 두께

ii. 경계가 잘 지어지지 않는(ill-defined) 자궁내막-근층 경계면

② 넓은 기저(broad-based)를 가지는 자궁내막 용종 모양(polypoid)의 종양으로, 액체 저류를 동반 또는 동반하지 않을 수 있음(그림 9-2).

③ 내경부관(endocervical canal)으로 돌출된 자궁내막 용종 모양의 종양

④ 자궁내막 경계를 변형시키는 자궁 가운데 부분의 큰 종양(그림 9-3)

⑤ 자궁강 내부의 액체 저류(그림 9-4)

i. 자궁경관 협착으로 인한 이차적 발생일 수 있음.

ii. 자궁축농종(pyometra) 또는 자궁혈종(hematometra)의 형태로 관찰됨.

⑥ 석회화(드문 형태)

⑦ 식염수주입 초음파자궁조영술(SIS) 소견

i. 광범위하게 불규칙하고 두꺼워진 자궁내막

ii. 잘 늘어나지 않는 자궁강

⑧ 감별진단

i. 샘종 증식증(adenomatous hyperplasia)

ii. 자궁내막 용종

iii. 타목시펜 관련 자궁내막 변화

iv. 점막하 근종의 변성

v. 자궁경부암의 자궁내막 침범

vi. 혈종

(4) 진단적 검사

① 기본적으로 자궁내막의 조직검사(외래에서의 흡인 생검 또는 경관확장 소파술)를 통하여 확진하게 됨.

② 자궁경관의 소파술 또는 자궁경조준생검이 도움될 수 있음.

③ 골반 자기공명영상(Magnetic Resonance Imaging, MRI)

3) 치료

(1) FIGO 병기 I, II 자궁내막암의 치료

① 수술 : 표준 치료

A. 자궁 및 양측 부속기 절제술, 복막 세포검사 포함

B. 모든 수술 환자에서의 골반 및 부대동맥 림프절 절제술은 아직 논란이 있음.

② 수술 후 보조요법의 고려

i. 경과관찰 : 분화도 1, 2도이고 자궁근층 1/2 미만의 자궁내막양 조직형일 경우

ii. 방사선 조사 : 분화도 3도, 자궁경관 침범, 골반 림프절 전이, 자궁외 전이 등의 경우

iii. 호르몬(프로게스틴) 치료 : 가임력 보존 또는 수술 불가능한 환자의 경우

(2) FIGO 병기 III, IV 자궁내막암의 치료:

수술, 방사선 치료, 호르몬 치료 및 항암화학요법 등을 병용하게 됨.

4) 경과

(1) 2/3 이상 대부분의 여성은 진단시 FIGO 병기 I에 해당하며, 이 같은 경우에는 5년 생존율이 80% 이상으로 우수한 것으로 보고됨.

(2) 대부분의 재발(75~80%)이 최초 치료 후 3년 이내에 발생

3 자궁경부암(cervical cancer)

자궁경부암은 자궁의 입구인 자궁경부에 발생하는 여성암으로, 전암단계인 상피내이형성증을 거쳐 진행하는 것으로 알려져 있음. 조직병리학적으로는 편평상피세포암(squamous cell carcinoma)가 전체 자궁경부암 중 약 80%를 차지, 선암(adenocarcinoma)가 10-20%를 차지함.

1) 빈도

(1) 2014년 우리나라에서는 3,500건의 자궁경부암이 발생하였으며, 이는 전체 여성암 중 3.4%로 7위의 발생빈도임. 연령대별로 보면 40대가 26.4%

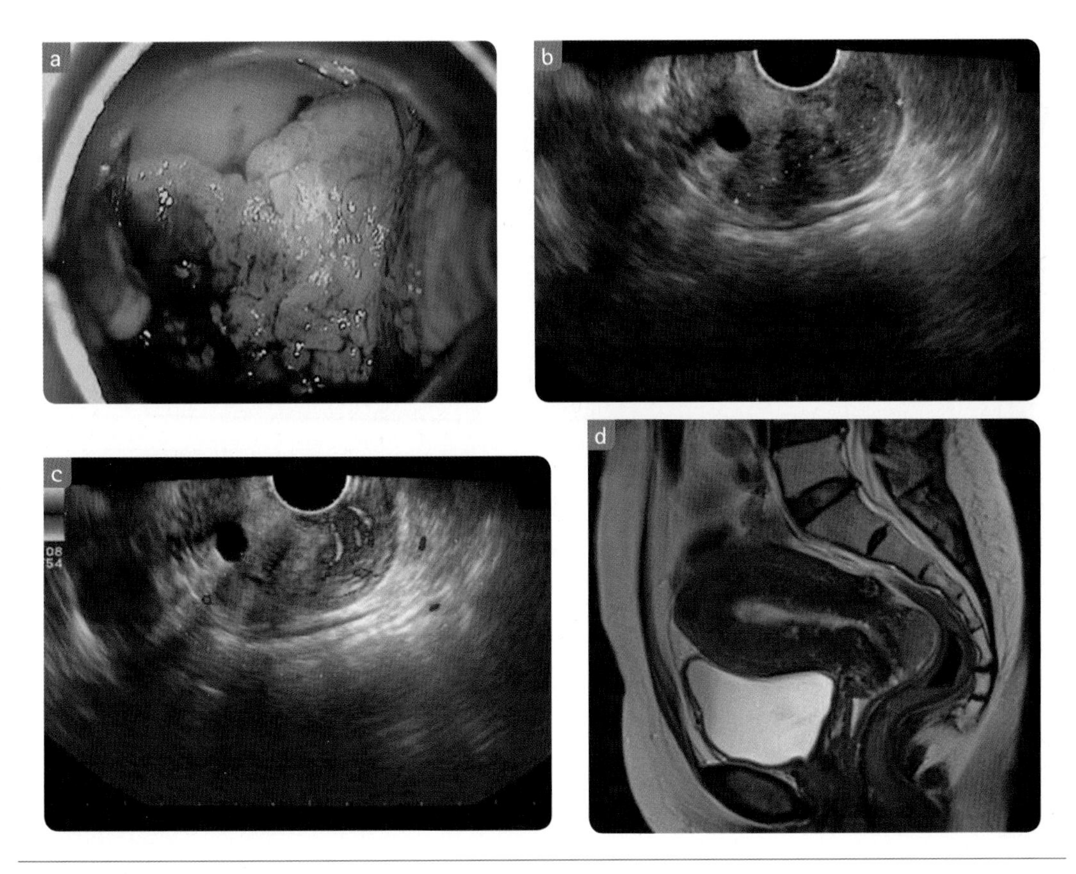

그림 9-5 질출혈과 빈혈을 주소로 내원한 52세 여성. 펀치 생검(punch biopsy)을 통하여 자궁경부암을 진단받은 후 광범위 자궁 절제술을 시행 받았음. (a) 질확대경 검사에서 후면부에 주로 위치한 암성 병변을 확인할 수 있음. (b),(c) 질초음파 검사에서 자궁경부를 침범하고 있는 비균질 저에코성 종양이 관찰되며, 이는 색도플러 초음파 검사에서 혈류 증가 소견을 보임. (d) 자기공명영상에서도 이러한 소견이 확인됨.

로 가장 많았음.

(2) 자궁경부암의 발생은 매년 감소 추세에 있으며, 이는 조기 검진체계의 구축과 자궁경부암 백신의 개발에 의한 것으로 생각됨.

2) 진단

(1) 발생 위험인자

① 이른 연령에 성생활 시작

② 다수의 분만 경험

③ 다수의 성교 대상자

④ 면역 억제 상태 및 늦은 사회경제적 상태

(2) 증상

① 성관계 후 질출혈

② 냄새가 심한 질분비물의 증가

③ 그러나, 대개 골반 검진 또는 자궁경부 세포진 검사를 통해 발견되므로 무증상인 경우가 많음.

④ 진행된 병변의 경우 골반 통증 및 하지부종 발생

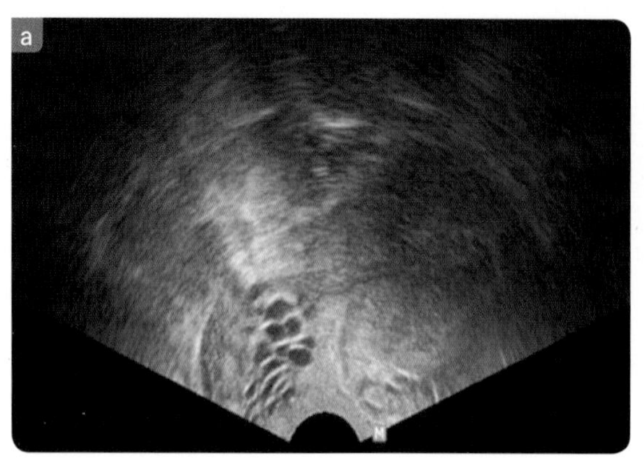

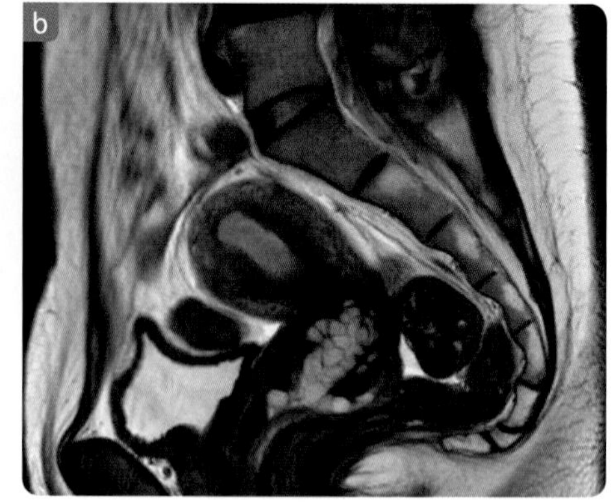

그림 9-6 비균질 에코성 다발성 낭종이 자궁경부에서 관찰될 때는 나보시안 낭종(nobothian cyst)와 악성샘종(adnoma malignum)의 감별이 필요함.

가능

(3) 초음파 소견

① 자궁경부를 침범하고 있는 비균질 저에코성 종양이 주된 소견(그림 9-5)

② 색 도플러 초음파 검사에서 혈류 증가가 관찰됨.

③ 자궁경부 주위조직(pericervical tissue)으로 뻗어 있는 저에코성 종양이 관찰될 경우 자궁경부암의 자궁방 침범을 예측할 수 있음.

④ 고체 부위를 포함하는 다발성 낭종이 비균질 에코성으로 관찰될 때, 악성샘종(adnoma malignum)을 의심(그림 9-6)

⑤ 감별진단

i. 나보시안 낭종(nobothian cyst)

ii. 내경부증식증(endocervical hyperplasia)

iii. 터널 클러스터(tunnel cluster)

iv. 자궁경부염

(4) 진단적 검사

① 직장-질 내진 검사(bimanual recto-vaginal examination)가 표준 병기설정의 방법

② 골반 자기공명영상(Magnetic Resonance Imaging, MRI) 또는 양전자 방출 단층촬영(PET-CT)가 림프절 침범 여부 평가 등에 이용될 수 있음.

3) 치료

(1) 미세침윤암(FIGO 병기 Ia1) : 원추절제술 또는 단순 자궁절제술

(2) FIGO 병기 Ia2-IIa : 광범위 자궁절제술 및 골반 림프절 절제술

(3) FIGO 병기 IIb 이상 : 방사선 또는 동시항암화학 방사선요법

4) 경과

(1) 2015년 발표에 따르면, 자궁경부에 국한된 병변의 경우에는 92.4%, 국소 진행병변의 경우에는 73.2%, 원격전이가 있는 경우에는 24.6%의 5년 생존율을 각각 보임.
(2) 골반내 국소 재발의 경우에는 최초 치료에 따라, 골반장기적출술, 방사선요법, 동시항암화학요법 중 선택적 시행 가능

4 임신성 융모막 질환(gestational trophoblastic neoplasia)

임신성 융모막 질환은 융모막(trophoblast)에서 발생되는 수태산물의 종양으로서 포상기태(hydatidiform mole), 침윤기태(invasive mole), 융모막암종(choriocarcinoma) 및 태반부착부위 영양막 종양(placental site trophoblastic neoplasia)으로 나눌 수 있음. 이 중 포상기태는 산과적 진단, 치료뿐만 아니라 융모막암종의 50-60%는 포상기태에서 발생하기 때문에 임상적으로 가장 중요함. 포상기태는 배아나 태아조직이 없는 46,XX 핵형의 완전포상기태와, 태아와 양막이 함께 보이는 것이 특징으로 3배수체 핵형(예, 69,XYY)이 많은 부분기태임신으로 나뉨.

1) 포상기태의 빈도

(1) 보고에 따라, 10만 건의 임신당 23-1299건의 다양한 발생률을 보임.
(2) 우리 나라의 경우 2014년 39건 발생으로 전체 여성암 발생의 0.04%를 차지했으며, 연령대별로 보면 30대가 46.2%로 가장 많았음.

2) 포상기태의 진단

(1) 발생 위험인자

① 10대 임신 또는 40세 이상의 고령 임신
② 유전적 변이(19q13.4)

(2) 증상

① 질출혈(환자의 약 80%에서 발생)
② 재태 연령보다 큰 자궁의 크기
③ 고혈압, 단백뇨 및 반사 이상 항진 등의 자간전증 증상
④ 임신성 과다구토(hyperemesis gravidarum)
⑤ 갑상선기능항진증: 심계항진, 피부의 온난감, 진전 등

(3) 초음파 소견(그림 9-7)

① **완전포상기태**(complete hydatidiform mole)
i. 자궁강 속의 큰 복잡성 종괴가 주된 소견
ii. 에코성 조직으로 둘러싸인 다발성의 작은 낭성 병변을 가지며, 임신이 진행될수록 낭성 병변은 커져서 10-30 mm까지 자라기도 함.
iii. 특징적인 눈보라 모양(snowstorm pattern)을 보임.
iv. 난포막 황체낭 동반으로 비누방울(soap-bubble) 모양의 난소가 함께 관찰되기도 함.
v. 색 도플러 초음파 검사에서 고혈류, 저저항성의 특징을 보임.

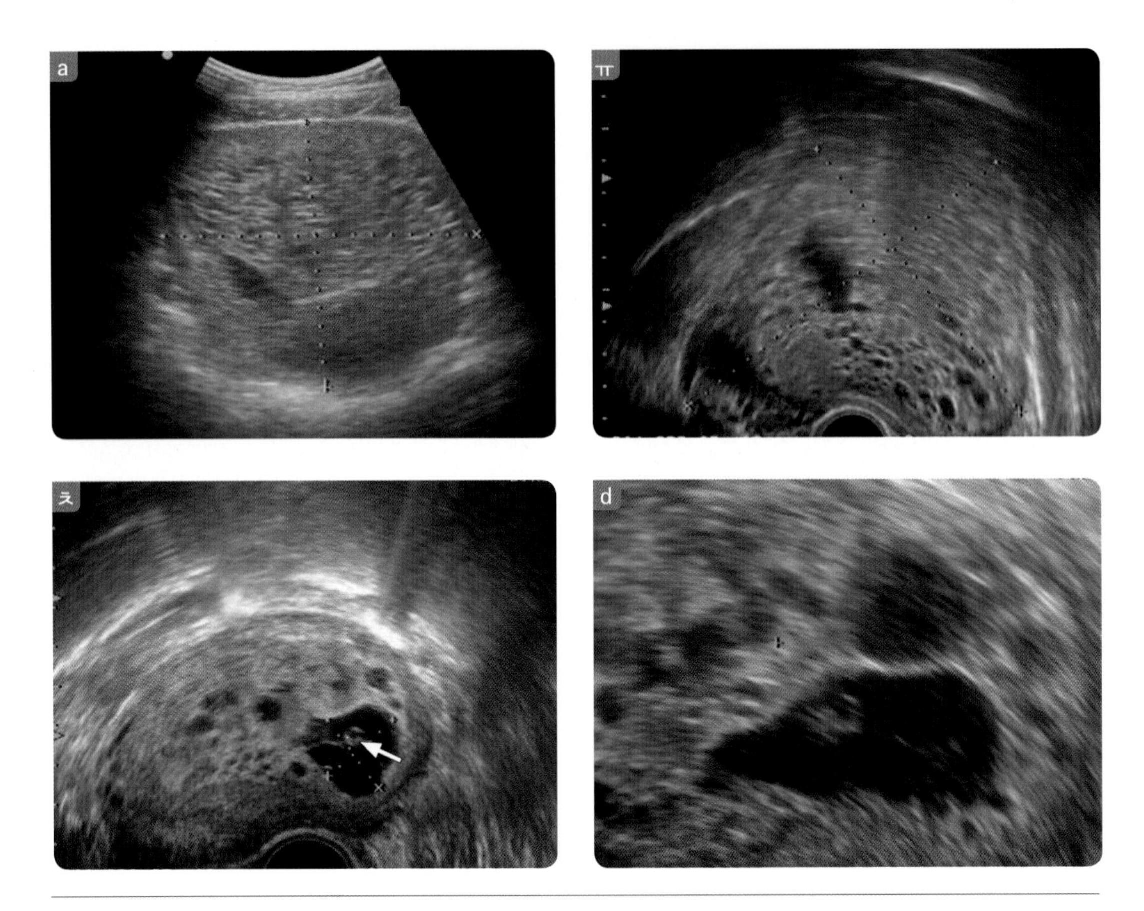

그림 9-7 (a), (b) 무월경 16주 3일의 19세 초산부 여성의 질초음파 소견 다발성의 작은 낭성 병변을 포함하는 특징적인 눈보라 모양(snowstorm pattern)을 보이며, 이는 완전포상기태에 합당한 소견임(좌상하). (c),(d) 무월경 10주 2일의 29세 경산부 여성의 질초음파 소견. 난황낭(yolk-sac, 흰색화살표)을 포함하는 임신낭(gestational sac) 주변으로 다발성 낭성 병변이 확인되었으며, 이는 부분기태임신의 소견에 합당함(우상하).

vi. 침윤기태의 경우 자궁 중심부의 근층으로의 침범 소견을 보이며, 융모막암종의 경우에는 괴사나 출혈 부위가 비균질 자궁 종양으로 관찰될 수 있음.

② 부분기태임신(partial molar pregnancy)

i. 태아를 포함하고 있는 임신낭(gestational sac)이 자궁강 내에 존재

ii. 현저히 두꺼워져 있는 태반과 국소적 낭성 병변을 가짐.

iii. 임신 8주 이전으로 태반 형성이 뚜렷하지 않은 임신낭은 주변에 작은 수포 형으로 얼룩모양(mottled pattern)의 음영이 관찰되며, 이 경우에는 수종변성이 동반된 유산과의 감별진단이 어려움.

③ 감별진단

i. 다태임신

ii. 절박유산, 불완전유산, 계류유산 및 자궁외임신 등의 비정상 임신

iii. 자궁근종 또는 난포막 황체낭 등을 동반한 임신

(4) 진단적 검사

① 생화학적 검사 : β-HCG의 지속적인 증가 소견

② 대부분 초음파로 쉽게 진단이 이루어짐.

③ 양막조영법 : 과거 사용되던 방법으로, 양막에 조영제 주입 후 X-선 촬영

3) 포상기태의 치료

(1) 기태의 제거 : 흡입소파술, 자궁절제술, 자궁절개술 및 약제 처치법 등

(2) 고위험군 포상기태에서의 예방적 화학요법 : 아직까지 논란이 많음.

4) 포상기태의 경과

(1) 1% 정도에서 반복적 임신성 융모막 질환의 위험을 가짐. 약 10% 정도의 포상기태에서 융모막암종이 발생하는 것으로 보고됨.

(2) 치료 6주 후에 β-HCG 측정으로 융모막암종의 발생 여부 확인하는 것이 중요함.

II 양성

1 서론

1) 기초 분류체계(Basic classification system)

- 비정상자궁출혈(abnormal uterine bleeding, AUB)은 2011년 International Federation of Gynecology and Obstetrics (FIGO)에 의해 분류법이 제시되어 PALM-COEIN (polyp; adenomyosis; leiomyoma; malignancy and hyperplasia; coagulopathy; ovulatory dysfunction; endometrial; iatrogenic; and not yet classified) 으로 분류하고 있으며, 구조적 원인(PALM)과 기능적 원인(COEIN)으로 구성.
- 이 가운데 자궁근종은 위치에 따라 세분류를 하고 있으며 원인에 따라 다음과 같이 표기(그림 9-8). (Malcolm G. 등 , 2011).

표기법(Notation)

모든 경우에 병변이 존재하면 '1', 존재하지 않으면 '0', 평가가 되지 않았으면 '?' 로 표기(그림 9-9)

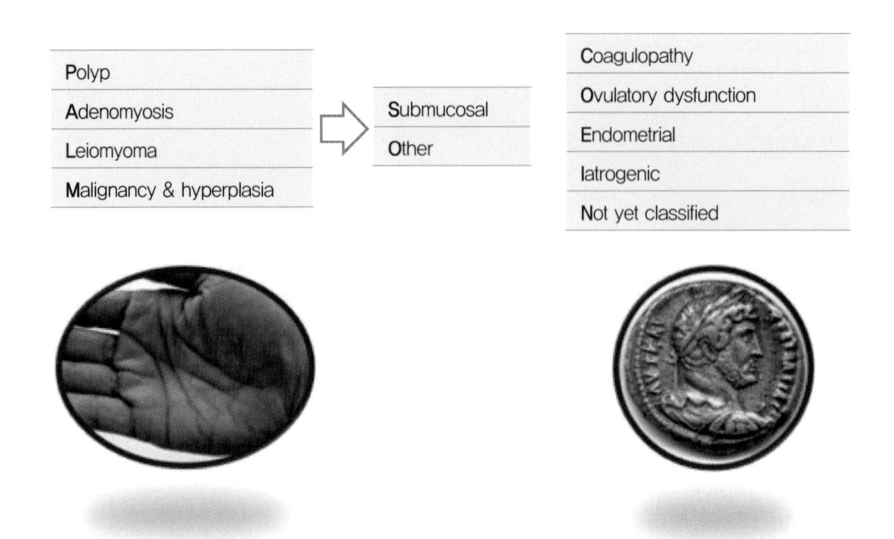

그림 9-8 FIGO 분류법.

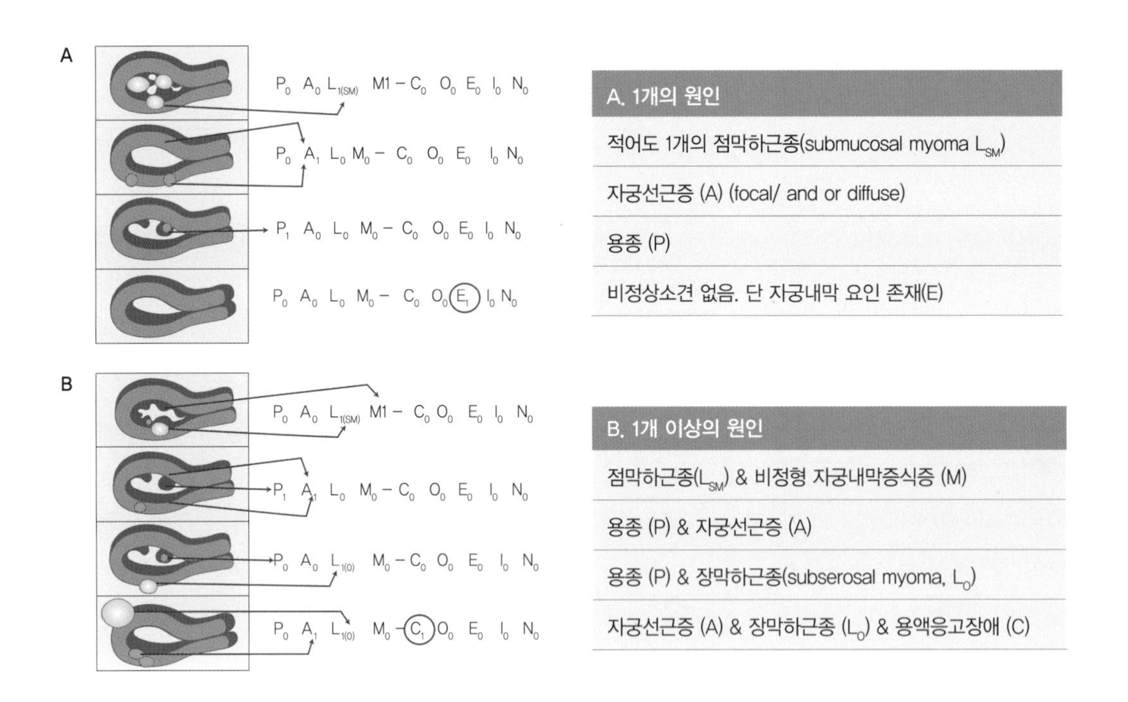

그림 9-9 FIGO 표기법.

2 평가

1) 일반적 평가

- AUB는 환자의 나이 및 폐경 여부에 따라서 진단 방법이 달라질 수 있음. 폐경 후 여성에서 약 10%에서 악성질환이 진단된다고 알려져 있으며, 자궁내막 암의 경우 초기 진단 시 생존율이 매우 높기 때문에 진단 및 치료를 지체하지 말아야 함. 폐경 전 여성에서는 환자의 증상에 따른 불편감으로 치료를 요하는 경우가 대부분으로 배란 기능, 내과적 문제, 약물 복용 및 생활 습관 등이 관련될 수 있으므로 출혈 양상을 파악하고 면밀한 병력 청취가 필요함. 또한 임신을 원하는지 여부도 치료에 있어 중요한 기준이 됨.

2) 용어정리

(1) 급성출혈(Acute AUB): 즉각적인 치료가 필요한 대량출혈이 발생한 경우.

(2) 만성출혈(Chronic AUB): 증상이 6개월 이상 지속되는 것.

(3) 간헐적출혈(Intermenstrual bleeding, IMB): 월경 사이에서 발생하는 출혈.

3) 배란 유무 평가(Determination of ovulatory status)

- 일반적으로 생리 주기는 22-35일로 배란 후 혈중 에스트론겐과 프로게스테론 상승 이후 소퇴성 출혈에 의한 것으로 배란 유무의 판단이 중요함.
- 배란유무 판단을 위해 혈중 프로게스테론 농도 및 초음파상 특징적인 증식기 및 분비기 자궁내막 소견이 도움이 됨.
- 배란은 매 주기당 동원(recruitment)된 여러 개의 난포 가운데 하나의 난포가 선택(selection)되는 과정으로 28일의 생리주기를 갖는 여성에서 생리주기 14일 전후로 배란이 이루어지며 초음파를 통해서 확인할 수 있음(그림 9-10). 여러 연구에 따르면 난포는 하루에 직경 1.6-1.8 mm씩 증가하는 것으로 알려져 있고, 배란 전 평균 21.7 mm의 직경을 갖는 것으로 알려져 있음. 배란 직전 난소 주변으로 저류(fluid collection)가 관찰되고 짧게는 1분에서 길게는 20분 후에 배란이 일어남(그림 9-11). 대부분의 경우 배란 후 황체기 동안 황체를 관찰할 수 있음(그림 9-12).

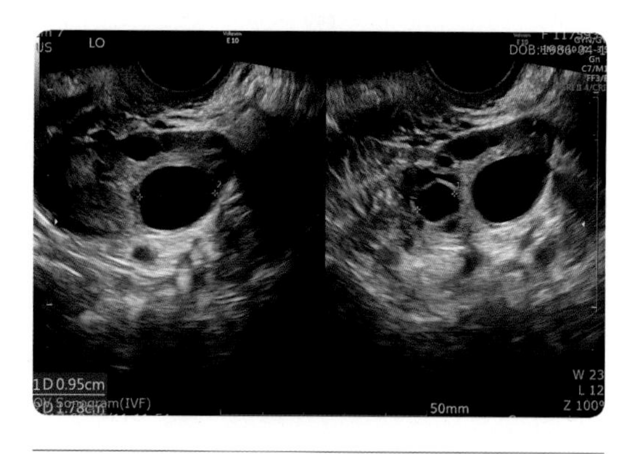

그림 9-10 생리주기 12일째의 성장 난포. 우성 난포(domi nant follicle)이 화면 중앙에 관찰되고 나머지 난포들이 화면 왼쪽에 관찰됨

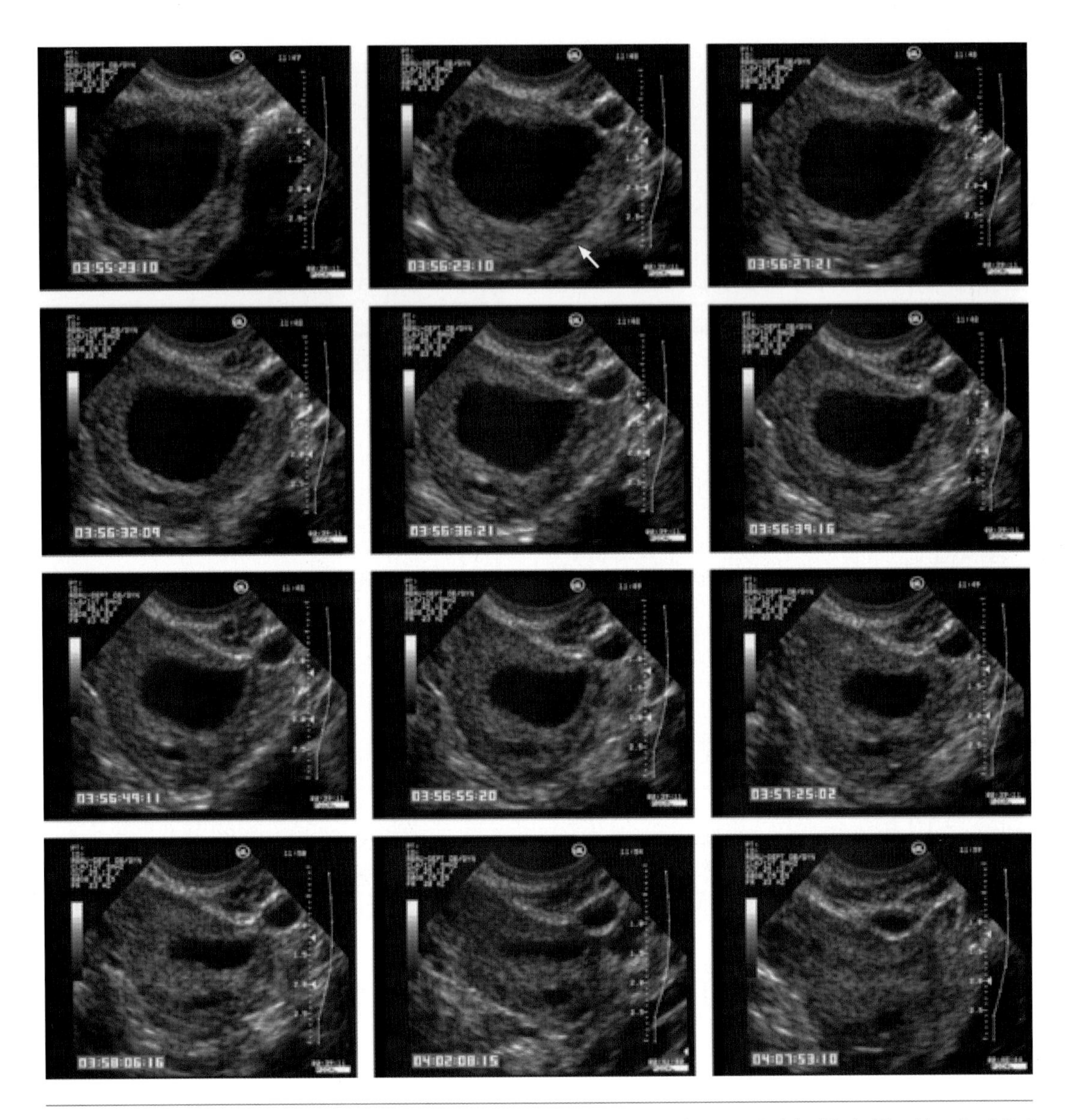

그림 9-11 연속적으로 촬영한 배란과정. 처음으로 난소 주변에 저류((fluid collection): 흰색화살표)가 관찰된 이후 11분 30초 이 후에 배란되었음.

- 자궁내막은 생리주기에 따라 특징적인 패턴을 나타냄. 생리 직후 초기 난포기에는 저에코의 얇은 자궁내막을 보이며, 배란 직전에는 자궁내막 가운데 기능막(functional endometrium)이 증식하여 기저막(basal endometrium)과 함께 특징적인 3줄의 자궁내막 소견을 보임. 배란 후 황체기에는 자궁내막샘의 증식과 분비가 증가하여 자궁내막이 최대로 두꺼워지며 에코가 증가하여 균질한 에코를 보임(그림 9-13).

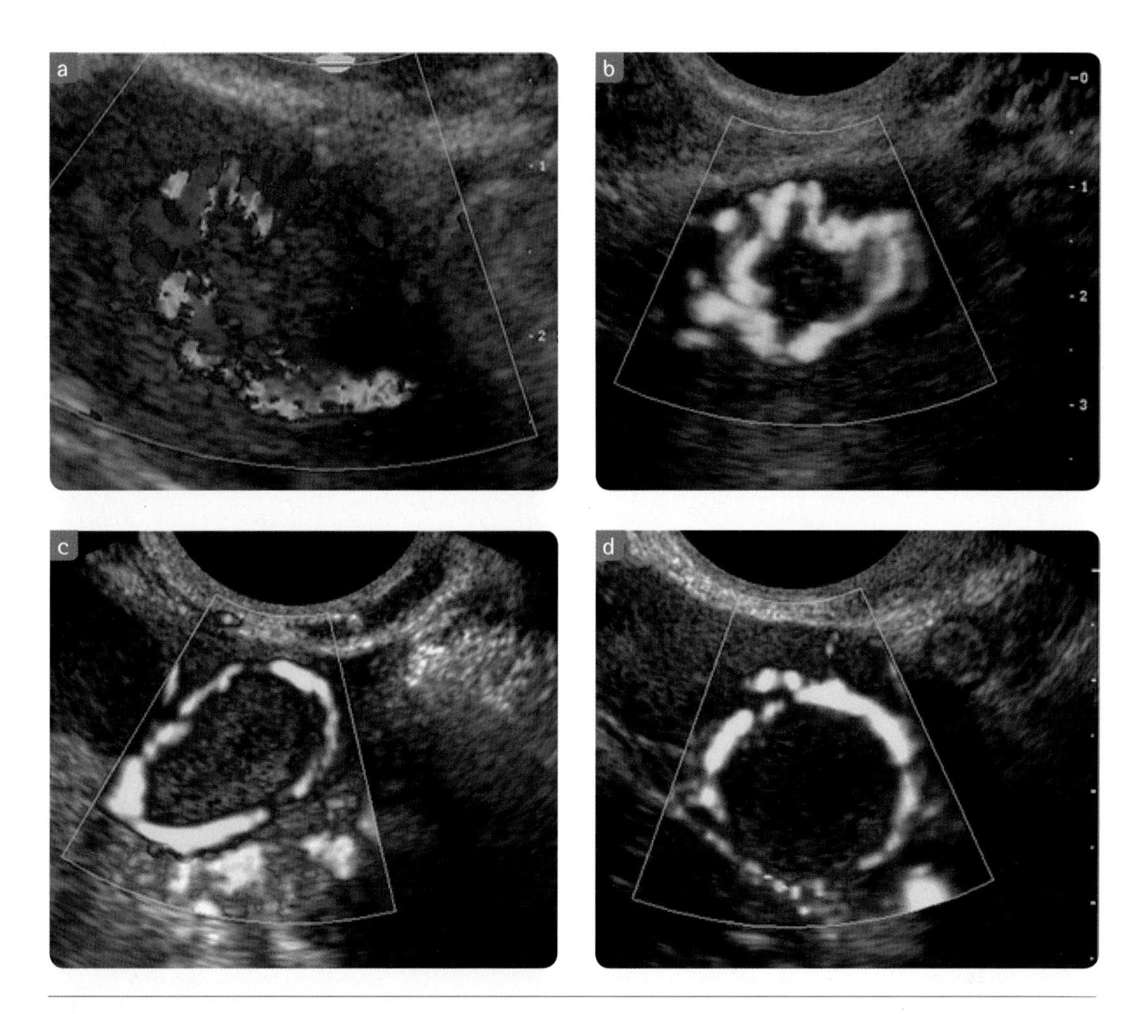

그림 9-12 배란 전 후 황체의 Color Doppler 소견. (a) 배란 시기 황체 (b) 배란 직후 황체 (c, d) 배란 후 황체기의 황체 주변 color flow. 배란 후 시간이 지날수록 luteal wall의 Doppler영상이 복잡해지는 것을 볼 수 있음.

4) 전신 질환 평가(Screening for systemic disorders of hemostasis)

지혈과 연관된 응고병증(coagulopathy)이 AUB의 원인이 될 수 있음. 월경과다를 호소하는 환자에서 표 9-1의 내용에 따른 문진을 통해 혈액응고병증을 감별하고 이에 해당하는 경우 출혈성향에 대한 검사를 필요로 함.

5) 자궁내막 평가(Evaluation of the endometrium)

초음파를 이용한 자궁내막 병변을 진단하기 위해서 각 항목에 대한 평가를 시행함(표 9-2).

a

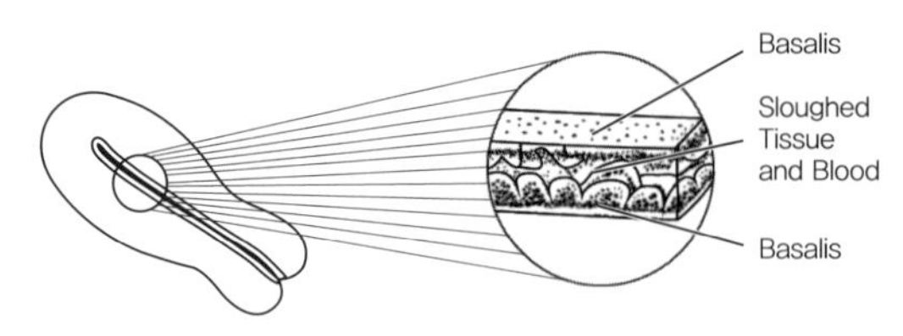

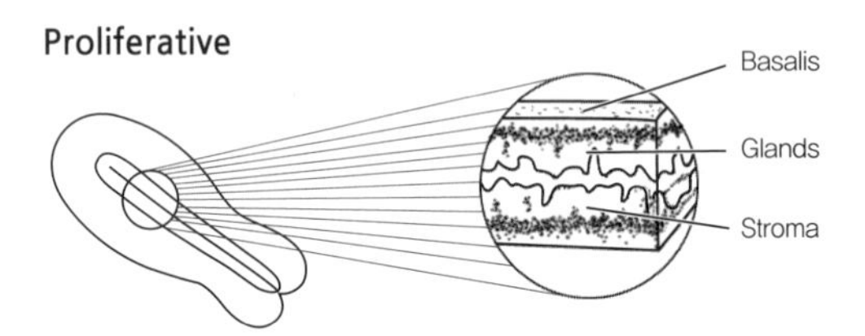

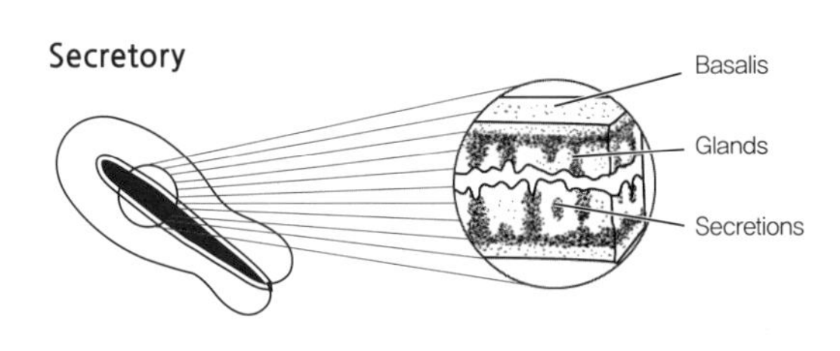

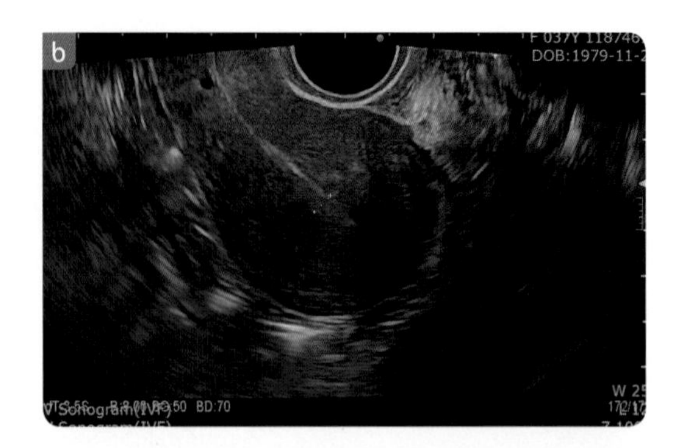

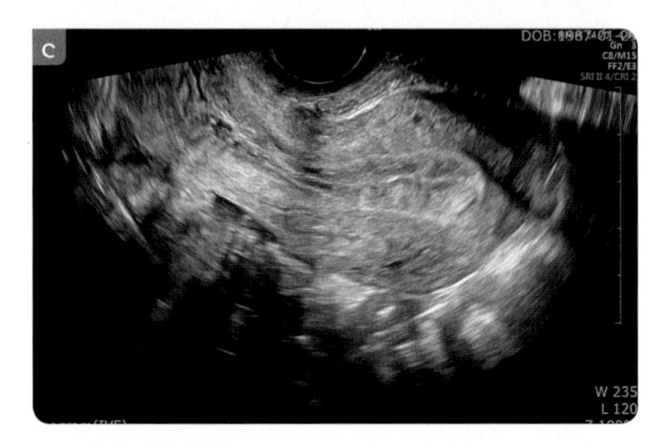

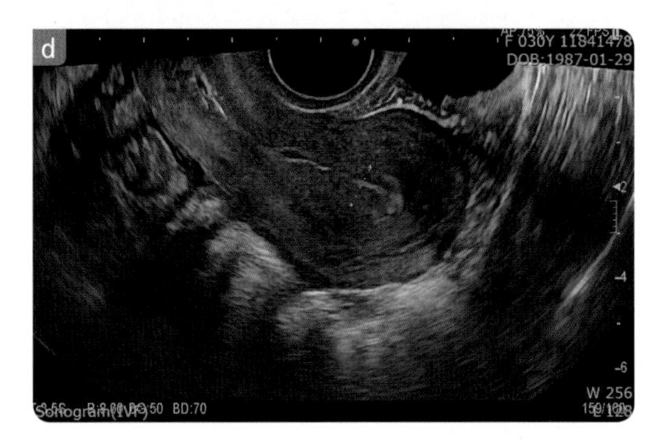

그림 9-13 생리 주기에 따른 자궁내막의 변화. (a) 생리주기에 따른 자궁내막의 모식도. (b) 생리 직후 초기 난포기 : 비교적 저에코의 자궁내막. (c) 배란 직전 : 3층의 자궁내막 (thin arrow: collapsed endometrium , thick arrow: functional endometrium, arrow head: basal endometrium). (d) 황체기 : 자궁내막 샘의 증식과 샘 분비에 의해 생리 주기 중 최대 두께와 최고 에코 발생.

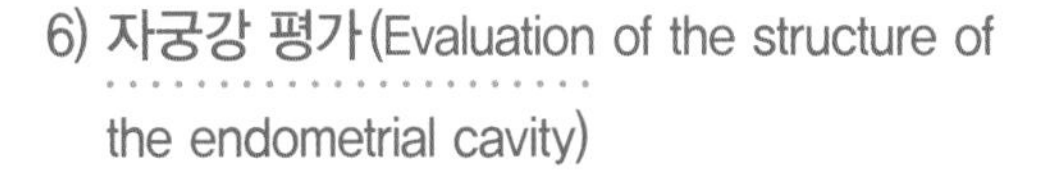

6) 자궁강 평가(Evaluation of the structure of the endometrial cavity)

(1) 질식초음파

자궁강 내 평가를 위해서는 질식초음파가 용이하나 작은 병변을 발견하기 쉽지 않은 단점이 있음. 질식초음파검사상 용종(polyp)이나 점막하근종(sub-

표 9-1 월경과다를 호소하는 환자에서 혈액응고병증 감별을 위한 초기평가

초경 이후의 월경과다
다음 중 한가지 • 산후출혈 • 수술과 관련된 출혈 • 치과시술 이후의 출혈
다음 중 2개 이상 • 한 달에 1–2번의 멍 • 한 달에 1–2번의 코피 • 잦은 잇몸 출혈 • 출혈 성향의 가족력

표 9-2 자궁내막 평가요소

평가 요소	평가 방법
두께(endometrial thickness)	정확한 시상면(sagittal plane)에서 'double endometrial thickness'를 확인
모양(morphology)	– 균일(uniform : "three layer pattern"을 포함하고 내막전체의 음영의 고음영, 저음영, 동일음영을 관찰함) – 불균일 (not uniform)
윤곽(outline)	– 직선(linear) /비직선(non linear) – 불규칙(irregular) – 비정의(not defined)
자궁내막의 윤곽(endometrial outline)	– 규칙적 – 불규칙적 :'cauliflower like' 또는 'spiky'
병변; 크기, 에코발생도(echogenicity)	– 균일(uniform;homogenic) – 불균일(nonuniform;heterogenic) – 낭종의 유무
Doppler; color score	(1) 혈류 없음(no color flow) (2) 최소혈류(minimal color) (3) 보통혈류(moderate color) (4) 풍부한 혈류(abundant)
혈관모양(vessel pattern)	– 혈관의 개수:single or multiple – 혈관의 기시점: focal origin or mutifocal origin – 혈관의 크기: large or small – 혈관의 분지(banch): 질서정연(orderly) 또는 혼돈(chaotic)

mucosal myoma)가 관찰되지 않으면 일단 정상 자궁강이라고 진단할 수 있음. 하지만 병변들이 의심이 된다면 보다 정밀한 검사(saline infusion sonohysterogram, SIS)가 필요함.

(2) Saline infusion sonohysterography (SIS) :
자궁강 내에 카테터를 이용하여 무균생리식염수를 수입하면서 농시에 조음파를 촬영하는 방법. 자궁내로 주입된 생리식염수로 인해 contrast가 상승되어 자궁 내 용종 및 용종 줄기(stalk)의 확인이 가능함. SIS는 약 58-100%의 민감도와, 35-100%의 특이도를 보이는 것으로 보고됨(그림 9-14) (T. Justin Clark 등, 2016).

7) 자궁근층 평가(Myometrial assessment)

초음파를 이용한 자궁근층의 병변을 진단하기 위해서 다음의 항목에 대해 평가함(표 9-3).

8) 자궁 평가

전신질환을 포함하여 자궁 내막 및 근층의 평가를 바탕으로 전체적인 자궁에 대한 평가를 시행하여 AUB-L (leiomyoma), AUB-A (adenomyoma)를 진단 함. 환자의 나이 및 초음파 소견을 고려하여 자궁내막 병변의 악성 위험도가 큰 것으로 판단되면 자

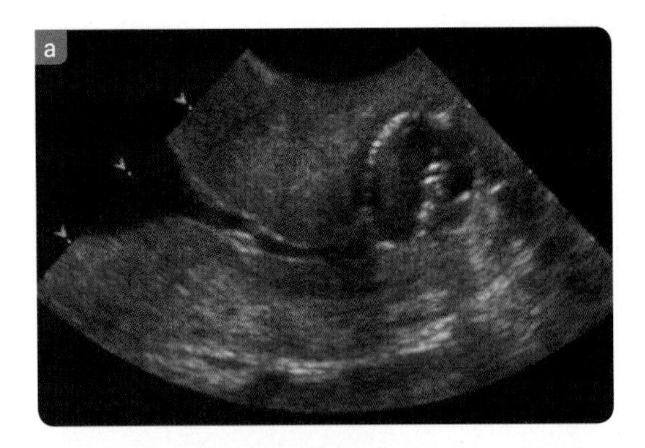

그림 9-14 Saline Infusion Sonohysterography (SIS)
(a) 자궁강 입구에 카테터 삽입 후 확장한 풍선 소견 (b) 정상자궁 : 얇은 자궁내막을 관찰할 수 있음 (c) 자궁내막 용종(arrow)

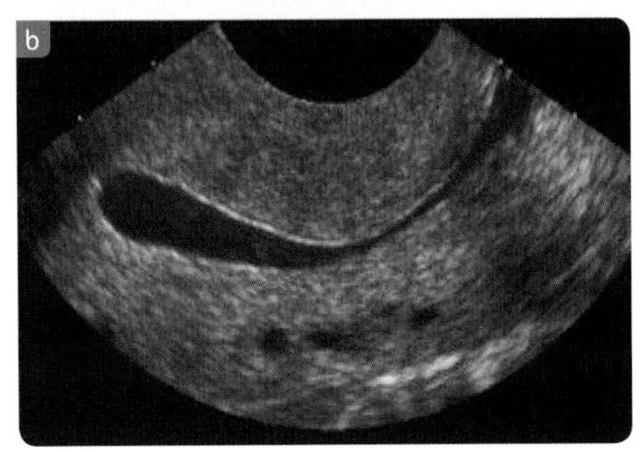

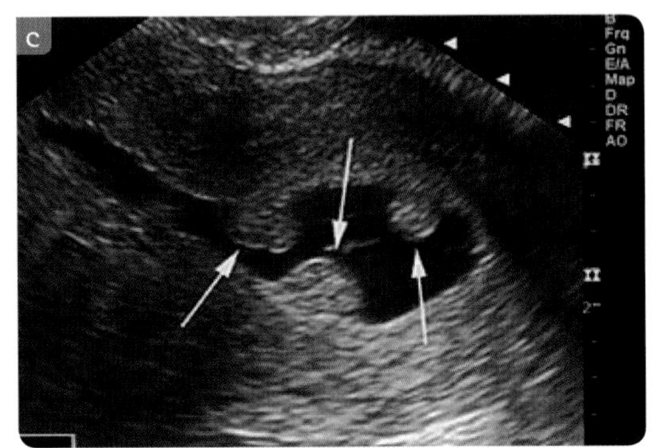

궁내막 생검을 시행하여 AUB-M (malignancy)을 배제 함.
또한 자궁내막의 구조적 병변이 의심될 시 추가적인 영상의학적 검사를 시행하며 SIS 또는 자궁내시경 검사를 시행하여 AUB-Lsm (submucosal myoma), AUB-P (polyp)를 진단하고 이러한 검사가 용의하지 않거나 만족스럽지 못한 경우 MRI 검사를 고려함(그림 9-15).

3 구조적 이상(PALM)

1) 용종(Polyp, AUB-P)

(1) **정의** : 자궁 내막의 국소적 성장으로 자궁강 내 어디에서나 발생 함. 유병률은 20~30%. 용종의 전암성 비전형성 자궁내막 증식증의 유병률은 1~3%로 알려져 있음(T. Justin Clark 등, 2016).

(2) 증상
대부분 무증상이나 AUB의 원인으로 알려져 있음.

표 9-3 자궁근층의 평가항목

평가항목	평가요소	표현법
종합적인 자궁모양(overall uterus)	– 대칭(symmetrical) – 비대칭(asymmetrical) – 전반적인 증가(globally enlarged)	
근층(myometrial lesion)	– 명확한 경계(well defined) – 불명확한 경계(ill–defined) – 경계 없음(absent)	
에코발생정도(echogenicity)	– 균일(uniform) – 불균일(nonuniform)	Hypo–, iso–, hyperechogenic Mixed echogenicity
가장자리(rim)	– 에코발생정도 – 경계의 명확성	Hypo– or hyperechogenic Ill– or not defined
모양(shape)	– 구형 – 비구형	Round Nonround:oval, lobulated, irregular
그림자(shadowing)여부	– 경계(edge) – 내부(internal)	Not present, slight, moderate, strong
낭종(cyst)	– 개수 – 크기 – fluid여부 – 경계의 균일성 – 경계의 명확성 – 에코발생정도	균일(regular, iiregular) 명확성(ill–defined) 에코발생정도(Anechogenic, low level, ground glass, mixed echogenicity)
고음영의 섬(hyperechoic islands)	– 존재 – 비존재	
자궁내막주변의 음영(subendometrial echogenic lines & buds)	– 존재 – 비존재	
Color score(병변 존재시)	병변 중 color가 존재하는 부분의 주관적인 비율	(1) no color; (2) minimal color; (3) moderate color; (4) abundant color
혈관의 위치	– 병변의 주변 – 병변내부	

(3) 초음파소견

- 대부분은 TVUS 또는 자궁내시경으로 진단하고 확진을 위해 조직검사를 시행함. TVUS에서 증가된 자궁내막두께, 자궁강 내 고에코의 병변으로 규칙적인 윤곽을 가지며 얇은 고에코 후광으로 둘러싸여있는 것이 전형적인 초음파 소견(그림 9-16).
- TVUS 이용한 진단 시 민감도와 특이도는 각각

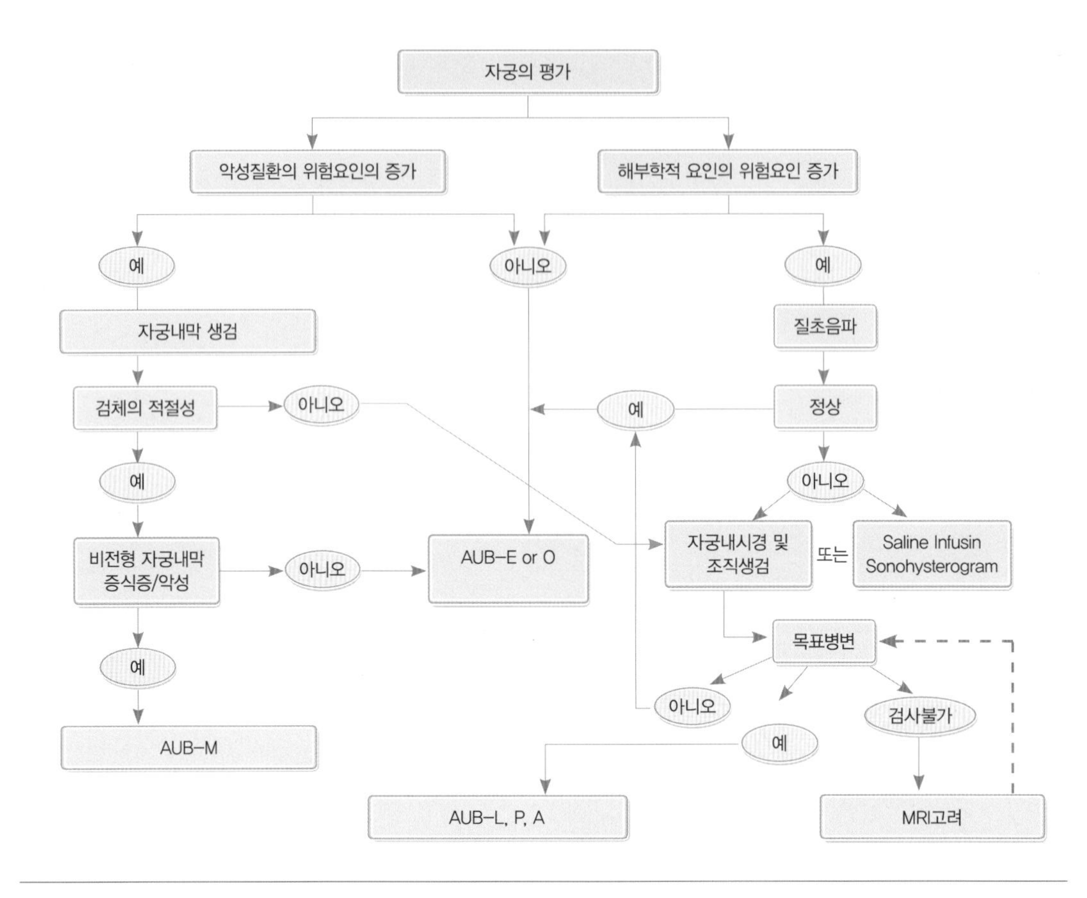

그림 9-15 비정상적자궁출혈의 진단 알고리즘.

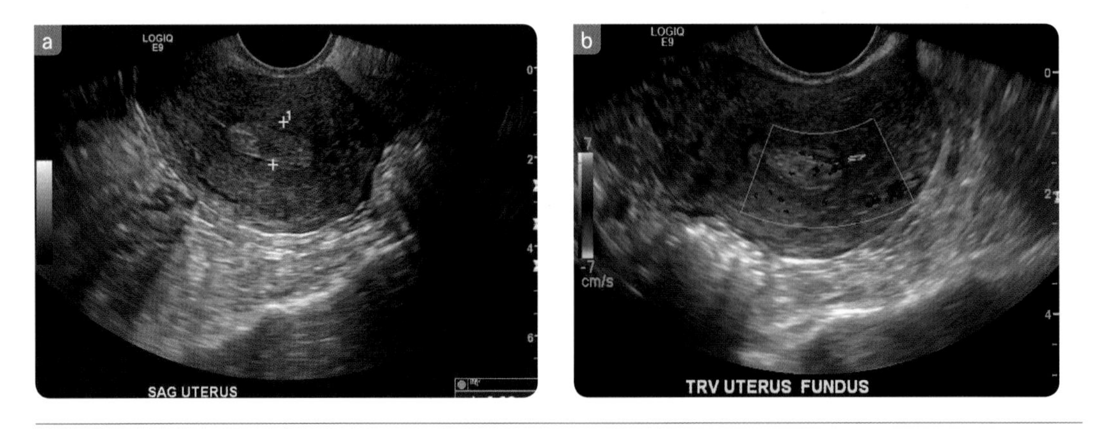

그림 9-16 자궁내막 용종. (a) 시상면(Sagittal view) (b) 색도플러

19-96%와 53~100%로 다양하게 보고함(T. Justin Clark 등, 2016).

- Color flow Doppler를 이용하여 용종내로 feeding vessel을 관찰할 수 있으며 power Doppler를 이용하여 vascularity를 관찰할 수 있으나 gold standard는 자궁내시경 검사임.

(4) 치료

양성질환으로 생리주기에 따라 크기가 감소할 수 있으므로 기대요법이 선호됨. 하지만 AUB 및 subfertility의 원인으로 추정 시 수술적 제거가 필요함.

2) 자궁선근증(Adenomyosis, AUB-A)

(1) 정의

양성 부인과 질환으로 자궁 근층이 자궁내막 샘과 비대한 근(smooth muscle)으로 둘러싸인 것을 의미

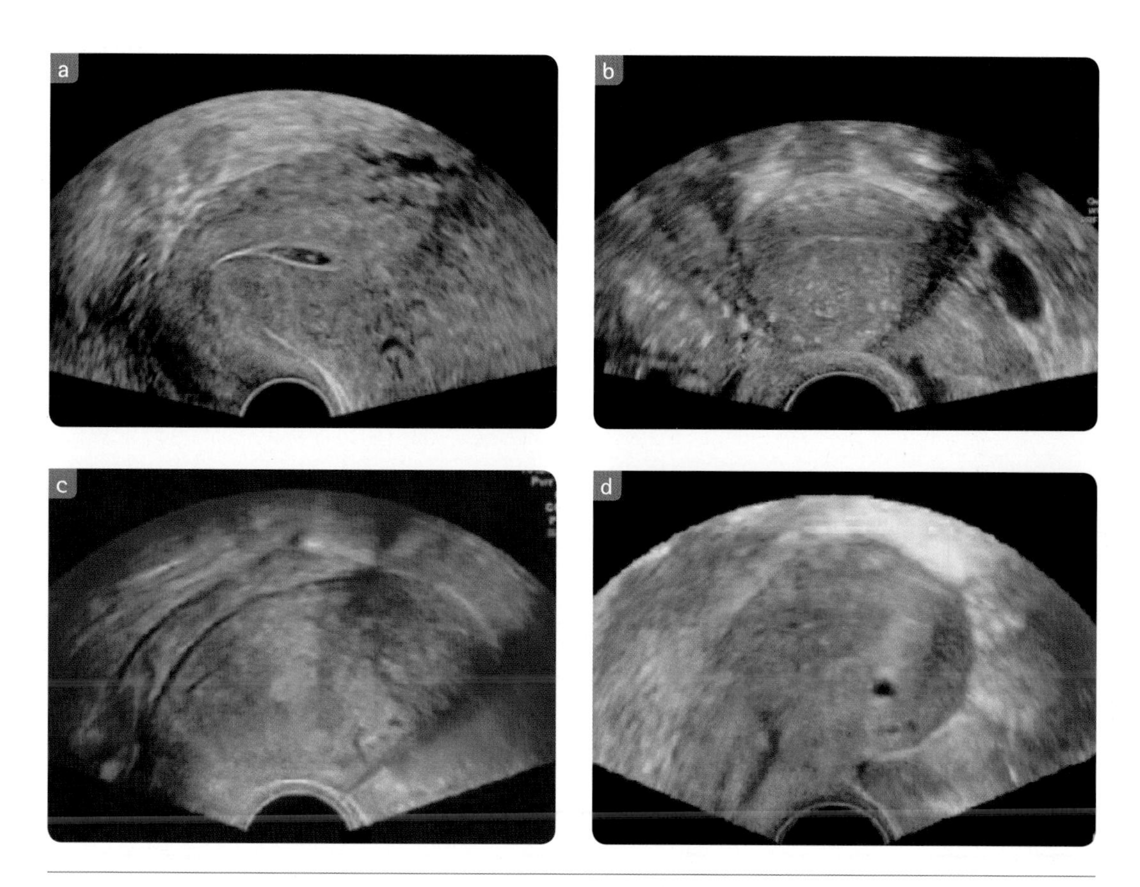

그림 9-17 자궁선근증의 다양한 초음파 소견.
① 자궁근종과 같은 특별한 병변 없이 자궁의 전반적인 확대(자궁의 길이가 12 cm 이상일 경우) (a)
② 자궁의 전, 후방의 비대칭적인 증가 소견('pseudo-widening sign') (b)
③ 불명확한 자궁내막과 자궁근층 접합(b)
④ 자궁근층 경계에 가깝게 존재하는 고에코성 line (ectopic endometrial tissue) (c)
⑤ 자궁근층에 존재하는 cyst(d)
⑥ 통일성이 없는 자궁근층(에코성의 증가 및 감소소견이 동시에 관찰됨) (c)
'물음표 모양의 자궁': 자궁체부는 후굴되어 있고 자궁경부는 방광을 향해 있음

Type 0	자궁강내에 존재하는 평활근종은 자궁내막에 stalk에 의하여 붙어있음
Type 1	평활근종의 50%이하가 자궁근층에 존재
Type 2	평활근종이 적어도 50%이상 자궁근층에 존재
Type 3	평활근종이 자궁내막에 인접해 있으나 병변이 모두 자궁근층에 존재할 때
Type 4	평활근종이 자궁내막과 접해있지 않고 병변이 온전히 자궁근층에 존재할 때
Type 5	평활근종이 적어도 50%는 자궁근층에 존재할 때
Type 6	평활근종의 50%미만이 자궁근층에 존재할 때
Type 7	stalk에 의해 평활근종이 자궁근층에 붙어있을 때
Type 8	자궁근층과 연관이 없는 근종으로 자궁경부, round ligament 등에 존재하는 평활근종

그림 9-18 세분류(Leiomyoma subclassification system).

함. 유병률은 5-70%로 다양하게 보고하고 있으며 조직학적 검사로 확진함(A Graziano 등, 2015).

(2) 증상

AUB, 골반통 그리고 난임 등의 증상이 나타날 수 있음.

(3) 초음파소견

자궁 내막과 근층 접합부(junctional zone, JZ)의 변화와 연관이 있으며, 자궁내막샘이 JZ 두께의 1/4 이상 또는 2.5 mm 이상 침범하였을 때 자궁선근증을 의심해 볼 수 있음(그림 9-17).

(4) 치료 : 증상위주의 치료

① 약물요법 : first line treatment

NSAIDs and combined oral contraceptive pill, LNG-IUD, GnRHa, danazol, oral progestins, and aromatase inhibiors 등

② 수술적 치료 : fertility를 유지하려는 환자에서 고려해 볼 수 있음

3) 자궁 근종(Leiomyoma, AUB–L)

(1) 정의

자궁의 양성 평활근 종양으로 fibroid라고도 불리움.

(2) 증상

대부분은 무증상이나 출혈 월경 과다 및 생리통을 동반함.

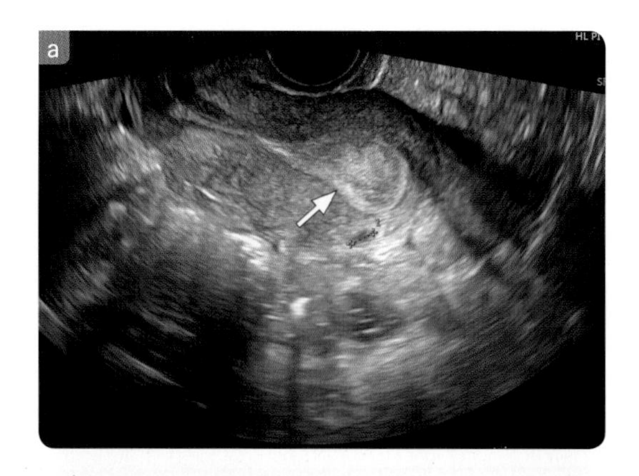

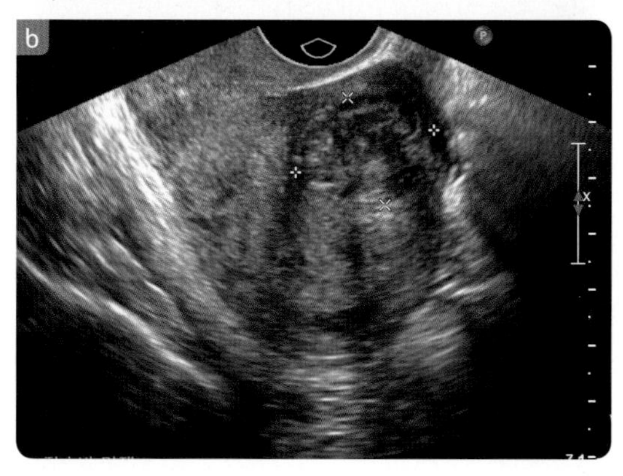

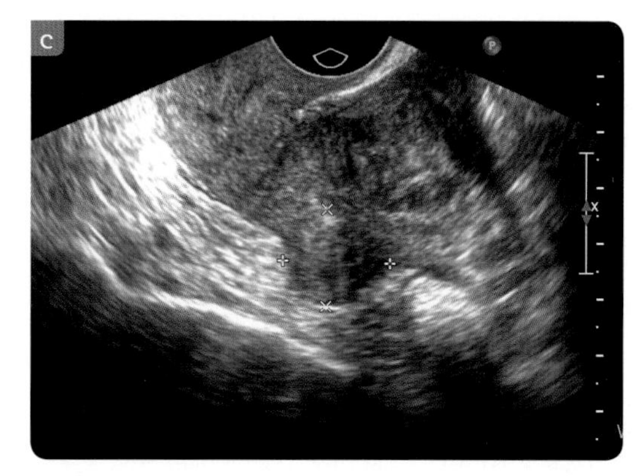

그림 9-19 자궁근종 (a) 점막하(submucosal). (b) 근층(intramural). (c) 장막하(subserosal).

(3) 초음파소견

전형적으로 경계가 잘 구분되고, 구모양의 병변이 자궁근층에서 관찰됨. 초음파의 음영은 대부분 낮은편이나 가끔 고에코를 보이는 경우도 있음. Doppler image에서 병변의 주변으로의 혈류공급을 관찰할 수 있음.

(4) 세분류(Leiomyoma subclassification system)

(그림 9-18)

(5) 치료

평활근종과 연관된 증상의 중증도 및 향후 임신계획에 따라 수술적 또는 약물치료를 시행.

4 기능적 이상(COEIN)

1) 응고병증(Coagulopathy, AUB-C)

(1) 정의

응고병증(coagulopathy)은 혈액응고와 연관된 전신적인 문제로 과다월경(heavy menstrual bleeding : HMB)을 호소하는 환자의 13%에서 von Willebrand disease와 같은 응고병증이 진단되는 것으로 알려져 있음. 하지만 응고병증이 진단되는 환자에서 AUB를 얼마나 일으키는지에 대한 정확한 연구는 없으며 대부분 무증상이거나 경미한 증상, HMB을 호소하는 환자에서 응고병증에 대한 검사는 반드시 이루어져야 함(Malcolm G 등, 2011).

(2) 진단

비정상자궁출혈을 호소하는 환자에서 응고병증을 진단하기 위해서는 아래의 검사를 시행함.

- 소변 또는 혈청 b-hCG
- CBC(Complete blood count) : 실혈양의 평가
- PT(prothrombin time)/aPTT(activated partial thromboplastin time)
- Prolactin/TSH(갑상선자극호르몬) : 배란장애가 의심될 때 시행
- Vaginal swab : 클라미디아의 선별검사

(3) 치료

NSAID를 제외한 OCP 또는 L-IUD등의 약물요법을 사용할 수 있음. 약물 치료에 실패 시 hematologist의 도움을 받으며, 수술적 치료도 고려할 수 있으나 수술 전 응고인자 등의 정상화를 확인한 후 진행하여야 함.

2) 배란장애(Ovulatory dysfunction, AUB-O)

(1) 정의

배란장애로 황체 및 프로게스테론 생성이 부족해지고 이로 인해 지속적으로 자궁내막이 증식하여 발생하는 출혈. 원인질환은 대부분 내분비적 문제(polycystic ovarian syndrome, hypothyroidism, hyperprolactinemia, mental stress, obesity, anorexia, weight loss, or extreme exercise such as that associated with elite athletic training)이나 의인성(iatrogenic)으로 발생하기도 함.

(2) 증상

예측할 수 없는 출혈로 HMB 또는 급성으로 발생함

(3) 치료

내분비 기저질환의 약물적 치료 또는 생리주기를 회복시켜서 HMB을 막아줌. 자궁강내 병변이 확실할 때는 수술적 치료를 고려함.

3) 자궁내막(Endometrial, AUB-E)

(1) 정의

규칙적인 배란 주기에서 다른 원인이 확인되지 않을 때 의심하여 진단함.

(2) 증상

자궁내막의 혈액 응고 기전 또는 자궁내막 회복(repair)의 문제로 인해 HMB이 발생하며, 자궁내막 염증이나 감염이 원인이 될 수 있음.

(3) 치료

호르몬요법과 비 호르몬요법을 고려함.

4) 의인성(Iatrogenic, AUB-I)

의학적인 치료에 의해 발생하는 AUB로 외부에서 투여하는 호르몬제에 의한 파탄성출혈(breakthrou-gh bleeding)이 대표적으로 여러 약물에 의해서도 발생할 수 있음[anticonvulsants and antibiotics (e.g.

rifampin and griseofulvin, cigarette smoking, tricyclic antidepressants (e.g. amitriptyline and nortriptyline) and phenothiazines and anticoagulant agent].

5) 미분류(Not yet classified, AUB-N)

적절한 평가에도 불구하고 의하여 위의 범주에 속하지 않는 경우 진단함(AVM ,myometrial hypertrophy or biochemical or molecular biological disorders).

6) 호르몬 치료

기능적 이상에 의한 출혈은 1차적으로 약물치료를 시행하며 에스트로겐 및 프로게스테론을 이용한 호르몬 치료를 시행함.

(1) 프로게스테론 요법

프로게스테론은 강력한 항-에스트로겐(anti-estrogenic)효과를 가지고 있어 자궁내막의 증식을 강력하게 억제함. 따라서 무배란성 출혈(AUB-O)인 경우 프로게스테론을 주기적으로 복용하여 출혈을 유도함(medroxyprogesterone acetate (MPA) 5-10 mg daily for 12-14 days each months). 프로게스테론 요법은 대부분의 AUB를 효과적으로 치료할 수 있고 만약 효과가 없을 경우 해부학적인 원인을 강력하게 의심함.

(2) 에스트로겐-프로게스테론 요법

AUB-O로 진단된 경우 성생활이 활발한 여성에서는 에스트로겐-프로게스테론 요법이 효과적임. 만약 과도하고 지속되는 출혈이 갑자기 발생했다면(acute prolonged episode of heavy anovulatory bleeding) 고용량의 에스트로겐-프로게스테론 요법이 효과적임(예>초기 단상성 피임약 하루 2번 복용 후 24-48시간 이후에 출혈량이 감소하고 이후에는 하루 1번으로 감량하여 적어도 2주 이상 지속함).

(3) 에스트로겐 요법

AUB시 TVUS 검사상 자궁내막이 얇은 경우, 프로게스테론 파탄성출혈(breakthrough bleeding) 시 효과적임 (예>conjugated estrogens (CEE) 1.25 mg 또는 micronized estradiol 2.0 mg daily for 7-10days). 이러한 요법에도 출혈 지속 시 용량을 증량하며, 과도한 출혈로 혈역학적으로 불안정한 상황이라면 에스트로겐을 정맥 투여함(예>25 mg CEE every 4hours intravenously until bleeding subsides, for up to 24hours). 단 고용량 에스트로겐요법은 혈전색전증의 위험을 증가시킬 수 있음을 염두에 두어야 함.

(4) NSAID (Nonsteroid Anti-Inflammatory Drugs)

프로스타글란딘의 합성을 억제함으로써 출혈을 감소시킴. 비록 작용기전이 완벽하게 밝혀지지는 않았지만 NSAID 투여로 20-40%의 환자에서 증상이 개선됨(예> ibuprofen 400 mg, 3times daily for 3-5days)

(5) 피임약(estrogen-progestin contraceptives)

피임약을 복용함으로써 약 40%의 환자에서 증상이 개선됨.

(6) GnRH agonist (Gonadotropin-Releasing Hormone Agonist)

짧은 기간에 출혈을 줄일 수 있고 수술 전 치료로 사

용함. 하지만 hot flush와 골밀도 감소 등의 부작용으로 장기적인 요법으로는 추천되지 않음.

참 고 문 헌

1. 보건복지부 중앙암등록본부 발표자료. 2016.
2. 부인과학. 제5판. 서울. 고려의학. 2015.
3. 신희철, 윤보현, 전종관, 외. 최신 산부인과 초음파진단. 서울. 가본의학. 2011.
4. 통계로 본 암 현황 Cancer Facts & Figures 2016. 고양. 보건복지부. 2016.
5. Alcázar JL, Arribas S, Mínguez JA, et al. The Role of Ultrasound in the Assessment of Uterine Cervical Cancer. J Obstet Gynaecol India 2014;64(5):311-316.
6. Bakour SH, Dwarakanath LS, Khan KS et-al. The diagnostic accuracy of ultrasound scan in predicting endometrial hyperplasia and cancer in postmenopausal bleeding. Acta Obstet Gynecol Scand 1999; 78(5):447-51.
7. Berek JS. Berek & Novak's Gynecology. 15th ed. Philadelphia: Lippincott Williams & Wilkins. 2012.
8. Callen PW. Ultrasonography in Obstetrics and Gynecology. 5th ed. Philadelphia: W.B. Saunders Company. 2008.
9. Epstein E, Di legge A, Måsbäck A et al. Sonographic characteristics of squamous cell cancer and adenocarcinoma of the uterine cervix. Ultrasound Obstet Gynecol 2010;36(4):512-6.
10. Gull B, Karlsson B, Milsom I, et al. Can ultrasound replace dilatation and curettage? A longitudinal evaluation of postmenopausal bleeding and transvaginal sonographic measurement of the endometrium as predictors of endometrial cancer. Am J Obstet Gynecol 2003;188:401-8.
11. Kurman RJ, Kaminski PF, Norris HJ. The behavior of endometrial hyperplasia. A long-term study of "untreated" hyperplasia in 170 patients. Cancer 1985;56:403-12.
12. Lacey JV Jr, Sherman ME, Rush BB, et al. Absolute risk of endometrial carcinoma during 20-year follow-up among women with endometrial hyperplasia. J Clin Oncol. 2010;28:788–792.
13. Nalaboff KM, Pellerito JS, Ben-Levi E, et al. Imaging the Endometrium: Disease and Normal Variants. Radiographics 2001;21(6):1409-24.
14. Reed SD, Newton KM, Clinton WL, et al. Incidence of endometrial hyperplasia. Am J Obstet Gynecol 2009;200(6):678.e1-6.
15. Sheth S, Hamper UM, Kurman RJ. Thickened endometrium in the postmenopausal woman: sonographic-pathologic correlation. Radiology 1993;187(1):135-9.
16. Siegel RL, Miller KD, Jemal A, et al. Cancer statistics, 2016. CA Cancer J Clin 2016;66(1):7-30.
17. Steiner E, Juhasz-Bösz I, Emons G, et al. Transvaginal Ultrasound for Endometrial Carcinoma Screening-Current Evidence-based Data. Geburtshilfe Frauenheilkd 2012;72(12):1088-1091.
18. Tavassoli FA, Devilee P. Tumours of the breast and female genital organs. In: Silverberg SG, Mutter GL, Kurman RJ, et al. Tumours of the uterine corpus. Lyon. IARC press; 2008-30, 2003.
19. Wagner BJ, Woodward PJ, Dickey GE. From the archives of the AFIP. Gestational trophoblastic disease: radiologic-pathologic correlation. Radiographics 1996;16(1):131-48.

골반통의 부인과 초음파

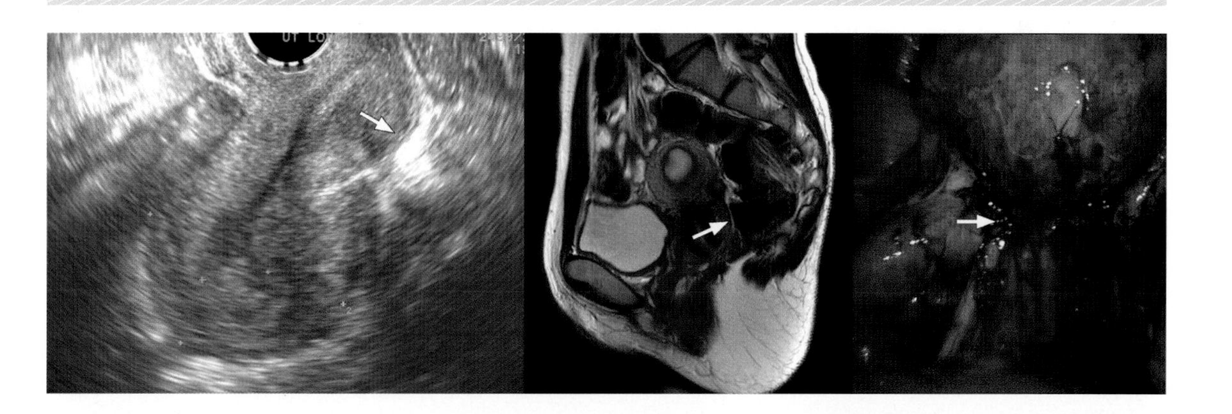

최중섭_한양의대 산부인과
엄정민_한양의대 산부인과

10 골반통의 부인과 초음파

골반통은 전 연령대의 여성에서 나타나는 흔한 증상으로 급성과 만성으로 나눌 수 있으며 다양한 원인이 존재한다. 초음파는 산부인과적인 원인의 급성 또는 만성 골반통을 진단하는데 있어서 우선순위로 시행해볼 수 있다.

1 급성 골반통(Acute pelvic pain)

- 3개월 미만의 비주기적(noncyclic) 하복부 또는 골반 통증
- 구역, 구토, 백혈구 증가와 관련된 경우가 흔함.
- 문진과 신체검사에서 비특이적인 경우가 많고, 비부인과적인 원인과 감별진단을 요하는 경우가 흔함(표 10-1).

표 10-1 부인과적 · 비부인과적 급성 골반통의 감별 진단

부인과적 골반통	비부인과적 골반통
비산과적 원인	요관결석증
단순난소낭종	급성충수염
파열 · 출혈성 난소낭종	게실염
난소낭종꼬임	
자궁선근증	
자궁근종	
자궁근종변성	
골반염증질환	
자궁내장치 위치이상	
산과적 원인	
자궁외임신	
절박 · 자연유산	
난소과다자극증후군	
임신중 자궁근종변성	
자궁파열	

1) 급성 부인과적 골반통

(1) 단순난소낭종, 파열·출혈성 난소낭종, 난소낭종 꼬임

- 7장 난소질환의 초음파, 8장 나팔관질환의 초음파 참조

(2) 자궁선근증, 자궁근종, 자궁근종변성

- 6장 자궁질환의 초음파 참조

(3) 골반염증질환(Pelvic Inflammatory Disease)

① 골반염증질환은 성매개감염(sexually transmitted infection)과 관련되어 자궁경부, 자궁, 나팔관에 발생함.

② 자궁경부의 상행감염을 통해서 자궁내막염, 난관염, 자궁관난소농양 등으로 발전함.

③ 자궁경부운동성압통, 발열, 백혈구증가증을 동반하는 급성 골반통을 보이며 가임기 여성에서 흔하게 발생함.

④ 통증의 강도는 다양하며 하복부통증, 성교통, 경련통, 배뇨통 등이 발생함.

⑤ Fitz-Hugh–Curtis syndrome으로 알려진 간주위염으로 인하여 우상복부통증 발생하기도 함.

⑥ 초음파 소견

i) 자궁내막염

(i) 자궁내강안에 액체 또는 가스 존재

(ii) 자궁내막라인이 불균일하게 두꺼워짐, 혈관성증가

(iii) 고름자궁의 경우 자궁내강안의 고름으로 인하여 자궁의 크기가 현저히 증가함(그림 10-1).

ii) 난관염, 자궁관난소농양의 초음파 소견

8장 나팔관질환의 초음파 참조

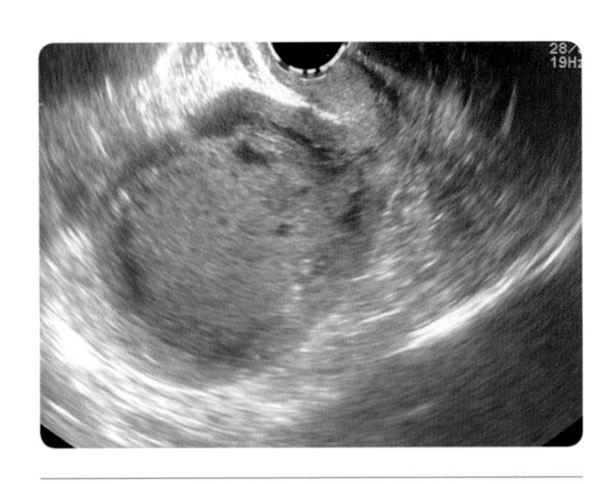

그림 10-1 고름자궁의 초음파. 70세 여성, 자궁의 현저한 확장, 자궁내강에 불균일한 에코발생의 용액과 가스 관찰됨.

2) 급성 비부인과적 골반통

(1) 요관결석증

① 하부요관에 발생한 요관결석증의 경우 질식초음파로 관찰 가능

② 비만 여성이나 방사선 노출 위험이 있는 임신부에서 유용

③ 요관결석증의 초음파 소견

i) 늘어난 하부요관, 에코발생·그림자 결석 관찰

ii) 방광에 소변이 차있는 상태에서 잘 관찰됨.

(2) 충수돌기염

- 17장 충수돌기와 탈장 초음파 참조

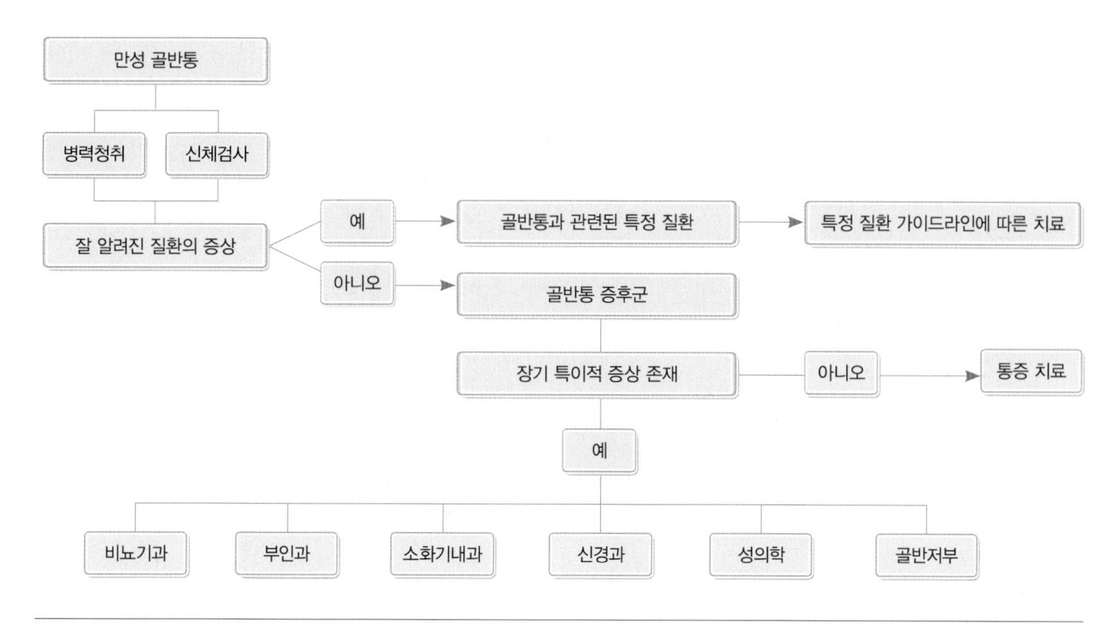

그림 10-2 만성 골반통 진단 가이드라인(2010 유럽비뇨기과협회 가이드라인).

2 만성 골반통 (Chronic pelvic pain)

1) 생리주기와 무관한 비주기성 하복부, 골반, 허리, 엉덩이 부분, 서혜부의 통증
2) 간헐적으로 3-6개월 이상 지속
3) 일반적인 치료에 효과가 없으면서 기능적 장애를 유발하거나, 직장이나 일상생활에 지장을 주어 의학적 치료가 필요한 정도의 강도를 가진 통증
4) 빈도
   (1) 전 연령대의 여성에서 약 4%
   (2) 폐경기 이전의 젊은 여성에서는 약 20% 가량이 1년 이상의 만성 골반통을 호소
5) 만성 골반통의 부인과적 원인(표 10-2)
6) 만성 골반통의 진단 알고리즘(그림 10-2)

1) 만성 골반통 진단을 위한 초음파

(1) 골반내 종괴를 평가하는데 유용
   ① 자궁내막종
   ② 자궁선근증
   ③ 골반정맥울혈
(2) 유착이나 복막착상질환(peritoneal implants)을 평가하는데 있어서 제한이 있음.

2) 자궁내막증

(1) 자궁내막증 진단에 있어서 초음파의 한계점

① 작은 착상 병변이나 유착은 초음파로 진단하기 어려움.

표 10-2 증거 레벨에 따른 만성 골반통의 원인 및 악화 요인의 부인과적 상황

2004 ACOG Practice Bulletin
Level A
자궁내막증
부인암, 특히 말기
난소지속증후군(ovarian retention syndrome, residual ovary syndrome)
난소잔류증후군(ovarian remnant syndrome)
골반울혈증후군
골반내염증질환
결핵성 난관염
Level B
유착
양성 낭성중피종(benign cystic mesothelioma)
자궁평활근종증(leomyomata)
수술 후 복막낭종(postoperative peritoneal cysts)
Level C
자궁선근증
비전형 생리통 또는 배란통
부속기 낭종(비자궁내막증)
자궁경부협착
만성 자궁외임신
만성 자궁내막염
자궁내막 또는 자궁경부 용종
난관증(endosalpingiosis)
자궁내피임장치
난소의 배란통
잔류 부난소(residual accessory ovary)
골반장기탈출

② 초음파의 작은 착상 병변의 발견율은 11% 미만

(2) 난소의 자궁내막종

- 7장 난소질환의 초음파 참조

(3) 직장구불결장의 자궁내막증

① 장의 자궁내막증은 99% 이상이 골반내 자궁내막증을 동반함.

② 자궁내막증병변의 침윤크기와 깊이에 따라 다양한 증상이 나타남.

③ 초음파만으로 진단하기 어려움.

④ 직장구불결장의 자궁내막증 진단의 gold standard는 MRI(그림 10-3)

(4) 직장질중격의 자궁내막증

① 직장질중격의 자궁내막증 대부분이 더글라스와 폐색 존재

② 초음파만으로 진단하기 어려움.

③ CT나 MRI로도 진단되지 않는 경우가 많음(그림 10-4, 그림 10-5).

(5) 방광의 자궁내막증

① 심부침투성자궁내막증이 있는 경우 발생

② 전체 자궁내막증에서 0.3~12% 정도 차지

③ 방광을 채운 상태에서 경질 또는 복부 초음파 관찰 시, 방광 안으로 튀어나와 있는 불균질의 에코증강 덩어리 관찰, 때때로 도플러상 혈류 관찰되기도 함.

(6) 그 외 자궁내막증

① 자궁의 이전 제왕절개 부위, 질벽, 회음절개 부위 등

② 초음파 검사상 전형적인 간유리 에코의 자궁내막증 병변을 쉽게 관찰할 수 있음.

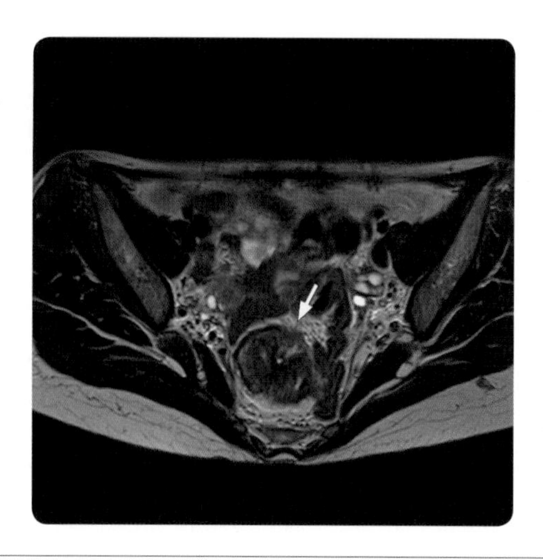
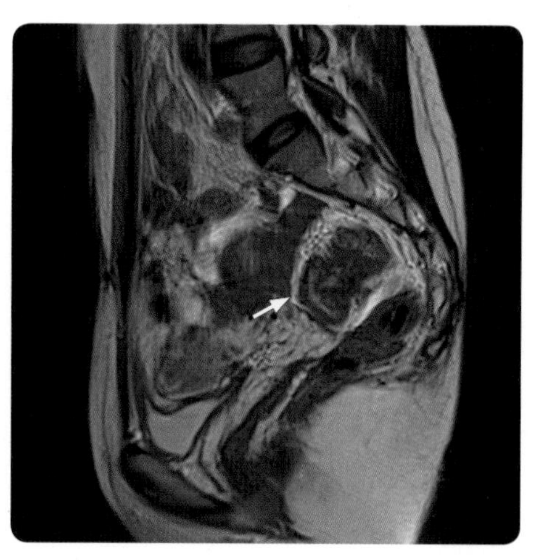

그림 10-3 38세 여성, 변비와 가는 변으로 대장내시경 시행 중 내시경 진입 불가능하여 MRI 시행. T2W 횡단면과 정중면 사진. 직장벽에 결절성 침윤이 관찰됨(흰색 화살표).

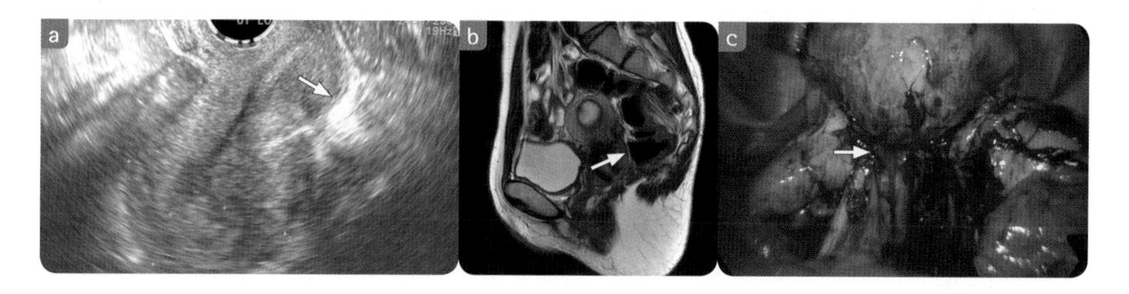

그림 10-4 27세 여성, 만성 골반통과 성교통 호소. (a) 경질 초음파상 직장질중격에 특이소견 없음(화살표). (b) MRI T2W 정중면 사진상 직장질중격에 특이소견 없음(화살표). (c) 복강경 수술소견상 더글라스와 폐색(화살표).

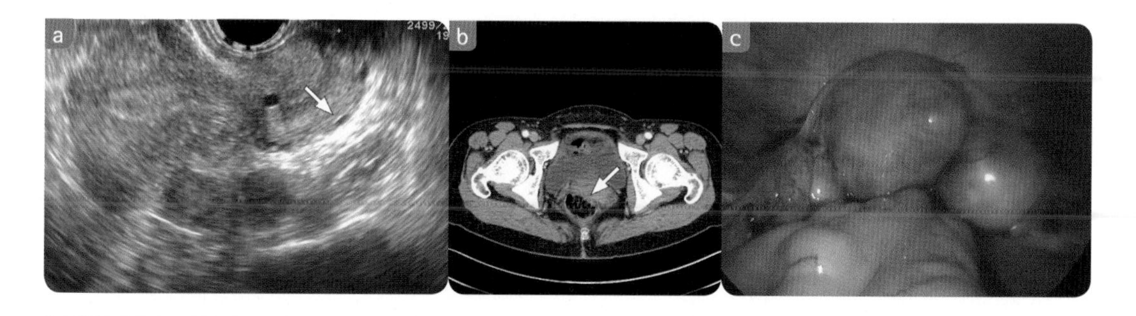

그림 10-5 42세 여성, 무증상, 직장경 시행 중 내시경 진입불가하여 CT 시행. (a) 경항문 초음파상 직장질중격에 특이소견 없음(화살표). (b) 복부 CT 횡단면 사진상 직장질중격에 특이소견 없음(화살표). (c) 복강경 수술소견상 자궁근종, 양측 난소 자궁내막증, 더글라스와 폐색, 골반장기고정(frozen pelvis) 소견

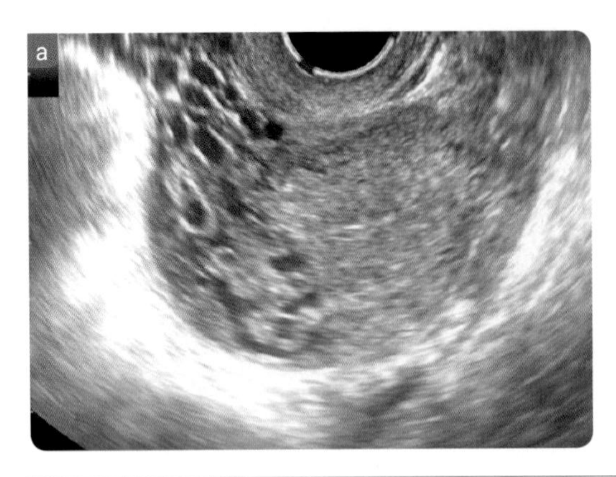

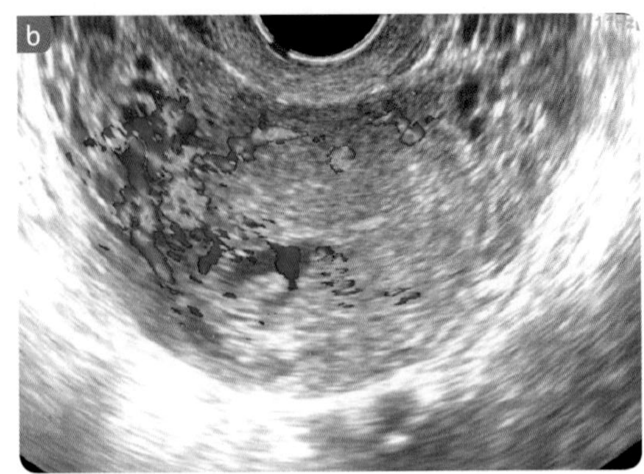

그림 10-6 34세 여성, 수개월 지속된 골반통. (a) Gray-scale, (b) color Doppler image

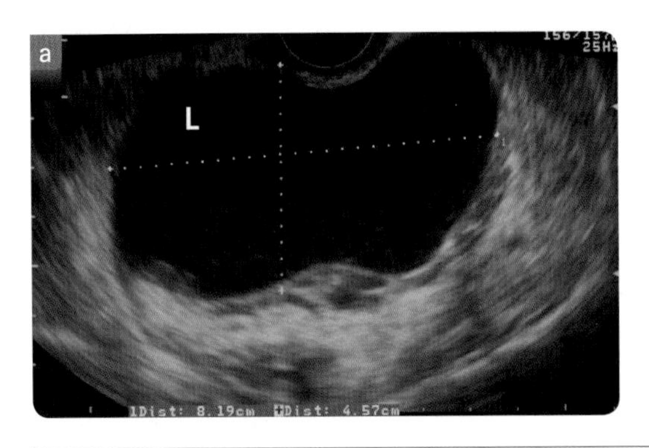

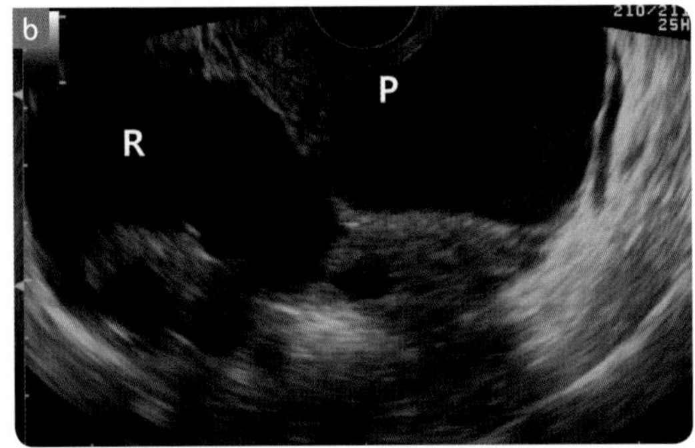

그림 10-7 48세 여성, 만성 골반통, 이전 양쪽 난소낭종제거술 기왕력. (a) 왼쪽 난소낭종(L) (b) 오늘쪽 난소낭종, 낭종내에 에코발생 종괴 관찰(R); 더글라스와에 낭성종괴(P)

3) 자궁선근증

- 6장 자궁질환의 초음파 참조

4) 골반울혈증후군

(1) 개요

① 골반내의 정맥 부전(venous incompetence)과 정맥 청소율(venous clearance)과 관련하여 나타나는 난소와 골반 정맥류로 인한 통증군

② 병태생리는 알려져 있지 않음, 정신적·성적·유전생물학적인 원인과 관련 있다고 봄.

③ 발생원인은 알려져 있지 않음.

④ 정맥의 확장과 저류가 통증을 유발하는 물질을 배출하는 것으로 추정됨.

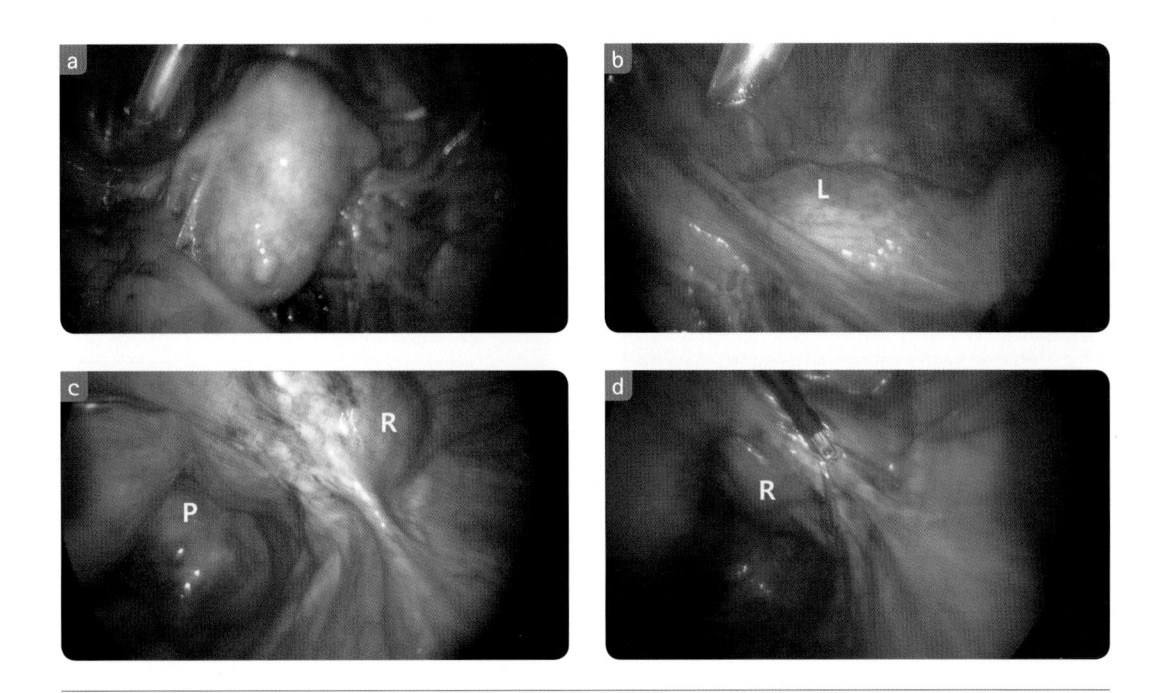

그림 10-8 그림 10-7 환자의 복강경 수술사진.
(a) 직장과 구불결장이 왼쪽 부속기와 유착소견 관찰됨. (b) 그림 10-7(a)의 초음파상 낭성종괴 소견은 왼쪽 자궁넓은인대 하부와 왼쪽 골반벽 사이에 발생한 가성낭종 소견임(L). (c) 그림 10-7(b)의 초음파상 더글라스와 낭성종괴는 가성낭종 소견임(P). (d) 그림 10-7(b)의 초음파상 오른쪽 난소낭종 소견은 오른쪽 부속기와 골반벽의 유착으로 발생한 봉입낭 소견임(R).

(2) 진단

① 초음파적 진단(그림 10-6)

i) 직립자세에서 악화되는 둔하고 만성적인 골반통이 6개월 이상 있는 환자에서 검사자의 주관적 판단으로 과도한 정맥관 관찰

ii) 객관적 기준

(i) 직경이 4 mm 이상으로 늘어난 난소정맥

(ii) 확장되어 있고 구불구불하게 휘어진 정맥과 골반 정맥류와의 문합

(iii) 후향성의 정맥혈 흐름, 특히 왼쪽 난소 정맥에서 관찰됨.

5) 유착

(1) 초음파상 유착을 관찰하기 힘듦(그림 10-7, 그림 10-8).

(2) 감별진단

① 복잡성 낭종, 격막이 존재하는 종괴

a. 수란관

b. 부난소낭종(paraovarian cyst)

c. 난소 낭성종(ovarian cystadenoma)

참 고 문 헌

1. ACOG Committee on Practice Bulletins–Gynecology : ACOG Practice Bulletin No. 51. Chronic pelvic pain. Obstet Gynecol 2004;103:589-605.
2. Andreotti R.F., Fleischer A.C. The sonographic diagnosis of adenomyosis. Ultrasound Q 2005;21:167-70.
3. Andreotti R.F., Lee S.I., Choy G., et al. ACR Appropriateness Criteria on acute pelvic pain in the reproductive age group. J Am Coll Radiol 2009;6:235-41.
4. Atri M., Reinhold C., Mehio A., et al. Adenomyosis: US features with histologic correlation in an in-vitro study. Radiology 2000;215:783-90.
5. Barret S., Taylor C. A review on pelvic inflammatory disease. Int J STD AIDS 2005;16:715-21.
6. Bazot M., Cortez A., Darai E., et al. Ultrasonography compared with magnetic resonance imaging for the diagnosis of adenomyosis: correlation with histopathology. Hum Reprod 2001;16:2427-33.
7. Beard R.W., Reginald P.W., and Wadsworth J. Clinical features of women with chronic lower abdominal pain and pelvic congestion. Br J Obstet Gynaecol 1988;95:153-61.
8. Beryl Benacerraf, Steven Goldstein, Yvette Groszmann. Gynecologic Ultrasound: A Problem-Based Approach. 1st ed. Philadelphia: Saunders. p. 157, 2014.
9. Borgfeldt C., and Andolf E. Transvaginal sonographic ovarian findings in a random sample of women 25–40 years old. Ultrasound Obstet Gynecol 1999;13:345-50.
10. Bromley B., Shipp T.D., and Benacerraf B. Adenomyosis: sonographic findings and diagnostic accuracy. J Ultrasound Med 2000;19:529-34.
11. Burnett L.S. Gynecologic causes of the acute abdomen. Surg Clin North Am 1988;68:385-516.
12. Delvigne A., and Rozenberg S. Epidemiology and prevention of ovarian hyperstimulation syndrome (OHSS): a review. Hum Reprod Update 2002;8:559-77.
13. Dillon E.F., Feyock A.L., and Taylor K.J. Pseudogestational sacs: Doppler differentiation from normal or abnormal intrauterine pregnancies. Radiology 1990;176:359-64.
14. Dubela A.J. Diagnosis of endometriosis. Obstet Gynecol Clin North Am 1997;24:331-46
15. Dueholm M. Transvaginal ultrasound for diagnosis of adenomyosis: a review. Best Pract Res Clin Obstet Gynaecol 2006;20:569-82.
16. Dueholm M., and Lundorf E. Transvaginal ultrasond or MRI for diagnosis of adenomyosis. Curr Opin Obstet Gynecol 2007;19:505-12.
17. Ekerhovd E., Wienerroith H., Staudach A., et al Preoperative assessment of unilocular adnexal cysts by transvaginal ultrasonography: a comparison between ultrasonographic morphologic imaging and histopathologic diagnosis. Am J Obstet Gynecol 2001;184:48-54.
18. El-Yahia A.W. Laparoscopic evaluation of apparently normal infertile women. Aust N Z J Obstet Gynaecol 1994;34:440-42.
19. Fall M, Baranowski AP, Elneil S, Engeler D, et al. European Association of Urology. EAU guidelines on chronic pelvic pain. Eur Urol. 2010;57:35-48.
20. Fleischer A.C., Stein S.M., Cullinan J.A., et al. Color Doppler sonography of adnexal torsion. J Ultrasound Med 1995;14:523-8.
21. Friedman H., Vogelzang R.L., Mendelson E.B., et al. Endometriosis detection by US with laparoscopic correlation. Radiology. 1985;157:217-20.
22. Ganeshan A., Upponi S., Hon L.Q., et al. Chronic pelvic pain due to pelvic congestion syndrome: the role of diagnostic and interventional radiology. Cardiovasc Intervent Radiol 2007;30:1105-11.

23. Horrow M. Ultrasound of pelvic inflammatory disease. Ultrasound Q 2004;20:171-179.
24. Howard F.M. The role of laparoscopy in chronic pelvic pain: promise and pitfall. Obstet Gynecol Surv 1993;48:357-87.
25. Hudelist G, English J, Thomas AE, et al. Diagnostic accuracy of transvaginal ultrasound for non-invasive diagnosis of bowel endometriosis: systematic review and meta-analysis. Ultrasound Obstet Gynecol. 2011;37:257-63.
26. Jain K.A. Sonographic spectrum of hemorrhagic ovarian cysts. J Ultrasound Med 2002;21:879-86.
27. Karasick S., Lev-Toaff A.S., Toaff M.E. Imaging of uterine leiomyomas. Am J Roentgenol 1992;158:799-805.
28. Kuligowska E., Deeds L., and Lu K. Pelvic pain: overlooked and underdiagnosed gynecologic conditions. Radiographics 2005;25:3-20.
29. Levgur M., Abadi M.A.,Tucker A. Adenomyosis: symptoms, histology, and pregnancy terminations. Obstet Gynecol 2000;95:688-91.
30. Lev-Toaff A.S., Coleman B.G., Arger P.H., et al. Leiomyomas in pregnancy: sonographic study. Radiology 1987;164:375-80.
31. Lin E.P., Bhatt S., Dogra V.S. Diagnostic clues to ectopic pregnancy. Radiographics 2008;28:1661-71.
32. Maccagnano C, Pellucchi F, Rocchini L,et al. Diagnosis and treatment of bladder endometriosis: state of the art. Urol Int. 2012;89:249-58.
33. Mahmood T.A., and Templeton A. Prevalence and genesis of endometriosis. Hum Reprod 1991;6:544-9.
34. Mathias S.D., Kuppermann M., Liberman R.F., et al. Chronic pelvic pain: prevalence, health-related quality of life, and economic correlates. Obstet Gynecol 1996;87:321-27.
35. Mayer D.P., Shipilov V. Ultrasonography and magnetic resonance imaging of uterine fibroids. Obstet Gynecol Clin North Am 1995;22:667-725.
36. Park S.J., Lim L.W., Ko Y.T., et al. Diagnosis of pelvic congestion syndrome using transabdominal and transvaginal sonography. Am J Roentgenol 2004;182: 683-8.
37. Patel M.D., Feldstein V.A., Chen D.C., et al. Endometriomas: diagnostic performance of US. Radiology 1999;210:739-45.
38. Patten R.M., Vincent L.M., Wolner-Hanssen P., et al. Pelvic inflammatory disease. Endovaginal sonography with laparoscopic correlation. J Ultrasound Med 1990;9:681-89.
39. Pellerito J.S., Troiano R.N., Quedens-Case C., et al. Common pitfalls of endovaginal color Doppler flow imaging. Radiographics 1995;15:37-47.
40. Rawson J.M. Prevalence of endometriosis in asymptomatic women. J Reprod Med. 1991;36:513-5.
41. Reinhold C., Tafazoli F., Mehio A., et al. Endovaginal US and MR imaging features with histopathologic correlation. Radiographics 1999;19:S147-60.
42. Reinhold C., Tafazoli F., Wang L. Imaging features of adenomyosis. Hum Reprod Update 1998;4: 337-49.
43. Savader S.J., Otero R.R., and Savader B.L. Puerperal ovarian vein thrombosis: evaluation with CT, US, and MR imaging. Radiology 1988;167:637-9.
44. coutt LM. Sonographic evaluation of acute pelvic pain in women. In State-of- the-art emergency and trauma radiology: ARRS categorical course syllabus; 2008.:229–40.
45. Sheth S., Macura K. Sonography of the uterine myometrium: myomas and beyond. Ultrasound Clin 2007;2:267-95.
46. Stewart E.A. Uterine fibroids. Lancet 2001;357:293-8.
47. Timor-Tristsch I.E., Lerner J.P., Mongeagudo A., et al. Transvaginal sonographic markers of tubal inflammatory disease. Ultrasound Obstet Gynecol 1998;12:56-66.
48. Vercellini P, Somigliana E, Viganò P, et al. Chronic

pelvic pain in women: etiology, pathogenesis and diagnostic approach. Gynecol Endocrinol. 2009;25: 149-58.

49. Vercellini P, Viganò P, Somigliana E, et al. Medical, surgical and alternative treatments for chronic pelvic pain in women: a descriptive review. Gynecol Endocrinol. 2009;25:208-21.
50. Vercellini P., Parazzini F., Oldani S., et al. Adenomyosis at hysterectomy: a study on frequency distribution and patient characteristics. Hum Reprod 1995;10:1160-2.
51. Vercellini P., Vigano P., Somigliana E., et al. Adenomyosis: epidemiological factors. Best Pract Res Clin Obstet Gynaecol 2006;20:465-77.
52. Wallach E.E., and Vlahos N.F. Uterine myomas: an overview of development, clinical features, and management. Obstet Gynecol 2004;104:393-406.

자궁외임신

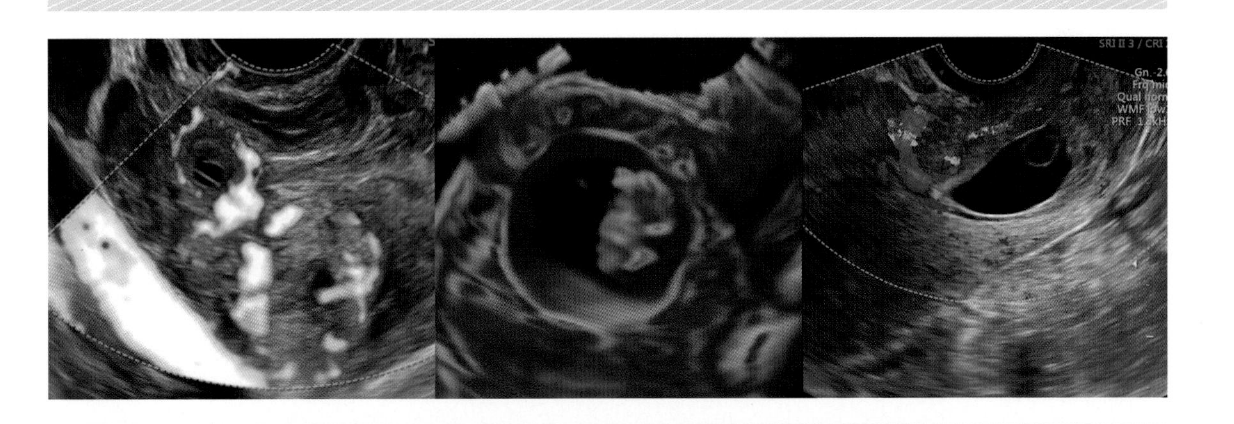

전종관_서울의대 산부인과
박미혜_이화의대 산부인과
오정원_서울의대 산부인과
이경아_경희의대 산부인과
이사라_이화의대 산부인과
정경아_이화의대 산부인과

자궁외임신

1 역학

자궁외임신이란 자궁 공간 내가 아닌 부위에 착상하는 것으로, 지난 30년 동안 증가 추세에 있으며 미국에서 발병률이 1970년대 0.5~1%에서 1990년 1.5~2.0%로 증가하였음(CDC, 1995). 이러한 증가 추세는 특히 보조생식술에 의한 임신과 같은 자궁외임신의 위험요인이 늘어나는 것과 관련이 있으며(Smith 등, 2013), 그 외 hCG 검사 및 초음파의 발달로 자궁외임신의 조기진단의 증가와 관련이 있음.

그러나 이러한 발병률의 증가함에도 조기진단으로 자궁외임신의 파열 전 치료가 가능해짐에 따라, 자궁외임신에 의한 사망률은 과거에 비해 매우 낮아졌으며 미국에서 2003년에서 2007년의 자궁외임신으로 인한 사망률은 십만 명당 0.5명이었음(Alkatout 등, 2013; Creanga 등, 2011). 그러나 조기진단 되지 않은 자궁외임신의 파열은 아직까지도 모성사망률의 6~9%를 차지하며 임신 초기에 모성사망과 관련된 주요 질환임(Hoover 등, 2010; Alkatout 등, 2013).

2 위험인자

자궁외임신의 위험 요인은 골반염, 자궁관 기형, 자궁관 성형술, 자궁관 절제술의 과거력, 보조생식술, 자궁내막증, 흡연, 자궁내피임장치 등이 있음.

이 중 가장 흔한 원인으로는 골반염에 동반된 난관염으로 이로 인해 이차적인 난관의 손상 및 반흔이 있던 위치에서 자궁외임신의 발생비율이 높음. 자궁관의 기형, 자궁관 성형술이나 절제술의 과거력이 있는 경우 역시 난관의 변형을 유발함으로써 위험 요인이 됨(Zane 등, 2002; Barnhart 등, 2009). 또한 체외수정(in vitro fertilization), 배아이식(embryo transfer)과 같은 보조생식술(assisted reproductive techniques) 역시 자궁외임신의 위험요인으로 난관의 손상 및 호르몬으로 인한 자궁, 난관 환경의 변화를 초래함(Muller 등, 2016). 한번 자궁외임신의 과거력이 있는 경우 다음 임신 시 재발률은 5~20%까지 증가함(Lozeau 등, 2005). 그러나 약 절반의 자궁외임신은 이와 같은 위험요인 없이도 발생하며 현재까지 그 원인은 불명확함(Barnhart 등, 2009).

3 자궁외임신의 종류

1) 자궁관임신(tubal pregnancy)

(1) 빈도

- 자궁외임신의 빈도는 전체 임신의 약 2%
- 자궁외임신의 95% 이상이 자궁관에 위치(팽대부 : 47-70%, 협부 : 14-21%) (Carson 등, 1993).

(2) 진단

① 증상

- 매우 다양함.
- 이차성 무월경, 복통을 동반한 불규칙하고 지속적인 질출혈(Lehner 등, 2000)
- 복막자극으로 인한 통증
- 출혈량이 많을 경우 혈액량 감소쇼크

② 병력청취(위험인자)

- 이전의 부인과 질환, 수술병력, 임신력, 이전의 부속기 염증 또는 자궁관 임신의 병력

③ 임신반응검사(Urine & Serum hCG)

- 임신반응검사 양성이며 골반통이나 질출혈

④ 초음파 소견

i) 부속기 종괴

- 내부에 난황낭이나 배아 확인
- 배아가 있다면 치료 방법의 선택을 위해 심박동을 확인
- 무음영성 낭종 : 자궁관 임신의 가능성 적음.

ii) 고음영의 고리구조(hyperechoic ring-like structure)(그림 11-1)

- 감별진단: 황체낭종. 얇은 벽을 가진 낭종이 난소 내에 보인다면 황체낭종일 가능성이 높으나 밖에 위치한다면 자궁관 임신일 가능성이 높음. 그 이유는 난소내자궁외임신은 모든 자궁외임신의 1% 미만일 정도로 드물기 때문임. 만약 위의 두 가지 진단이 감별되지 않는 상태에서 환자의 활력징후를 포함한 임상상태가 안정적이라면 초음파로 추적 관찰할 수 있음.

iii) 복잡 난소 외 부속기 종괴

- 고형이거나 고형 및 낭성이 혼합된 모습
- 자궁관의 팽대의 대부분은 임신산물에 의한 것이라기 보다는 자궁관벽과 내강으로의 출혈에 의해 야기됨(혈성자궁관).
- 감별진단 : 돌출성 황체낭종, 난소자궁관농양, 자궁관낭종, 유경성 자궁근종, 인접한 장 등

iv) 더글라스와 체액저류

- 많은 양의 체액이 있거나 복합체액이 존재할 경우(혈액을 시사함) 자궁관 임신을 의심할 수 있는 소견이나 이것이 필연적으로 자궁관의 파열을 시

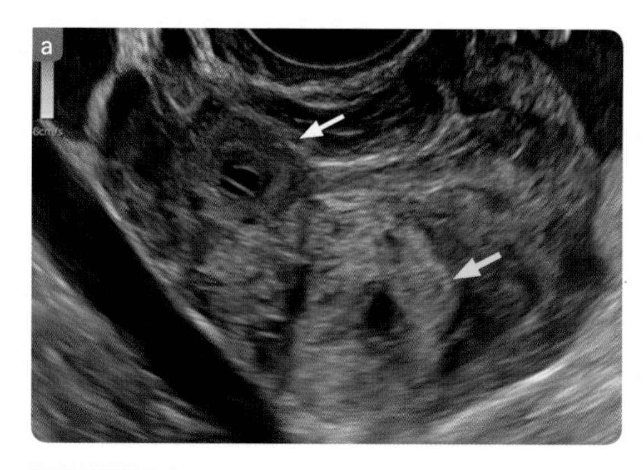

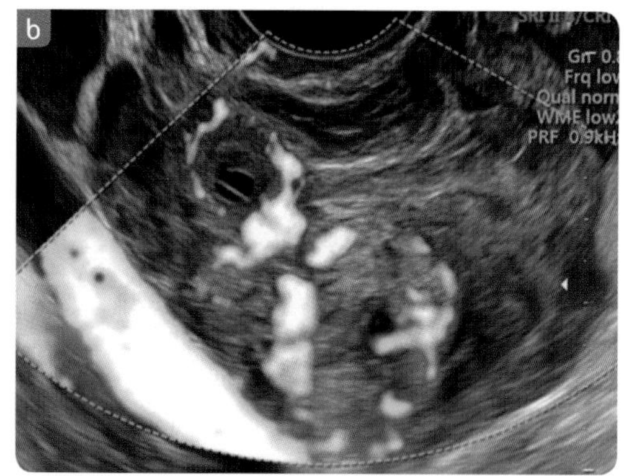

그림 11-1 자궁관 임신의 초음파 소견 (a) 난소 내 황체낭종(흰색 화살표)과 고음영 고리구조의 자궁관임신(노란색 화살표). (b) 두 구조 모두 종괴 주위로 고리모양의 혈류가 관찰되나 황체낭종의 경우 난소 내 위치해 있고 고음영의 정도도 자궁관임신의 경우보다 다소 덜함.

사하는 것이 아니기 때문에 특이적인 소견이라고 할 수는 없음(Atri 등, 1992; Frates 등, 1994; Nyberg 등 1991).

v) 거짓임신낭

- 호르몬변화로 인해 혈액이나 분비물이 축적됨.
- 자궁관임신 환자의 약 20%에서 발견됨(Marks 등, 1979).
- 감별진단 : 정상 임신낭과는 달리 내부에 난황낭이나 배아가 없고 이를 둘러싸는 이중 에코성 고리(double echogenic ring)가 없음.

vi) 색 또는 펄스 도플러 초음파

- 부속기 종괴 : 저저항 혈류
- 감별진단 : 저항지수(resistance index)가 자궁관임신과 황체낭종 사이에는 상당부분 중복
  → 도플러가 큰 도움이 되지는 않음(Pelleritio 등, 1992; Taylor 등, 1989).
- 색도플러는 : 비수술적인 요법이나 기대요법에 의한 치료반응을 감시하는데 있어 도움이 되는 조직의 생존여부를 판단하는데 이용됨.

* 자궁관임신의 15-35%까지 질초음파로 부속기 종괴가 확인되지 않기 때문에 종괴가 보이지 않는다고 해서 자궁외임신을 배제하기는 곤란함 (Frates 등, 1994; Nyberg 등, 1991; Russell 등, 1993).

⑤ 자궁외임신 진단의 알고리듬(그림 11-2)

- 정확한 진단을 위해서는 hCG와 경질초음파 및 임상양상을 통합적으로 고려해야함.

(3) 치료

① 기대요법

- 경질초음파에서 임신낭이 보이지 않거나 자궁외임신을 의심할만한 부속기 종괴가 관찰되지 않고
- hCG 농도가 200 mIU/mL 이하로 낮고 감소하는 추세일 때

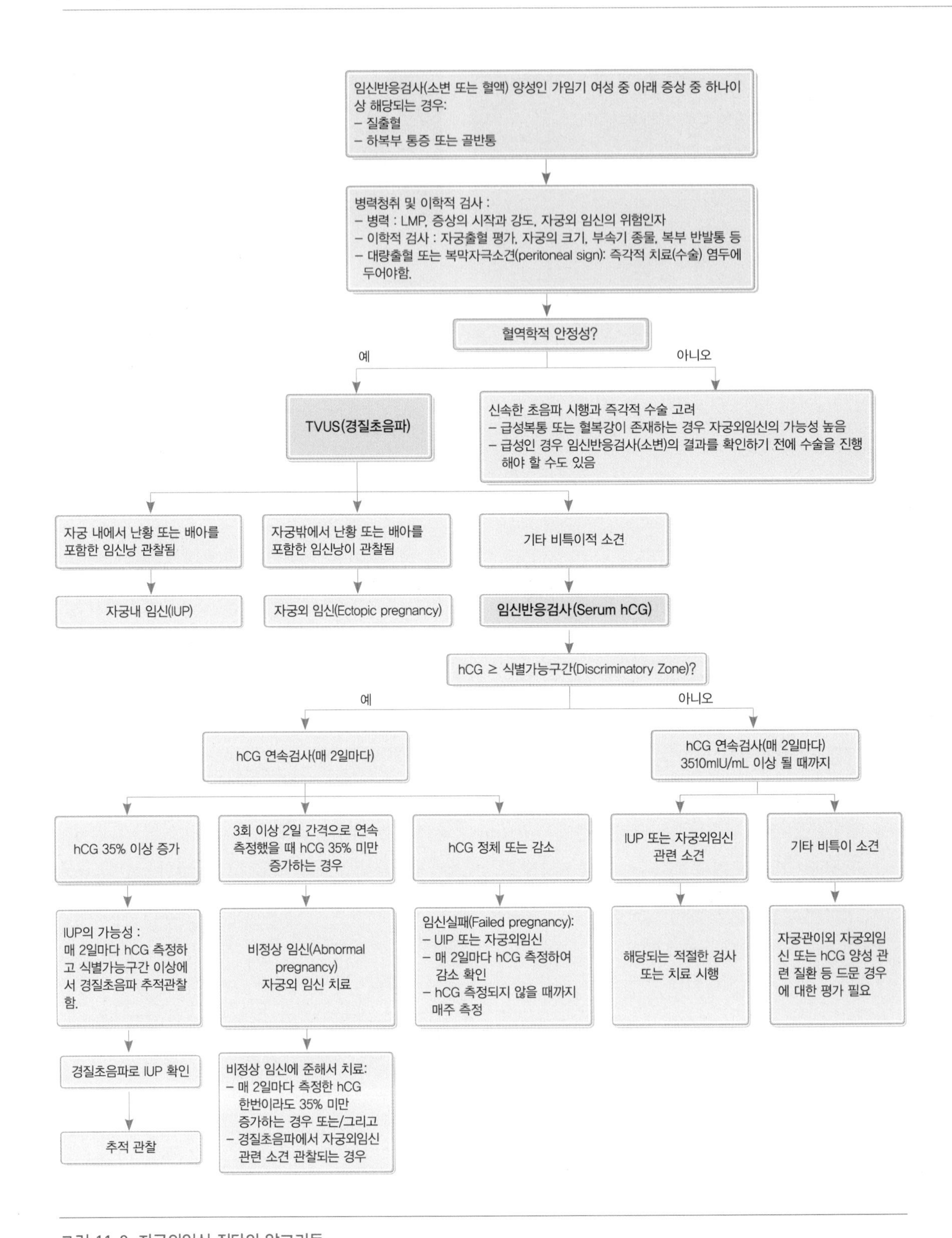

그림 11-2 자궁외임신 진단의 알고리듬.

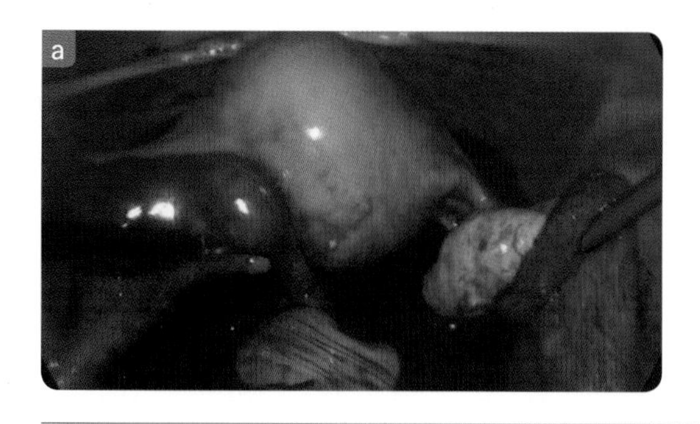

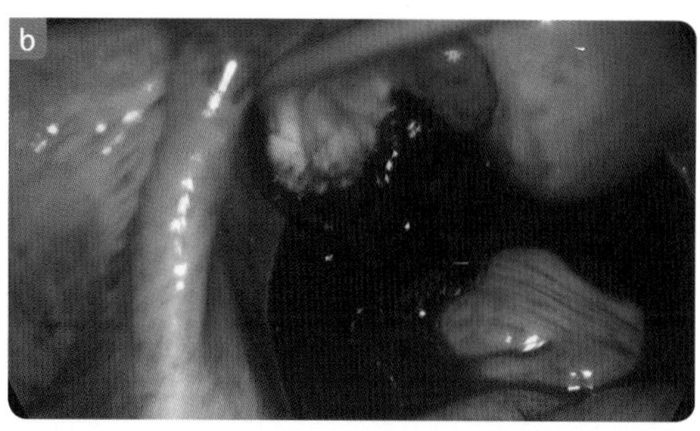

그림 11-3 좌측 자궁관임신의 복강경 소견. (a) 복강 내 다량의 출혈과 좌측 난관이 임신물로 인해 팽대된 모습 관찰되며, (b) 더글라스와 체액저류와 함께 난소와 난관 개구부 주위 혈종이 관찰됨.

② 약물요법(메토트렉세이트[Methotrexate])

- 전신 투여
- 국소 주입술

③ 수술 : 개복 수술 또는 복강경 수술(그림 11-3)

- 난관개구술, 난관절제술

(4) 경과 및 합병증

- 대량 출혈로 혈역학적 쇼크 상태가 되어 치명적일 수 있음.

2) 난관자궁부분(자궁각) 임신 [interstitial (cornual) pregnancy]

수정란이 난관과 자궁 사이 연결 부분에 착상되는 자궁외임신. 자궁각임신은 쌍각 자궁(bicornuate uterus) 또는 중격 자궁(septate uterus)의 자궁각에 착상된 임신을 정의하나 난관자궁부분 임신의 의미로 혼용됨.

(1) 빈도

- 자궁외임신의 약 2.4%로 흔하지 않음.

(2) 진단

① 증상

- 자궁각 부위는 난소동맥과 자궁동맥이 문합을 이루는 풍부한 혈관 밀집조직임. 자궁관이 자궁근층으로 둘러싸여 자궁으로 이행하므로 난관자궁부분에 착상이 되면 임신낭이 자궁근층으로 보호되어 다른 부위의 난관 임신보다 더 오래 지속됨. 결국 융모가 자궁각 부위의 혈관을 침범하여 파열 시 다량의 출혈 및 쇼크 현상을 일으킬 수 있음.

② 병력청취(위험인자)

- 골반염, 자궁기형, 난관 성형술, 난관 절제술의 과거력, 보조생식술 등 다른 자궁외임신의 발생 위험 요인과 유사

③ 자궁각임신의 진단은 초기에는 자궁내임신과 감별진단이 어려움. 임상 증상, 혈중 β-hCG, 초음파로 진단을 시도하며 필요한 경우는 자궁소파

술, 복강경으로 진단

④ 초음파 소견(그림 11-4)

i) Trimor-Tritsch 등의 자궁각임신을 진단할 수 있는 질식 초음파 소견

a. 자궁강은 비어 있음.

b. 임신낭은 자궁강의 가장 외측 부위에서 1cm 이상 떨어져서 보임.

c. 임신낭을 둘러싼 얇은(<5 mm) 자궁근층

- 이러한 소견들은 수술적, 병리학적 진단과 비교시에 특이도(88-93%)는 높으나 민감도(대략 40%)가 낮음.

ii) 간질 선 징후(interstitial line sign)

- 자궁내강으로부터 난관자궁부분 또는 임신낭까지 연결된 음영선이 존재하는 경우
- 진단의 민감도는 80%, 특이도는 98%

⑤ 최근에는 3차원 또는 4차원 입체초음파 및 전산화 단층촬영(그림 11-5), 자기공명영상 등의 도입으로 자궁각임신을 보다 빨리, 정확하게 진단할 수 있게 되었음에도 불구하고 여전히 자궁 내 임신과 감별진단이 어려워 혈복강으로 응급 수술시에 진단이 되는 경우가 많음.

(3) 치료

- 환자의 전신상태, 향후 임신에 대한 기대, 임신기간과 자궁근층의 침범 정도에 따라 달라짐.

① 약물요법(메토트렉세이트[Methotrexate])

- 조기 발견 되어 환자의 상태가 혈역학적으로 양호하고 향후 임신을 원하는 경우에 사용 가능
- 1회 또는 다회 요법으로 주사

② 초음파 또는 복강경 감시 하에 소파술 시행

③ 수술적 치료

- 과거에는 개복하여 자궁각 절제술 시행
- 최근에는 미세침습술 발달로 복강경 또는 로봇을 이용한 자궁각 절제술 및 결손부위 복원수술(그림 11-6)

(4) 경과 및 합병증

- 대량 출혈로 혈역학적 쇼크 상태가 되어 치명적일 수 있음.
- 사망률이 2–2.5%로 난관 임신의 0.14%에 비해 약 15배

3) 제왕절개반흔 임신 (cesarean scar pregnancy, CSP)

(1) 빈도

- 제왕절개분만이 증가하면서 최근에 급격히 증가
- 제왕절개분만을 했던 산모 2,000명당 1례

(2) 진단

① 무통성 질출혈이 있을 수 있음.

② 이전 제왕절개분만 병력(횟수가 많아질수록 더 위험함)

③ 초음파 소견(Timor-Tritsch 등, 2012, 이 등, 2006)

i) 자궁강 및 자궁경관에 임신낭(gestational sac)이 보이지 않음.

ii) 태반 혹은 임신낭이 제왕절개반흔에 붙어있음.

iii) 임신 8주 이내에는 제왕절개반흔 부위에 삼각형 모양으로 보이다가 그 이후에는 원형으로 변한다.

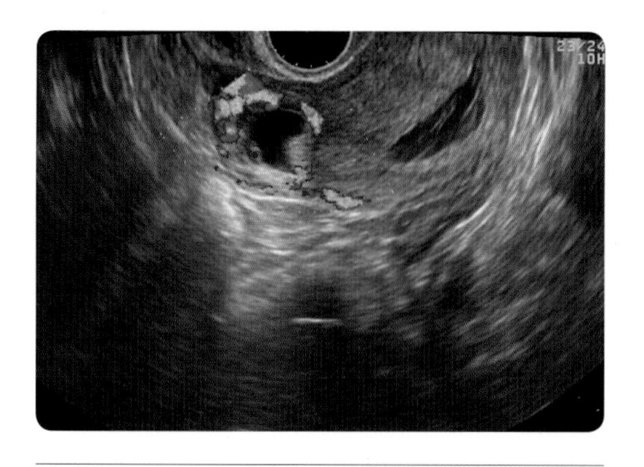

그림 11-4 자궁각임신의 질식 초음파. 비어있는 자궁내강과 그로부터 1 cm 이상 떨어진 난관자궁 사이 부위에서 색도플러로 강한 혈류가 관찰되는 임신낭 소견.

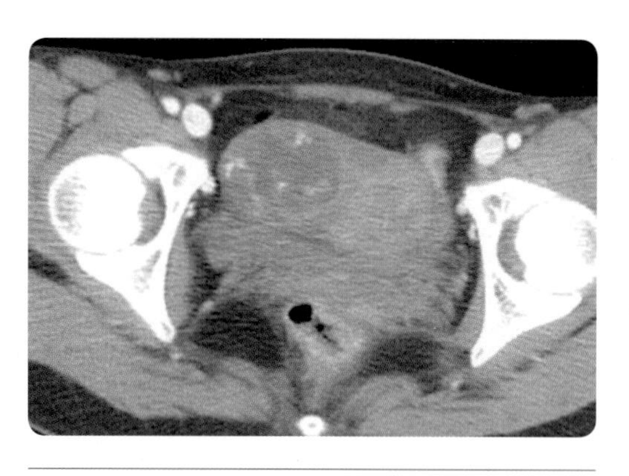

그림 11-5 복부-골반 전산화 단층촬영. 우측 자궁각에 위치한 임신낭 주변 혈관이 현저하게 조영 증강된 소견.

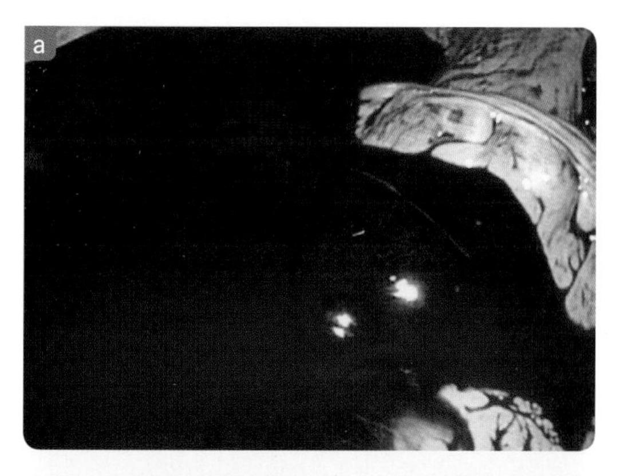

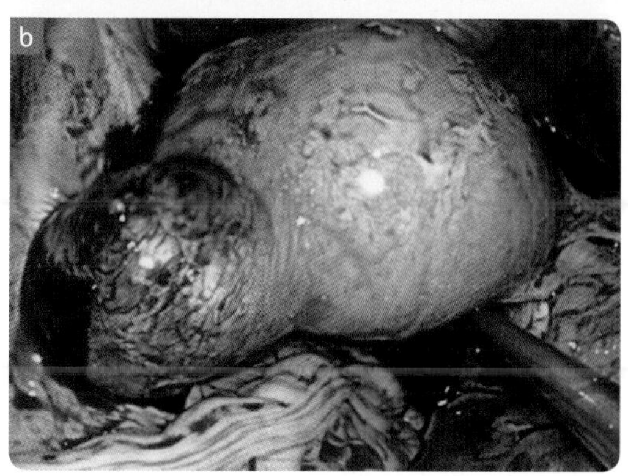

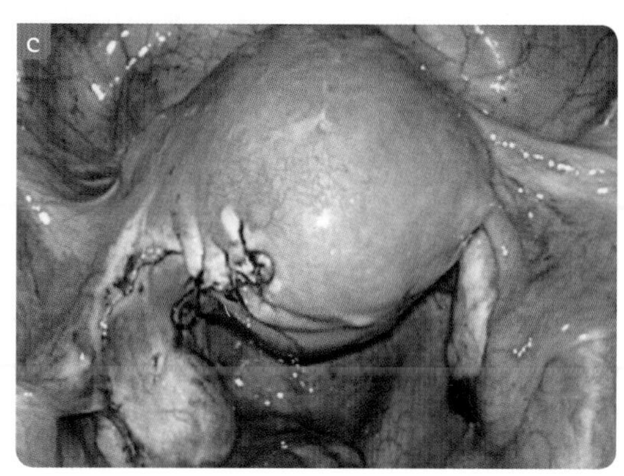

그림 11-6 복강경 소견. (a) 혈복강 소견. (b) 파열된 좌측 자궁각임신 소견. (c) 좌측 자궁각임신 절제술 및 봉합과 좌측 난관 절제술 시행 후 소견.

iv) 임신낭과 방광 사이에 자궁근육이 매우 얇거나 (1~3 mm) 없음(그림 11-7).

v) 임신낭내 배아/태아/난황(yolk sac)이 자리하고 있다. 심장 박동이 있을 수 있음.

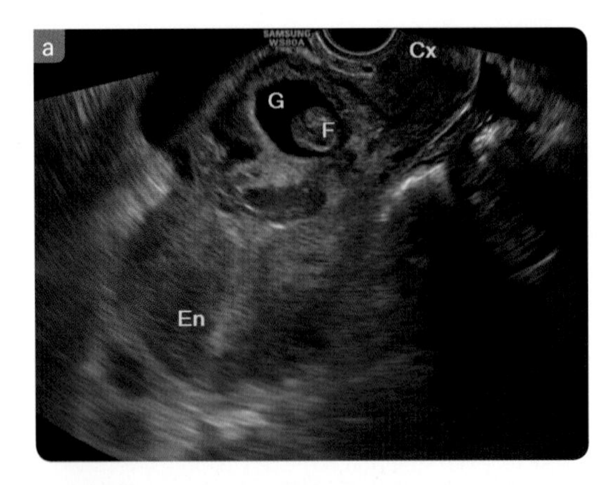

그림 11-7 제왕절개반흔 임신의 초음파 소견. (a) 질식초음파에서 정상적인 자궁내막(En)과 자궁경관(Cx)이 확인되고 제왕절개반흔 부위에 임신낭(G)과 태아 머리(F)가 보임. (b) 임신낭(G) 주위로 현저한 파워도플러 혈류증가 및 방광(Bl)과 임신낭 사이는 자궁근층이 없는 얇은 막(화살표)으로 되어 있음. (c). 복벽초음파 소견으로 자궁저부 및 임신낭, 방광과의 관계를 보여주며 팽창된 임신낭으로 인해 모래시계모양의 자궁형태를 보임.

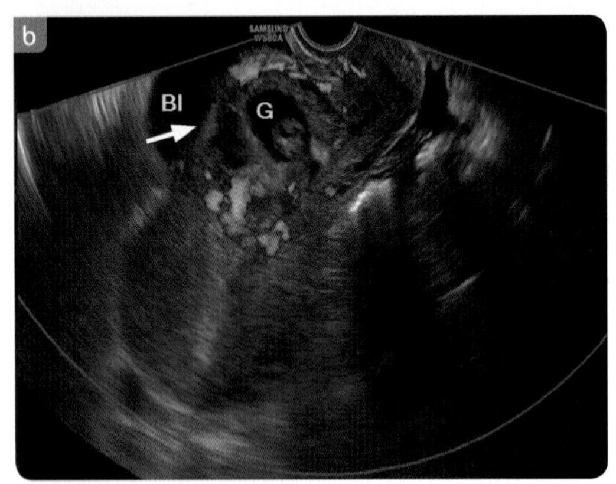

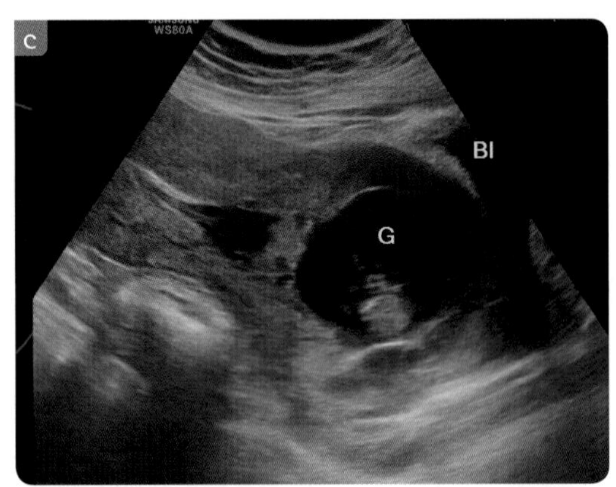

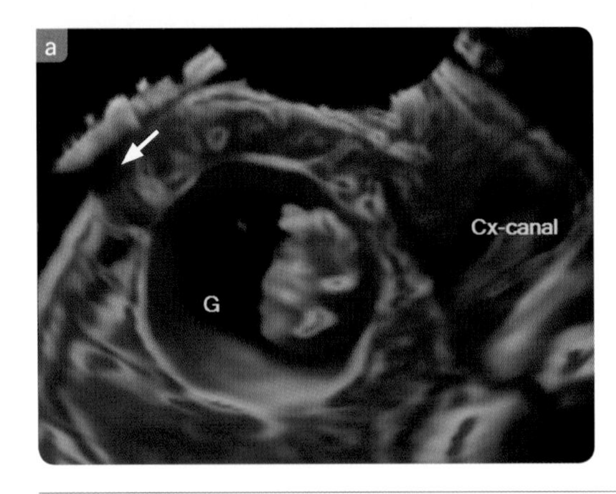

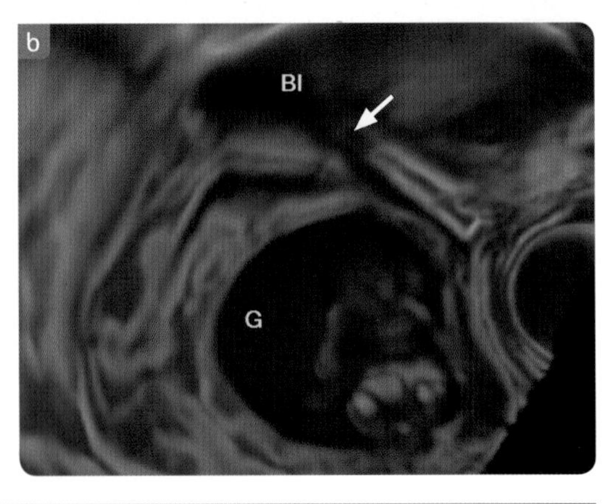

그림 11-8 크리스탈 뷰 기능을 이용한 제왕절개반흔 임신의 3차원 초음파. (a) 제왕절개반흔의 결손부위(화살표)와 정상적 자궁경관(Cx-canal)이 보이며 태반 및 임신낭(G)이 절개반흔에서 확인됨. (b) 3차원 초음파에서 방광(Bl) 밑의 제왕절개반흔(화살표)에 착상한 임신낭(G) 속에 12주의 태아가 확인된다.

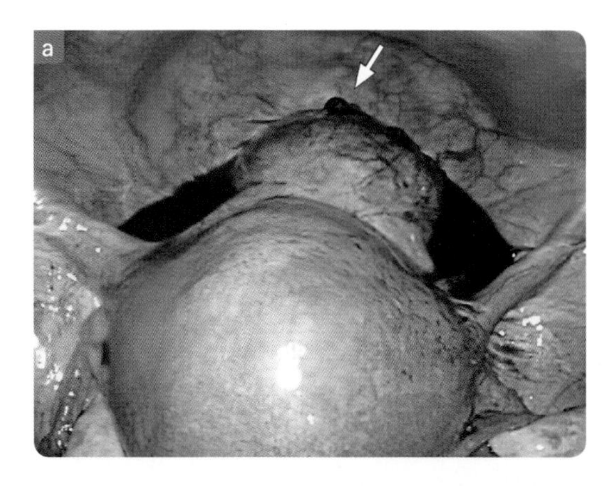

그림 11-9 제왕절개반흔 임신의 복강경 소견. (a) (b) 자궁하부에 혈관이 과증식된 팽창된 임신낭이 보이며 제왕절개반흔에 태반(화살표) 및 복강내출혈을 동반하여 자궁파열이 임박한 제왕절개반흔 임신소견. (c). 복강경용 포셉이 닿자 마자 자궁이 파열되며 과다한 출혈과 함께 튀어나온 임신 12주 크기의 태아.

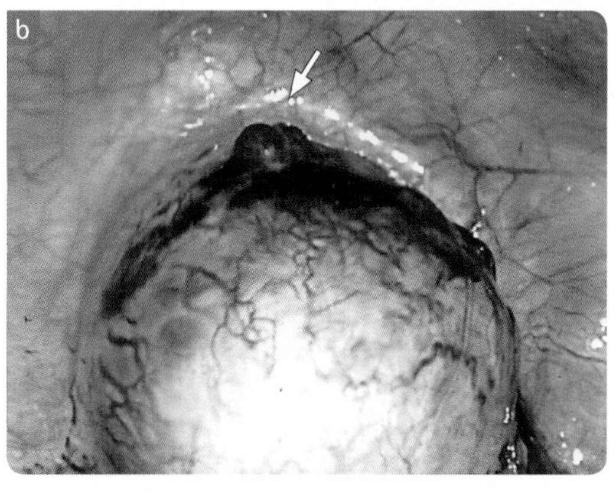

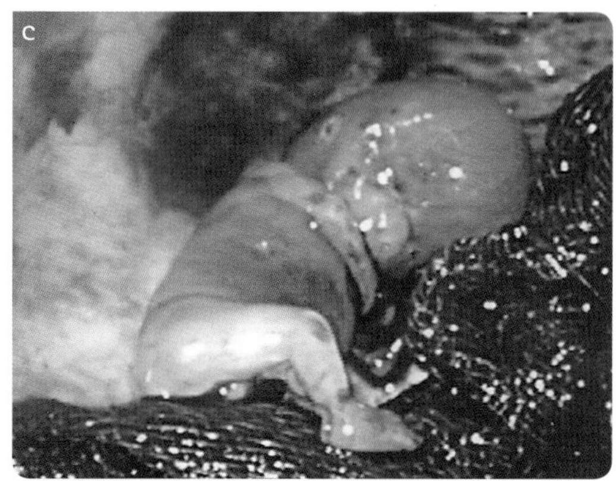

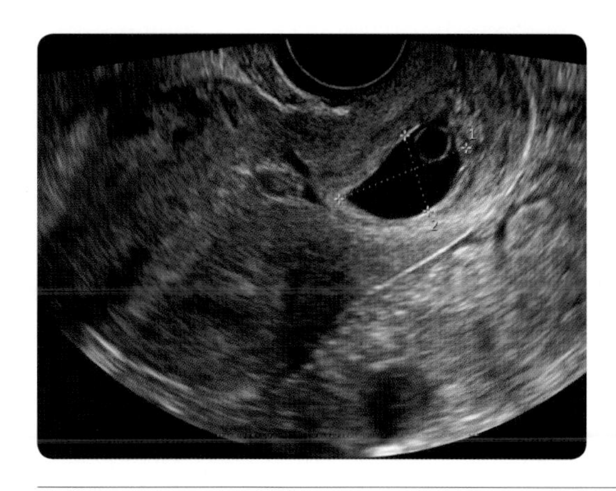

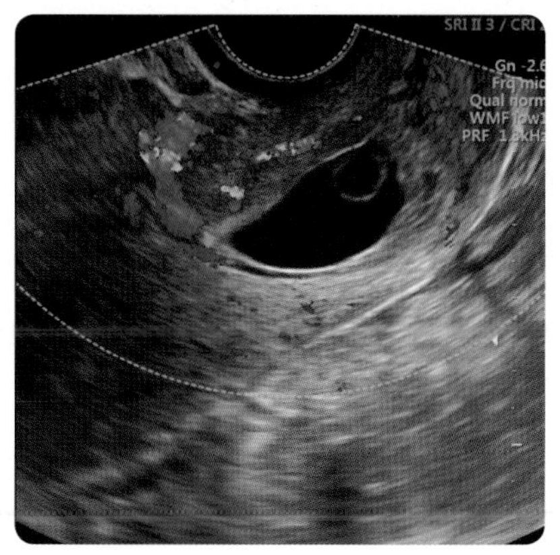

그림 11-10 자궁경관임신. 난황난을 포함하는 임신낭이 자궁경관의 뒤쪽 자궁경부에 매몰되어 보임, 색도플러초음파에서 임신낭주변에 발달된 혈관이 확인됨.

vi) 제왕절개반흔 위치 혹은 그 주변에 뚜렷한 혈관 형성을 보임.

(3) 치료(Gonzalez & Tulandi, 2017)

i) Methotrexate (MTX) 주사. 국소 혹은 전신 자궁동맥색전술을 시술 전 혹은 후에 같이 하기도 함.
ii) 자궁경 : 자궁강 쪽으로 커지는 경우
iii) 복강경 : 복강 쪽으로 커지는 경우
iv) 개복 수술(exploratory laparotomy)

4) 자궁경부임신(cervical pregnancy)

(1) 빈도

자궁외임신의 1% 미만을 차지함.

(2) 진단

① 증상: 질출혈, 하복부통증이 있을 수 있음.
② 초음파소견(조 등, 2005) (그림 11-10)
  i) 자궁경부내 임신낭 혹은 혈종이 보이며 태아가 보인다. 심장박동이 있을 수 있음.
  ii) 자궁은 모래시계 모양을 하고 있고 자궁경부 내구 부위가 좁아져 있으며 임신낭은 자궁경부내구 아래에 위치하고 있음.
  iii) 임신낭은 자궁경부의 한쪽으로 치우쳐져서 직선의 자궁경관내막이 밀린 모양을 보임.
  iv) 임신낭은 주위에 고에코성 띠를 두른 원형 혹은 난형으로 보임.
  v) 자연유산된 상태의 임신이 자궁경부에 걸려 있을 경우와 감별진단을 해야 함. 감별에는 이동 징후(sliding sign) (Jurkovic 등, 1996)이 도움이 될 수 있음. 이동 징후는 질초음파를 보면서 자궁경부를 밀어서 임신낭이 같이 움직이면 자궁경부에 걸린 자연임신일 가능성이 높고 그렇지 않으면 자궁경부에 착상된 임신일 가능성이 높음.

(3) 치료

대량 출혈에 따른 자궁적출술의 위험이 있을 수 있다. 일차적으로 MTX 치료를 사용할 수 있으며 단일 혹은 중복 투여로 60~90%까지 성공률을 보고하고 있다. 아래 여러 방법을 복합적으로 사용할 수 있음.

① MTX 주사. 국소 혹은 전신
  임신 9주가 지났거나 beta hCG>10,000 mIU/mL, 두정둔부길이(CRL)>10 mm, 태아심작박동이 있으면 성공률이 떨어짐.
② 자궁동맥색전술(uterine artery embolization)
③ 자궁동맥결찰술(ligation of uterine arteries)
④ 자궁경부봉축술(cervical cerclage)
⑤ 풍선삽입술(balooning)

5) 이소성임신(heterotopic pregnancy)

(1) 빈도

자연임신 주기에서는 30,000명당 1명의 빈도로 발생한다고 하였으나 최근에는 7,000명당 1명의 빈도로 증가하였다는 보고도 있음. 체외수정으로 임신이 되면 1%까지도 발생하며 이식하는 배아의 수가 증가하면 높아짐(DeVoe 등, 1948; Svare 등, 1993).

(2) 진단

① 증상

- 자궁 내 정상 임신이 확인된 상태에서 갑자기 질

출혈, 심한 하복부통증

- 자연 유산된 뒤 지속적으로 hCG가 떨어지지 않음.

② 초음파 소견

i) 자궁강내 정상 임신

ii) 자궁외임신의 초음파소견

(3) 치료

자궁 내 정상 임신을 유지하는 상태에서 자궁외임신 치료법을 쓸 수 있지만 MTX 사용은 정상 임신에 영향을 미칠 수 있으므로 피하는 것이 좋음.

6) 기타

복강임신(abdominal pregnancy), 흔적자궁각임신(rudimentary horn pregnancy), 난소임신(ovarian pregnancy) 등도 있을 수 있으나 빈도는 매우 적음.

참 고 문 헌

1. 이정한 김성희 이정은 외. 제왕절개 반흔 부위에 발생한 자궁외 임신의 복강경 수술 1예. Obstet Gynecol Sci 2006;49:2012-17.
2. 조현희, 배시윤, 변승원 외. H_2O_2 자궁경관 세척을 이용한 자궁경관 임신의 보존적 치료. Obstet Gynecol Sci 2005;48:2238-46.
3. Ackerman TE, Levi CS, Dashesfsky SM, et al. Interstitial line; Sonographic findings in interstitial cornual) ectopic pregnancy; Radiology 1993;189;83-7.
4. Alkatout I, Honemeyer U, Strauss A, et al. Clinical Diagnosis and Treatment of Ectopic Pregnancy. Obstet Gynecol Surgery 2013;68;571-81.
5. Atri M, de Stempel J, Bret PM. Accuracy of transvaginal ultrasonography for detection of hematosalpinx in ectopic pregnancy. J Clin Ultrasound 1992; 20:255-61.
6. Barnhart KT. Ectopic pregnancy. N Engl J Med 2009; 361:379–87.
7. Bouyer J, Coste J, Fernandez H, et al. Sites of ectopic pregnancy: a 10year population-based study of 1800 cases. Hum Reprod 2002;17:3224-30.
8. Carson SA, Buster JE. Ectopic pregnancy. N Engl J Med 1993;329:1174-81.
9. CDC. Ectopic pregnancy-United States, 1990–1992. Morb Mortal Wkly Rep 1995;27;44:46–8.
10. Chou MM, Tseng JJ, Yi YC, et al. Diagnosis of an interstitial pregnancy with 4-dimensional volume contrast imaging. Am J Obstet Gynecol 2005;193; 1551-3.
11. Creanga AA, Shapino-Mendoza CK, Bish CL, et al. Trends in ectopic pregnancy mortality in the United STATES: 1980-2007. Obstet Gynecol 2011;117:837-43.
12. DeVoe RW, Pratt JH. Simulataneous intrauterine and extrauterine pregnancy AJOG 1948;56:1119-26.
13. Filhastre M, Dechaud H, Lesnik A, et al. Interstitial pregnancy role of MRJ. Eur Radiol;15:93-5.
14. Frates MC, Brown DL, Doubilet PM, et al. Tubal rupture in patients with ectopic pregnancy: diagnosis with transvaginal US. Radiology 1994;191: 769-72.
15. Gonzalez N, Tulandi T. Cesarean Scar Pregnancy: A Systematic Review J Minim Invasive Gynecol Available online 6 March 2017.
16. Hoover KW, Tao G, Kent CK. Trends in the diagnosis and treatment of ectopic pregnancy in the United States. Obstet Gynecol 2010;115:495-502.
17. Izquierdo LA, Nicholas MC, Three-dimensional transvaginal sonography of interstitial pregnancy. J Clin Ultrasound 2003;31:484-7.

18. Jurkovic D, Hacket E, Campbell S. Diagnosis and treatment of early cervical pregnancy: a review and a report of two cases treated conservatively. Ultrasound Obstet Gynecol 1996;8:371-2.
19. Lau S, Tulandi T. Conservative medical and surgical management of interstitial ectopic pregnancy. Fertil Steril 1999; 72: 207–15.
20. Lehner R, Kucera E, Jirecek S, et al. Ectopic pregnancy Arch Gynecol Obstet 2000;263:87-92.
22. Lozeau AM, Potter B. Diagnosis and management of ectopic pregnancy. Am Fam Physician 2005;72: 1707-14.
23. Marks WM, Filly RA, Callen PW, et al. The decidual cast of ectopic pregnancy: a confusing ultrasonographic appearance. Radiology 1979;133: 451-4.
24. Muller V, Makhmadalieva M, Kogan I, et al. Ectopic pregnancy following in vitro fertilization: meta-analysis and single-center experience during 6 years. Gynecological Endocrinology 2016;32:69-74.
25. Nyberg DA, Hughes MP, Mack LA, et al. Extrauterine findings of ectopic pregnancy of transvaginal US: importance of echogenic fluid. Radiology 1991;178: 823-6.
26. Pellerito JS, Taylor KJ, Quedens-Case C, et al. Ectopic pregnancy: evaluation with endovaginal color flow imaging. Radiology 1992;183:407-11.
27. Rock JA, Jones HW. TeLinde's Operative Gynecology. 9th ed. Philadelphia; Lippincott Williams & Wilkins; 2003;527-8.
28. Russell SA, Filly RA, Damato N. Sonographic diagnosis of ectopic pregnancy with endovaginal probes: what really has changed? J Ultrasound Med. 1993; 12:145-51.
29. Smith LP, Oskowitz SP, Dodge LE, et al. Risk of ectopic pregnancy following day-5 embryo transfer compared with day-3 transfer. Reprod Biomed Online 2013;27:407–13.
30. Svare J, Norup P, Grove Thomsen S Heterotopic pregnancies after in-vitro fertilization and embryo transfer: a Danish survey. Human Reprod 1993;8: 116-8.
31. Taylor KJ, Ramos IM, Feyock AL, et al. Ectopic pregnancy: duplex Doppler evaluation. Radiology 1989; 173:93-7.
32. Timor-Tritsch IE. Monteagudo A. Materna C, et al. Sonographic evaluation of cornual pregnancies treated without surgery. Obstet Gybecol 1992;79: 1044-9.
33. Timor-Tritsch IE, Monteagudo A, Santos R, et al. The diagnosis, treatment, and follow-up of cesarean scar pregnancy. Am J Obstet Gynecol 2012;207:44. e1-13.
34. Zane SB, Kieke BA Jr, Kendrick JS, et al. Surveillance in a Time of Changing Health Care Practices: Estimating Ectopic Pregnancy Incidence in the United States. Maternal and Child Health J 2002;6:227–36.

불임 영역의 초음파

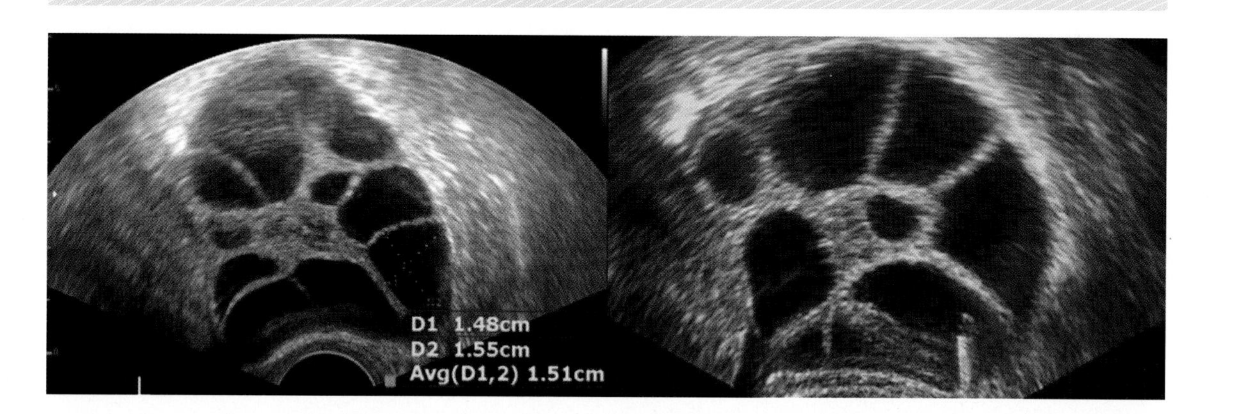

서창석_ 서울의대 산부인과
김슬기_ 서울의대 산부인과
김 훈_ 서울의대 산부인과
이정렬_ 서울의대 산부인과

12 불임 영역의 초음파

1 난포의 감시(Follicular monitoring)

초음파는 불임증의 진단, 치료 그리고 보조생식술 분야에서의 많은 발달 및 변화에 기여함. 특히 자연 배란주기에서는 물론 배란유도 및 과배란유도 주기에서의 난포감시가 보다 용이하고도 정확해져 배란유도 및 과배란유도가 보다 활성화될 수 있었음. 이같이 자연배란주기 및 배란유도주기에서 난포감시에 절대적인 역할을 수행하는 초음파 검사 방법에 대해 알아보고자 함.

1) 동난포수(antral follicle count)

(1) 동난포수의 임상적 의의

① 항뮬러관호르몬(anti-Mullerian hormone), 나이와 함께 난소예비능을 가장 잘 반영하는 표지자임(Broekmans 등, 2010).

i) 동난포수는 체외수정시술 주기동안 성선자극호르몬 주사에 대한 반응을 예측하는 데에 이용됨.

ii) 동난포수는 난소예비능의 질적인 측면이 아니라 양적인 측면을 반영함.

iii) 동난포수는 성선자극호르몬 주사 후 채취되는 난자의 숫자와 밀접하게 연관이 있으나, 임신 결과와는 연관성이 높지 않음.

② 가임 연령이 증가함에 따라 동난포수는 일년에 0.35-0.95씩 감소함(Almog 등, 2011).

(2) 동난포수의 측정

① 월경주기 제 2-4일 사이에 직경 2-10 mm 난포의 개수를 측정함.

② 최근들어 저에코성 구조물을 자동으로 인지하

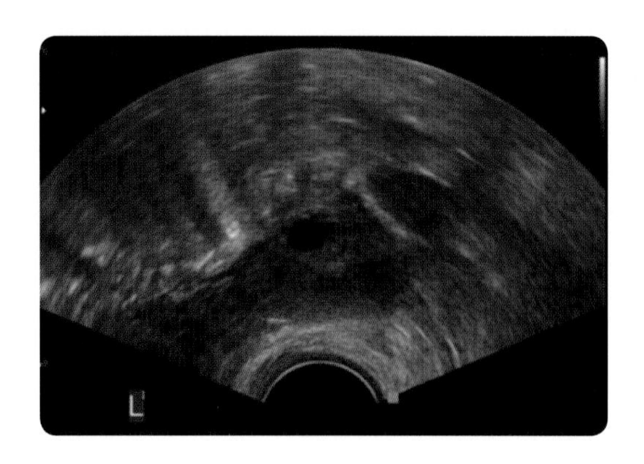

그림 12-1 월경주기 제 3일에 난소예비능이 저하되어 있는 환자의 질초음파 소견. 좌측 난소에서 1개의 동난포가 관찰되고 있음.

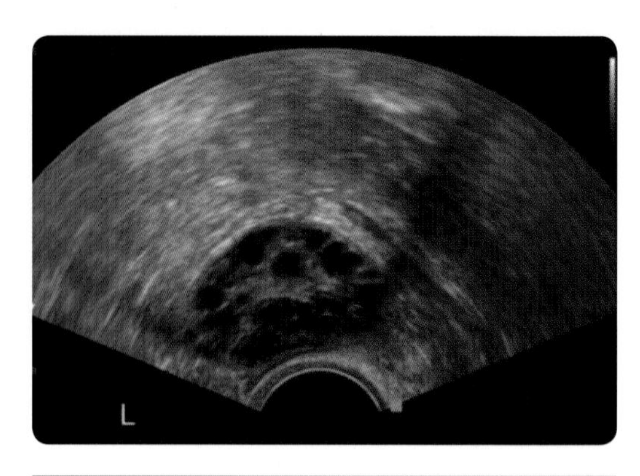

그림 12-2 월경주기 제 3일에 다낭성난소증후군 환자의 질초음파 소견. 좌측 난소에서 12개 이상의 동난포가 관찰되고 있음.

는 3D 초음파를 이용하여 난포의 용적과 개수를 간편하게 측정할 수 있게 됨.

(3) 동난포수와 난소 예비능 사이의 관계

① 한 쪽 난소에서 관찰되는 동난포수가 적을 경우 난소의 예비능이 저하되어 있을 가능성이 높음 (그림 12-1).

② 한 쪽 난소에서 관찰되는 동난포수가 12개 이상이라면 다낭성난소증후군의 가능성이 높음(그림 12-2).

i) 다낭성난소증후군으로 진단하기 위한 난소의 형태적 기준은 난소 용적이 10 cm^3을 넘어야 하고, 직경이 2-9 mm인 난포가 한 쪽에 12개 이상 존재해야 함.

ii) 양쪽 난소 중 하나만이라도 위와 같은 기준을 만족한다면 다낭성난소증후군으로 진단될 수 있는 조건을 충족함.

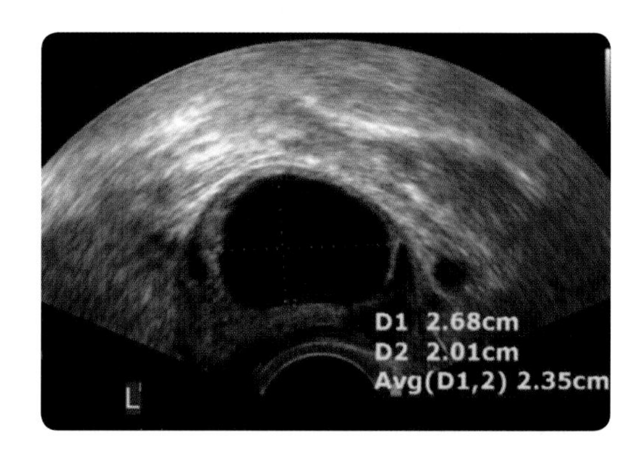

그림 12-3 난포 크기의 측정.

2) 난포 크기 측정 방법(그림 12-3)

(1) 난포의 가장 좋은 하나의 단면을 선택한 후 횡축의 직경과 이에 대해 90도 위치에 놓이는 종축의 직경을 측정한 후 이 둘의 평균을 난포 평균 직경으로 간주함.

(2) 난포의 단면에서 그 최대 직경을 측정함에 있어 난포단면의 내경 즉 난포벽의 두께를 제외한 난포의 직경을 측정하는 것이 원칙임.

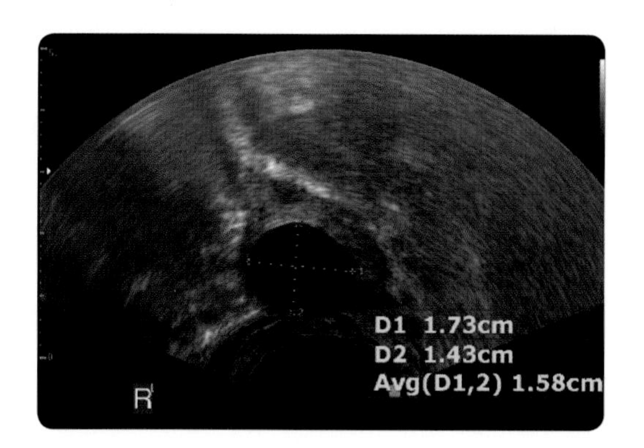

그림 12-4 월경주기 제 12일 질초음파에서 우측 난소에 평균 직경 15.8 mm 크기의 우성 난포가 관찰됨.

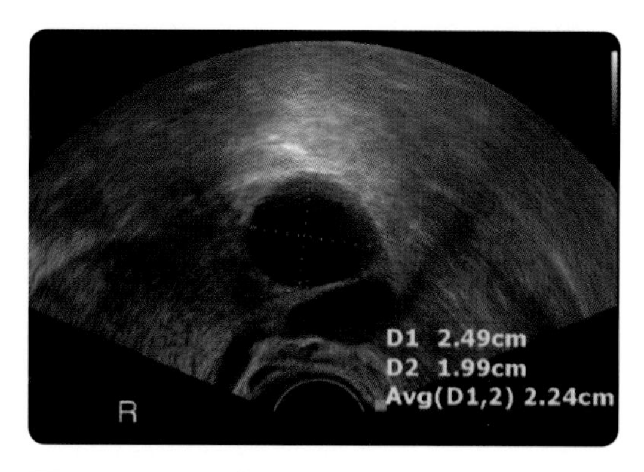

그림 12-5 월경주기 제 3일 질초음파에서 우측 난소에 평균직경 22.4 mm 크기의난소 낭종이 관찰됨.

3) 자연주기

(1) 우성 난포의 출현

난소 과자극을 하지 않은 자연주기에서 우성 난포는 주로 월경주기 제 8일에서 12일 사이에 동원된 난포 집단으로부터 출현함(그림 12-4).

(2) 우성 난포의 성장

선택된 우성 난포는 배란일까지 하루에 평균 직경이 1에서 1.4 mm 정도 성장함.

(3) 황체형성호르몬 급증(surge)

- 난포크기가 직경 20-24 mm에 이르면 황체형성호르몬 급증이 일어남.
- 월경주기가 28일로 규칙적인 여성에서 일반적으로 월경주기 제 13일에서 14일 사이에 일어남.

(4) 월경시작일 직후 질식초음파에서 기저 난소 낭종의 존재(그림 12-5)

① 기전

- 고령의 가임기 여성은 기저 난포자극호르몬의 농도가 증가되어 있음.
- 이전 주기의 황체기에 난포 동원(follicular recruitment)이 시작되어 월경 기간동안 이미 난포가 성장함.
- 난포기의 길이가 짧아지고 그 결과 전체 주기의 길이가 짧아짐.

② 기저 난소 낭종의 의의

i) 감소된 난소 예비능을 반영

ii) 난소 과자극 주기의 불량한 예후인자

(5) 황체의 형성

배란 후 난포의 크기가 줄어들며 황체로 변화함. 황체는 주위 혈류량이 많아 색조 도플러에서 특징적인 'ring of fire' 소견을 보임(그림 12-6).

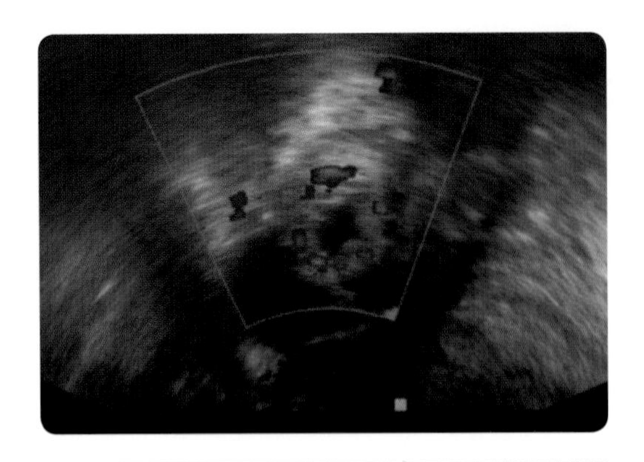

그림 12-6 질식초음파에서 관찰되는 황체 낭종. 낭종 주위에 혈류량이 증가되어 특징적인 ring of fire 소견을 보이고 있음.

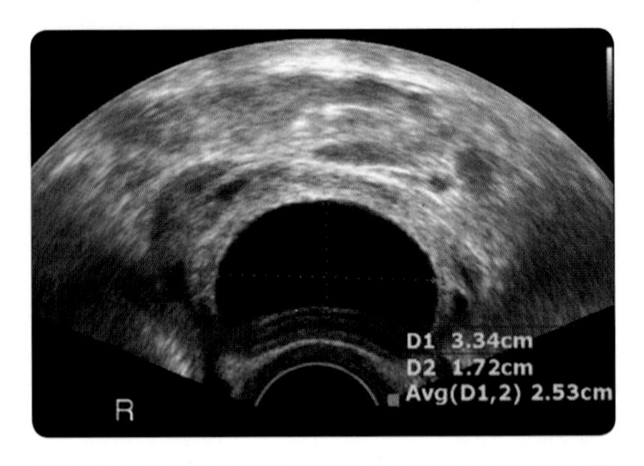

그림 12-7 Clomiphene citrate를 복용한 뒤 월경주기 제 14일에 시행한 질초음파 소견. 평균직경 25.3 mm의 난포가 관찰되며 사람 융모성 성선자극호르몬을 투약하여 난자성숙을 유도(triggering)함.

4) 비체외수정시술 주기

(1) 경구 배란 유도제를 사용한 주기

① Clomiphene citrate와 letrozole 같은 경구 배란 유도제를 사용하는 주기에서 초음파의 역할

i) 배란 kit를 사용하여 배란을 예측하기 힘든 환자에서 초음파를 시행해야 함.

ii) 초음파 관찰을 통하여 적절한 시기에 배란을 triggering하여 time intercourse나 인공수정의 시점을 잡는데 도움이 됨.

② 난자성숙유도(Triggering)를 시행하는 최적의 난포크기

일부는 18에서 22 mm, 다른 연구에서는 23에서 28 mm이 더 좋은 결과를 보였다고 보고함(Costello MF 등, 2006) (그림 12-7).

③ 경구 배란유도제가 자궁내막에 미치는 영향

수차례 시도에서 임신에 실패한다면 주기의 중간에 초음파를 시행하여 자궁 내막두께가 얇다면 추후 약제의 변경을 고려(그림 12-8)

(2) 성선자극호르몬 주사를 사용한 주기

① 난포성장속도

i) 자연주기에서의 난포 성장 속도에 비하여 더 빠름.

ii) 매일 직경이 평균 1.7에서 2 mm 정도 성장

iii) 이를 고려하여 성선자극호르몬 자극 기간동안 초음파 모니터링의 간격을 결정

② 다수 난포의 발달은 난소과자극증후군과 다태임신의 위험을 증가시킴.

i) 난소가 과자극되어 다수의 난포가 발달(그림 12-9)하면 주기를 취소하거나 체외수정시술로 전환하여야 함.

ii) 일반적으로 평균 직경 ≥ 15 mm 이상 난포가 4개 이상 관찰되면 주기를 취소하거나 체외수정시술로 전환

③ 다태임신

i) 성선자극호르몬 주사를 사용한 주기의 흔한 합병증

ii) 15%에서 20% 정도 발생

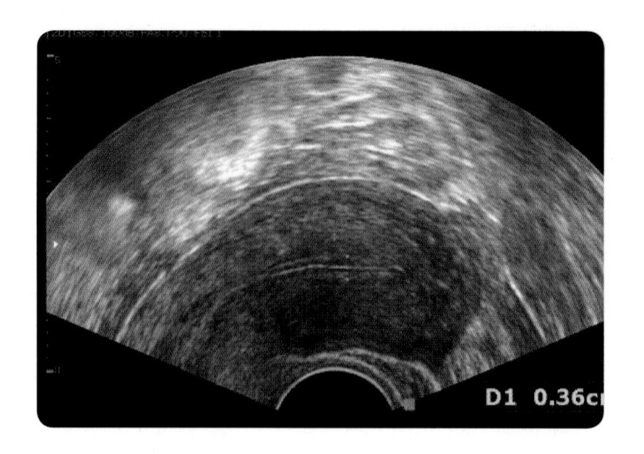

그림 12-8 경구 배란유도제인 clomiphene citrate를 복용하였으나 2차례 임신에 실패한 환자의 월경주기 제 13일 질초음파 소견. 자궁내막두께가 3.6 mm로 얇게 관찰됨.

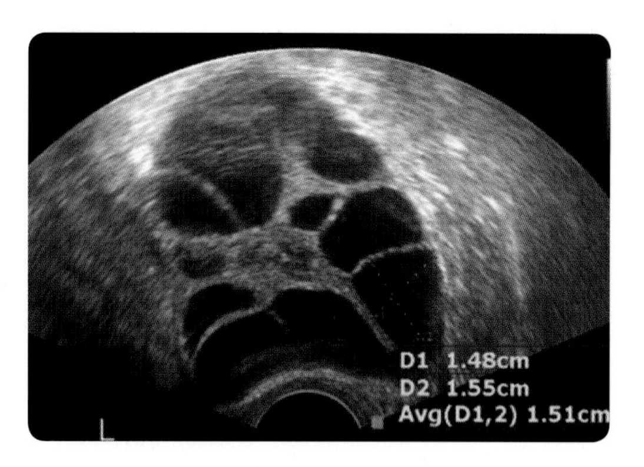

그림 12-9 성선자극호르몬 주사를 사용하여 난소과자극을 시행한지 8일째 시행한 질초음파. 좌측 난소에서 평균직경 15.0 mm 이상의 난포가 5개 이상 관찰되며, 체외수정시술로 전환함.

iii) 최근 미국의 통계자료에 의하면 체외수정시술 주기와 비교하였을 때 비체외 수정시술 주기에서 쌍태임신의 확률은 비슷하였으며, 삼태임신 이상의 다태임신의 확률은 오히려 더 높았음(Kawwass 등, 2013).

5) 체외수정시술 주기

(1) 체외수정시술 시에 난포의 발달을 초음파로 추적관찰하는 것은 난자 회수를 극대화하고, 성숙된 난자를 채취하는데 도움을 줌으로써 성공적인 결과를 얻는데 중요함(Wittmaack 등, 1994).

(2) 체외수정시술 시 초음파의 역할
① 과도한 난포발달을 확인하여 약제의 용량을 줄이거나 주기를 취소함으로써 난소과자극증후군을 예방
② 특정한 약제의 투여시기를 결정하고, 약제의 용량을 조절하는데에 중요한 역할
③ 난자성숙도에 대한 정보를 제공

(3) 난포의 크기와 난자 회수율 사이의 상관관계
① 난포 직경이 18에서 20 mm 사이일 때 난자 회수율이 가장 높음(83.5%).
② 이러한 이유로 선도 난포의 직경이 18 mm 이상이 되었을 때 사람 융모성 성선자극호르몬을 투약하여 난자의 최종 성숙을 유도

6) 난포의 혈류량(vascularity)

(1) 난포의 혈류량 차이가 난자 질에 영향을 미치는지에 대해서는 보고들마다 결과가 상이함.
(2) 체외수정시술 주기에서 대부분의 난포(65% 이상)는 혈류량이 풍부함. 일반적으로 크기가 큰 난포는 혈류량이 더 풍부함.
(3) 따라서 단순히 난포의 크기를 재는 것에 더하여 난포의 혈류량를 추가적으로 측정하는 것이 결

과를 예측하는데 도움이 되는지는 아직까지 논란이 있음(Costello 등, 2006).

7) 3D 초음파를 이용한 난포감시

(1) 3D 초음파를 이용하여 측정한 난포용적
① 2D 초음파로 측정한 난포용적에 비하여 더 정확난포의 모양이 완전한 구가 아닐 경우 2D 초음파로 난포용적을 측정하였을 때 3.5 ml 용적이 과평가되거나 2.5 ml 용적이 저평가됨(Amer 등, 2003).
② 2D 초음파로 측정한 난포직경에 비해 채취된 성숙난자의 숫자를 더 잘 예측함(Yavas 등, 2009)
(2) 사람 융모성 성선자극호르몬을 투약하는 최적의 시점을 잡는데 기존의 2D 초음파보다 유리함(Shmorgun 등, 2010).
(3) 그러나 아직까지 난소과자극 기간동안 3D 초음파를 이용하여 난포를 감시하는 표준적인 지침이 마련되어 있지 않음.

2 자궁내막의 평가(Endometrial assessment)

불임 시술 후 성공적인 임신을 위해서는 양질의 배아 뿐만 아니라 착상을 위해 수용적인 자궁내막(receptive endometrium)도 중요함. 자궁내막의 수용성을 평가하는 방법으로 조직학적 혹은 분자생물학적 방법이 있으나, 이를 위해서는 침습적인 자궁내막생검이 필요하므로 치료 주기에는 적용할 수 없음. 자궁내막의 수용성을 평가하는 비침습적인 검사로서 초음파의 역할에 대해 연구가 활발하게 진행되었음. 특히 초음파로 측정한 자궁내막두께, 자궁내막 음영, 자궁 혈류량과 임신과의 관련성에 대해 중점적으로 살펴볼 필요가 있음.

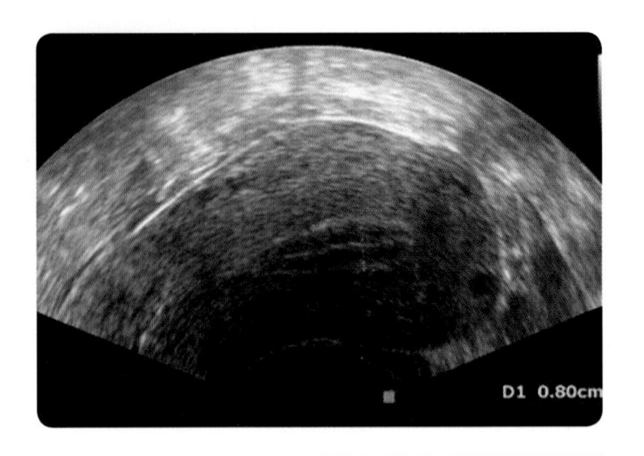

그림 12-10 자궁내막두께의 측정.

1) 자궁내막 두께

(1) 초음파로 측정한 자궁내막 두께
- 관찰자내 그리고 관찰자간 변이가 적은 쉽고 객관적인 지표
- 자궁기저부에서 1 cm 떨어져서 시상단면에서 측정
- 한쪽 내막-근층 접합부에서 다른쪽 내막-근층 접합부까지 가장 두꺼운 두께를 측정(그림 12-10).

(2) 월경주기에 따른 변화
① 월경일 끝날 무렵에 가장 얇음(그림 12-11).
② 증식기 동안 점차 두꺼워져 저에코의 삼층상(trilaminar) 형태를 띠며 통상적으로 4에서 10

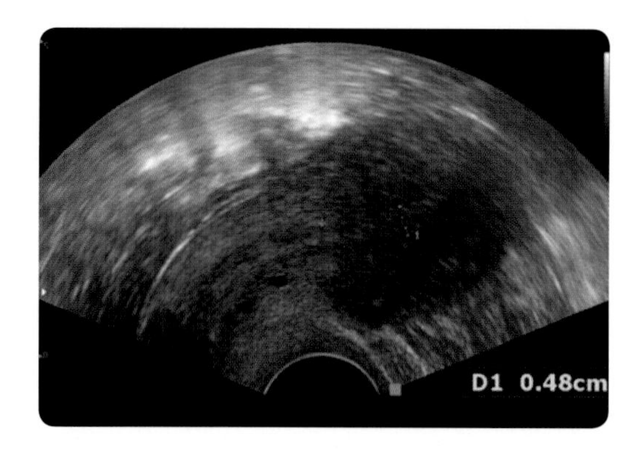

그림 12-11 월경주기 제 6일에 측정한 자궁내막두께.

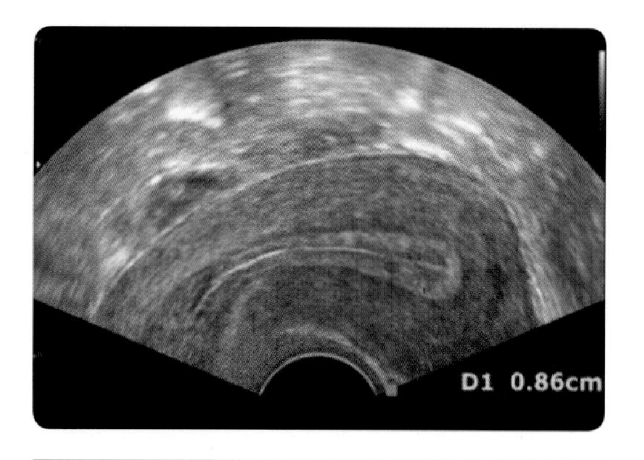

그림 12-12 월경주기 제 13일에 측정한 자궁내막두께. 8.6 mm로 두꺼워져 있으며 저에코의 삼층상(trilaminar) 형태를 띠고 있음.

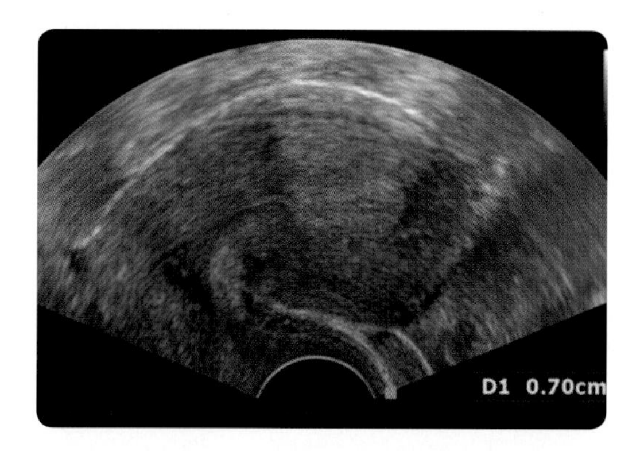

그림 12-13 월경주기 제 21일에 측정한 자궁내막두께. 7 mm로 측정되며, 균일한 에코를 띠고 있음.

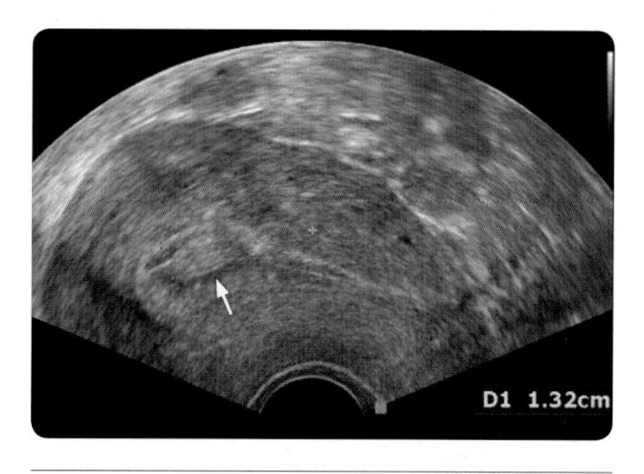

그림 12-14 자궁내막용종으로 인하여 자궁내막이 실제보다 두껍게측정됨.

mm에 이름(그림 12-12).

③ 배란 후 두께가 통상적으로 7에서 14 mm에 이르며 프로게스테론의 영향으로 균일한 에코를 띠게 됨(그림 12-13).

(3) 체외수정시술 주기의 자궁내막

① 자연주기에 비하여 자궁내막의 두께가 더 두꺼움(De Geyter 등, 2000).

② 과자극의 기간, 사람 융모성 성선자극호르몬 투약일의 estradiol 농도와 양의 상관관계를 보이며, 환자의 나이와 음의 상관관계를 보임(Noyes 등, 1995; Sher 등, 1991).

③ 자궁내막용종이나 내막하 자궁근종이 있는 경우 실제보다 두껍게 측정될 수 있음(그림 12-14).

④ 자궁내막유착(Asheman syndrome)이 있는 경우 실제보다 얇아 보이기도 함(그림 12-15).

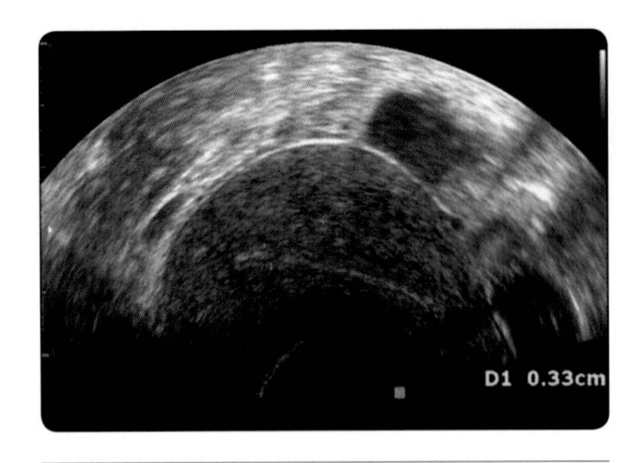

그림 12-15 자궁내막유착으로 인하여 자궁내막이 실제보다 얇게 측정됨.

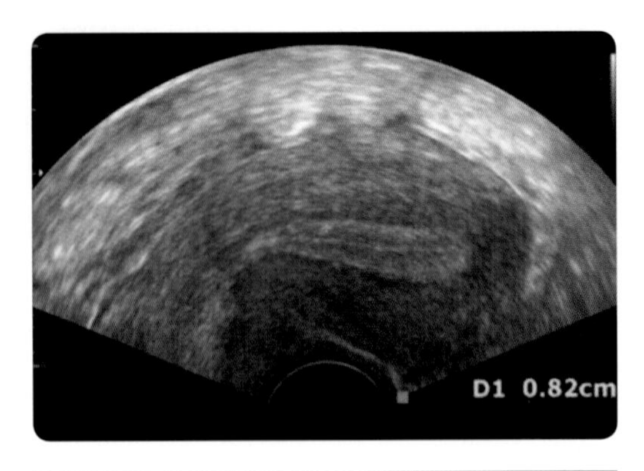

그림 12-16 체외수정시술 주기 월경 제 12일째 질초음파로 측정한 자궁내막두께. 8.2 mm로 정상 두께를 보였으나 임신에 성공하지 못하였음.

2) 체외수정시술 후 임신율의 예측인자로서 자궁내막두께의 유용성

(1) 정상 자궁내막두께의 특이도 및 양성예측도

① 21%에서 45% 사이로 낮음.

② 정상 자궁내막두께를 보이는 주기라도 임신에 성공하지 못하는 경우가 더 많음(그림 12-16).

(2) 얇은 자궁내막두께(<6 mm)의 음성예측도

① 87%에서 100% 사이로 비교적 높음(Gonen 등 1990; Gonen 등, 1989; . Coulam 등 1994).

② 그러나 4 mm의 얇은 자궁내막두께를 보이는 주기라 하더라도 임신이 보고된 바 있으므로, 자궁내막의 수용성을 단순히 두께만으로 설명할 수는 없음.

(3) 얇은 자궁내막두께를 보이는 경우(그림 12-17)

① 체외수정시술을 받는 여성의 약 2%(Noyes 등, 1995).

② 신선배아이식과 동결배아이식의 임신율이 현재

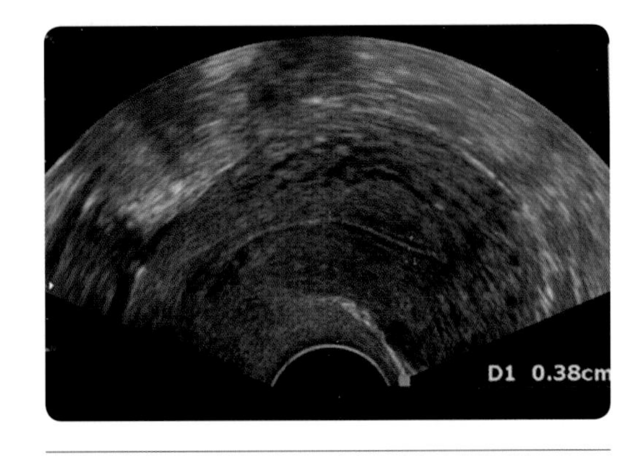

그림 12-17 체외수정시술 주기 월경 제 14일째 질초음파로 측정한 자궁내막두께. 3.8 mm로 얇은 자궁내막두께를 보이고 있음.

동일하므로, 이식을 연기하고 배아를 동결한 후 다음 주기에 이식하는 것을 권고

3) 자궁내막 음영 패턴과 체외수정시술 결과

(1) 자궁내막 음영의 평가시기

① 일반적으로 사람 융모성 성선자극호르몬 투

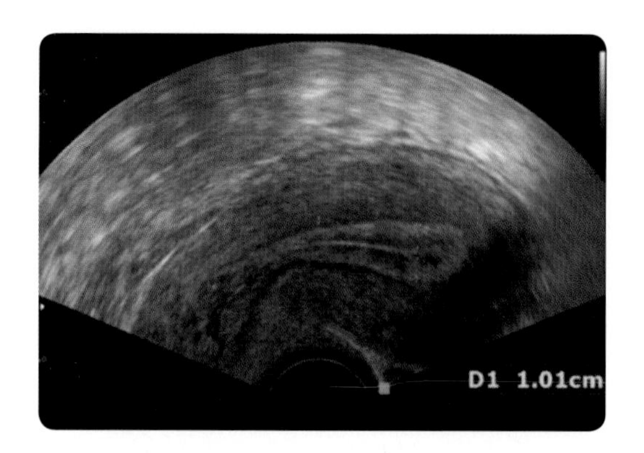

그림 12-18 체외수정시술 주기 사람 융모성 성선자극호르몬 투약일에 시행한 질초음파 소견. 자궁내막 음영이 다층적 저에코의 삼층상(trilaminar)를 띠고 있음.

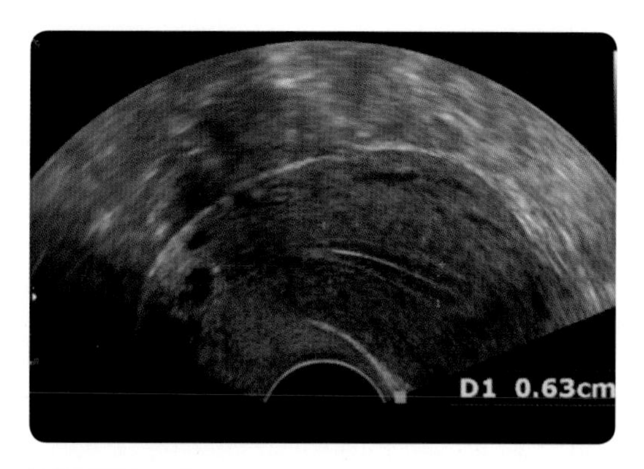

그림 12-19 외인성 여성호르몬을 사용하여 자궁내막을 준비하는 인공주기 배아이식. 외인성 경구 에스트로겐 투약 12일째 자궁내막두께가 6.2 mm로 측정되어 프로게스테론질정 투약을 시작하고 6일째 해동한 포배기 배아를 이식함.

약일에 평가함.

② 최적의 패턴은 다층적 저에코의 삼층상(trilaminar)임(그림 12-18).

(2) 자궁내막 음영 패턴은 자궁내막두께보다 더 주관적인 소견임.

(3) 양성 그리고 음성예측도가 낮다고 보고하고 있어 임상적 유용성에 대해서는 논란이 있음(Shara 등, 1999).

4) 자궁 혈류량과 체외수정시술 결과

(1) 자궁혈류량의 임피던스가 증가할수록 체외수정시술 시 임신율이 감소하게 됨(Fanchin 등, 2001).

(2) 혈류량의 측정 시기

① 사람 융모성 성선자극호르몬 투약일, 난자채취일, 배아이식일 등으로 다양

② 각 시기 모두 비슷한 예측도를 보임.

(3) 박동지수(pulsatility index)

① 불량한 자궁내막 수용성을 예측하는데 이용

② 임계치는 2.5에서 3.3

(4) 그러나 최근 전향적연구에 의하면 난자채취일에 도플러 초음파로 측정한 자궁동맥 및 나선동맥의 박동지수가 착상을 예측하지 못하는 것으로 밝혀짐(Schild 등, 2001).

(5) 자궁혈류량의 측정은 아직까지 연구가 진행되고 있으며, 자궁내막 수용성을 평가하는데 임상적으로 빈번하게 사용되고 있지는 않음.

5) 동결배아이식 주기에서 자궁내막의 평가

- 공여난자 수증사를 대상으로 자궁내막 수용성을 예측하는 인자로서 자궁내막두께의 유용성에 대해 연구가 이루어짐.
- 공여난자는 보통은 여성에서 받게 되므로 난자와 배아질이 임신에 미치는 영향을 통제하고 자궁내막의 영향을 보다 객관적으로 평가 가능

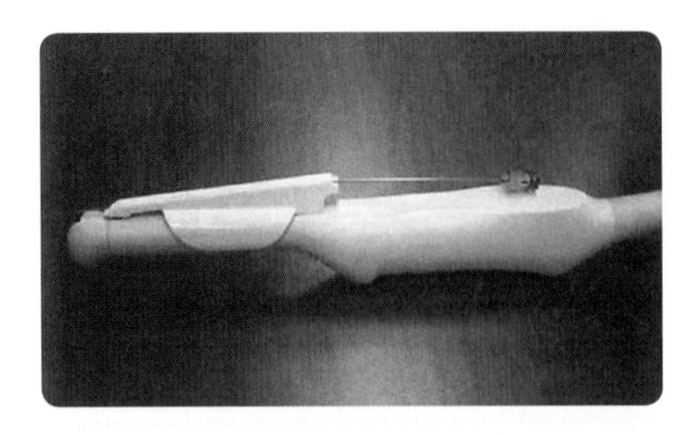

그림 12-20 질식 초음파 탐촉자에 세침유도장치를 부착한 모습

(1) 공여난자 수증자의 자궁내막두께에 따른 임신율(Noyes 등, 2001)
   ① ≥9 mm 일 때, 임신율 68%
   ② ≤8 mm 일 때, 임신율 50%
   ③ <6 mm 일 때, 임신율 20%
(2) 외인성 여성호르몬을 사용하여 자궁내막을 준비하는 인공주기 배아이식에서 자궁내막 두께가 6 mm이면 자궁내막 수용성이 확보되었다고 판단하고 이식을 진행(그림 12-19).

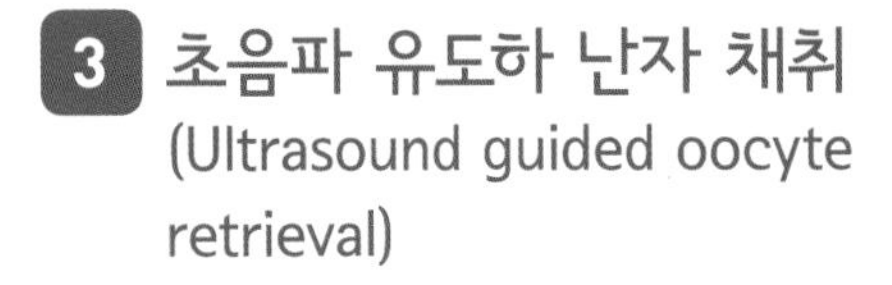

3 초음파 유도하 난자 채취 (Ultrasound guided oocyte retrieval)

- 과거에는 복강경을 이용하여 전신마취 하에 난포를 흡인 천자하여 난자를 채취하였으나, 1980년대 중반 이후에는 거의 모든 경우에서 초음파 유도하 난자 채취 방법을 사용하고 있음. 외래에서 정맥내 진정마취 또는 근육 주사를 통한 국소마취 하에 시행할 수 있음.

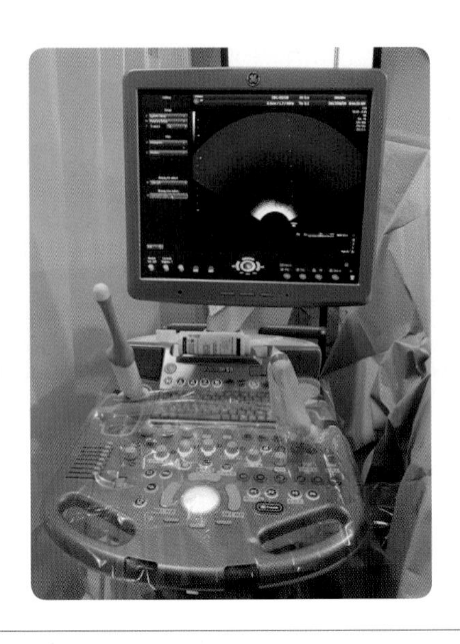

그림 12-21 질초음파 유도 하 질식 난자 채취를 위해 준비된 초음파의 모습

- 초음파 유도하 난소 흡입에는 몇 가지 방법이 있는데, 질초음파를 이용한 질식 흡인(transvaginal aspiration)이 가장 흔하게 사용됨.

1) 질초음파 유도 하 질식 난자 채취

(1) 가능한 방광내 소변이 과도하게 차지 않도록 도뇨관을 이용하여 시술 전 방광을 비워주어야 함.
(2) 초음파 탐촉자에 무균의 젤을 포함한 콘돔을 씌우고 소독된 세침유도장치를 부착시켜 사용하는데, 이는 바늘이 탐촉자의 빔이 지나가는 길과 수평으로 들어갈 수 있도록 해줌(그림 12-20, 그림 12-21).

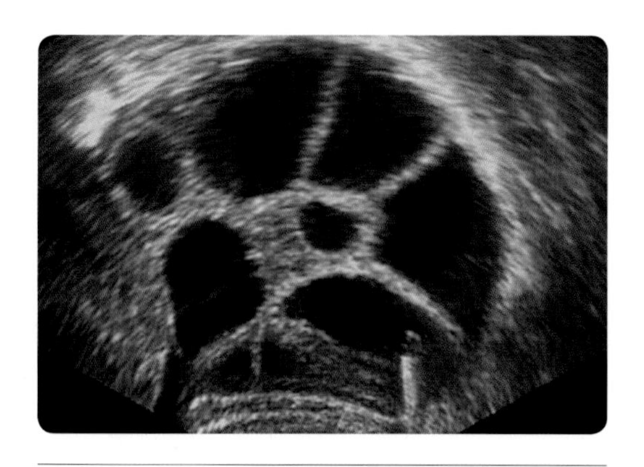

그림 12-22 질초음파 유도 하 질식 난자 채취. 바늘의 끝이 난소의 난포 안에 위치하고 있음.

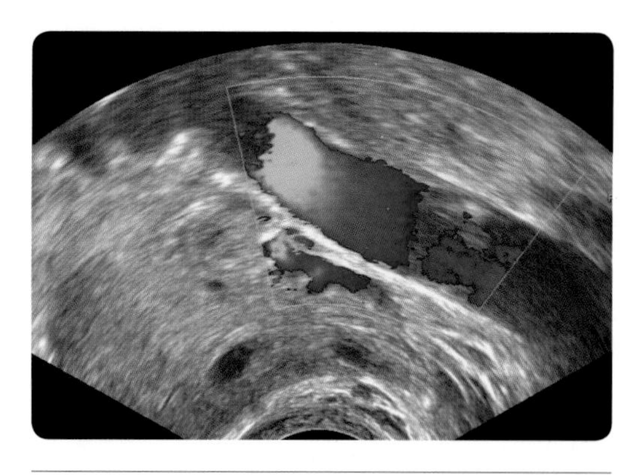

그림 12-23 난소 주위 엉덩정맥(장골정맥, iliac vein)의 초음파 도플러 소견. 난소 주위에서 관찰되는 저에코성 구조물이 혈관임을 확인할 수 있음.

(3) 약 30 cm 길이의 16-18 게이지 바늘을 사용. 미성숙 난자 채취 또는 자연주기 난자 채취의 경우에는 19 게이지 바늘도 사용.

(4) 흡인하고자 하는 난포를 가시선(line of sight)에 둔 다음 질을 통해 찔러 넣음(그림 12-22).

(5) 한쪽의 난소에서 여러 개의 난포를 흡인할 때는 난소를 찌르는 횟수를 최소화 하는 것이 좋음.

(6) 손으로 복부에 압력을 가함으로써 난소를 흡인하기 유리한 위치로 이동 및 고정시킬 수 있음.

(7) 골반 내 혈관 투과로 인한 출혈은 장축과 단축의 원형 구조를 주의 깊게 살핌으로써 박동성의 혈관 구조를 잘 구별하여 충분히 피할 수 있음(그림 12-23).

2) 복식 초음파 유도하 질식 난자 채취

질초음파 탐촉자 대신에 복벽을 통한 소식자를 이용하여 난자 채취를 시도할 수 있음(Seifer 등, 1988). 이 방법은 두 명의 시술자가 필요하고 초음파 빔이 바늘 방향과 달라질 수 있기 때문에 세침유도장치를 통한 질식 흡입보다 덜 정확함.

3) 복식 초음파 유도하 복식 난자 채취

질을 통해 난소에 접근이 어려운 경우에는 복부초음파를 이용한 복식 흡인(transabdominal aspiration) 방법을 사용할 수 있음(Barton 등, 2011).

4 초음파 유도하 배아 이식 (Ultrasound-guided embryo transfer)

- 최근에는 배아 이식 시 초음파를 이용하여 시술자가 실시간으로 진행상황을 확인함으로써 카테터의 삽입을 용이하게 하고 더 정확한 위치에 배아를 이식 할 수 있으며, 자궁내막의 손상도 방지

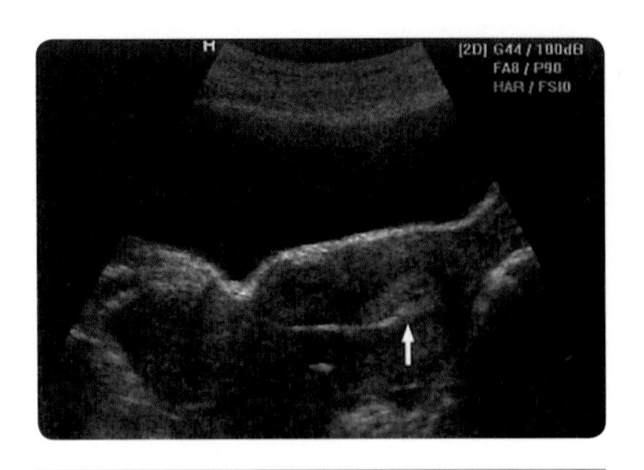

그림 12-24 복부초음파를 이용한 자궁강내 배아이식 사진. 자궁강 내에 위치한 카테터를 확인할 수 있음(화살표).

할 수 있어서 최종 임신율을 높일 수 있음(Buckett, 2003).

- 복부나 질식 초음파를 통해 감시하면서 카테터 끝이 자궁 저부(fundus)에 닿지 않고 0.5-1.0 cm 정도 떨어진 곳에 위치시킨 후 배아를 서서히 주입(그림 12-24). 자궁 저부에 너무 가깝게 주입하면 자궁외 임신의 위험성이 증가하며 반대로 자궁 입구에 가깝게 이식될 경우는 자궁 경부 임신의 위험성이 증가(Divry 등, 2007).
- 주입 시에 카테터 끝에서 배아 전에 담긴 공기방울 음영을 관찰함으로써 배아의 이식 위치를 확인할 수 있음.

5 난소과자극증후군(Ovarian Hyperstimulation Syndrome, OHSS)

- 난소과자극증후군(Ovarian hyperstimulation Syndrome, OHSS)은 보조생식술 중에 시행되는 난소 과자극으로 발생할 수 있는 드물지만 심각하고 치명적일 수 있는 합병증. 심각성에 따라 경도(mild), 중등도(moderate), 중증(severe) 단계로 나눌 수 있음. 중등도에서 중증부터는 입원 치료 등, 적극적인 치료가 필요. 중등도-중증 난소과자극증후군은 난소 자극 주기당 1~5%에서 발생.
- 난소과자극증후군의 전형적인 초음파 소견(그림 12-25)

(1) 종종 12 cm 이상으로 양측 난소가 대칭적으로 커져 있음.

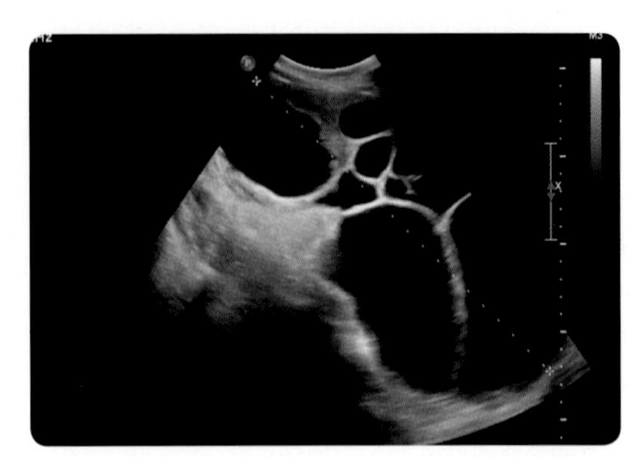

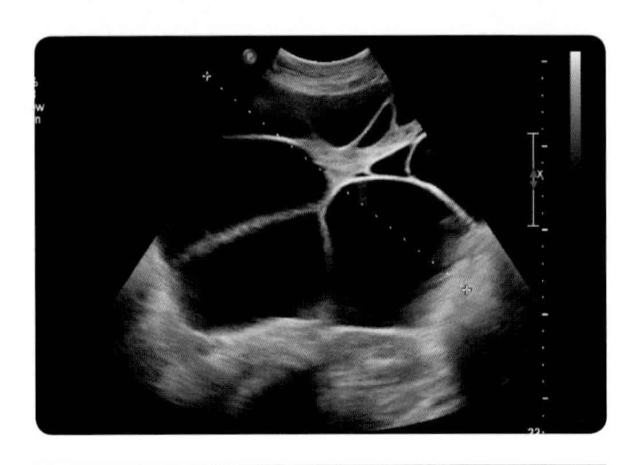

그림 12-25 난소과자극증후군(Ovarian hyperstimulation syndrome, OHSS)의 복부초음파 소견. 다수의 난포 낭종들이 관찰되며 난소의 크기가 증가되어 있음.

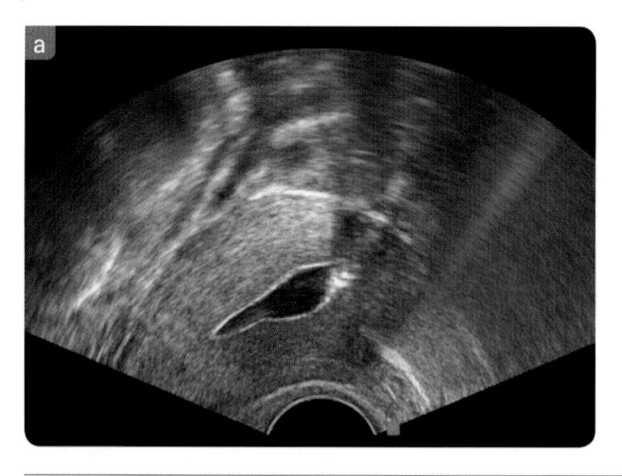

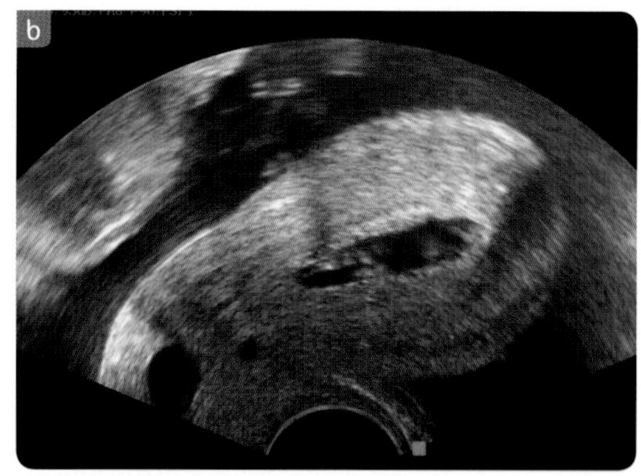

그림 12-26 정상 초음파자궁조영술. (a) 월경주기 5일째 시행한 정상 자궁의 초음파자궁조영술 소견. (b) 월경주기 10일째 시행한 초음파자궁조영술 소견. 5일째에 비해 두꺼워진 자궁내막을 보이는 정상 소견.

(2) 다양한 크기의 다발성 난포 낭종이 난소에서 관찰됨(spoke-wheel appearance).

(3) 난소 주변으로 다양한 정도의 복수가 존재할 수 있음.

6 초음파자궁조영술 (sonohysterography)

초음파자궁조영술은 초음파 검사 중 자궁 내에 식염수를 주입하여 자궁내막 및 자궁내강의 평가를 용이하게 하는 시술 방법임(그림 12-26).

- 일반 질초음파에 비해 자궁내막층을 자세히 관찰할 수 있음.
- 일반 초음파에서 간과할 수 있는 자궁 내 병변-자궁내막증식증, 용종, 자궁내막하 근종, 자궁 내 유착 및 악성 질환 등을 감별하는데 도움이 됨(그림 12-27, 그림 12-28) (Neele 등, 2000).
- 1981년 Nannini 등이 처음으로 "echohysteroscopy"라는 용어를 사용(Nannini 등, 1981). 이후 "sonohysterography"라는 용어는 Parsons가 처음으로 제시(Parsons 등, 1993). 비슷한 다른 용어로 식염수 주입 초음파(saline infusion sonography, SIS)가 있음.
- 초음파자궁조영술의 장점
  - 별도의 학습이 없이도 쉽게 시행할 수 있음.
  - 외래에서 빠르게 시행할 수 있음.
  - 적은 비용으로 시행할 수 있음.
  - 합병증의 위험도 낮은 최소한 침습적 시술.
  - 환자의 순응도가높음.
  - 자궁관조영술(hysterosalpingogram, HSG) 등에 비해서 방사선에 노출된 위험이 없으며 높은 진단적 정확성을 가진 방법임(Parsons 등, 1993).

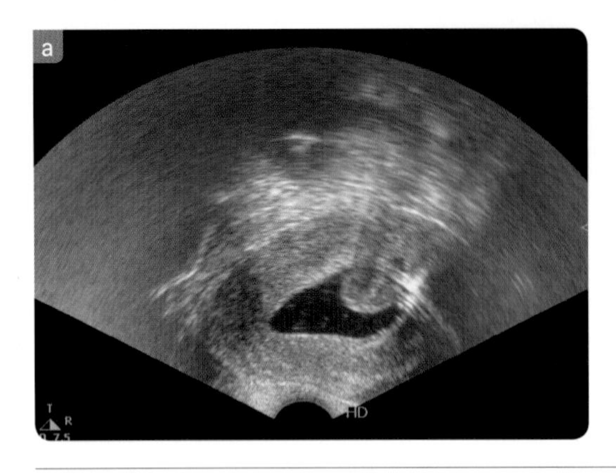

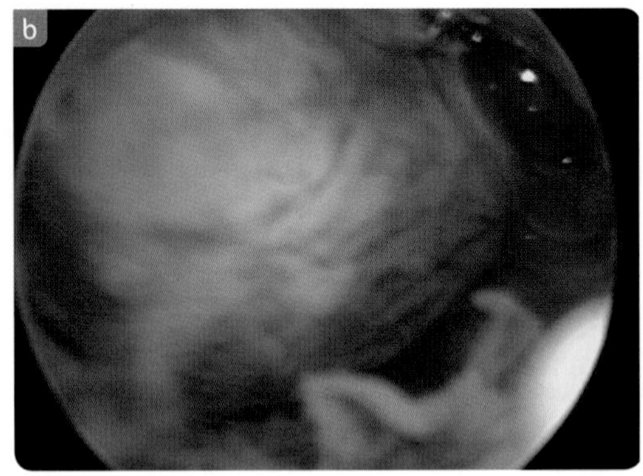

그림 12-27 점막하 자궁근종. (a) 생리식염수로 자궁내강을 확장시킨 후 시행한 초음파자궁조영술 영상. (b) 동일 환자의 자궁내시경 사진. 점막하 자궁근종의 모습이 확인됨.

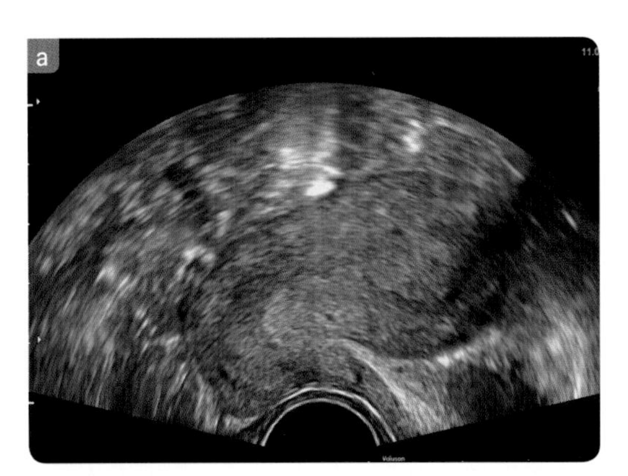

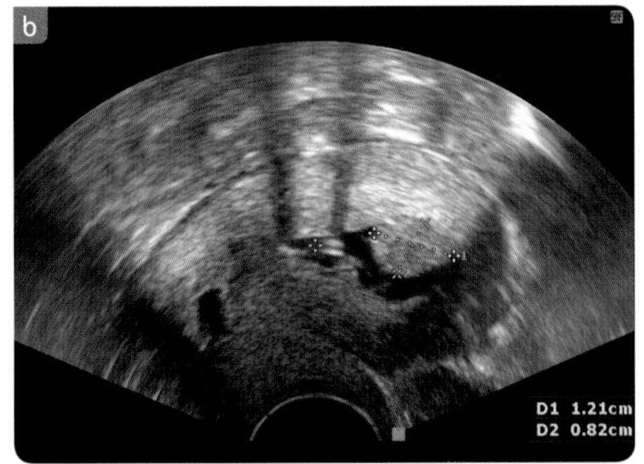

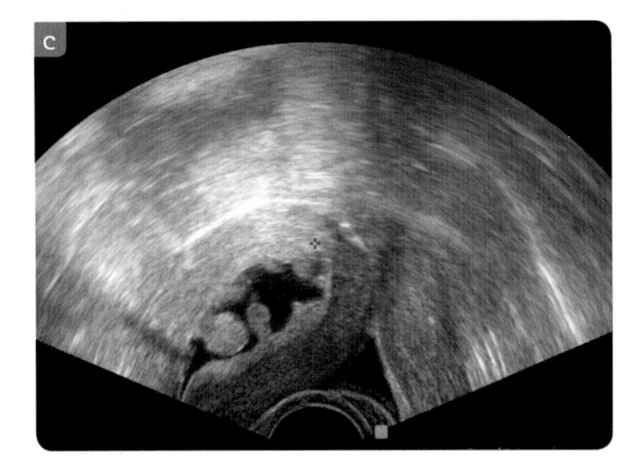

그림 12-28 자궁내막 용종. (a) 초음파자궁조영술 시행전 사진으로 두꺼운 자궁내막 소견이 관찰됨(월경 6일째). (b) 초음파자궁조영술 시행 사진(종단면), 생리식염수로 자궁내강 확장 후 자궁하부의 자궁내막 용종 소견이 관찰됨. (c) 초음파자궁조영술 시행 사진(횡단면), 동일한 부위에서 자궁내막 용종이 관찰됨.

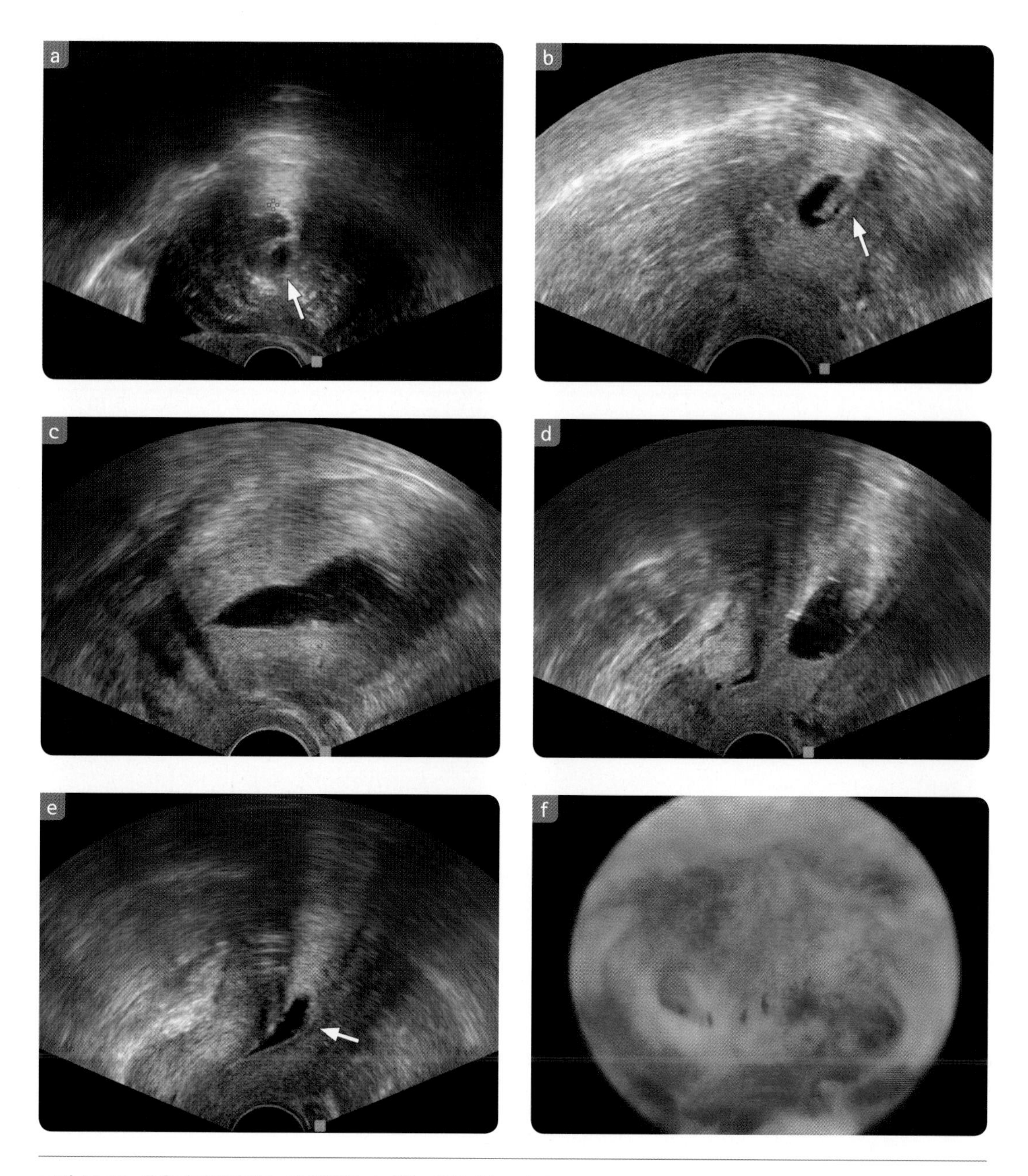

그림 12-29 초음파자궁조영술 시 발생할 수 있는 허상. (a) 풍선이 과도하게 부푼 경우, 풍선으로 인한 자궁 안의 다른 병변을 발견하지 못할 가능성 있음. (b) 자궁강 내의 핏덩이. 월경주기 5일째 시행한 초음파자궁조영술 소견으로 자궁강 내 핏덩이를 용종으로 오인할 가능성. (c, d) 생리식염수로 과도하게 자궁내강을 팽창시킨 경우. 자궁내막용종 또는 자궁강 내 유착과 같은 병변을 놓칠 가능성. (e) c와 동일한 환자에서 생리식염수 주입압력을 낮춘 소견. 자궁하부에 위치한 자궁내막용종이 관찰됨. (f) d와 동일한 환자의 자궁내시경 소견. 자궁내 유착과 이로 인한 자궁강의 협착소견.

1) 적응증 및 금기증

환자의 증상이 자궁내막이나 자궁강 내의 병변으로 의심되며, 질초음파로는 그 평가가 어려운 경우.

(1) 임상적 적응증

① 이상 자궁 출혈
② 불임 및 반복 유산
③ 자궁의 선천성 기형이 의심될 경우
④ 자궁강 내의 용종, 근종, 유착
⑤ 질초음파상 자궁내막 또는 자궁강의 이상 소견
- 국소적 또는 광범위한 자궁내막 두께 증가 등
⑥ 자궁의 심한 굴곡 및 병변으로 인해 자궁내막의 관찰이 어려운 경우

(2) 절대적 금기증(American College of Obstetricians & Gynecologists, 2008).

① 임신
② 골반 감염
③ 원인 불명의 복부 압통

(3) 유의사항

- 심한 자궁 출혈이 있는 경우에도 시행할 수 있으나 응고된 혈액 등이 위양성 소견으로 나타날 수 있음.
- 자궁내막암이 강하게 의심되는 경우 시행 시, 초음파자궁조영술 시행 과정에서 난관을 통한 생리식염수 유출을 통해 악성 세포가 복강 안으로 퍼질 수 있는 가능성이 있음. 자궁내막암이 의심되는 경우 초음파자궁조영술을 시행하지 않아야 한다는 보고가 있음(Bese 등, 2009). 반면, 초음파자궁조영술을 시행하여도 악성 세포의 유출이 유의미하게 증가하지 않는다는 보고도 있음(Takac, 2008; Berry 등, 2008).
→ 자궁내막암이 강하게 의심되는 환자에서 시행을 고려할 시 이러한 점을 염두에 두어야 함.

2) 검사 시기

(1) 가임기 여성: 정상 월경 시작일로부터 5-10일 경 시행하는 것이 권장됨.

- 시술 전 임신의 가능성을 배제 가능함.
- 상대적으로 증식기 자궁내막이 얇으므로 자궁강 내의 병변을 쉽게 찾을 수 있음.
- 월경기간 중 자궁 내에 고인 출혈이 자궁내막과 근층의 경계를 잘 보여주어 자연적인 초음파자궁조영술이 될 수도 있으나, 때때로 이러한 핏덩이는 용종이나 유착 조직과 같은 자궁 내 병변으로 오인되거나 수액 주입 시 허상을 만들기도 함(그림 12-29).
- 심한 출혈이 있는 시기를 피해서 월경 주기 5-10일경 검사를 시행하는 것이 일반적(Lindheim 등, 2002).
- 출혈이 있는 상태에서 시행한 검사에서 10 mm 이하의 작은 병변이 관찰될 시, 출혈이 멈춘 후 재검사하는 것이 바람직함.

(2) 생리주기가 불규칙한 여성: 임신검사를 통해 음성임을 확인한 후 검사 시행

(3) 폐경 후 여성: 검사 시기 제한 없이 시행 가능

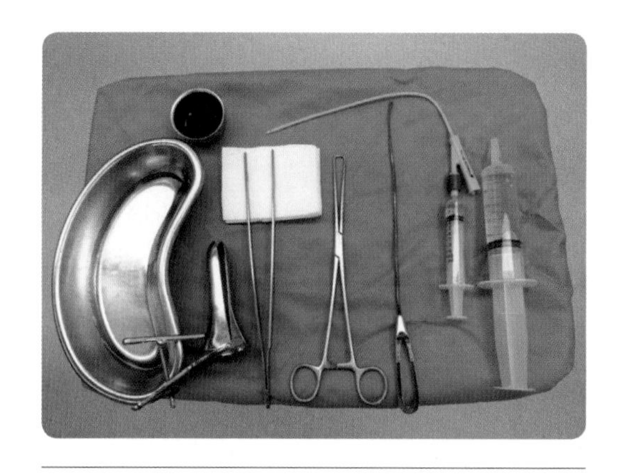

그림 12-30 소아용 카테터를 이용한 시술 준비 예시. 식염수를 채운 주사기, 확장기(sound)와 당기개(tenaculum), 베타딘 소독제를 함께 준비함.

3) 장비

(1) 생리식염수를 주입하기 위한 카테터 외에 특별한 장비의 추가가 필요하지 않다는 장점이 있음(그림 12-30).

- 자궁강에 주입할 20-30 mL의 식염수를 채운 주사기
- 카테터가 들어갈 통로를 찾기 힘든 경우에 대비해서 확장기(sound)와 당기개(tenaculum)를 준비
- 시술 전 자궁 경부를 소독할 베타딘 등의 소독제

(2) 카테터 간의 비교

- 610명의 여성을 대상으로 신뢰도, 관용도, 비용 면에서 6가지의 각기 다른 카테터를 이용한 초음파자궁조영술을 비교(Dessole 등, 2010)
- 카테터의 종류에 따른 초음파자궁조영술의 결과에 유의미한 차이는 관찰되지 않음.
- 카테터 간의 가장 큰 차이점은 자궁강 내 풍선의 유무. 풍선을 자궁경관내막에 위치할 경우, 자궁강 내를 채운 식염수가 새는 것을 막을 수 있음.
  - 풍선은 자궁경관 조직이 느슨한 경산부를 검진할 때 유용: 풍선의 이용이 환자의 복부 불편감을 증가시킬 수 있음.
- 자궁 경관이 열려 있고 자궁이 큰 경우: Tamta 카테터(Akrad lab.), Goldtein 카테터(Cook Co.) 혹은 8 French 폴리 카테터가 적합함.
- 폴리 카테터: 사용하는데 가장 어렵고 정확한 위치를 잡는데 시간이 많이 걸리지만, 비용면에서 가장 저렴함. 진단 목적의 고품질의 영상을 얻는 데는 다른 카테터와 차이 없음.
- Goldstein 카테터: 환자들이 가장 편하게 느낌.

(3) 3차원 초음파자궁조영술

- 자궁 내부를 반영하는 다양한 각도의 영상을 빠르게 얻을 있으며 2차원 초음파자궁조영술에 비해서 자궁 내 병변에 대한 민감도를 높일 수 있음(Sylvestre 등, 2003).
- 자궁의 내강과 외부 윤곽을 함께 관찰 가능하므로 뮬러관 기형을 평가하는데 특히 유용하며, 자궁 내 중격이나 쌍각 자궁을 감별해야 할 경우 자궁 기저부의 윤곽을 평가하는데 있어서 2차원 초음파자궁조영술보다 유용한 정보를 제공. 이러한 측면에서 자궁관조영술에 비교하였을 시에도 유의하게 우월한 평가방법임(Lev-Toaff 등, 2011).
- 3차원 초음파자궁조영술과 비교 시 2차원 초음파, 3차원 초음파, 2차원 초음파자궁조영술의 민감도 및 특이도는 각각 97%와 11%, 87%와 45%, 98%와 100%로 보고되어 3차원 초음파자궁조영술의 민감도 및 특이도가 가장 뛰어난 것으로 보고됨(Sylvestre 등, 2003).
- 3차원 초음파자궁조영술을 자궁내시경과 비교

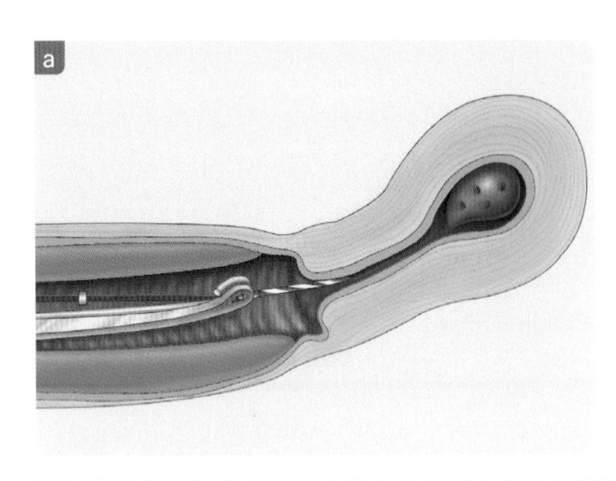

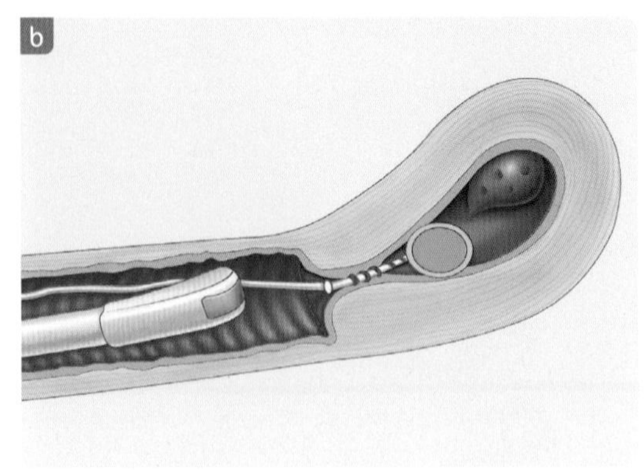

그림 12-31 초음파자궁조영술을 시행하는 술기 단계. (a) 자궁강 내에 포셉을 이용하여 카테터를 삽입하는 과정. (b) 풍선에 생리식염수 주입 후, 질경을 제거하고 무균의 생리식염수로 자궁강을 팽창시키면서 질초음파를 삽입하는 과정.

하였을 시 민감도 100%, 양성 예측률 92%로 자궁내시경에 근접한 진단율을 보임(Sylvestre 등, 2003).

4) 시술 과정 및 각 단계에서의 유의점

(1) 환자에게 검사에 대한 설명 및 필요 시 동의서를 받음.

- 검사 전 환자에게 경련통이 발생할 수 있음을 설명
- 시술 30-60분 전 비스테로이드성소염제를 투여하면 시술 후의 통증을 경감시키는 데 도움이 됨.

(2) 시술 전 소변을 보게 한 후, 환자를 쇄석술 자세로 눕힘. 수기 검진을 통해 압통 등의 골반염 증후를 관찰함.

- 골반염이 의심되면 검사의 연기를 고려

(3) 시술 전 질초음파를 시행하여 자궁 내막의 두께 측정, 자궁의 위치 및 모양 확인 및 복강 내 체액 저류 여부 확인

(4) 질경을 넣은 후 자궁경부를 소독

- 자궁 경부의 염증 소견 관찰 후 감염증이 의심되면 검사의 연기를 고려

(5) 무균기술로 카테터를 자궁 경관을 통해 자궁강 내로 거치. 풍선 카테터를 이용할 경우 1-2 mL의 식염수로 천천히 풍선을 부풀림(그림 12-31).

① 카테터의 끝이 자궁 저부에 닿지 않도록 주의: 자궁 저부를 자극하게 되면 통증이나 혈관미주신경반응이 유발됨.

② 시술 전 카테터에 미리 식염수를 관류

- 공기는 초음파상에서 밝게 보이므로 병변처럼 보이거나 병변을 가릴 수 있는 가능성 존재
- 공기 방울이 자궁 내로 들어가는 것을 방지

③ 카테터를 넣을 시 자궁 경부와 자궁 체부가

일직선이 아닌 것을 고려

- 진입이 안 될 경우 질경의 위치를 변경하여 자궁 경부가 중앙에 오도록 조정
- 카테터에 유도자를 넣어서 사용
- 당기개로 자궁 경부의 앞이나 뒤를 잡은 뒤 당겨서 자궁경관이 카테터 삽입에 용이하게 조정

④ 자궁 경관이 막혀있을 경우 시술 전 misoprostol을 투여하거나 확장기를 이용

⑤ 자궁 경관이 산개한 경우 풍선이 빠지지 않도록 위치를 고정하면서 초음파 검진을 시행.

(6) 질경을 제거한 다음 질초음파 탐침을 넣고, 카테터를 통해 자궁강 내로 생리 식염수를 천천히 주입하면서 자궁 내막과 경관 내막을 관찰.

① 카테터에 주사기를 연결하는 과정에서 공기방울이 중간에 들어가지 않도록 주의.

② 생리 식용수는 사용 전 미리 차갑지 않게 데워둠.

③ 자궁강 내 생리식염수는 필요한 최소량만 투여하여 환자의 불편감을 최소화함. 일반적으로는 10 mL 미만이 필요하지만 필요에 따라 20 mL 이상의 생리식염수를 주입.

- 자궁의 팽창이 부족하면 병변을 확인할 수 있는 충분한 해상도를 얻지 못함.
- 과도하게 팽창되었을 경우 병변이나 질환의 정도를 모호하게 함(그림 12-29 c, d).
  → 적절한 팽창 정도를 판단하는 검사 기술이 필요(Lindheim 등 2002).

④ 초음파로 자궁을 세로 방향으로 한 쪽 각부터 반대편 방향으로 순차적으로 스캔. 가로 방향으로는 자궁 저부의 끝부터 자궁 경부까지 관찰.

- 근종 등의 장애물로 질초음파를 통한 자궁내막의 평가가 힘든 경우 : 저주파수의 복부 초음파를 시도하여 자궁내막에 대한 더 나은 영상을 얻을 수도 있음.
- 자궁강 내의 핏덩이가 병변처럼 보이거나 병변의 관찰을 방해하는 경우(그림 12-29 b) : 카테터로 수액을 빠르게 쏘아 핏덩이가 이동하는 것을 관찰하거나, 색 도플러를 이용하여 내부로의 혈류가 없는 것을 확인하여 핏덩이와 용종 등의 병변을 감별할 수 있음.

(7) 3D 초음파자궁조영술이 가능한 경우 시행: 시술에 필요한 총 시간을 줄일 수 있고, 자궁 내강 및 외부 윤곽에 대한 다양한 정보를 얻을 수 있음.

(8) 검사 종료 전 풍선을 채운 식염수를 빼면서 풍선이 위치하던 자궁강의 하단부와 자궁경관 내막의 이상 소견도 관찰(그림 12-32). 카테터를 완전히 제거하기 전, 자궁 안에 있던 남은 식염수를 제거하여 시술 후의 통증을 최소화.

(9) 검사 종료 후 질 분비물이나 복통 양상을 관찰.

5) 합병증

초음파자궁조영술은 안전한 시술방법으로 대부분의 경우 환자는 시술 직후 별도의 조치 없이 귀가하여 일상 생활을 할 수 있음. 합병증 발생시 대부분 가벼운 경우이며 심각한 합병증의 발생은 매우 드물게 보고됨.

(1) 시술 후 복부의 경련통 : 가장 흔한 부작용. 대부

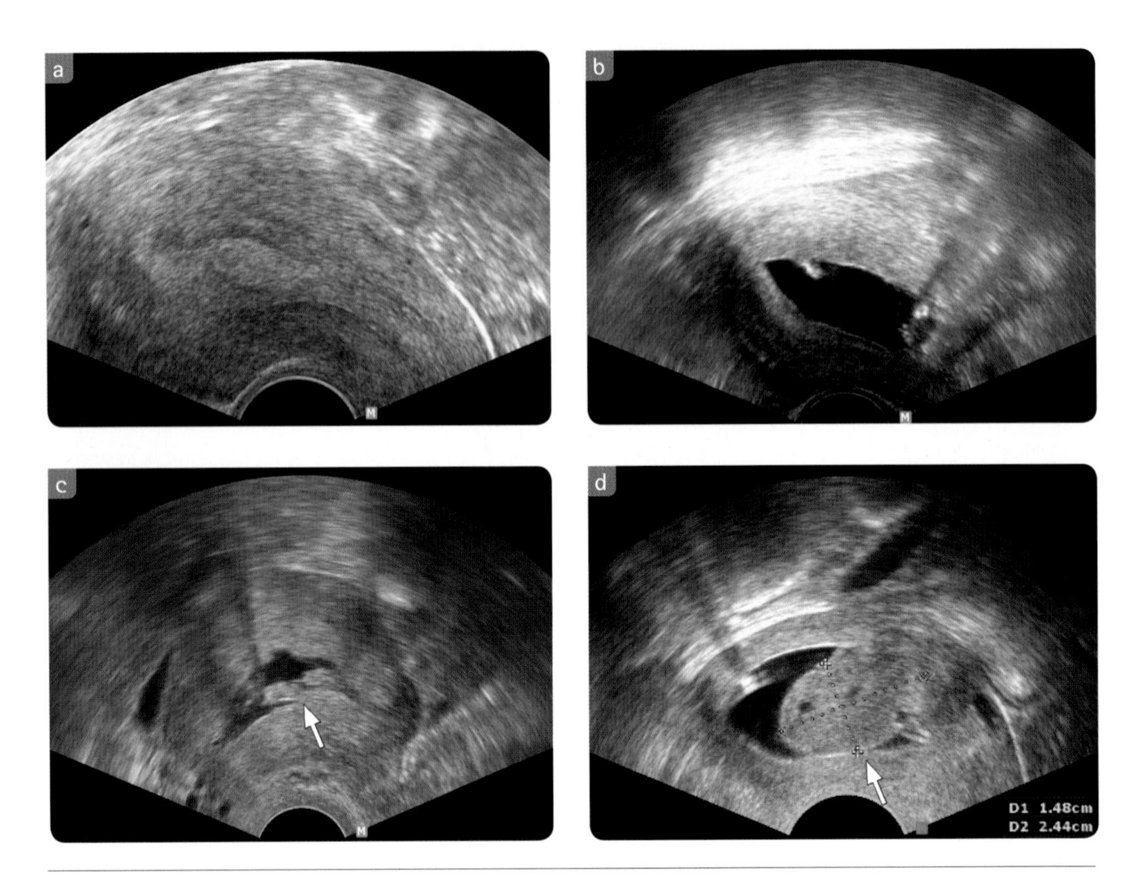

그림 12-32 자궁목에 위치한 자궁근종의 초음파자궁조영술 소견. (a) 초음파자궁조영술 시행 전. 정상 자궁내막 두께를 보이고 특별한 이상 소견은 관찰되지 않음. (b) 초음파자궁조영술 시행 소견. 자궁의 기저부와 체부에 이상 소견은 관찰되지 않음. (c, d) 풍선에 생리식염수를 빼면서 관찰 소견. 자궁 경관 근처에 내강 쪽으로 튀어나와 있는 근종의 소견이 관찰됨.

분 비스테로이드소염제만으로 잘 조절됨.

(2) 시술 직후 소량의 혈성 질분비물 동반 가능.

(3) 골반 감염

- 심각한 합병증 중에서는 가장 흔하게 발생하나 발생률은 1% 미만.
- 이전에 난관의 질환을 앓았던 환자 등에서 호발하는 경향(Dessole, 2003).
- 골반염의 과거력이 있거나 세균성 심내막염으로 예방적 처치가 필요한 경우 시술 전의 항생제 사용을 고려.
- 증상: 시술 후 발열, 수일간 지속되는 복통 또는 점점 심해지는 양상의 복통, 지속적인 질 분비물의 발생.
- 시술 시행 전 환자에게 검사를 시행하여 얻을 수 있는 정보 외에도 감염의 위험성을 주의하고 상기 증상이 발생했을 시 의료진을 방문하여 검진을 받을 수 있도록 설명.

6) 불임에서 초음파자궁조영술 검사의 의의

자궁 및 자궁관의 이상과 관련된 골반 인자는 각각 불임 여성의 30%, 40%에서 발견되는 흔한 이상 소견(Bradshaw 등, 1993).

(1) 불임 환자의 평가 과정에서 불임 시술 전 기본적인 평가 항목으로 자궁강의 모양이나 규칙성을 확인해야 함.

(2) 자궁관조영술과의 비교

- 일차적으로 사용되던 가장 흔한 검사 방법
- 자궁 내막과 나팔관의 상태를 함께 평가할 수 있는 장점
- 하지만 민감도 및 특이도가 낮아 불임환자의 평가에 있어서 자궁관조영술보다 자궁내시경을 일차적으로 시행하자는 주장이 제기됨(Golan 등, 1996; Wang 등, 1996).
- 자궁관조영술에 비해 초음파자궁조영술은 자궁내강을 판단하는데 있어서 더 높은 민감도 및 특이도(Goldberg 등, 1997).

(3) 자궁내시경과의 비교

- 초음파자궁조영술과 자궁내시경의 비교 시 민감도, 특이도, 양성 예측률, 음성 예측률은 각각 90.5%, 87.5%, 92.7%, 84% 대 100%, 88.9%, 93.2%, 100%로 자궁내시경의 진단적 정확도가 더 높았지만 통계적 유의성은 관찰되지 않음(Lee 등, 2011). 불임환자의 일차적인 평가에서 자궁내시경을 대체할 수 있는 검사 방법으로 제시됨(Ragni 등, 2005).

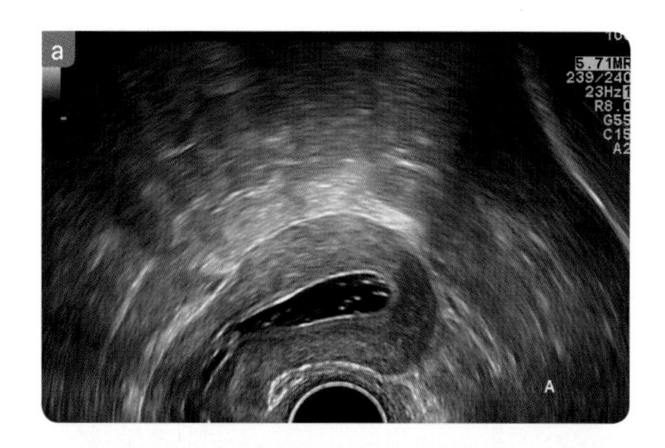

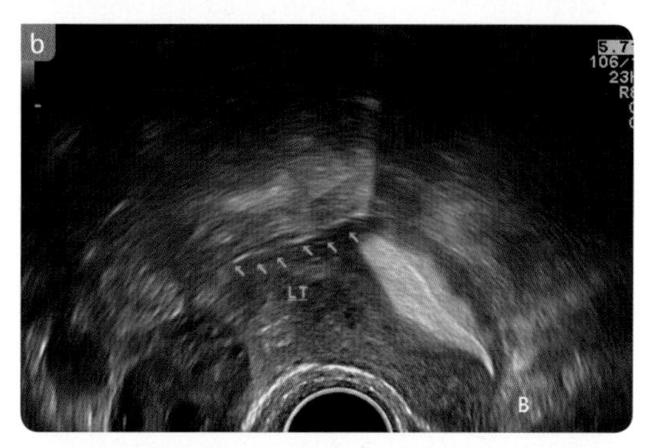

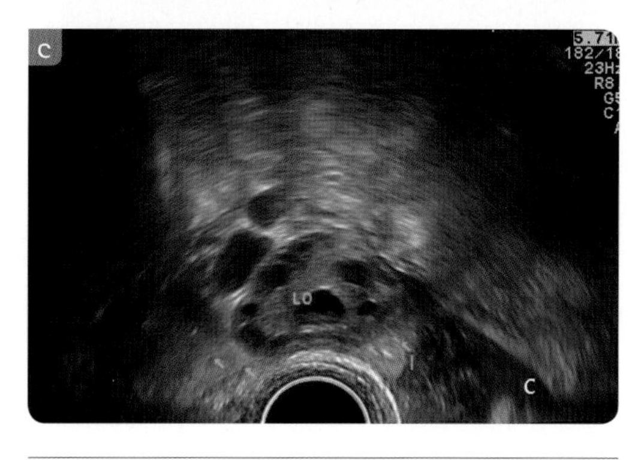

그림 12-33 **자궁난관조영초음파**(Hydrosalpingo-contrast sonography, HyCoSy) **소견.** (a) 자궁내강의 모양을 관찰하여 용종 또는 근종 등의 병변을 확인할 수 있음. (b) 좌측난관 개통여부를 확인할 수 있음. (c) 난관을 통과하여 좌측 난소 주변으로 흐르는 생리식염수를 확인할 수 있음

(4) 초음파자궁조영술의 장점

- 자궁관조영술과 자궁내시경에 비해 자궁의 근층과 윤곽을 함께 평가할 수 있음.

- 저렴하고 환자 불편감 및 부작용이 적으며, 방사선에의 노출이 없음.
  → 불임 여성의 평가 시 초음파자궁조영술을 일차적으로 시행 후, 난관이상이 의심될 경우 자궁관조영술을, 자궁내막의 이상이 의심될 경우 자궁내시경을 시행할 수 있음.

(5) 자궁난관조영초음파검사(hysterosalpingo-contrast sonography, HyCoSy)와의 비교

- 생리식염수가 아닌 메아리발생 조영제 또는 공기방울을 이용한 초음파검사법. 초음파를 통한 난관의 평가가 가능해짐. 실시간으로 나팔관을 관찰할 수 있으며 도플러를 이용하여 나팔관 폐색 등에 대한 추가 정보를 얻을 수 있음(Maheux-Lacroix 등, 2013).
- 2차원 자궁난관 초음파검사와 자궁관조영술을 복강경을 통한 난관 조영제 투과 검사와 비교하였을 때, 결과 일치도는 두 검사 방법 모두 86.7%로 동일함. 2차원 자궁난관 초음파검사와 자궁관조영술 사이의 검사 일치도는 89.6%로 보고됨(Exacoustos 등, 2003).
  → 자궁난관 초음파검사는 자궁관조영술과 유사한 진단적 정확도를 보임.
- 3차원 자궁난관 조영초음파검사는 2차원 자궁난관 조영초음파검사에 비해 더 짧은 검사시간, 적은 조영제 사용과 이로 인한 환자의 불편감 감소의 장점이 있음. 복강경을 통한 난관 조영제 투과 검사와 비교하였을 때 민감도, 특이도, 양성 예측률, 음성 예측률이 각각 100%, 99.1%, 99.2%, 100%로 불임 환자의 난관 기능을 평가하는데 있어서 높은 진단적 예측력을 보임(Kupesic 등, 2007).

7 자궁난관조영초음파 (Hydrosalpingo-contrast sonography, HyCoSy)

- 자궁난관조영술(Hysterosalpingography, HSG)이 널리 사용되고 있지만 요오드 표지된 조영제에 환자를 노출시킴으로써 요오드에 과민반응이 있는 환자들에서는 주의를 해야함.
- 반면에 자궁난관조영초음파는 공기방울이 섞인 생리식염수를 적은 양으로 사용하기 때문에 보다 안전하고 통증이 적으며, 소요시간이 짧다는 장점이 있음(Luciano 등, 2011).
- 자궁난관조영초음파를 시행하는 과정

(1) 환자의 질과 자궁경부는 멸균된 생리식염수로 세척하고 환자의 방광을 비움.

(2) 질식초음파로 대략적인 자궁과 난소의 구조를 파악.

(3) 질경을 거치한 후 2 mm의 얇은 플라스틱 카테터를 자궁경부를 통하여 자궁강 내로 거치 후 그 안을 풍선으로 채움.

(4) 질경을 제거 후 질식초음파로 공기방울이 섞인 생리식염수가 자궁강 내로 들어가서 양쪽의 난관을 통과하는 과정을 실시간으로 연속적으로 관찰하며 협착이나 구조적 문제가 없는지 확인(그림 12-33).

참 고 문 헌

1. Broekmans F, de Zieger D, Howles C, Gougeon A, Trew G, Olivennes F. The antral follicle count:
2. Practical recommendations for better standardization. Fertil Steril. 2010;94(3):1044–51.
3. Almog B, Shehata F, Suissa S, Holzer H, Shalom-Paz E, La Marca A. Age-related nomograms of serum antimullerian hormone levels in a population of infertile women: a multicenter study. Fertil Steril. 2011;7:2359–63.
4. Costello MF, Shrestha SM, Sjoblom P, et al. Power doppler ultrasound assessment of the relationship between age and ovarian perifollicular blood flow in women undergoing in vitro fertilization treatment. J Assist Reprod Genet. 2006;23:359–365.
5. Amer A, Hammadeh ME, Kolkailah M, Ghandour AA. Three-dimensional versus two-dimensional ultrasound measurement of follicular volume: are they comparable? Arch Gynecol Obstet. 2003;268: 155–7.
6. Yavas Y, Selub MR. Ovarian follicular volume and follicular surface area are better indicators of Follicular growth and maturation, respectively, than is follicular diameter. Fertil Steril. 2009;91:1299–302.
7. Shmorgun D, Hughes E, Mohide P, Roberts R. Prospective cohort study of three- versus Twodimensional ultrasound for prediction of oocyte maturity. Fertil Steril. 2010;93(4):1333–7.
8. Kawwass JF, Monsour M, Crawford S, et al. Trends and outcomes for donor oocyte cycles in the United States, 2000-2010. JAMA. 2013;310:2426–2434.
96. Wittmaack FM, Kreger DO, Blasco L, et al. Effect of follicular size on oocyte retrieval, fertilization, cleavage, and embryo quality in in vitro fertilization cycles: a 6-year data collection. Fertil Steril. 1994;62: 1205–1210.
10. Gonen Y, Casper RF. Prediction of implantation by the sonographic appearance of the endometrium during controlled ovarian stimulation for in vitro fertilization (IVF). J In Vitro Fert Embryo Transf. 1990;7:146–152.
11. Gonen Y, Casper RF, Jacobson W, et al. Endometrial thickness and growth during ovarian stimulation: a possible predictor of implantation in in vitro fertilization. Fertil Steril. 1989;52:446–450.
12. Coulam CB, Bustillo M, Soenksen DM, et al. Ultrasonographic predictors of implantation after assisted reproduction. Fertil Steril. 1994;62:1004–1010.
13. Noyes N, Liu HC, Sultan K, et al. Endometrial thickness appears to be a significant factor inembryo implantation in in-vitro fertilization. Hum Reprod. 1995;10:919–922.
14. Sharara FI, Lim J, McClamrock HD. Endometrial pattern on the day of oocyte retrieval is more predictive of implantation success than the pattern or thickness on the day of hCG administration. J Assist Reprod Genet. 1999;16:523–528.
15. Fanchin R. Assessing uterine receptivity in 2001: ultrasonographic glances at the new millennium. Ann N Y Acad Sci. 2001;943:185–202.
16. Schild RL, Knobloch C, Dorn C, et al. Endometrial receptivity in an in vitro fertilization program as assessed by spiral artery blood flow, endometrial thickness, endometrial volume, anduterine artery blood flow. Fertil Steril. 2001;75:361–366.
17. Noyes N, Hampton BS, Berkeley A, et al. Factors useful in predicting the success of oocyte donation: a 3-year retrospective analysis. Fertil Steril. 2001;76; 92–97.
18. Ayida G, Harris P, Kenedy S, Seif M, Barlow D, Chamberlain P. Hysterosalpingo-contrast sonography (HyCoSy) using Echovist-200 in the outpatient investigation of infertility patients. Br J Radiol 1996; 69:910-3.

19. Barton SE, Politch JA, Benson CB, Ginsburg ES, Gargiulo AR. Transabdominal follicular aspiration for oocyte retrieval in patients with ovaries inaccessible by transvaginal ultrasound. Fertil Steril. 2011 Apr;95(5):1773-6.
20. Bhandari H, Agrawal R, Weissman A, Shoham G, Leong M, Shoham Z. Minimizing the risk of infection and bleeding at trans-vaginal ultrasound-guided ovum pick-up: Result of a prospective web-based world-wide survery. J Obstet Gynecol India. 2015; 65(6):389-395.
21. Divry V, Hadj S, Bordes A, Genod A, Salle B. Case of progressive intrauterine twin pregnancy after surgical treatment of corneal pregnancy. Fertil Steril. 2007;87(1):160.e1-3.
22. Ferdia B, Edgar M, Tony G, Leo L. Transvaginal oocyte retrieval complicated by life-threatening obturator artery haemorrhage and managed by a vessel-preserving technique. Ulster Med J. 2014;83(3):146-148.
23. Franchesca M, Anna T, Luigi S, Elisa S, Antonio L, Rosanna A. Hysterosalpingo-contrast-sonography (HyCoSy) in the assessment of tubal patency in endometriosis patients. 2015;186:22-25
24. Luciano DE, Exacoustos C, Johns DA, Luciano AA. Can hysterosalpingo-contrast sonography replace hysterosalpingography in confirming tubal blockage after hysteroscopic sterilization and in the evaluation of the uterus and tubes in infertile patients? Am J Obstet Gynecol 2011;204. 79.e1-5.
25. Neele SJ, Marchien van Baal W, van der MJ, et al. Ultrasound assessment of the endometrium in healthy, asymptomatic early post-menopausal women: saline infusion sonohysterography versus transvaginal ultrasound. Ultrasound Obstet Gynecol 2000;16:254–9.
26. Nannini R, Chelo E, Branconi F, et al. Dynamic echohysteroscopy: a new diagnostic technique in the study of female infertility. Acta Eur Fertil 1981;12:165-171.
27. Parsons AK, Lense JJ. Sonohysterography for endometrial abnormalities: preliminary results. J Clin Ultrasound 1993;21:87-95.
28. American College of Obstetricians & Gynecologists. ACOG technology assessment in obstetrics and gynecology no. 5: sonohysterography. Obstet Gynecol 2008;112:1467.
29. Takac I. Saline infusion sonohysterography and the risk of malignant extrauterine spread in endometrial cancer. Ultrasound Med Biol 2008;34:7–11.
30. Berry E, Lindheim SR, Connor JP, et al. Sonohysterography and endometrial cancer: incidence and functional viability of disseminated malignant cells. Am J Obstet Gynecol 2008;199:240.
31. Lindheim SR, Morales AJ. Comparison of sonohysterography and hysteroscopy: lessons learned and avoiding pitfalls. J Am Assoc Gynecol Laparosc 2002; 9:223-31.
32. Dessole S, Farina M, Capobianco G, et al. Determining the best catheter for sonohysterography. Fertil Steril 2001;76:605–9.
33. Sylvestre C, Child TJ, Tulandi T, et al. A prospective study to evaluate the efficacy of two- and threedimensional sonohysterography in women with intrauterine lesions. Fertil Steril 2003;79:1222–5.
34. Lev-Toaff AS, Pinheiro LW, Bega G, et al. Three dimensional multiplanar sonohysterography: comparison with conventional two dimensional sonohysterography and X ray hysterosalpingography. J Ultrasound Med 2011;20:295-306.
35. Dessole S, Farina M, Rubattu G, et al. Side effects and complications of sonohysterosalpingography. Fertil Steril 2003;80:620.
36. Bradshaw KD, Carr BR. Modern diagnostic evaluation of the infertile couple. In: Carr BR, Blackwell RE, eds. Textbook of Reproductive Medicine. East

Norwalk, CT: Appleton & Lange; 1993:443-52.

37. Golan A, Eilat E, Ron-El R, et al. Hysteroscopy is superior to hysterosalpingography in infertility investigation. Acta Obstet Gynecol Scand 1996;75:654–656.
38. Wang CW, Lee CL, Lai YM, et al. Comparison of hysterosalpingography and hysteroscopy in female infertility. J Am Assoc Gynecol Laparosc 1996;3:581–584.
39. Goldberg JM, Falcone T, Attaran M. Sonohysterographic evaluation of uterine abnormalities noted on hysterosalpingography. Hum Reprod 1997;12:2151–2153.
40. Lee JR, Jang EJ, Jee BC, et al. Flexible hysteroscopy versus saline infusion sonography for uterine cavity assessment. J Reprod Endocrinol 2011;3:120-126.
41. Ragni G, Diaferia D, Vegetti W, et al. Effectiveness of sonohysterography in infertile patient work-up: a comparison with transvaginal ultrasonography and hysteroscopy. Gynecol Obstet Inves 2005;59:184-188.
42. Maheux-Lacroix S, Boutin A, Moore L, et al. Hysterosalpingosonography for diagnosing tubal occlusion in subfertile women: a systematic review protocol. Syst Rev 2013;2:50.
43. Exacoustos C, Zupi E, Carusotti C, et al. Hysterosalpingo-contrast sonography compared with hysterosalpingography and laparoscopic dye pertubation to evaluate tubal patency. J Am Assoc Gynecol Laparosc 2007;10:367-372.
44. Kupesic S, Plavsic BM. 2D and 3D hysterosalpingo-contrast-sonography in the assessment of uterine cavity and tubal patency. Eur J Obstet Gynecol Reprod Biol 2007;133:64-69.

비뇨부인과 영역의 초음파

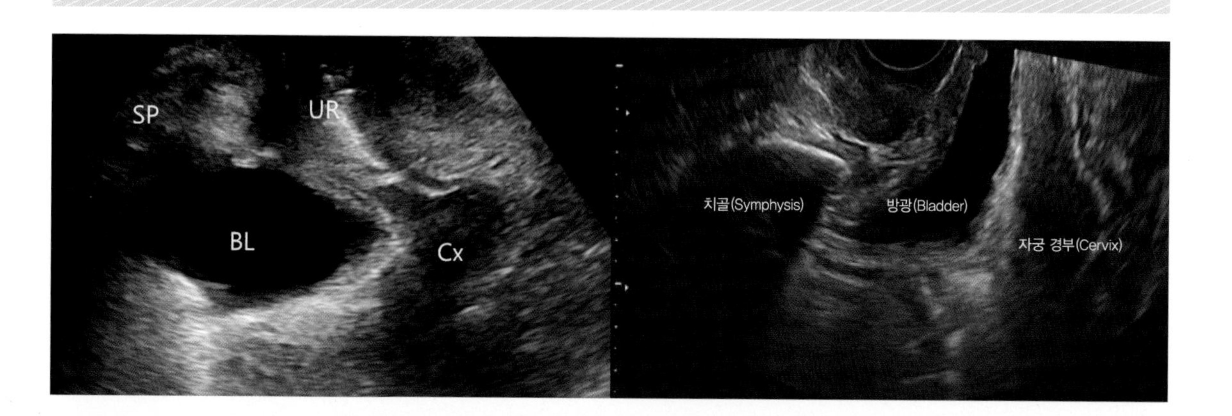

배상욱_ 연세의대 산부인과
공미경_ 연세의대 산부인과
김수림_ 가톨릭관동의대 산부인과
전명재_ 서울의대 산부인과

13 비뇨부인과 영역의 초음파

1 요실금

불수의적으로 소변의 유출을 보이는 배뇨 이상으로 사회적 또는 위생상의 문제를 유발하는 것을 요실금이라고 함.

1) 빈도

- 젊은 여성에서 약 50%가 경한 요실금 증상을 보임.
- 5-10%의 성인 여성에서 심한 요실금 증상.
- 중년 여성에서 급격한 증가, 이후 노년기에는 점진적인 증가를 보임.

2) 발생 원인 및 병태 생리

(1) 방광의 문제

① 배뇨근의 과활동성(Detrusor m. overactivity)

- 배뇨 주기 중 저장기(storage phase)에 일어나는 불수의적인 배뇨근의 수축

② 방광의 저유순도(Low compliance)

- 방광용적이 늘어날 때 배뇨근압이 급격하게 상승

(2) 요도의 문제

- 요도 소식의 질에 영향을 주는 조건이나 요도 기능의 이상에 의해 요실금 발생.

① 내인성 요도괄약근 기능 부전(Intrinsic sphincter deficiency)

- 수술, 방사선 치료 등의 내인성 요도손상.

② 요도 과운동성(Urethral hypermobility)

- 요도 후벽의 회전성 하강이 실제로 배뇨억제를 가져오는 근위부 요도와 방광 경부를 이완시켜 해부학적으로 깔대기형 변화 소견을 나타냄.
- 분만을 포함한 여러가지 원인에 의해 발생한 골반지지 조직의 결함으로 방광경부와 근위부 요도가 해부학적으로 지지되지 못하고 요도와 방광경부의 이동성이 증가
- 복압 상승시 상부의 복압과 골반내 근막 사이에서 요도가 압박되어 배뇨억제가 이루어지는 정상적인 요도하지지가 소실된 경우

3) 위험 인자

- 연령증가, 질식 분만의 과거력, 만성 기침, 임신, 비만, 흡연 등

4) 요실금의 분류

원인에 따른 요실금의 분류는 크게 다음과 같이 4가지로 나뉜다.

(1) 복압성 요실금(Stress urinary incontinence) :

- 비교적 젊은 여성에서 가장 흔한 형태
- 분만 경험이 있는 중년 또는 노년의 여성에서 흔히 발생
- 기침, 크게 웃거나 줄넘기를 하는 경우 등 갑자기 복압이 상승될 때 소변이 샘.
- 약 15% 는 수술, 방사선, 외상 등에 기인하는 내인성 괄약근 결함으로 발생

(2) 절박성 요실금(Urgency incontinence) :

- 요의가 생기자마자 참지 못하고 불수의적으로 배뇨가 되는 것
- 배뇨근의 과활동성, 방광의 저유순도, 심한 방광염, 신경인성 등의 원인으로 방광 자극이 심한 경우

(3) 범람성 요실금(Overflow incontinence) :

- 골반장기탈출증 등으로 인한 요도폐쇄에 의한 방광출구 폐쇄와 방광의 수축부전으로 요정체(urinary retention)가 발생하여 소변이 넘쳐 흐르는 경우

(4) 혼합성 요실금(Mixed incontinence) :

- 복압성 요실금과 절박성 요실금의 증상이 중복되는 경우
- 해부학적, 신경학적 요인 분석이 필요

5) 진단 방법

(1) 병력 청취(History taking)

- 요실금의 성격과 정도, 유발 요인, 일상생활에 미치는 영향 파악

(2) 이학적 검사(Physical examination)

- 골반 장기 탈출증 여부
- Cough stress test, Stress test, Q-tip test, MMK test

(3) 소변 검사

- 요로 감염, 혈뇨, 대사 이상

(4) 배뇨 일기

- 3일간 수분섭취량, 소변횟수, 소변양, 요실금 유무, 요실금 유발요인, 요절박 정도 등을 기록하여 요실금의 상태와 정도를 더욱 정확히 파악

(5) 요역동학 검사(Urodynamic study)

- 배뇨기, 방광충만기의 방광 내압, 요도 내압, 복압, 근전도 등을 측정하는 검사

(6) 방광 요도경 검사(cystourethroscopy)

(7) 영상의학적 검사

- 사슬 방광 요도 조영술(chain cystourethrography) : 고전적인 검사법으로 요실금의 원인에 따른 분류가 가능하며 치료방침을 결정하는데 중요한 역할을 함. 그러나 금속성 기구를 요도내로 삽입하는 침습적 검사로 감염 우려로 현재는 많이 사용되지 않음.
- 자기공명영상 : 비용, 접근성 문제, 실시간 영상을 얻기 어려움.
- 초음파 : 간편하고 비침습적이며 방사선 노출이 없음.

6) 요실금 환자의 초음파

- 초음파는 비침습적, 신속성, 영상의 변형이 없는 점 등의 많은 장점을 가지고 있으며, 요실금 환자에서는 경음순 초음파가 널리 시행됨.
- 회음부 초음파는 planar curved transducer를 이용하는 경음순(translabial) 초음파와 transvaginal transducer를 이용하는 경회음(transperineal) 초음파를 통칭해서 사용하는 경우가 많음.
- 여성의 요도는 해부학적, 기능적으로 복잡한 장기이며 정상적인 해부학적 구조, 올바른 위치, 요도와 주변 조직과의 관계가 정상 기능을 가능하게 해주므로, 초음파를 통해 구조와 위치를 확인하는 것이 중요

(1) 2차원 초음파

- 요실금의 초음파적 진단에 있어서 가장 중요한 기본 영상
- 얻어진 영상의 단면은 탐촉자의 방향에 따라 다르게 보이며, 환자의 해부학적 구조에 따라 다양하게 나타남.

① 경음순 초음파

- 가장 기본적인 검사방법
- 탐촉자(3.5-7 MHz curved array)
- 회음부에 밀착시켜 중시상면(Mid-sagittal view)을 얻음.
- 소음순 사이에 탐촉자를 위치시키는 경우에 영상의 질 향상시킬 수 있음.
- 검사 전 배변이 추천됨.
- 앞쪽부터 치골, 요도 및 방광, 질 및 자궁목, 직장 순으로 위치(그림 13-1)
- 환자의 불편이나 움직임에 영향을 덜 받으며 질 주위의 해부학적 구조를 비교적 정확하게 관찰할 수 있고, 방광, 골반근육 및 자궁의 움직임도 관찰할 수 있음.
- 복압 상승시의 방광경부 하강(bladder neck descent) 길이, 안정시 요도 직경 등을 측정
- 방광경부의 역동적인 변화 관찰 가능, 방광경부의 개폐, 즉 깔대기화(funneling)를 확인 가능

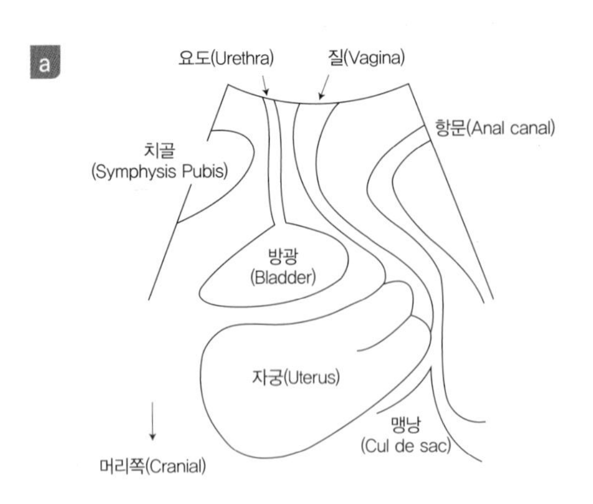

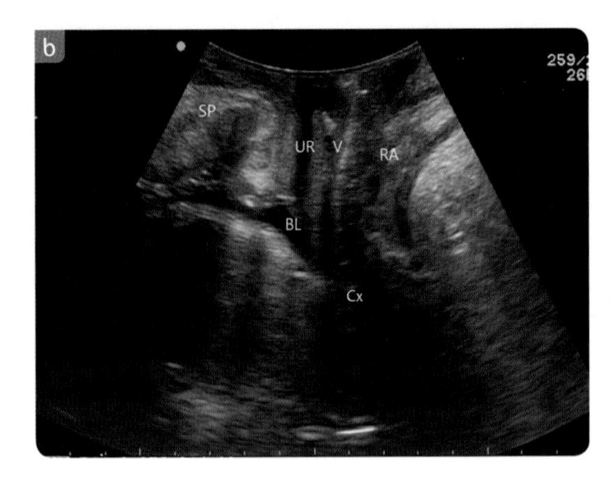

그림 13-1 회음부 초음파 영상의 중-시상면 도식. (a) 회음부 초음파 영상의 중-시상면 도식. (b) 초음파 영상(SP: 치골 symphysis pubis, BL: 방광, bladder UR: 요도 urethra, Cx:자궁목 cervix, V: 질 vagina, RA: 직장팽대부 rectal ampulla)

② 경복부 초음파

- 3.5 MHz의 선형 혹은 볼록형 탐촉자
- 방광을 최대한 채운 상태에서 관찰
- 비만한 환자에서 영상이 나쁨, 골반 기저부 및 요도의 관찰이 용이하지 않음.
- 복압 상승시 복부가 팽창하며 방광 경부와 요도가 하강하면 치골에 가려 검사를 할 수 없음.

③ 질초음파

- 7.5 MHz의 질초음파 탐촉자를 이용
- 부인과 검사와 동시에 시행 가능하나 방광을 채우고 시행해야 함
- 방광 기저부에 가까이 접근 가능, 좋은 영상을 얻을 수 있음.
- 복압 상승시 방광 기저부의 하강 및 요도의 변화를 초음파 탐촉자가 방해할 수 있음.

④ 직장 초음파

- 5 MHz의 선형 직장 초음파 탐촉자
- 복압 상승시 방광경부 하강을 탐촉자가 방해할 수 있고, 커다란 방광류가 있는 경우에는 관찰이 용이하지 않아서 방광 저부와 경부, 근위부 요도의 관찰만이 가능.

(2) 요실금의 2차원 경음순 초음파 영상

- 방광 경부 위치나 운동성을 평가하는데 있어서 높은 신뢰도를 나타냄.
- 안정시와 발살바 조작을 하는 동안에 얻어진 초음파 영상을 통하여 다양한 변수가 계측되며, 이때 방광경부 하강으로 얻어지는 다양한 변수를 비교함으로서 측정치가 얻어짐.
- 골반 장기의 하강이 완전히 이루어지도록 회음부에 과도한 압력을 주지 않아야 함.
- 발살바 조작시 근위부 요도는 후하방으로 회전하는데, 회전의 정도는 근위부 요도와 다른 고정된 축 사이에 요도 경사각(urethral inclination) 또는 후부요도방광각(posterior urethrovesical or retrovesical angle)을 비교함으로써 측정.

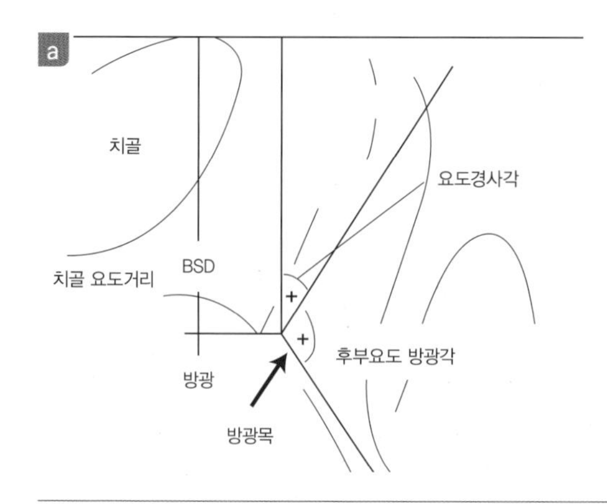

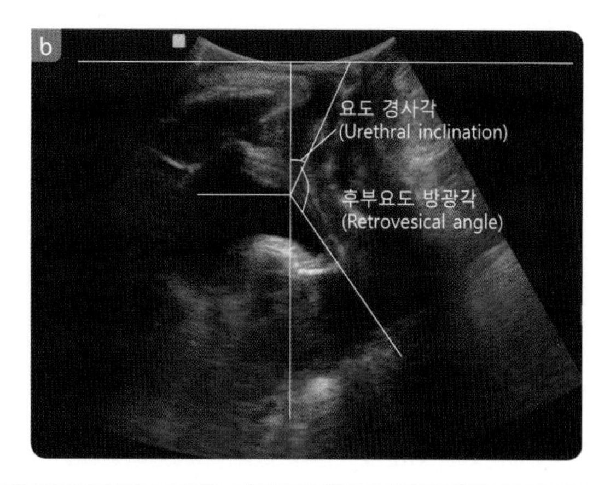

그림 13-2 회음부 초음파 영상 도식. (b) 초음파 영상(요도 경사각, 후부요도 방광각 등 회음부 초음파로 측정해야 할 변수) BSD : Bladder-symphysis distance

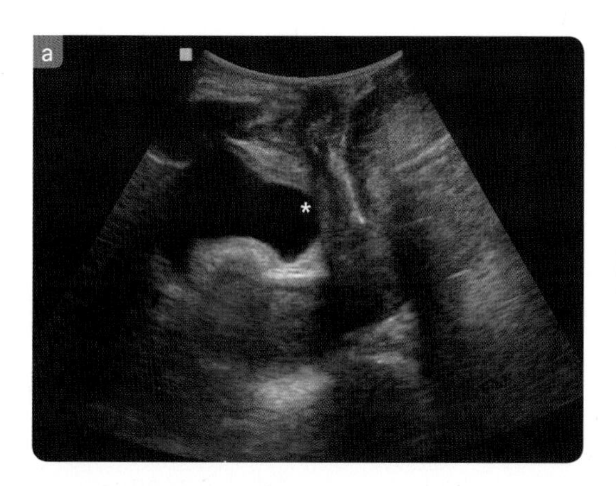

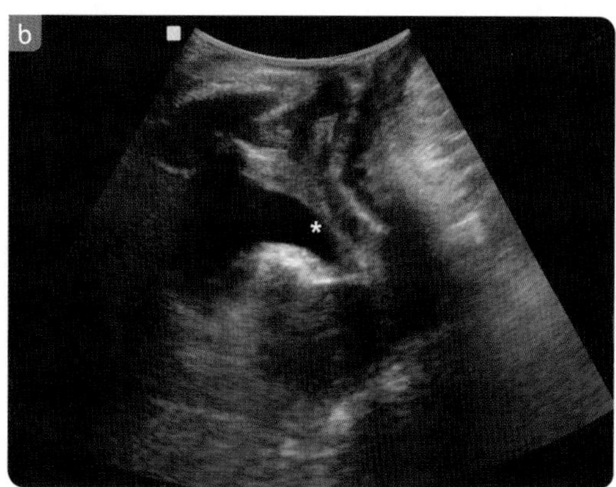

그림 13-3 정상 여성의 안정시 (a), 복압 상승시 (b) 초음파 영상. (b)는 발살바 조작시 방광 경부의 하강 측정을 한 사진이며, 방광 경부 개구 소견 (*) 은 보이지 않는다.

- 방광경부 과운동성의 가장 흔한 소견은 내요도구의 회전하강, 즉 근위부 요도와 방광 삼각부(trigon)의 후하방 회전을 말한다. 일빈적으로 후방광요도각은 정상치인 90-120 도에서 160-180 도까지 열리게 됨.
- 요실금 환자에서 방광목의 과운동성에 대한 초음파 변수 중, 방광목 하강(bladder neck descent)이 복압성 요실금과 가장 밀접하게 연관됨. 요도는 복압 상승시 내요도구의 회전 하강이 일어나면서 예전위치에서 + 표시가 되어있는 위치로 내려간다(그림 13-4). 하상이 일어난 길이가 20 mm 이상인 경우 의미가 있는 것으로 진단
- 내 요도구(internal urethral meatus)의 깔대기형 변화는 종종 소변의 유출과 연관됨. 특히 현저한 내요도구의 깔대기형 변화와 낮은 요도 폐쇄압 및 내인성요도괄약근 부전(intrinsic sphincter

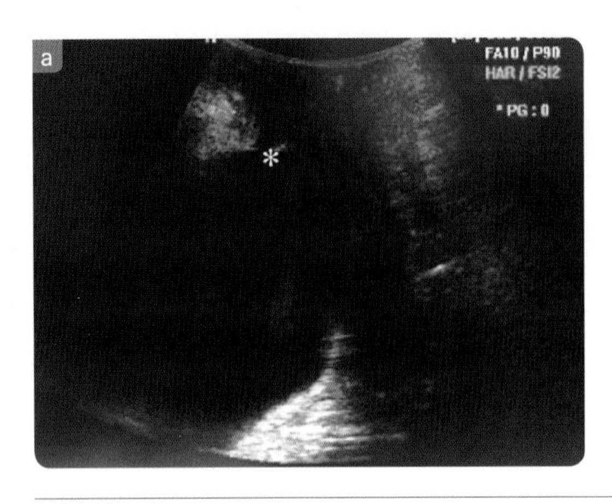

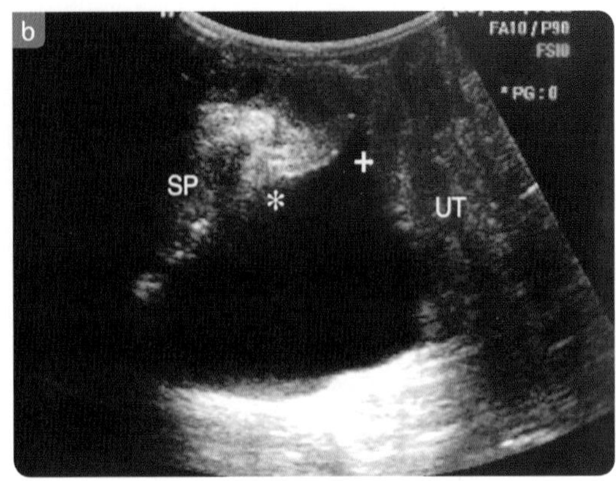

그림 13-4 복압성 요실금과 질전벽 이완을 보이는 환자의 안정시 (a), 복압 상승시 (b) 초음파
복압 상승시에는 방광경부의 회전 하강, 후부 요도 방광각의 열림, 요도의 깔대기형 변화 (+)를 보인다.
(* : 요도 원래 위치, + : 요도 이동 위치, SP : 치골, UT : 자궁)

deficiency)과의 연관성은 잘 증명되어 있음(그림 13-4).

7) 치료

(1) 생활 패턴의 변화

- 복압을 증가시키는 행동을 삼가고 만성기침, 알레르기 등의 복압상승 유발요인을 치료
- 체중 감량
- 음식 및 수분 섭취량 조절

(2) 보존적 치료

① 행동치료

- 방광 훈련
- 바이오피드백 훈련
- 골반근육운동요법(Kegel exercise)
- 전기자극치료(functional electrical stimulation, FES)

② 약물치료

- 주로 절박성요실금에서 해당되며 항콜린성, 항무스카린 계통 베타효능제
- 보존적 치료의 높은 치료율을 기대하기 위해서는 많은 시간과 환자의 자발적인 노력이 필수적

③ 수술적 치료

- 복압성 요실금의 경우 가장 효과적인 치료
- 짧은 시간 내에 높은 치료율을 기대할 수 있다.
- 치골뒤공간 걸기술(Retropubic suspension)
- 요도하걸기술(Sub-urethral sling operation)
- 인공 요도 괄약근(Artificial urinary sphincter)

2 골반장기탈출증

골반지지조직(근육, 근막, 인대)의 손상이나 약화로 인해 자궁, 방광, 직장, 소장 등이 질강 내 또는 질 밖

으로 빠져나오는 것을 골반장기탈출증이라고 함.

1) 빈도

- 일생동안 30-50%의 여성에서 발생하며, 11%의 여성이 이로 인해 수술적 치료를 받게 됨.

2) 진단

(1) 증상

- 탈출 정도가 경한 경우 대개 무증상이나,
- 진행된 탈출이 있는 경우 만성 골반통, 하중감, 배뇨 또는 배변장애, 성기능장애를 비롯한 다양한 증상 초래 가능
- 그 중 질탈 증상(질이 불룩하게 빠져 나오는 것을 보거나 느낄 수 있음)만이 골반장기탈출증에 특이적인 증상임.

(2) Pelvic Organ Prolapse Quantification (POP–Q) 검사

- 탈출 부위와 정도를 평가하기 위해 고안된 표준화된 검사법
- 전질벽, 질첨부, 후질벽의 6개 지점(Aa, Ba, C, D, Ap, Bp)과 다른 3개의 길이(gh, pb, tvl)를 측정하며, tvl를 제외한 나머지는 환자가 최대한 발살바를 한 상태에서 측정(그림 13-5)
- 모든 측정은 cm 단위로 하며, 전질벽, 질첨부, 후질벽의 6개 지점은 처녀막을 넘지 않을 경우 음의 값, 넘을 경우 양의 값으로 표기(그림 13-5)
- 전질벽, 질첨부, 후질벽의 6개 지점과 tvl 측정치

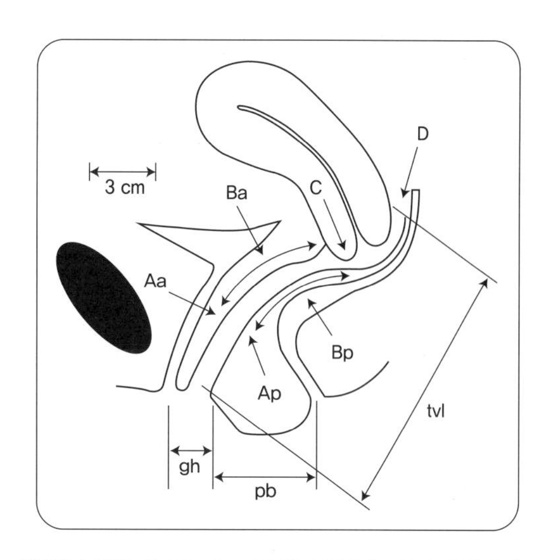

그림 13-5 POP–Q 검사 모식도와 각 지점 및 길이의 정의

Aa: 처녀막 상방 3 cm 위치의 전질벽
Ba: Aa 상방 전질벽 중 가장 처진 부위
C : 자궁경부 또는 질원개(vaginal cuff)의 최저점
D : 후방 질원개(자궁절제술을 한 경우는 측정 생략)
Ap: 처녀막 상방 3 cm 위치의 후질벽
Bp: Ap 상방 후질벽 중 가장 처진 부위
gh: 생식구멍(genital hiatus)
pb: 회음체(perineal body)
tvl: 전체질길이(total vaginal length)

표 13-1 POP–Q 병기설정

병기	기준
0기	탈출증이 없는 Aa, Ap, Ba, Bp 값이 모두 −3이고, C 값이 −tvl과 −(tvl−2) 사이인 경우
1기	0기의 기준을 만족하지 않으면서 가장 처진 부위 값이 −1보다는 작은 경우
2기	가장 처진 부위 값이 −1과 +1 사이인 경우
3기	가장 처진 부위 값이 +1을 초과하나 tvl−2보다는 작은 경우
4기	가장 처진 부위 값이 tvl−2 이상인 경우

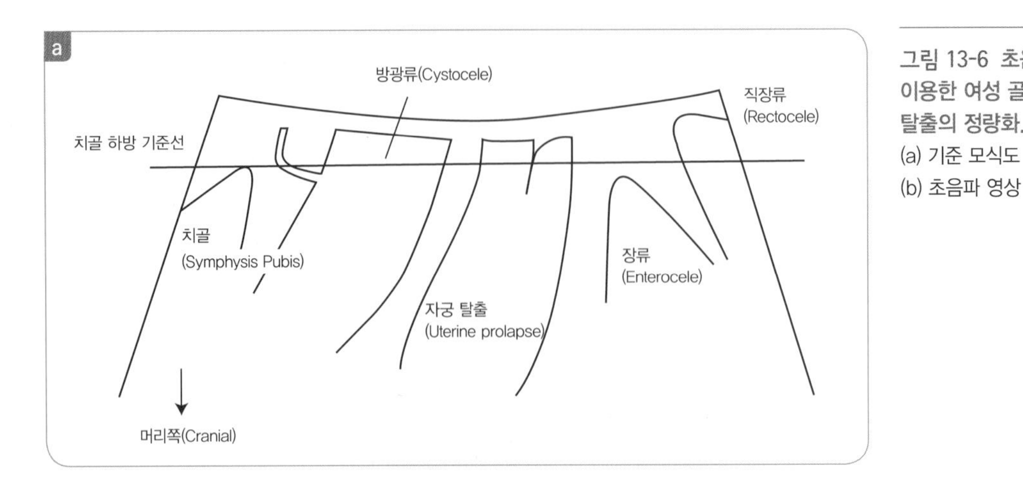

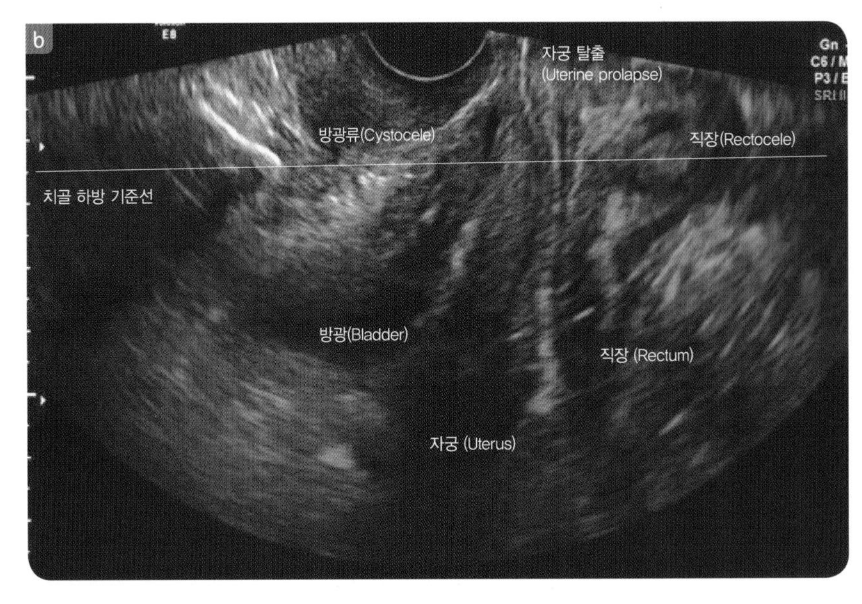

그림 13-6 초음파를 이용한 여성 골반 장기 탈출의 정량화.
(a) 기준 모식도
(b) 초음파 영상

를 토대로 표 13-1과 같이 병기를 설정

(3) 초음파 소견

- 여성 골반장기탈출은 촉진이나 시진에 의해 진단되었으나, 최근 ICS에서 골반장기탈출의 분류체계가 정립되면서 정량화한 초음파의 유용성이 대두됨.
- 반듯이 누운 자세에서 기침이나 힘을 주게 하여 방광을 완전히 비우고 골반 장기가 최대한 내려오도록 하여 영상을 얻음.
- 치골의 후하방을 평행하게 잇는 경계선을 기준으로 방광목, 방광류의 주요 경계점, 자궁 경부, 더글라스와, 직장의 위치를 측정함.
- 기준 : 안정시 치골 하방 기준선에서 요도구, 질, 항문쪽으로 진단 기준선을 평행하게 그어 정함.
- 긴장시 : 기준선 위로 돌출되는 장기가 탈출을 보

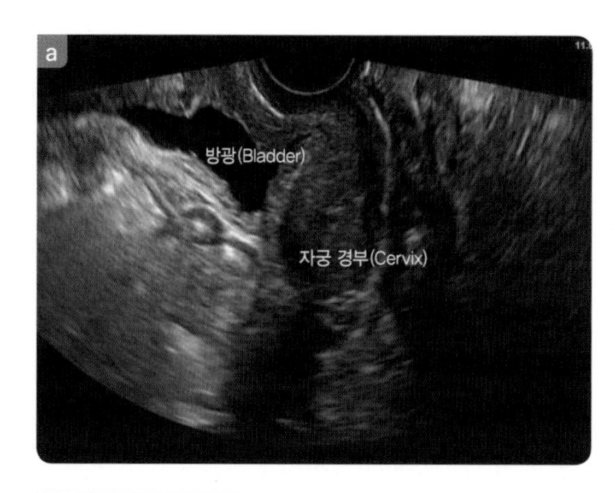

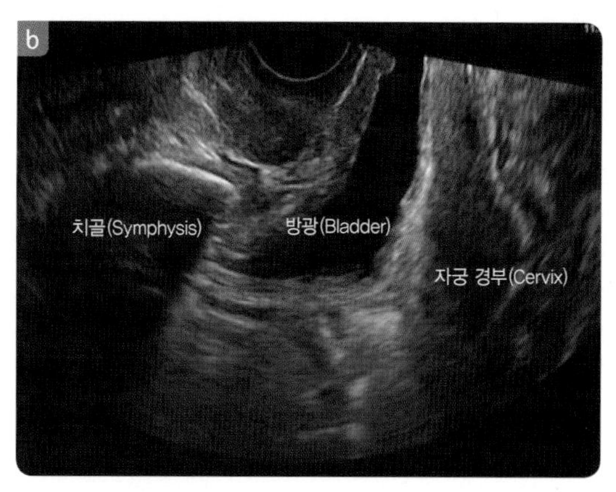

그림 13-7 방광류 및 자궁 탈출증이 동반된 환자의 초음파. (a) 안정시 (b) 긴장시

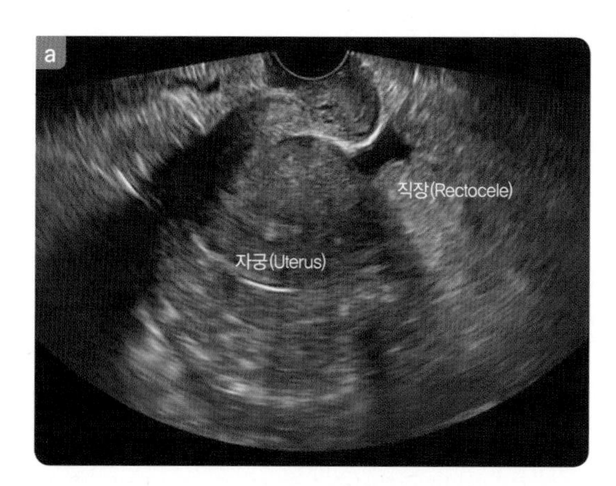

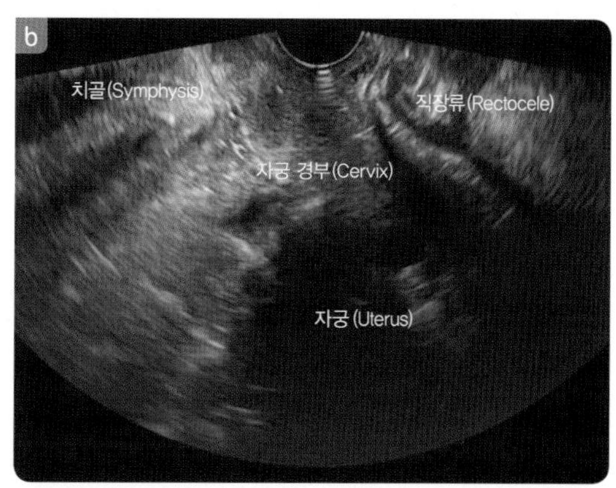

그림 13-8 직장류가 동반된 환자의 초음파. (a) 안정시 (b) 긴장시

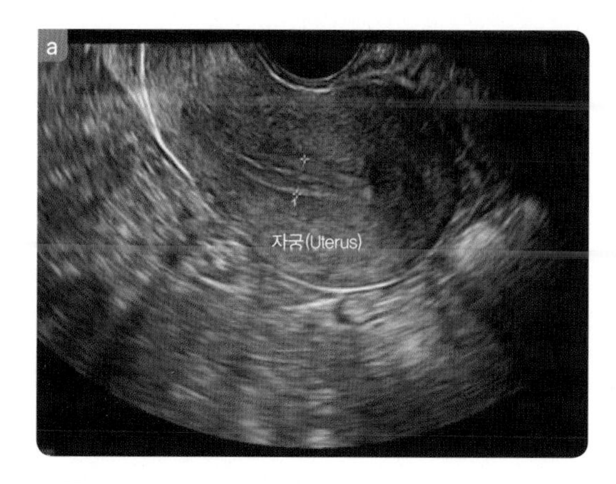

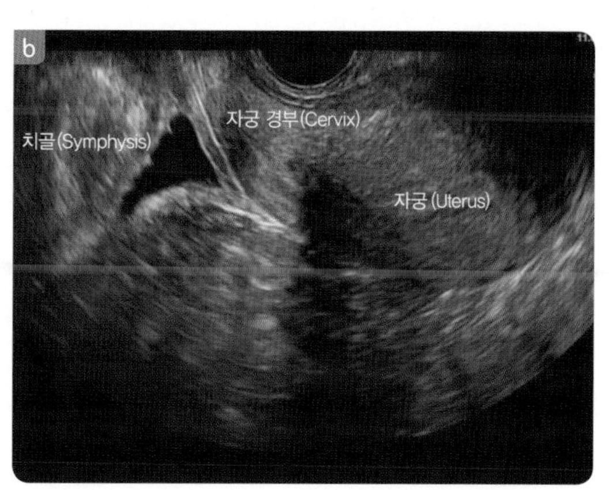

그림 13-9 동반 장기 탈출 없이 자궁 경부 연장만 관찰되는 환자의 초음파. (a) 안정시 (b) 긴장시(자궁 경부만 처녀막륜까지 하강)

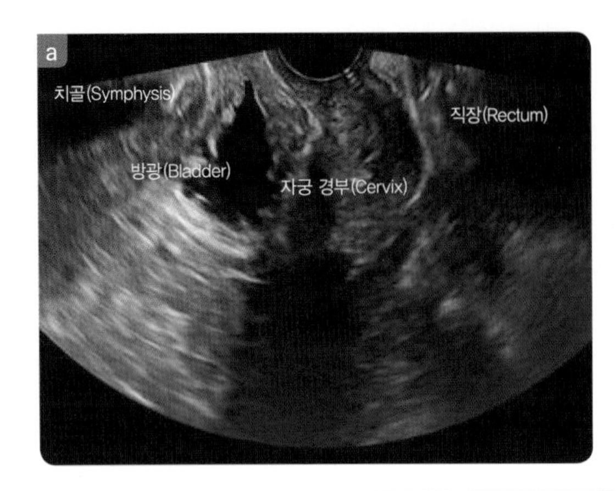

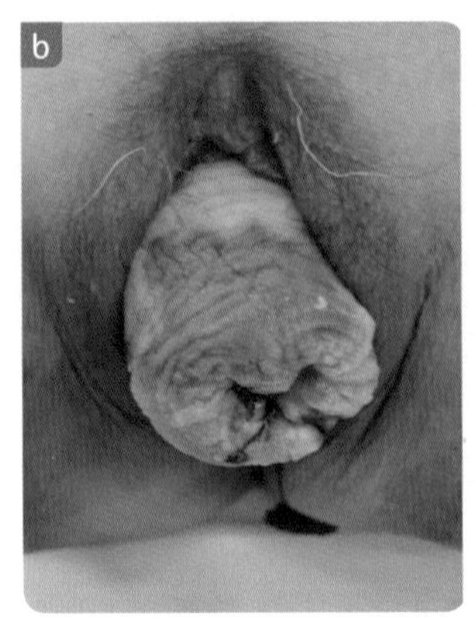

그림 13-10 경회음부 탐촉자의 과도한 압박으로 인해 긴장 시 실제보다 과소 평가된 골반장기탈출환자의 초음파.
(a) 초음파 소견 (b) 실제 소견

이는 장기로 진단(그림 13-5)

- 골반장기탈출증 초음파 진단은 기존 임상적인 분류를 객관적인 정량화를 통해 수술 전후 호전 정도 비교에 용이
- 전질벽과 자궁목의 탈출증은 임상적 분류와 초음파 진단이 높은 상관관계, 상대적으로 후질벽 탈출과 직장류는 낮은 상관관계
- 탐촉자를 누르는 압력으로 인해 중증의 탈출증이 과소 평가될 수 있음(그림 13-10 a, b).

3) 치료

(1) 경과관찰

- 무증상의 골반장기탈출증(대개 POP-Q 병기 1, 2)
- 처녀막을 넘는 진행된 골반장기탈출증(대개 POP-Q 병기 3,4)이 있더라도 질탈 증상이 없으면 경과관찰 가능하나, 배뇨 또는 배변장애가 있거나 환자가 불편함을 넘는 경우 질미란이 보존적 치료에도 해소되지 않는 경우 치료를 요함.

(2) 비수술적 치료

- 적응증 : 향후 분만계획이 있는 경우, 환자가 수술을 받기에 적합하지 않거나 수술을 원치 않는 경우
- 방법 : 골반저근강화운동(경한 골반장기탈출증의 경우만 효과적) 또는 페사리 삽입 치료

(3) 수술적 치료

- 적응증 : 비수술적 치료 실패 또는 환자가 비수술적 치료를 원치 않는 경우
- 방법 : 골반재건술 혹은 성생활을 원치 않는 경우에 한하여 질폐쇄술 또는 재건술

참고문헌

1. Abrams, P., et al. (2003). "The standardisation of terminology in lower urinary tract function: report from the standardisation sub-committee of the International Continence Society." Urology 61(1): 37-49.
2. Alper, T., et al. (2001). "Evaluation of urethrovesical angle by ultrasound in women with and without urinary stress incontinence." Int Urogynecol J Pelvic Floor Dysfunct 12(5): 308-311.
3. Bogusiewicz, M. (2016). "Ultrasound imaging in urogynecology - state of the art 2016." Prz Menopauzalny 15(3): 123-132.
4. Dalpiaz, O. and P. Curti (2006). "Role of perineal ultrasound in the evaluation of urinary stress incontinence and pelvic organ prolapse: a systematic review." Neurourol Urodyn 25(4): 301-306.
5. DeLancey, J. O. (1994). "Structural support of the urethra as it relates to stress urinary incontinence: the hammock hypothesis." Am J Obstet Gynecol 170(6): 1713-1720.
6. Dietz, H. P. and B. Clarke (2001). "The urethral pressure profile and ultrasound imaging of the lower urinary tract." Int Urogynecol J Pelvic Floor Dysfunct 12(1): 38-41.
7. Fusco, F., et al. (2017). "Updated Systematic Review and Meta-analysis of the Comparative Data on Colposuspensions, Pubovaginal slings, and Midurethral tapes in the Surgical Treatment of Female Stress Urinary Incontinence." Eur Urol.
8. Hannestad, Y. S., et al. (2000). "A community-based epidemiological survey of female urinary incontinence: the Norwegian EPINCONT study. Epidemiology of Incontinence in the County of Nord-Trondelag." J Clin Epidemiol 53(11): 1150-1157.
9. Huang, W. C. and J. M. Yang (2003). "Bladder neck funneling on ultrasound cystourethrography in primary stress urinary incontinence: a sign associated with urethral hypermobility and intrinsic sphincter deficiency." Urology 61(5): 936-941.
10. Koelbl, H., et al. (1990). "Assessment of female urinary incontinence by introital sonography." J Clin Ultrasound 18(4): 370-374.
11. Torella, M., et al. (2014). "Stress urinary incontinence: usefulness of perineal ultrasound." Radiol Med 119(3):189-194.
12. Pregazzi, R., et al. (2002). "Perineal ultrasound evaluation of urethral angle and bladder neck mobility in women with stress urinary incontinence." Bjog 109(7): 821-827.
13. Pizzoferrato, A. C., et al. (2011). "Value of ultrasonographic measurement of bladder neck mobility in the management of female stress urinary incontinence]." Gynecol Obstet Fertil 39(1): 42-48.
14. Tunn, R., et al. (2005). "Updated recommendations on ultrasonography in urogynecology." Int Urogynecol J Pelvic Floor Dysfunct 16(3): 236-241.
15. Burrows LJ, Meyn LA, Walters MD, et al. Pelvic symptoms in women with pelvic organ prolapse. Obstet Gynecol 2004;104:982–988.
16. Ellerkmann RM, Cundiff GW, Melick CF, et al. Correlation of symptoms with location and severity of pelvic organ prolapse. Am J Obstet Gynecol 2001;185: 1332–1337.
17. Gutman RE, Ford DE, Quiroz LH, et al. Is there a pelvic organ prolapse threshold that predicts pelvic floor symptoms? Am J Obstet Gynecol 2008;199:683 e1-7.
18. Jelovsek JE, Maher C, Barber MD. Pelvic organ prolapse. Lancet 2007;369:1027-1038.
19. Kim YH, Kim SA, Jeon MJ. Pelvic organ prolapse thresholds that predict bothersome pelvic floor symptoms. Kor J Urogynecol 2009;11:7-13.
20. Olsen AL, Smith VJ, Bergstrom JO, et al. Epidemiol-

ogy of surgically managed pelvic organ prolapse and urinary incontinence. Obstet Gynecol 1997;89:501-506.

21. Samuelsson EC, Arne Victor FT, Tibblin G, et al. Signs of genital prolapse in a Swedish population of women 20 to 59 years of age and possible related factors. Am J Obstet Gynecol 1999;180:299-305.
22. Swift S, Woodman P, O'Boyle A, et al. Pelvic Organ Support Study (POSST): the distribution, clinical definition, and epidemiologic condition of pelvic organ support defects. Am J Obstet Gynecol 2005;192:795-806.

소아와 청소년의 골반 초음파

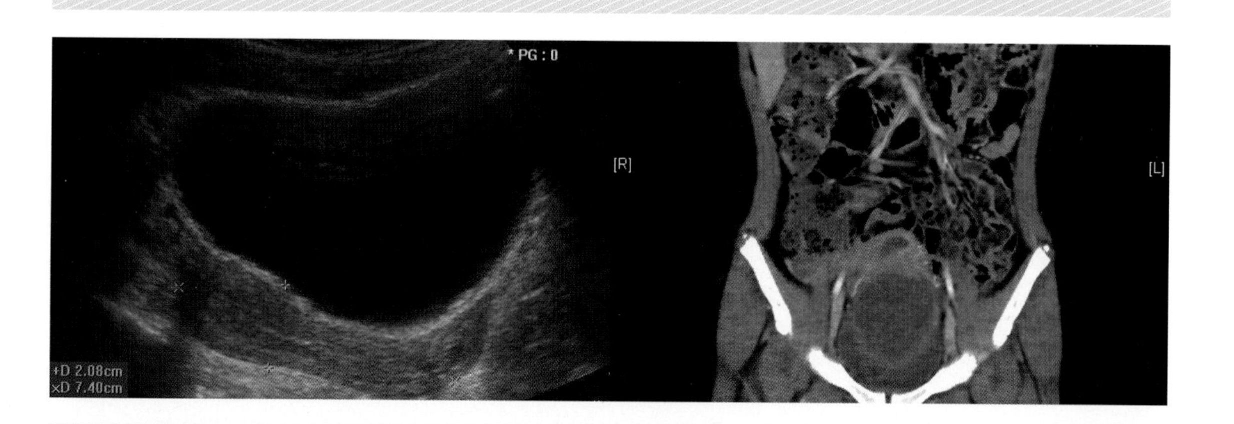

최두석_ 성균관의대 산부인과
윤보현_ 연세의대 산부인과
이미화_ 차의과학대 산부인과

14 소아와 청소년의 골반 초음파

1 개요

소아기와 청소년기 여성의 골반장기는 복강 내 깊숙이 위치하며, 질도 좁고 위축되어 있다. 내진 또한 제한적이라, 비침습적이고 정확한 영상 검사의 중요성이 강조되는 환자군이다. 초음파는 빠르고 안전하며, 비침습적이면서 실시간으로 여러 각도의 영상을 제공하는 검사로, 골반강의 구조물을 검사하는 데 이상적이며, 소아와 청소년에서 여성생식기 질환의 필수적인 영상 진단 기법이라고 할 수 있다(Bauman 등, 2012). 본 장에서는, 소아와 청소년의 연령별 정상 초음파 소견을 바탕으로, 주요 골반 질환의 특징적 초음파 소견에 대해 알아보기로 한다.

2 초음파 검사 방법

1) 초음파의 종류

(1) 질초음파(Transvaginal ultrasound)-성경험이 있는 청소년

(2) 복부초음파(Transabdominal ultrasound)-대부분의 소아와 성경험이 없는 청소년

(3) 회음부 초음파(Transperineal ultrasound)-소아와 성경험이 없는 청소년, 혹은 질 중격 등의 두께를 재는 등의 특수한 목적으로 시행함.

(4) 직장을 통한 초음파(Transperineal/Transrectal ultrasound)- 소아와 성경험이 없는 청소년에서 선별적으로 시행

- 골반장기를 보기 위해서는 고주파의 탐촉자를 사용해야 하는데, 이는 검사 대상자의 나이와 복

벽과 보고자하는 장기 간의 거리에 따라 달라짐. 신생아에서는 주로 7.5 - 9 MHz 탐촉자를, 소아에서는 5 - 7.5 MHz 탐촉자가 적당하며, 청소년에서는 3.5 - 5 MHz 탐촉자를 사용함. 청소년의 경우 복벽이 두꺼워지면서 소아에 비해 낮은 주파수의 탐촉자를 사용해야 하나, 피사체와의 거리가 멀어지면서 진단의 정확도는 감소하게 되며, 비만한 청소년의 경우 복부 초음파의 정확도는 낮아짐. 이러한 경우 직장을 통한 초음파를 실시하여 질초음파와 유사한 정확도를 얻을 수 있음.

2) 초음파 보는 법

(1) 복부초음파

- 소아에서 복부초음파로 고해상도의 골반영상을 얻기 위해서는 방광에 충분한 양의 소변을 채우고 연령에 따른 적절한 주파수의 탐촉자를 사용. 일반적으로 검사 1-2시간 전에 2-4컵의 물을 마시게 하거나, 수유 후 45-60분 후에 검사를 하도록 하며, 소변을 잘 참지 못하는 신생아의 경우에서는 하복부에 100 mL의 saline bag을 올려두고 그 위로 초음파를 봄으로써 인공 방광의 역할을 하게끔 할 수도 있음.
- 청소년의 경우, 방광이 지나치게 팽창하는 경우 자궁이나 난소가 눌려서 길이나 형태가 왜곡될 수 있으므로, 부분 배뇨 후 다시 시행하는 것이 좋음.

(2) 직장초음파

- 질초음파와 유사하며, 탐촉자 삽입 시 충분한 양의 젤리를 도포하고 검사대상자가 항문괄약근을 이완하도록 유도하면서 시행해야 함.
- 그 외 질 가로 중격이나, 질 폐쇄증에서 복부 초음파와 회음부 초음파를 병행하여 하부 생식기 폐쇄부위의 두께를 측정할 수 있음.

(3) 골반 장기의 위치와 크기 측정

① 소아의 자궁은 골반의 중심선상에 위치하며, 체부가 발달된 경우 방광의 후면을 누르는 모양임. 난소는 자궁의 후면 또는 측면에서 관찰되며, 내장골혈관의 전면, 내측에 위치

② 자궁과 난소의 크기 측정
자궁과 난소의 크기를 측정할 때에는 시상면에서 길이(Length)와 높이(Height)를 재고, 횡단면에서 너비(Width)를 측정. 넓이는 Length × Width, 부피는 Length × Height × Width × 0.5236(타원체 용적공식)으로 계산함.

3 소아와 청소년의 정상 골반 초음파 소견

1) 신생아기

(1) 자궁의 크기

- 평균 길이(Length)- 약 3.2 cm, 자궁 체부보다 경부가 더 크다.
- 평균 높이(Height)- 약 0.7 cm
- 평균 부피(Volume)- 약 3.5 mL
- 생후 7일 이내 신생아의 자궁은 모체와 태반의 여성호르몬의 영향을 받아 소아기에 비해 커져 있

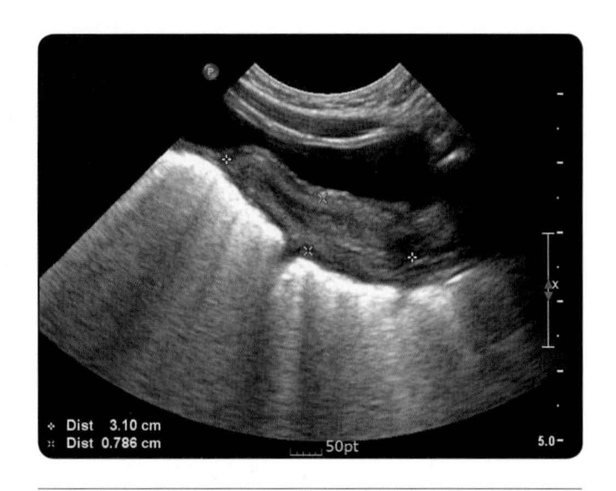

그림 14-1 신생아의 정상 자궁(생후 4주). 자궁 내에 에코발생형 자궁내막이 관찰된다.

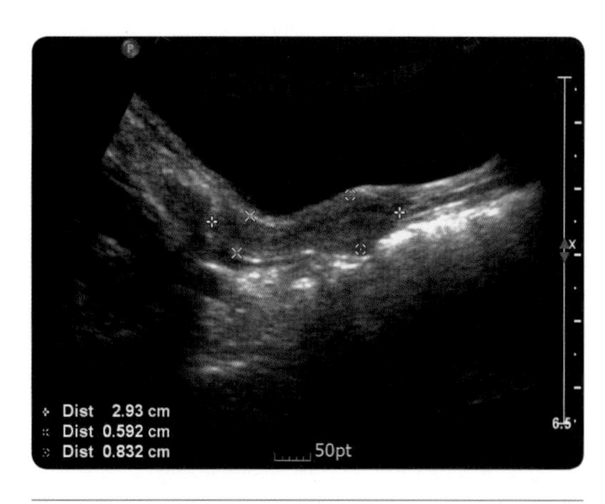

그림 14-2 2세 여아의 정상 자궁 모양. 자궁경부(8.3 mm)가 자궁체부(5.9 mm)보다 크고 내막이 잘 관찰되지 않는다.

어 초음파로 쉽게 확인할 수 있음. 호르몬의 영향으로 대부분 신생아에서 증가된 에코의 선형 내막이 관찰되고, 25%에서는 자궁 내막강 안에 소량의 액체가 확인된다. 자궁의 모양은 관(58%) 또는 스페이드(32%) 형태를 보임(Nussbaum 등, 1986).

(2) 난소의 크기

- 평균 0.5 mL이며, 한 개에서 수 개의 난포가 흔히 관찰됨(Haber 등, 1994).

2) 소아기

(1) 자궁의 크기

① 0-7세 미만

- 나이의 영향을 받지 않음.
- 평균 길이(Length)- 2.5-3.3 cm, 체부보다 경부가 커서 체부:경부의 비율은 1보다 작다(그림 14-2, 14-3). (Orsini 등, 1984).

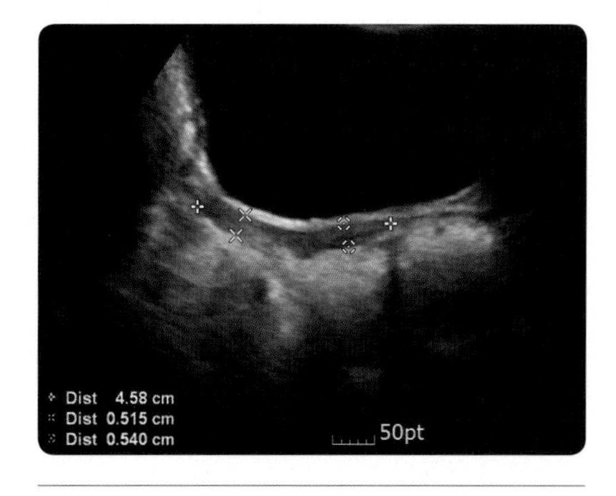

그림 14-3 아직 호르몬 분비가 시작되지 않은 8세 여아의 정상 자궁 모양. 자궁의 체부가 발달하지 않아 가늘고 긴 관 모양을 보인다.

- 평균 높이(Height)-0.7-0.8 cm
- 평균 부피(Volume)-생후 3개월부터 7세까지 1-2 mL 정도를 유지(Haber 등, 1994).

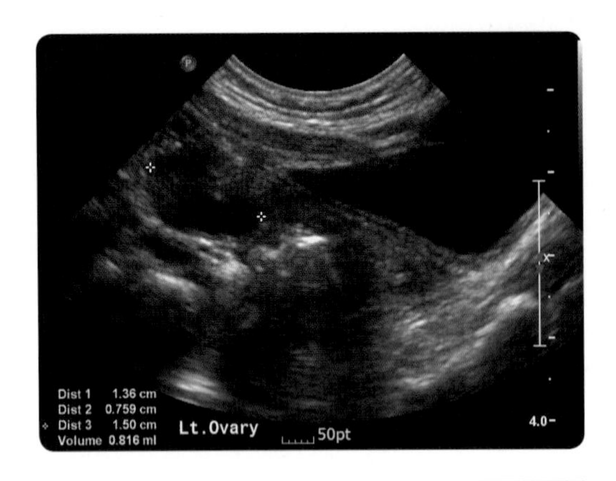

그림 14-4 소아 정상 난소(생후 2개월). 난소의 용적이 1 cm^3 미만이다.

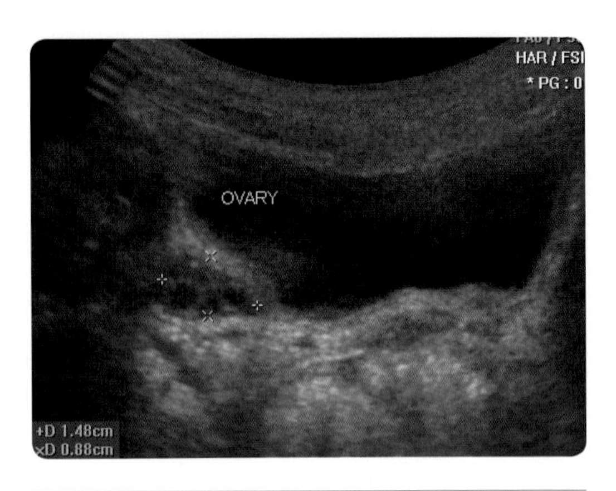

그림 14-5 소아 정상 난소(5세). 소아의 난소 내에 난포가 관찰된다.

② 7–9세 미만

- 자궁의 크기가 미세하게 증가하기 시작함.
- 평균 길이(Length)- 약 3.5-3.7 cm, 자궁 체부의 발달로 체부: 경부 비율이 1보다 커지기 시작(Salardi 등, 1985)
- 평균 높이(Height)- 약 0.8-1.0 cm
- 평균 부피(Volume)- 약 3 mL

(2) 난소의 크기

- 소아의 난소 용적은 연령과 신체 성장에 따라 서서히 증가함(그림 14-4) (Haber 등) (1994. Salardi 등, 1985). 난소 내 2-9 mm의 난포가 일부 정상 소아에서 확인되며, 9세 이후에는 50%이상의 소아에서 관찰됨(그림 14-5).
- 2세- 난소 평균 부피 0.5-0.75 mL
- 7세- 난소 평균 부피 0.8-1.26 mL
- 9세- 난소 평균 부피 1.98 mL

3) 초경 전과 사춘기

(1) 자궁의 크기

① 9–12세 미만

- 자궁의 크기는 유의하게 증가하기 시작하고, 사춘기 시작되면 성장은 가속화됨. 여성호르몬에 의한 자궁의 성장은 상대적으로 경부보다 체부에서 현저하며, 이로인해 자궁의 모양은 가느다란 관 모양에서 서양배 모양으로 바뀌게 됨(그림 14-6).
- 평균 길이(Length)- 약 3.8-4.3 cm, 자궁 체부/경부 비=1.2.
- 평균 높이(Height)- 약 1.0-1.3 cm
- 평균 부피(Volume)- 약 10-14 mL

② 12세(평균 초경 연령)

- 평균 길이(Length)- 약 5.5 cm
- 평균 높이(Height)- 약 1.8 cm
- 평균 부피(Volume)- 약 16 mL
- 사춘기 단계 별로는 유방 Tanner 3기에 자궁의 부

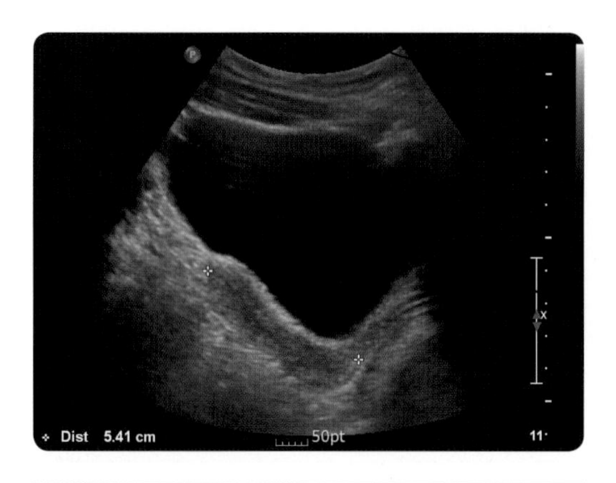

그림 14-6 사춘기 정상 자궁(10세). Tanner 3기의 자궁으로 체부의 발달에 의해 서양배 모양을 보인다.

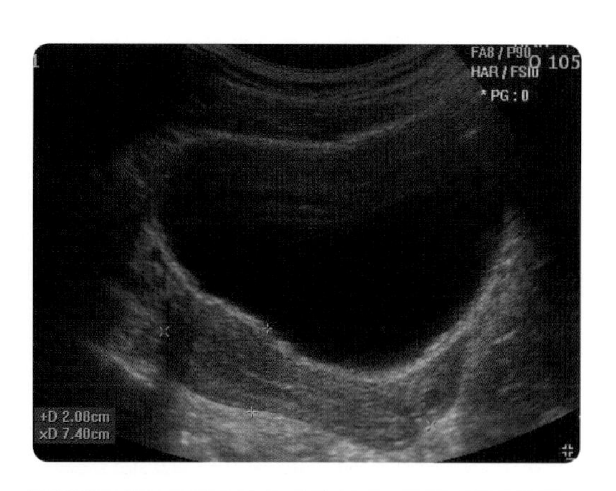

그림 14-7 사춘기 정상 자궁(12세). Tanner 4기, 초경 5개월 후의 자궁으로 성숙한 형태를 갖추고 있다.

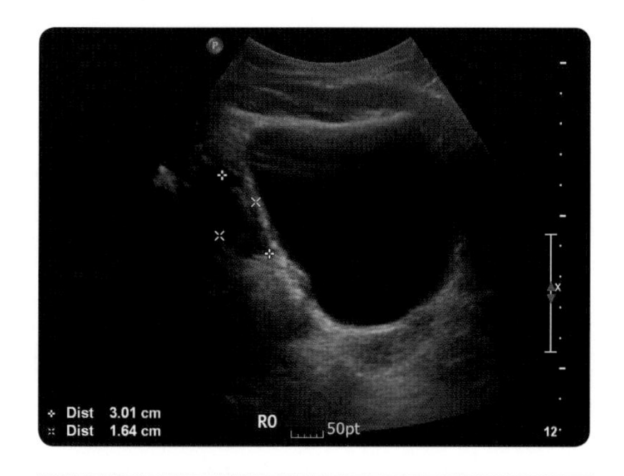

그림 14-8 사춘기 정상 난소(10세). Tanner 3기의 난소로 소아기에 비해 크기가 증가한다.

피가 8 mL, 4기에 16 mL 정도로 3기 이후 자궁의 성장이 두드러짐(그림 14-7) (Salardi 등, 1985).

(2) 난소의 크기

- 사춘기의 난소는 생식샘자극호르몬의 영향으로 크기가 더 증가하고 타원형에 가깝게 변함. 만 9세 이후 서서히 부피가 증가함(그림 14-8) (Haber 등, 1994).
- 12세-난소 평균 부피 4 mL
- 15세-난소 평균 부피 6 mL

4 소아청소년기 난소 종괴

1) 신생아기

(1) 신생아 난소 낭종

- 신생아 난소에서 작은 크기의 난포낭(Follicular cyst)은 비교적 흔한 소견임. 이러한 난포낭은 모체, 태반 및 태아 호르몬의 자극에 의해 태내에서 발생하며 태내에서 또는 출생 후 수 개월 이내 자연 소실되나 일부에서 남아 크기가 커져 난소 낭종으로 발전함. 신생아 난소 낭종의 전신인 태아 난소 낭종은 임신 28-29주 이후에 발생하며 산전 초음파의 보편화로 발견 빈도는 점차 높아지고 있

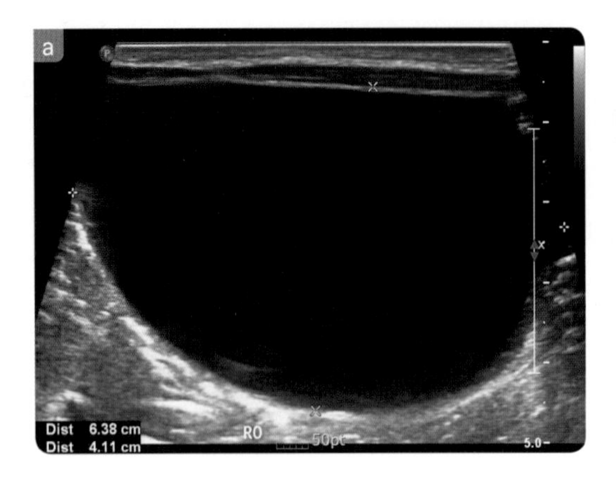

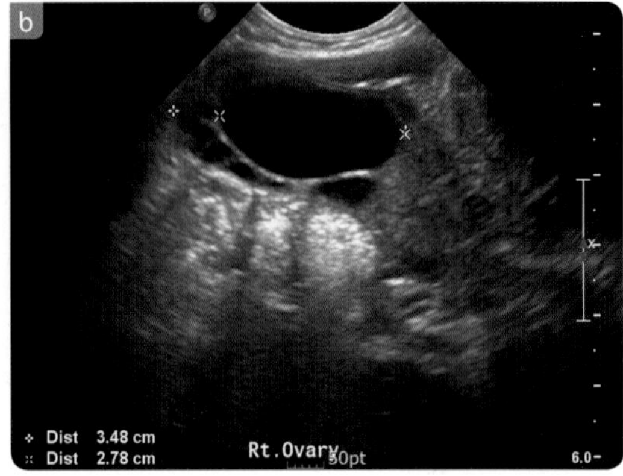

그림 14-9 신생아 난소 낭종. (a) 생후 2일, 무반향성 낭종으로 낭종벽이 관찰되지 않는다. (b) 생후 2개월, 난소 낭종의 크기가 감소한 상태이다.

음. 호르몬 자극에 의해 생기는 신생아 난소 낭종은 출생 후 모체 및 태반 호르몬의 영향이 사라지면 대개 생후 수 개월 이내 자연 소실되므로, 주기적인 추적 관찰이 원칙이나 낭종이 직경 5 cm 이상으로 지나치게 커지거나 난소 염전 및 낭종 출혈이 발생하는 경우 수술적 치료를 요하기도 함.

① 초음파 소견

i) 하복부에 위치한 매끈한 구형의 종괴
ii) 정상적인 신장과 방광의 확인
iii) 난소 낭종에서 연동운동이 보이지 않아야 함.
iv) 낭종의 벽에서 정상 난소 조직이 관찰되거나 난포 및 난포의 딸낭(daughter cyst) 관찰 시 진단이 수월함.
v) 대개 일측성
vi) 단순 낭종일 경우 완전 무반향성(Anechoic)으로 낭종벽은 얇아 잘 관찰되지 않음(그림 14-9).
vii) 난소염전이나 낭종 출혈 등이 발생한 경우 고에코성의 얇은 낭종벽이 보이고, 낭종 내 침전물이 보여 수액-부스러기 경계면(fluid-debris interface), 응혈(blood clot), 격막 등의 소견이 관찰됨.

② 감별진단

i) 난소 낭종은 신장의 낭성종괴-수신증, 다낭성신(Polycystic kidney)-를 제외하고 신생 여아의 가장 흔한 복부종괴임.
ii) 장 중복낭(Enteric duplication cyst)- 창자 벽의 중복에 의한 것으로 초음파에서 낭종 벽에 장점막과 근층에 의해 두 줄의 태 징후와 함께 연동운동이 관찰됨.
iii) 창자간막낭 또는 요막관낭(Meseteric or urachial cyst)- 창자간막낭은 거대낭종으로 초음파 상 경계가 명확한 무반향성(anechoic) 낭종 내에 얇은 격막이 흔하게 동반됨.
iv) 태변거짓낭(Meconium pseudocyst)- 초음파에서 두꺼운 벽을 가진 에코발생성(echogenic) 종괴로 내부 점성 물질의 움직임이 관찰됨. 복강내 석회화가 자주 동반 관찰됨.

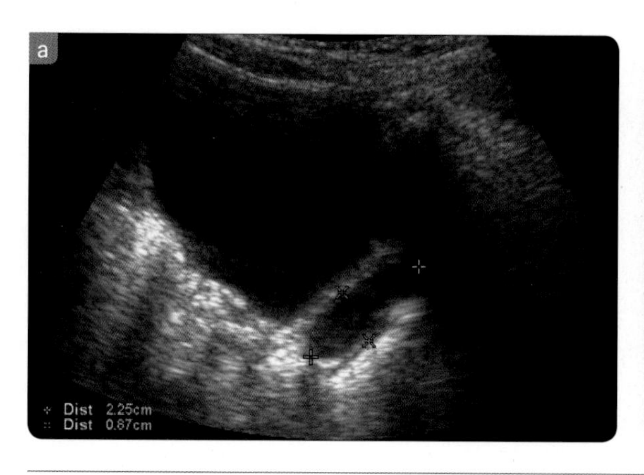

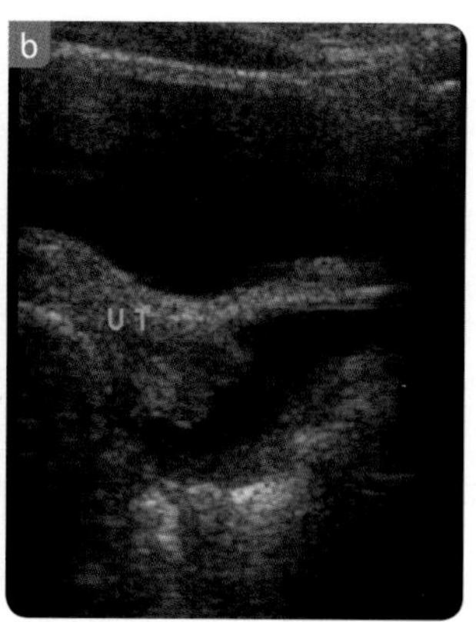

그림 14-10 생후 9개월 영아. 무공처녀막에 의해 발생한 질수종(Hydrocolpos).

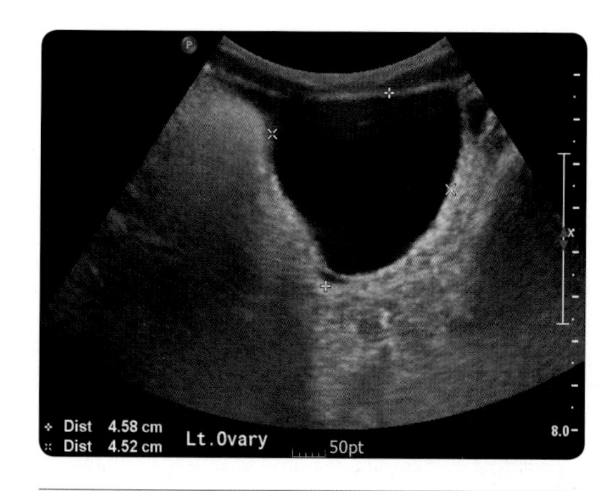

그림 14-11 소아 난소 비종양성 낭종. 일시적인 질출혈을 보인 7세 여아의 무반향성 낭종.

v) 자궁질수종(Hydrometrocolpos) (그림 14-10)

2) 소아기

(1) 단순 난포성 낭종

- 신생아기에 비해 현저히 감소하나, 8세 이하 정상 여아의 2-5%에서 초음파 검사로 작은 크기의 낭종이 확인된다고 보고됨(Millar 등, 1993). 이러한 난포성 낭종(Follicular cyst)은 대부분 직경 1 cm 미만이며 드물게 2 cm 이상으로 커지는 경우 난소 염전을 일으키거나 일시적인 호르몬 분비 등을 나타낼 수 있으나, 대개 수 주 이내 자연 소멸됨(그림 14-11). 소아에서 수술로 제거한 난소 종괴의 60%가 단순 낭종이나 난포성 낭종과 같은 비종양성 낭종으로 밝혀졌으며, 그 밖에 양성 종양 30%, 악성 종양 8%로 나타남(van Winter 등, 1994)(Templeman 등, 2000).

① 초음파 소견

i) 무반향성(Anechoic) 낭종, 낭종 후면의 경계가 잘 구분되고 강한 음향 증강을 보임.

ii) 내부에코를 동반하지 않는 단순 낭성 종괴

iii) 낭종 내 출혈이 동반되는 경우 광범위한 내부 에코와 수액-부스러기 경계 및 음향 투과 감소 소견이 나타나며, 진성 난소 종양과 구별하기

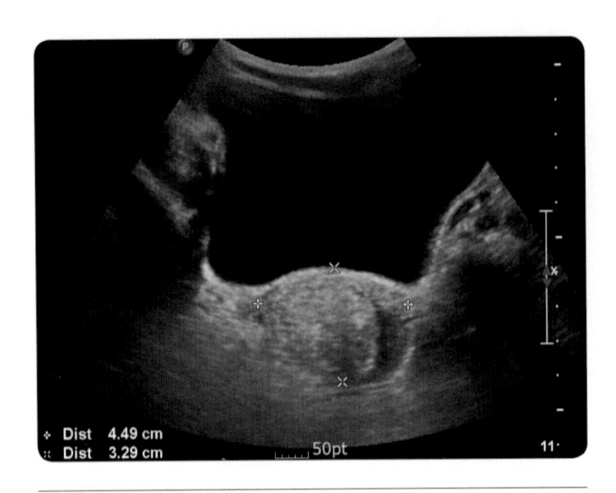

그림 14-12 소아 난소 기형종. 6세 여아로 좌측 난소에 균질한 고에코성의 종괴가 관찰된다.

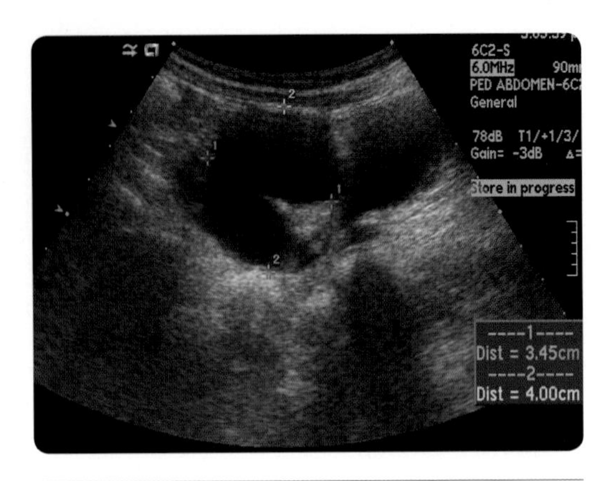

그림 14-13 7세 여아의 난소 기형종. 무반향성 낭종 내에 격막과 부분적인 고에코 소견이 관찰된다.

어려울 수 있음.

(2) 진성 난소 종양

- 소아기에 진성 난소 종양의 발생 빈도는 인구 십만명 당 2.6명 정도로 매우 낮으나, 진성 종양인 경우 악성일 가능성이 상대적으로 높아 발견 시 적극적인 진단과 치료가 필요함. 난소의 진성 종양 중 20-30%가 악성 종양이고, 70-80%가 양성이라고 알려져 있으며, 양성 종양의 대부분은 기형종(Mature cystic teratoma)이다. 드물게 낭선종(Cyst adenoma), 생식샘모세포종(Gonadoblastoma)가 발견됨. 악성 종양의 70%는 생식세포종(Germ cell tumor)이고, 나머지 15-30%는 난소의 상피 혹은 간질 세포에서 기원한다고 알려짐. 드물지만 백혈병, 임파선암, 신경모세포종, 위암 등에 의한 전이성 난소 종양이 발생하기도 함.

① 초음파 소견

i) 혼합형(solid and cystic)이나 고형 종괴- 혼합형이 악성종양일 가능성은 11%, 고형 종괴가 악성종양일 가능성은 38%.

ii) 크기가 큰 경우- 7 cm 이상의 낭성 종괴

iii) 양성 기형종(그림 14-12)

- 무반향성 낭종 내 한 개 이상의 내벽 결절(mural nodule)이 관찰
- 낭종의 부분 또는 전체에 균질한 고에코발생 종괴가 관찰됨- 주로 낭종 내부의 모발, 지방, 석회화물질, 피지 등에 의해 나타남(그림 14-13).
- 고에코발생 조직은 낭종 뒤편으로 후방소리그림자(Posterior acoustic shadowing)를 만들고, 그로 인해 낭종의 일부가 가려지게 하는 빙산효과(Iceberg sign)를 보이는데, 소아의 난소 기형종은 청소년이나 성인에 비해 이러한 특징을 보이는 빈도가 비교적 낮음(Sisler 등, 1990)(표 14-1).
- 내벽 결절이 너무 작아서 관찰이 어렵거나, 석회화 물질의 크기가 작거나 다량의 모발에 가려져서 성인에서 보이는 특징의 관찰 빈도가 낮음.

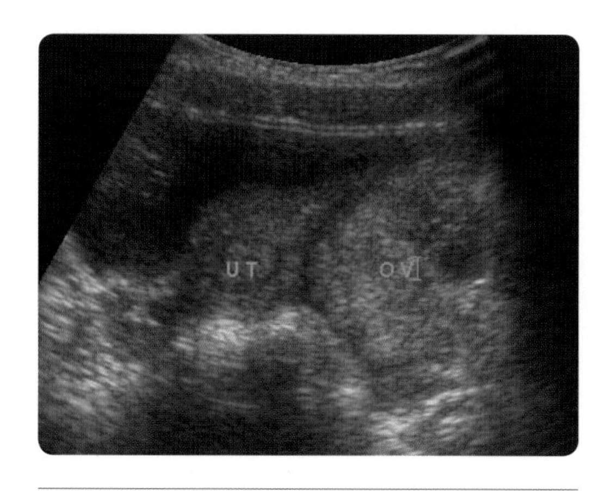

그림 14-14 소아 난소 악성 종양. 3세 여아의 혼합생식세포종(mixed germ cell tumor). 초음파에서 고형 종괴로 관찰되며 종양의 호르몬 분비로 자궁의 크기가 증가되었다(UT=자궁, OV=난소).

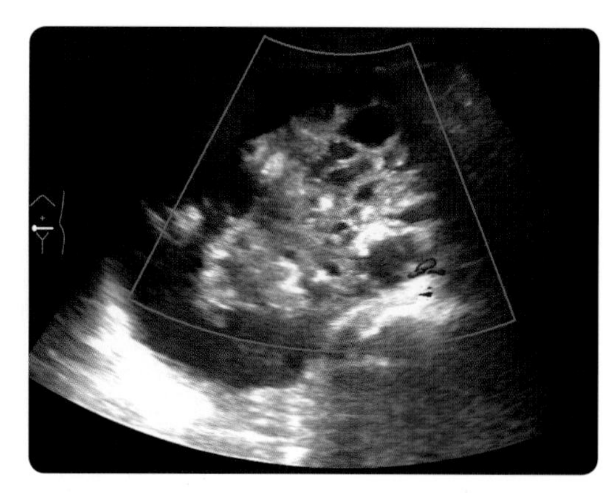

그림 14-15 11세 여아의 미성숙 기형종(Immature teratoma). 초음파에서 다발성 석회화 현상이 관찰된다.

표 14-1

	소아의 기형종	청소년, 성인의 기형종
발생빈도	내벽결절: 38%	내벽 결절과 후방소리
	후방소리그림자: 13%	그림자 모두 청소년: 70%, 성인 80–90%에서 관찰됨

iv) 악성 난소 종양(그림 14-14)

- 크기가 다양하나, 전반적으로 크고(평균 직경 15 cm), 혼합형 또는 고형 종괴 소견임.
- 종양의 불규칙한 경계, 두꺼운 격막, 유두상 돌기, 복수, 대망 이식물(omental implants), 림프절병증, 간 전이 등
- 가장 흔한 소아 악성 난소 종양인 미분화세포종(Dysgerminoma)와 미성숙 기형종(Immature teratoma)는 석회화 현상이 흔히 관찰됨(그림 14-15).
- 과립막세포종(Granulosa cell tumor)은 소아에서 여성호르몬을 분비해 성조숙증을 초래하는 난소 종양 중 가장 흔한 형태로, 다양한 두께의 불규칙한 격막과 고형부분을 포함하는 다방성 거대 낭종이 전형적인 특징임.

② 처치(Management)

i) 초음파에서 직경 7 cm 이하의 단순 낭성 종괴인 경우 4-8주 이후 추적 검사를 실시하여 크기가 감소하는지 여부를 확인해야 함.

ii) 낭성 종괴가 7 cm 이상이거나 크기에 관계 없이 혼합형이나 고형 종괴일 경우 수술적 제거가 원칙임.

3) 청소년기

(1) 기능성 낭종

여성호르몬의 분비가 활발해지는 청소년기에는 난소에 기능성 낭종이 흔하게 발생하지만, 상당수가 자연 소멸되므로 정확한 빈도를 알기 어려우나, 진

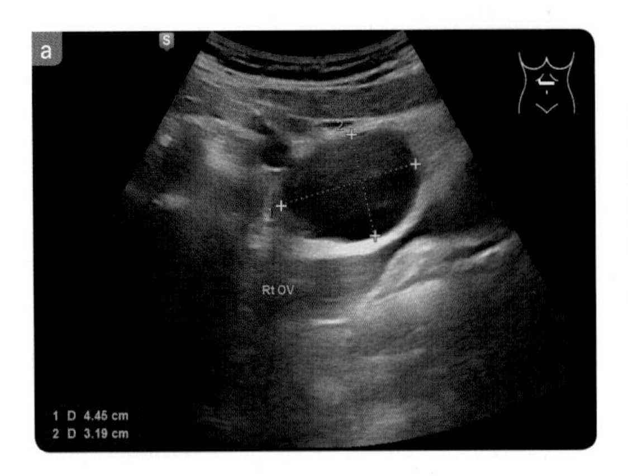

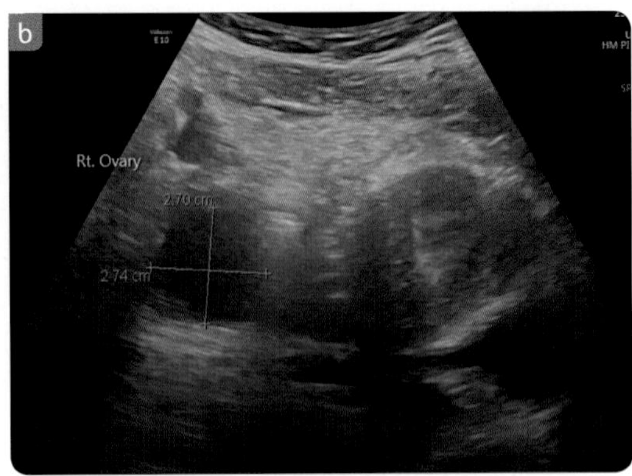

그림 14-16 청소년 난소 출혈성 낭종. (a) 하복통을 동반한 15세 청소년의 출혈성 낭종, (b) 낭종 소실 후의 정상 난소

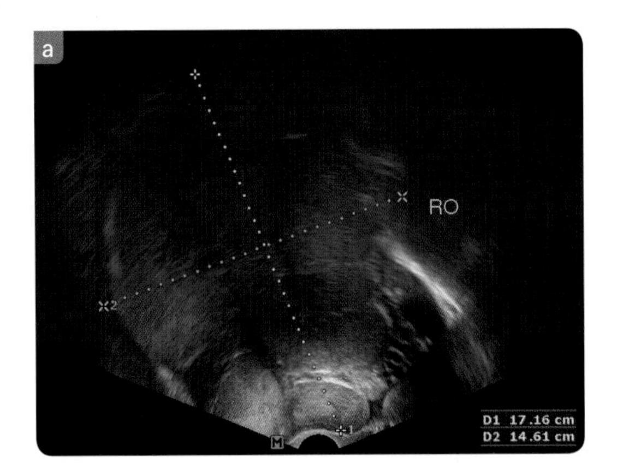

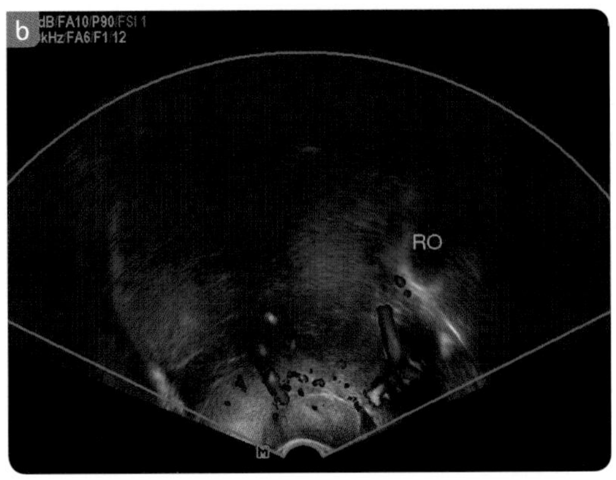

그림 14-17 19세에서 발생한 난소 생식세포종(미분화세포종)의 초음파 소견. (a) 다방성 고형 종괴가 불분명한 경계를 띠고 있음, (b) 내부에 에코발생형 조직이 다발적으로 관찰됨.

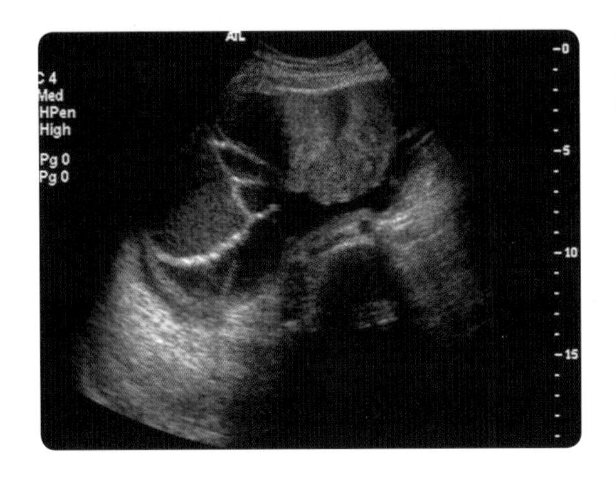

그림 14-18 15세에서 발생한 난소 상피세포종(점액낭샘암종)의 초음파 소견. 불규칙한 격막과 내부의 고형 조직을 포함하는 다방성 종괴가 관찰된다.

단되는 난소 종괴의 약 20-50% 정도로 알려져 있음. 난소의 기능성 낭종은 난포낭, 황체낭, 난포막황체낭 등에서 기원하며 무증상이거나 일시적인 월경이상, 또는 경미한 골반통을 동반함.

① 초음파 소견

i) 대개 크기는 직경 5-6 cm 이하임. 8 cm 이상의 크기를 갖는 경우는 매우 드묾.
ii) 대부분 무반향성이나, 황체낭일 경우 내부 에코가 증가함.

(2) 출혈성 낭종

출혈성 낭종은 주로 난포낭이나 황체낭에서 발생하며, 하복통을 유발하는 원인임. 혈액 응고 장애를 가지고 있거나 항응고제를 사용하는 환자, 복부 외상의 경우에 위험도가 증가함.

① 초음파 소견(그림 14-16)

i) 낭종 내 균질한 저에코성, 수액/부스러기 층이 관찰되기도 함.
ii) 내부격막
iii) 매끈한 내벽의 낭종
iv) 도플러 초음파에서 혈류는 잘 관찰되지 않음.
v) 시간이 지나면서 낭종 내부의 응혈이 용해되면서 초음파 소견의 변화가 생김.
vi) 감별진단-진성 종양, 난소 염전과 구분해야 함.

(3) 진성 난소 종양

소아기에 비해 청소년기에 난소 종양의 발생 빈도는 증가하나 종양의 악성 가능성은 감소함. 0-15세 사이에 발생한 난소의 진성 종양 중 33%가 악성 종양인데 반해 16-20세 사이의 진성 종양의 약 20% 정도만 악성 종양임(van Winter 등, 1994). 이 중 15세 미만의 경우, 난소 종양의 70%가 배아세포종이고 약 15%가 상피세포종이었으나, 15세 이상에서는 배아세포종 43%, 상피세포종 46%으로 상피세포종의 빈도가 현저히 증가함(그림 14-17, 14-18).

① 초음파 소견

i) 다방성 종괴
ii) 두껍거나 불규칙한 격막과 벽
iii) 불분명한 종괴의 경계
iv) 내벽의 결절
v) 내부의 고형 및 에코발생형 조직

(4) 난소 염전

청소년기 여성의 급성 복통의 주요 원인인 난소 염전은 대개 20대 이전 젊은 여성에서 나타나는데, 특히 초경 직후의 십대에서 가장 많이 발생함(그림 14-19). 소아청소년기에 난소 염전이 호발하는 원인은 복강내 위치하던 난소가 진성 골반 안으로 이동하는 과정 중에 자궁-난소 인대의 길이가 상대적으로 길고 약해 구조적으로 유동성이 증가되어 있는 것과 연관이 있음. 대개 난소 낭종이나 부속기 낭종 등이 있는 경우 염전의 위험도가 증가하며, 대부분 양성 기형종이나 단순 낭종 등이고 악성 종양에 의한 염전은 매우 드묾. 난소 염전은 3세 이하의 어린 연령에서는 정상 난소에서도 발생할 수 있음(그림 14-20).

① 임상적 특징

i) 급성 하복통, 오심과 구토, 혈액검사상 백혈구 증가증
ii) 감별진단 : 출혈성 난소 낭종, 난소난관 농양, 충수염

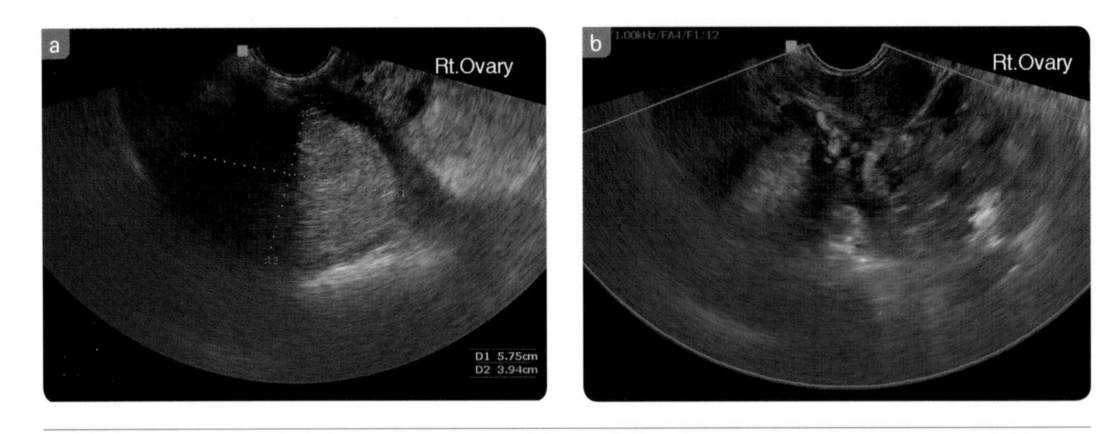

그림 14-19 청소년 난소 염전. 급성 하복통을 동반한 16세 여아의 초음파 소견. (a) 난소의 가장자리에 다수의 작은 낭종이 관찰됨, (b) 꼬여 있는 혈관 줄기가 고에코성의 원형 구조물 내 소용돌이 모양의 혈류가 관찰됨.

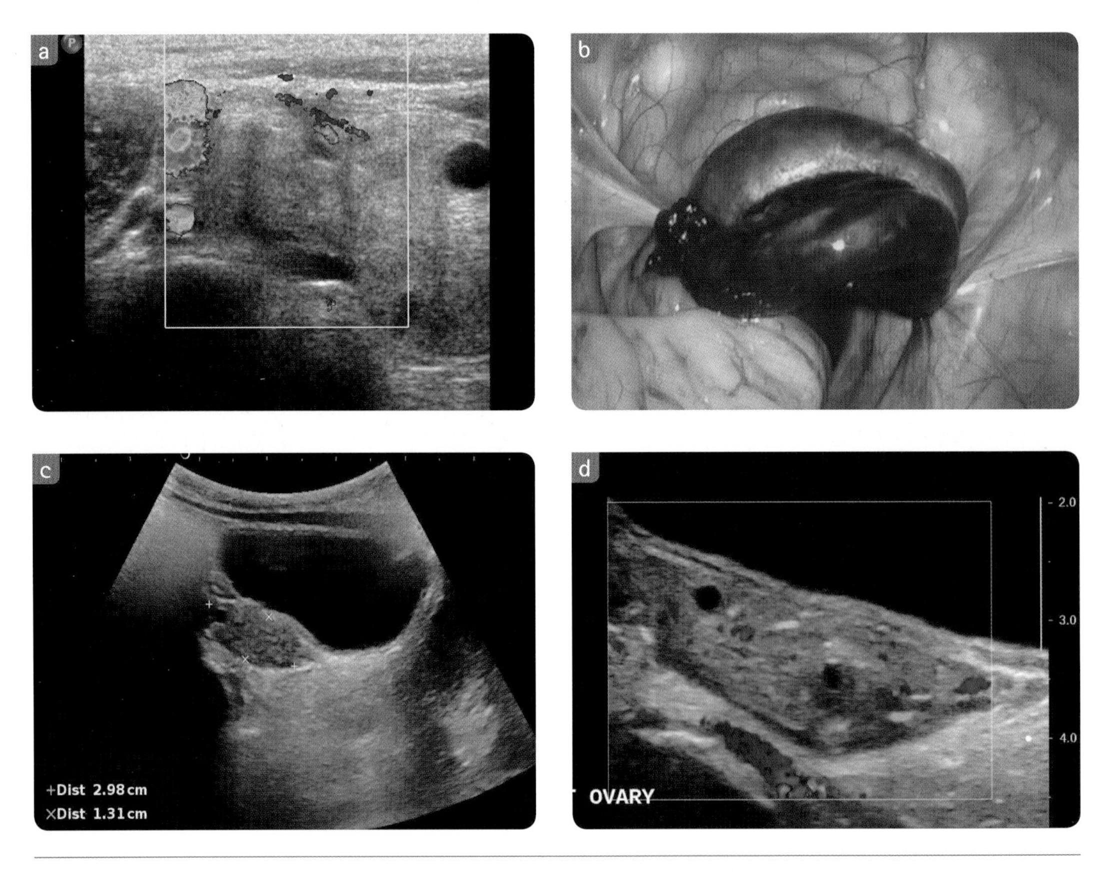

그림 14-20 급성 하복통을 동반한 4세 여아의 초음파 소견. (a) 염전된 우측 부속기와 혈관의 초음파 소견: 우측 부속기와 혈관의 부종이 관찰됨, (b) 동일한 여아의 복강경 소견, (c, d) 염전 수복 이후 정상적으로 관찰되는 우측 난소의 초음파 소견.

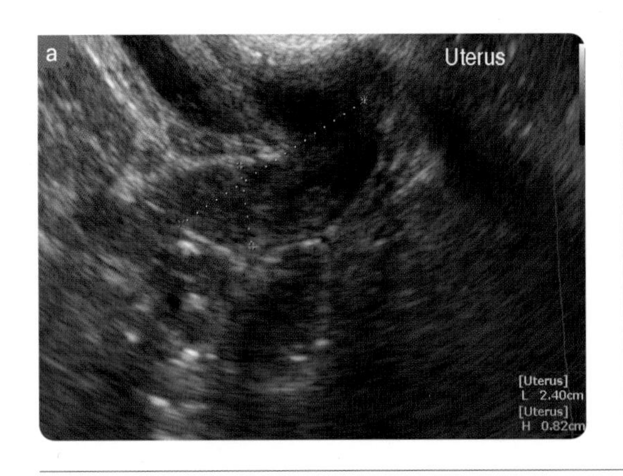

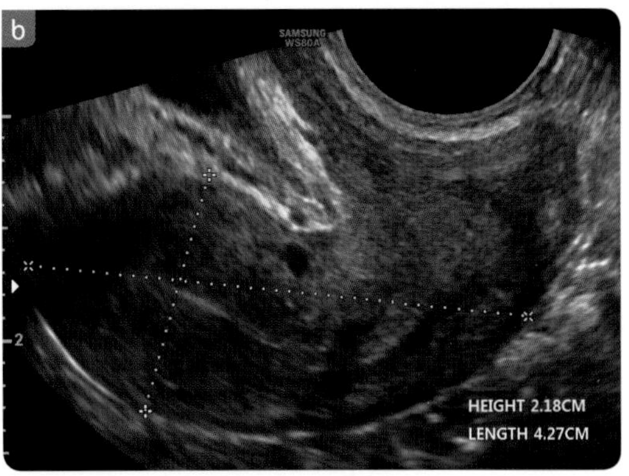

그림 14-21 저생식샘자극호르몬생식샘저하증인 18세 청소년의 직장 초음파 소견. (a) 호르몬보충요법 시행 전, (b) 시행 후 정상 크기로 회복된 자궁.

iii) 증상의 비특이성과 비전형적인 초음파 소견으로 인해 진단 지연이 흔하게 초래됨.

② 초음파 소견

i) 약 70%의 환자에서 크기가 증가된 난소의 가장자리에 다수의 작은 낭종(1-6 mm)이 관찰됨 (Graif 등, 1984). 이러한 소견은 염전에 의한 혈관 울혈로 기질 부종 및 난포로의 수분 누출이 발생하여 나타나는 것으로 추정

ii) 꼬여 있는 혈관 줄기가 초음파로 관찰되기도 함-고에코성의 원형 구조물 내에 동심의 소용돌이 모양 혈류가 관찰됨.

iii) 혈관 도플러 검사로 동맥 혈관의 혈류를 관찰할 수 있으나, 일부 출혈성 낭종 염전 등에서는 혈류가 잘 확인되지 않아 한계가 있음(Stark 등, 1994).

5 소아청소년기 자궁 이상

1) 자궁 발육 부전(Hypoplastic uterus)

- 생식샘저하증(Hypogonadism)으로 인해 사춘기에 여성호르몬 분비가 적절하게 이루어지지 않는 경우 이차성징이 발현되지 않으면서, 초음파 상 자궁이 소아기에 머무르게 됨.
- 이 경우 초음파에서 자궁이 없는 것으로 오인할 수 있으나, 자세히 관찰하면 관 형태의 소아기 자궁을 확인할 수 있음. 자궁 자체의 이상이 아니므로 호르몬 보충요법을 시행하면 정상 성인 크기의 자궁으로 발육 가능함(그림 14-21).
- 고생식샘자극호르몬생식샘저하증 중 소아청소년기에서 가장 흔한 원인인 터너 증후군의 경우 자궁 뿐 아니라 난소 또한 흔적 난소 상태로 크기가 매우 작아 상당수의 환자에서 초음파로 난소를 확인하기 어려움. 고해상도 초음파를 시행하

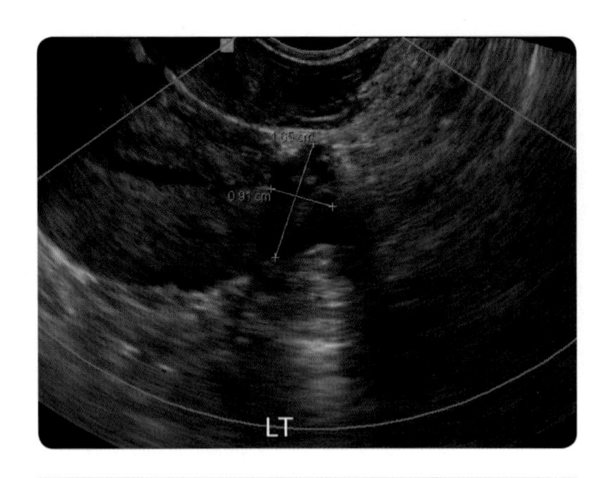

그림 14-22 15세 터너증후군 청소년의 난소. 난포가 거의 보이지 않는 작은 크기의 난소가 관찰된다.

는 경우 약 40% 정도의 환자에서 0.5-1.0 mL 정도의 작은 크기의 난소를 관찰할 수 있음(그림 14-22).

2) 뮐러씨 기형(Müllerian anomaly)

자궁과 질의 기형 진단에서 주로 사용되는 영상학적 검사는 골반 초음파, 자기공명영상, 자궁난관조영술 등이 있으며, 진단을 목적으로 하는 복강경 및 자궁경 수술을 시행함. 자궁기형의 진단에서 가장 정확도가 높은 검사는 자기공명영상(96-100%)으로, 자궁 체부와 경부, 질의 층별 해부학적 구조를 잘 구분할 수 있으며, 특히 쌍각자궁과 중격자궁의 구별에 도움이 되고, 흔적 자궁에 고인 혈종 등의 발견에 뛰어남. 자궁 기형에서 골반 초음파의 진단 정확도는 약 85-92%으로 질 또는 자궁 경부의 무발생, 중복자궁 등의 진단에 효과적이나 쌍각자궁과 중격자궁, 단각자궁과 정상자궁 간의 구분에는 정확도가 떨어짐. 자궁난관조영술의 진단 정확도는 6-55% 정도로, 나팔관의 개통성, 자궁내 중격, 자궁내강의 형태를 확인하는 데에는 유용하나 그 외의 정보를 얻기엔 제한적임. 자궁 저부의 외부 형태 등은 진단 복강경을 통해 확인하기도 함.

(1) 선천성 자궁 질 무발생(Müllerian agenesis)

사춘기에 원발성 무월경으로 내원하는 선천성 자궁 질 무발생은 외음부 시진 상 질구가 없고, 초음파 상 난소는 정상적으로 관찰되나 자궁이 확인되지 않으므로, 이학적 검사와 초음파 만으로 쉽게 진단할 수 있으나, 자궁 부재의 확실한 증거가 필요한 경우에는 자기공명영상이 도움이 됨(그림 14-23).

(2) 폐쇄형 뮐러씨 기형

① 무공처녀막과 질 가로중격

사춘기에 원발성 무월경과 주기적 골반통증을 유발하는 대표적인 폐쇄형 생식기 기형임. 질 강 또는 자궁 강 내에 혈액과 분비물이 고여서 질혈종(Hematocolpos)이나 질자궁혈종(Hematometrocolpos)을 유발함(그림 14-24). 대부분 사춘기에 발견되나 일부에서는 신생아기에 질점액(Mucocolpos)으로 발견되기도 함.

i) 초음파 소견(그림 14-25)

- 시상면에서 자궁경부에서 시작되는 팽창된 저도의 에코발생형 낭성공간이 회음부까지 이어지거나(질혈종), 팽창된 질강과 연결되는 자궁내강의 팽창(질자궁혈종)이 관찰됨.
- 팽창된 질강과 자궁강은 외벽의 두께로 구별함.

② 자궁경부 발생장애(Cervical dysgenesis)

i) 초음파 상 질혈종 없이 자궁혈종만 관찰됨.

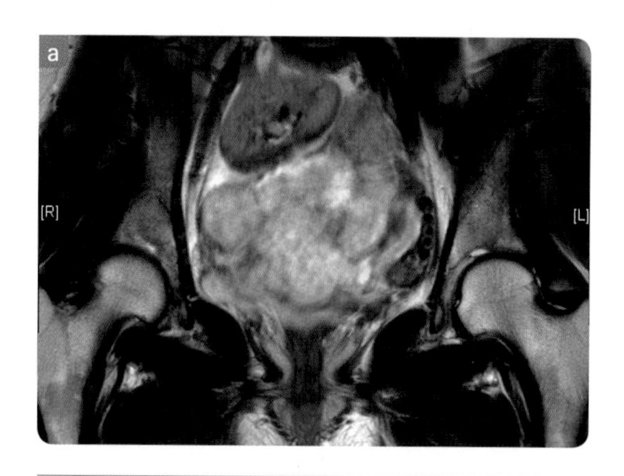

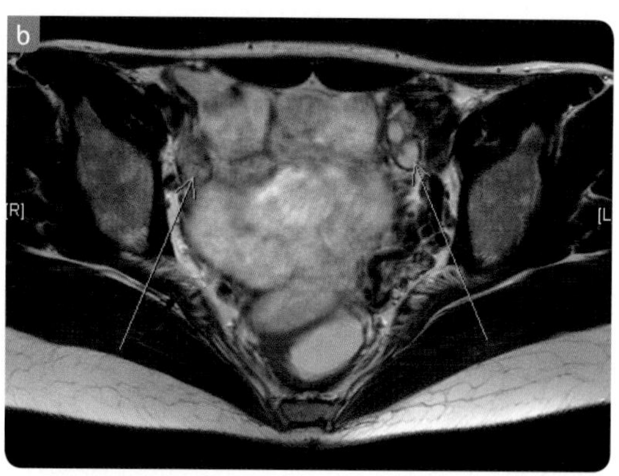

그림 14-23 선천성 자궁 질 무발생. (a) 자궁을 관찰할 수 없음. (b) 정상적으로 관찰되는 난소.

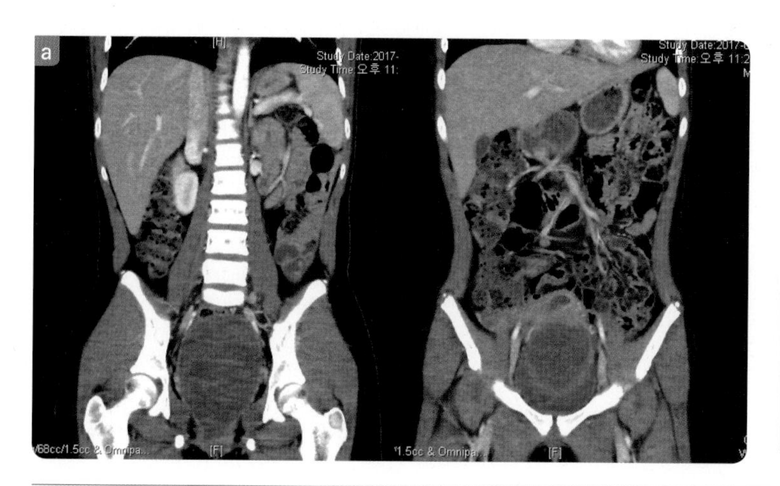

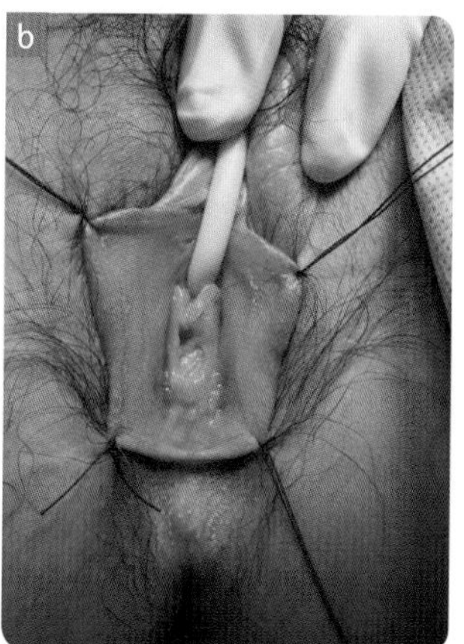

그림 14-24 11세 무공처녀막 환자에서 관찰되는 (a) 질자궁혈종, (b) 외음부 소견.

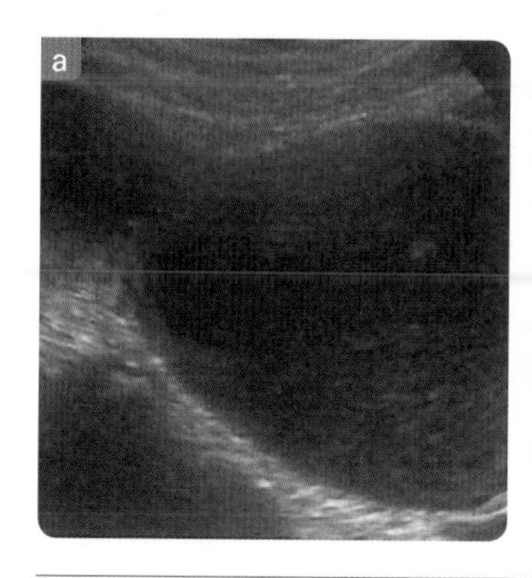

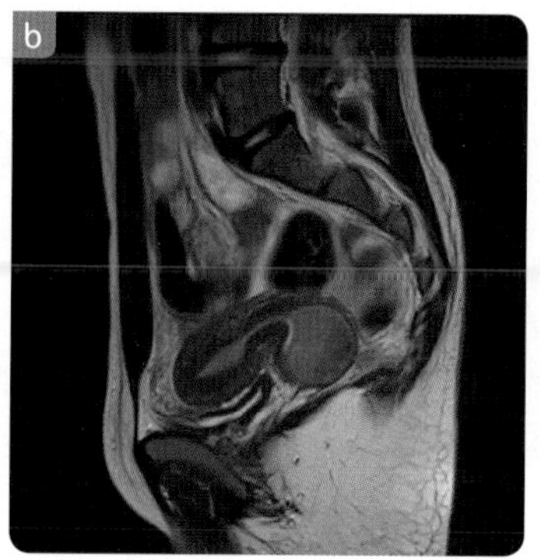

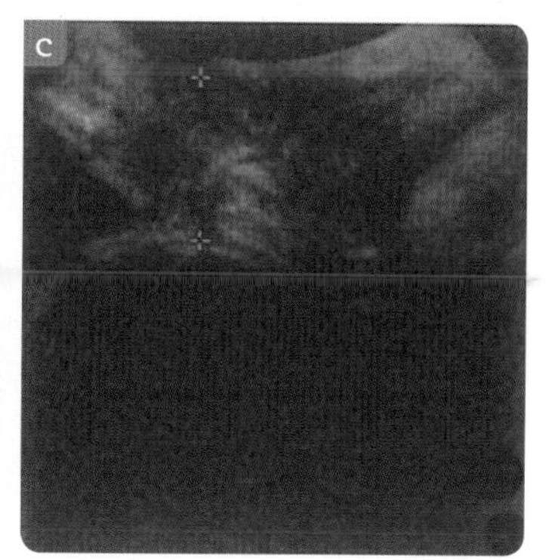

그림 14-25 13세 청소년의 질가로중격. (a) 자궁에서 연결된 거대 질혈종의 소견, (b) 자기공명영상 소견, (c) 중격의 두께를 확인하는 회음부초음파 소견.

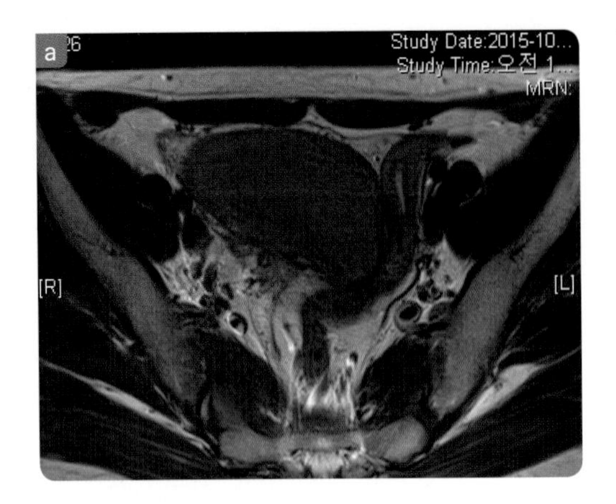

그림 14-26 15세 청소년의 일측 질폐쇄를 동반한 중복자궁. (a) 중복자궁과 (b) 우측 자궁질혈종의 자기공명 영상, (c) 동측 신장 무형성을 자기공명영상으로 확인할 수 있다.

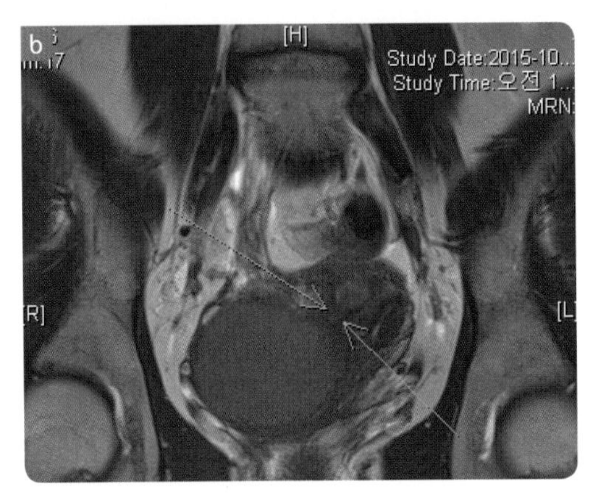

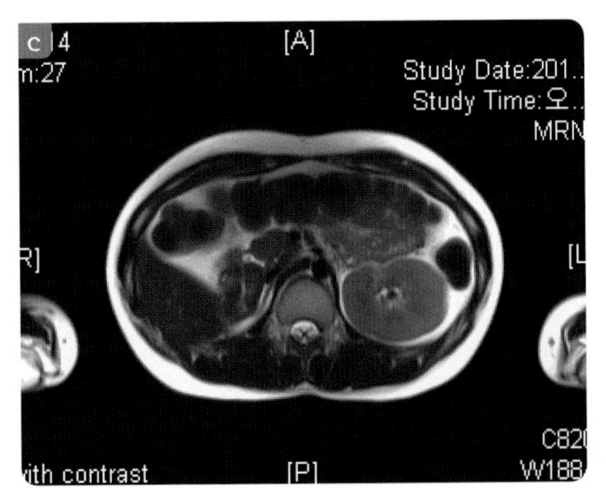

③ OHVIRA 증후군(Obstructed hemivagina with ipsilateral renal anomaly)

일측 질 폐쇄를 동반한 중복자궁의 경우, 일측 질가로중격으로 인해 중복자궁의 한쪽만 질자궁혈종이 발생하면서 사춘기에 주기적인 골반통증을 유발하며, 이로 인해 자궁내막증의 위험을 높이는 상태로 알려짐. 거의 모든 환자에서 폐쇄된 자궁의 동측 신장이 없거나, 신요로계 기형을 동반하고 있어 이를 확인하는 것이 진단에 도움이 됨(그림 14-26).

i) 초음파 상 중복 자궁이면서, 한쪽 자궁 경부에서 연결된 팽창된 질혈종 또는 질자궁혈종을 관찰할 수 있음.

④ 질 가로중격 및 질 폐쇄의 치료

i) 유착된 질의 두께를 확인하는 것이 수술방법을 결정하기 위해 중요함.
ii) 복부 초음파로 내부생식기와 질혈종 등을 확인한 후 가로면 회음부 초음파를 병행하여 폐쇄된 질의 두께를 측정하는 것이 도움이 됨.
iii) 질 가로중격은 질의 하부보다는 상부(45%)와 중간부위(40%)에 호발함.
iv) 질 또는 자궁강의 팽창이 과도한 경우 초음파

진단 시 골반 부속기 낭종으로 오인하지 않도록 주의해야 함.

(3) 그외 자궁 기형

① 단각자궁

초음파상 부피가 작고 타원형의 자궁 모양이나, 정상자궁과 명확하게 구분하기 어려움. 자기공명영상에서는 일측 자궁각과 함께 자궁저부에서 확장되지 않는 자궁내막강이 잘 관찰됨.

② 중복자궁

초음파와 자기공명영상 모두에서 잘 확인되며, 양쪽으로 갈라지는 자궁각과 자궁저부의 커다란 저부 틈새, 두 개의 자궁경부 등의 소견을 보임. 일측 질 폐쇄를 동반한 중복 자궁(Uterine didelphys with obstructed hemivagina)의 경우 초경과 함께 심한 하복통을 초래하기 때문에 사춘기에 발견되며, 이에 대해서는 폐쇄형 뮐러씨 기형에서 설명함.

③ 중격자궁

자궁내 중격은 초음파에서 자궁내막강을 양분하는 에코발생형 막으로 보이는데 중격의 하단부는 섬유질로만 이루어져 있어서 무반향의 소견을 보임.

i) 초음파 소견

- 자궁저부에 틈새가 거의 없음: 틈새 1 cm 이하
- 자궁각 사이각 60° 이하
- 내막 최대 외측 거리 2-4 cm

④ 쌍각자궁

i) 초음파 소견

- 방추형의 2개의 자궁각
- 자궁 협부와 경관의 확장
- 1 cm 이상의 자궁 저부 틈새
- 60° 이상의 자궁각 사이각

3) 기타 내분비질환에서의 자궁, 난소 변화

(1) 안드로겐불감증후군(Androgen insensitivity syndrome)

정상 남성의 핵형(46, XY)을 갖으며, 고환에서 정상적인 남성 호르몬 분비가 이루어지나 X 염색체의 장완에 위치한 유전자의 돌연변이로 인한 남성호르몬 수용체의 기능 장애로 외부생식기가 여성으로 발달하는 질환임. 사춘기에 유방발육이 정상적으로 이루어지나 음모는 발달하지 않으며, 대개 원발성 무월경으로 내원함. 태생기에 고환에서 뮐러관 억제 물질이 분비되므로 자궁, 상부 질은 발현되지 않음.

① 초음파 상 골반 내 자궁이 발견되지 않으며, 정상 크기의 고환이 복강 또는 서혜부에서 관찰됨(그림 14-27).

(2) 성발달 장애(Disorders of Sex development, DSD)

출생 시 모호한 외부 생식기(Ambiguous genitalia)를 보이는 경우가 많으며, 46, XX DSD와 46, XY DSD, 염색체성 DSD(chromosomal DSD)로 나뉨. 진단은 염색체 검사와 생식샘의 종류, 외부 및 내부 생식기의 발현, 호르몬 상태 등을 바탕으로 하며, 영상학적 검사로는 초음파, 배뇨방광요도조영술, 자기공명영상 등이 선별적으로 시행됨(Mariam 등, 2012).

① 초음파 검사의 목적은 자궁의 존재여부와 생식샘의 종류를 확인하기 위함.

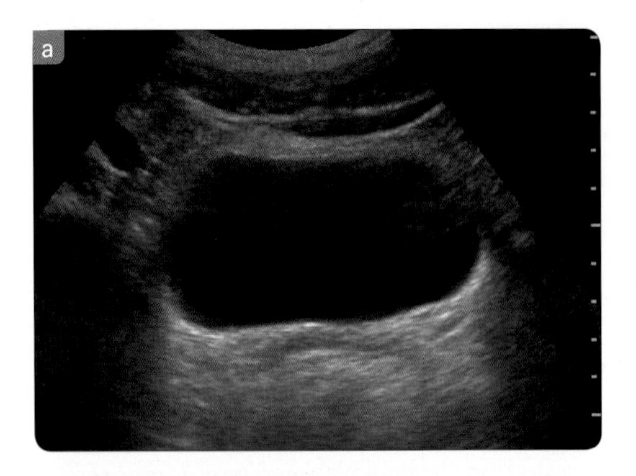

그림 14-27 안드로겐불감증후군의 초음파. (a) 복부 초음파상 자궁이 확인되지 않음, (b) 직장 초음파상 고환이 관찰됨, (c) 복강 내 관찰되는 고환의 복강경 소견.

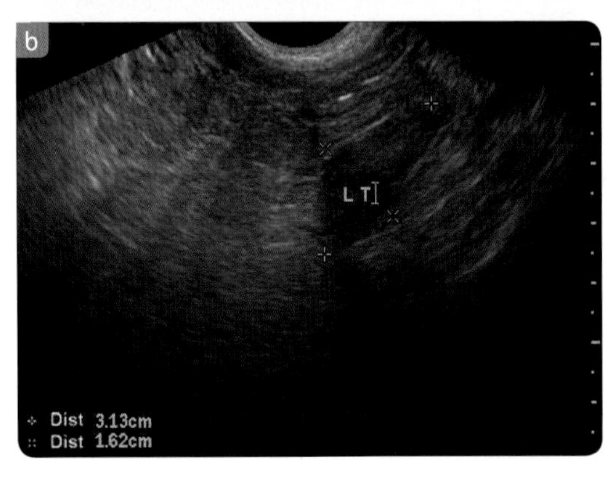

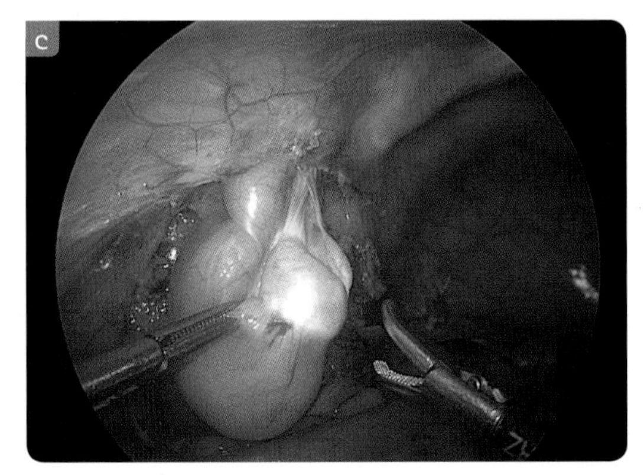

i) 46, XY DSD의 경우 초음파 상 자궁과 난소는 관찰되지 않음. 그러나 46 XY DSD 중에서 complete gonadal dysgenesis의 경우 외부 및 내부 생식기는 여성형으로 자궁이 관찰되고 생식샘은 위축되어 있는 소견임.

ii) 46, XX DSD의 경우 자궁과 난소 관찰됨.

iii) Ovotestis syndrome(구. 진성반음양)의 경우 복강 내 혹은 서혜관(inguinal canal) 내 생식샘이 관찰된다. 난소와 고환 각각이 구분되기도 하고, 난소와 고환 조직이 생식샘에 섞여 있는 형태로 존재하기도 함. 자궁이나 난관 등의 뮐러관 기원 기관이 발생하기도 하고, 형성되지 않기도 함(그림 14-28).

② 46, XX DSD에서는 선천성 부신과다형성(Congenital adrenal hyperplasia, CAH)를 감별해야 함.

i) 초음파 상 자궁과 난소가 확인되면서 부신의 크기가 커져 있는 경우가 많음(그림 14-29). 부신의 길이가 20 mm 이상이거나 너비가 4-8 mm 이상인 경우 선천성 부신과다형성을 의심할 수 있음(Sivit 등, 1991).

③ 신생아의 자궁은 소아기에 비해 크고 체부의 형태가 뚜렷하여 초음파로 쉽게 확인되나, 신생아가 소변을 잘 참지 못하는 관계로 위양성 및 위음성의 결과가 나타나기도 함(Secaf 등, 1994).

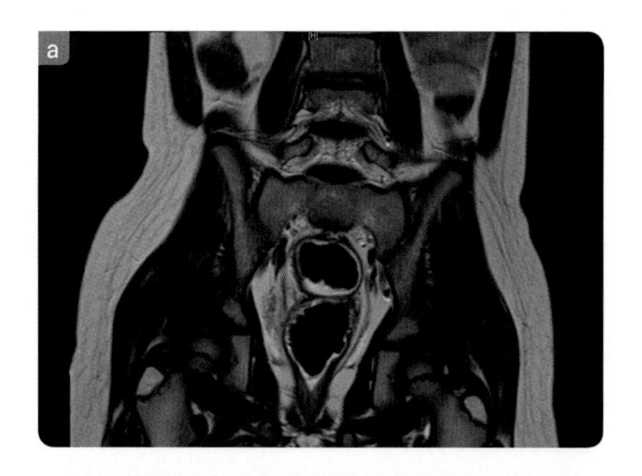

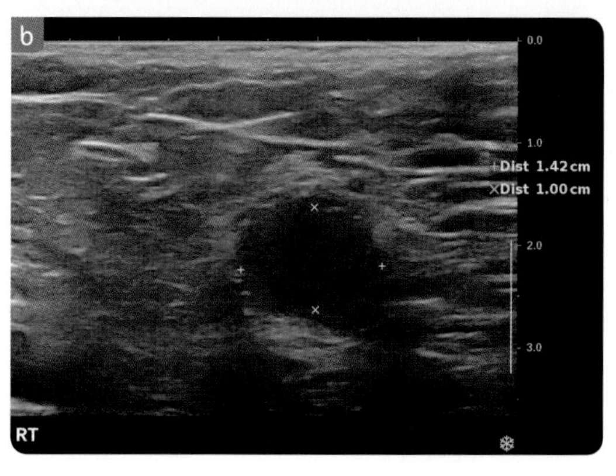

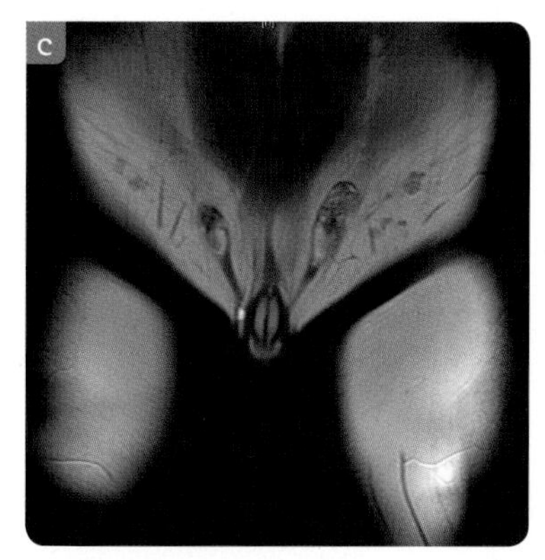

그림 14-28 난소고환 증후군(구.진성반음양)의 초음파 및 자기공명 영상소견. (a, b) 골반 내 자궁이 관찰되지 않고, (c) 서혜부 성선이 관찰됨.

④ 자기공명영상은 소아에서는 초음파에 비해 골반 장기 확인의 정확도가 떨어지나 신생아에서는 자궁(93%), 질(95%), 고환(88%), 난소(74%) 등의 진단율이 초음파보다 높음.

⑤ 배뇨방광요도조영술은 하부 비뇨생식기의 남성화 정도를 확인하는데 효과적임.

(3) 성조숙증

8세 이전 이차성징이 발현되는 성조숙증의 진단에서 초음파의 일차적인 역할은 소아의 자궁, 난소의 크기와 모양이 연령별 정상치에서 벗어나는 지 확인하여 유의한 여성 호르몬의 영향이 있는지 판단하는 것임. 가성 성조숙증을 유발하는 난소와 부신의 호르몬 분비 종양 여부도 확인할 수 있음.

① 자궁의 변화와 초음파 소견

i) 체내 에스트로겐의 증가로 초음파 상 자궁은 크기가 증가하고 체부가 발달하여 체부 : 경부 비율이 증가하고, 에코발생형의 자궁내막이 관찰됨(그림 14-30).

ii) 자궁크기의 변화는 여러 연구들에서 성조숙증의 중요한 진단 근거로 제시된 바 있음.

- 8세 이하 소아 연령의 자궁 길이의 정상 참고치는 3.3-4.5 cm

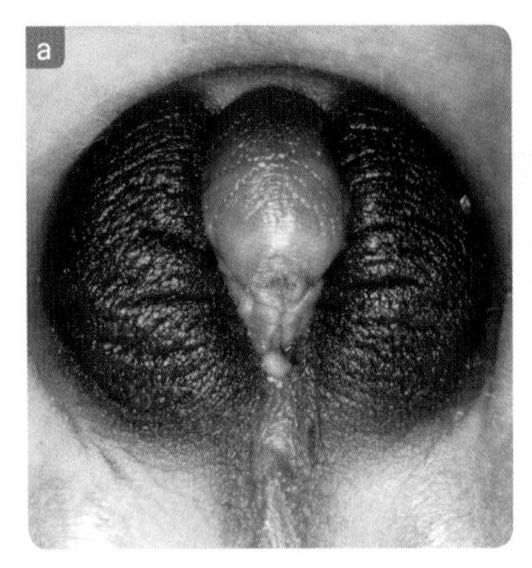

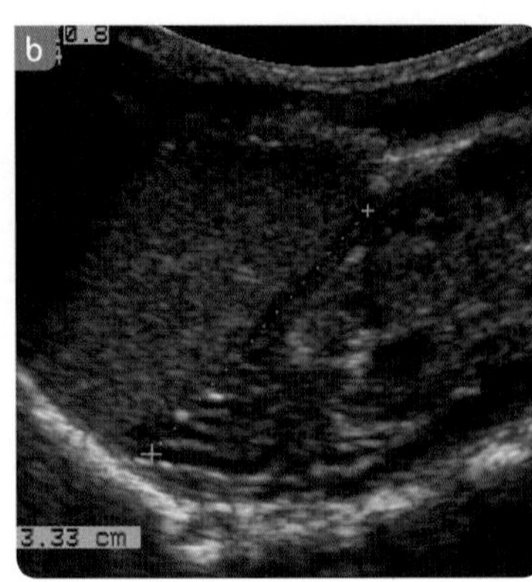

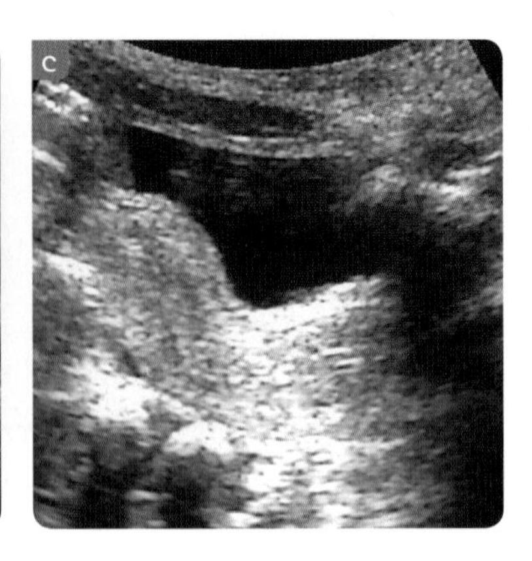

그림 14-29 신생아 선청성 부신과다형성. (a) 남성화하여 모호해진 외부생식기 (b) 크기가 증가한 부신 (c) 정상 신생아의 자궁.

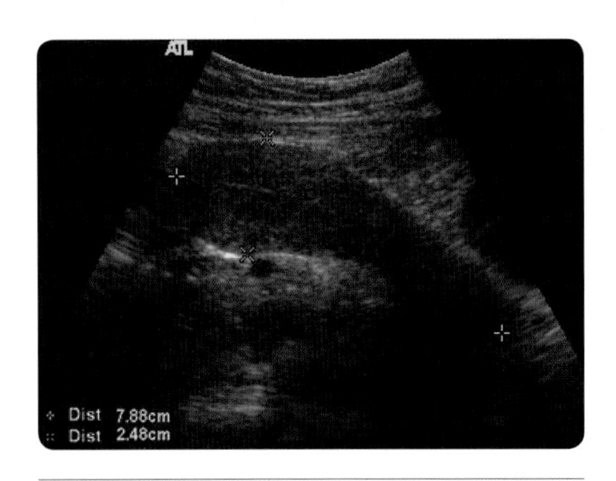

그림 14-30 성조숙증에서의 자궁. 6세 진성 성조숙증. 자궁의 크기가 사춘기 후 크기로 증가하고 체부의 발달이 두드러지며 자궁내막이 잘 보임.

- Herter 등의 연구에서는(Herter 등, 2002) 4.0 cm 이상인 경우 비정상적인 자궁크기 증가로 간주하도록 하였고, 자궁의 넓이와 부피에 대해서도 각각 4 cm^3과 3 cm^3의 정상 차단치를 제안함.
- 초음파 상 자궁크기의 증가를 보이는 성조숙증과 달리, 유방조기발육증(Premature thelarche), 음모조기발생증(Premature pubarche) 등은 체내 에스트로겐의 유의한 증가를 동반하지 않기 때문에 자궁의 크기는 연령별 정상치에서 벗어나지 않음.
- Battaglia 등은 8세 이전 이차성징이 발현된 여아에 대한 연구(Battaglia 등, 2003) 에서 생식샘자극호르몬분비호르몬(GnRH) 자극 검사에 사춘기 반응을 보인 성조숙증군에서는 자궁부피가 비정상적으로 증가(7.48 ± 4 .18 mL) 하는데 반해, 자극검사에 반응하지 않은 유방조기 발육증(1.82 ± 1.07 mL)이나 음모조기발생증(2.58 ± 1.32 mL) 군에서는 정상자궁 부피를 보이는 것을 확인하였음.

iii) 자궁크기의 변화 뿐 아니라, 자궁내막의 변화와 자궁동맥 혈류 변화가 동반됨.

- 초음파 상 에코발생 내막이 확인되는 빈도는 성조숙증 소아에서 87%, 정상 소아에서 3-29%로 현저한 차이를 보임.
- 호르몬에 의한 자궁혈관의 발달은 성조숙증 환아에서 자궁동맥의 혈류저항이 감소하는

요인임.

② 난소의 변화와 초음파 소견

성조숙증의 진단에서 난소의 변화에 대해서는 다양한 결과가 보고됨. 일반적으로 난소의 부피도 성조숙증에서 증가하는 양상을 보이나, 정상과 비정상의 범위가 겹치는 경우가 많아 명확한 차단치를 정하기 어려움. 여러 연구에서 소아 난소 부피의 정상 참고치를 1-1.2 cm^3으로 보고하였으나(Herter 등, 2002), 일부에서는 정상 소아에서도 난소 부피가 4 cm^3까지 이르는 경우도 있음을 밝힘. 그러나 난소에 6개 이상의 미세낭이 관찰되는 것은 우성 난포(dominant follicle)의 출현 가능성을 시사하며 8세 이전에 이와 같은 소견이 관찰되면 생식샘자극호르몬 증가와 관련된 진성 성조숙증의 가능성을 고려해야 함(그림 14-11).

i) 7세 이전 소아의 정상 난소-대부분 낭종이 보이지 않는 고형 형태. 일부에서는 미세낭(10 mm 미만, 5개 이하)이 관찰됨.
ii) 7세 이후 소아에서는 일부에서 다수(6개 이상)의 미세낭이 보임.
iii) 10세부터는 직경 10-20 mm의 큰 낭종도 간헐적으로 보임.

6 기타 질환

1) 골반염 및 부속기 농양

청소년기는 행동학적, 생물학적, 역학적 특성에 따라 성매개성 질환의 위험도가 성인에 비해 높은 시기임. 여성에서 발생하는 전체 골반염의 16-20% 가 십대에 발생하며 특히 15-19세 연령에서 발생빈도가 가장 높음. 청소년 골반염의 진단에서 초음파의 주요 역할은 난소난관 농양 발생시 다른 종괴 질환과 감별하는 것임. 농양이 발생하기 이전 초기 골반염에서는 초음파 검사의 민감도가 비교적 낮기 때문에 환자의 과거력, 이학적 검사, 검사실 검사 등을 바탕으로 하는 진단에 보조적인 역할을 함.

(1) 초음파 소견

① 초기골반염

i) 자궁과 난소 사이의 경계가 불명확함.
ii) 급성 난관염의 경우 내부 에코가 증가한 관 모양의 조직이 관찰되거나, 자궁관의 단면 영상에서 두꺼운 벽의 저에코의 구조물이 톱니바퀴 모양이 관찰됨.

② 난소난관농양– 청소년 골반염의 약 20%

i) 농양 형성 초기에는 내부에코를 동반한 고형 종괴로 보임(그림 14-31).
ii) 조직의 괴사 및 액화가 진행됨에 따라 단방 혹은 다방성 낭종으로 바뀌면서 두껍고 불규칙한 내벽을 갖게 됨. 부종에 의해 조직간 해부학적 경계가 소실되고 혈관의 발달로 혈관 도플러 검사상 난소 주위의 혈류 증가 소견을 보임.

2) 다낭성 난소

다낭성난소증후군은 여성인구의 15%에 이를 정도로 매우 흔한 여성 내분비계 질환임. 그러나 이 질환은 아직도 알려지지 않은 부분이 많고, 특히 청소년

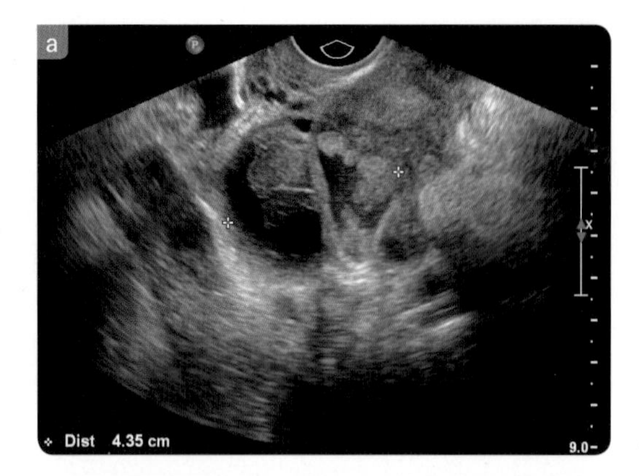

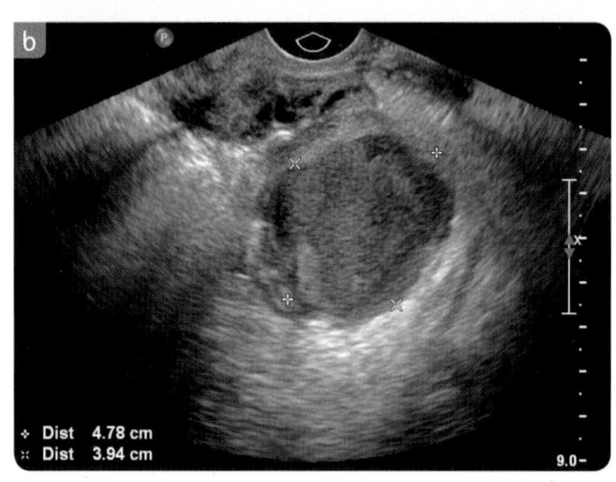

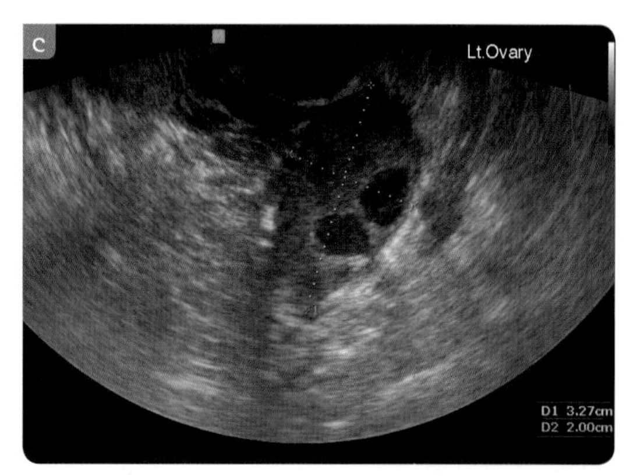

그림 14-31 16세 청소년의 난소난관농양. (a, b) 고에코의 고형 종괴로 관찰되는 난소난관농양과 (c) 치료 후 6개월 째 초음파에서 부속기가 정상적으로 관찰된다.

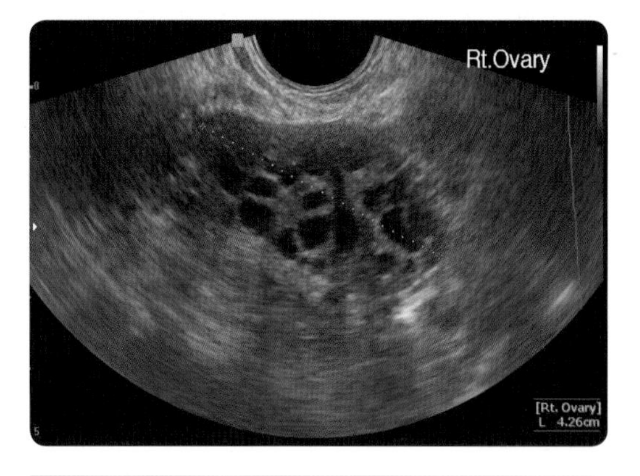

그림 14-32 17세 청소년의 다낭성 난소. 난소의 피질에 다수의 작은 난포가 관찰됨.

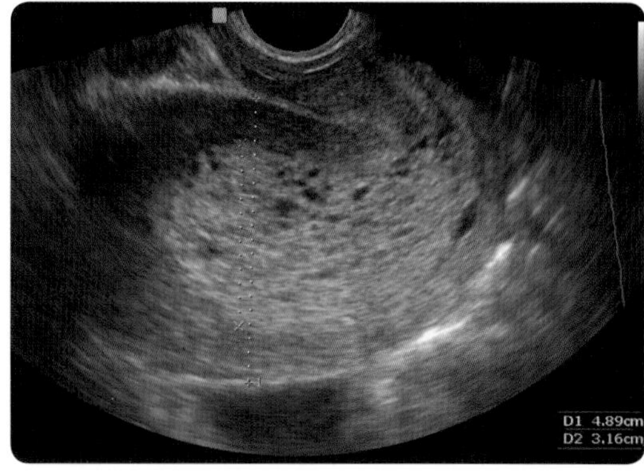

그림 14-33 15세 다낭성 난소 증후군 환자에서의 자궁내막증식증. 자궁내막생검 상 단순 자궁내막증식증으로 확인됨.

기의 여성에서는 정상 사춘기가 다낭성난소증후군의 특징과 유사한 증상을 보일 수 있다는 점을 간과해서는 안됨. 청소년기 여성에서 다낭성난소증후군의 진단기준은 현재까지 정해진 바가 없고, 성인과 유사한 기준으로 보고는 있으나, 과진단하게 될 위험을 간과해서는 안되며, 청소년기 여성에서는 Hyperandrogenism에 대한 기준을 더욱 강조하는 Androgen excessive society의 진단 기준을 적용하자는 권고도 있음(Witchel 등, 2015) (Fauser 등, 2012). 또한 여러 전문가적 의견과 권고에 따르면 초음파 상 다낭성난소의 여부가 청소년기 다낭성난소증후군 진단에 미치는 영향은 성인에 비해 중요도가 떨어질 수 있음. 또한 건강한 청소년기 여성에서 난소 전체에 퍼져 있는 다낭성의 모양은 흔한 소견이며, 병적인 소견으로 생각해서는 안됨.

(1) 초음파 상 다낭성 난소의 진단(Polycystic ovary morphology)–Rotterdam criteria (2003)

① 일측 난소의 부피 >10 mL 또는 2-9 mm 크기의 antral follicle 12개 이상

② 난소의 부피 측정 방법: 0.5x 난소의 길이 x 난소의 너비x 난소의 높이

③ 동난포 계수 방법(2-9 mm, antral follicles): 한 단면 내 관찰되는 동난포의 수를 각각 계수하여 일측 난소에서 관찰되는 동난포 개수 합계.

④ 다수의 동난포가 진주처럼 연결된 모양으로 피질에 분포하고 네코빌생이 증가한 난소기실의 소견이 동반되어 있음(그림 14-32).

(2) 자궁내막의 확인

장기간의 무배란 상태는 자궁내막을 증식시키는 요인이 되므로, 다낭성난소증후군환자의 초음파 검사에서는 난소 외에도 자궁내막의 과도한 증식 여부를 확인해야 함(그림 14-33).

3) 골반통을 유발할 수 있는 질환

청소년기에 주기적인 골반 통증을 유발하는 대표적인 질환은 자궁내막증과 폐쇄형 뮐러씨 기형임. 자궁내막증은 성인에서의 진단방법과 유사하게, 초음파 상 난소의 자궁내막종 소견이 보일 때 의심할 수 있음. 비주기성 골반 통증이 발생한 경우에는 골반염증성질환, 출혈성낭종, 난소 염전, 난소 종양, 자궁외 임신, 충수돌기염, 염증성 장질환 등을 감별해야 함.

참 고 문 헌

1. Bauman, D., Diagnostic methods in pediatric and adolescent gynecology. Endocr Dev, 2012. 22: p. 40-55.
2. Nussbaum, A.R., R.C. Sanders, and M.D. Jones, Neonatal uterine morphology as seen on real-time US. Radiology, 1986. 160(3): p. 641-3.
3. Haber, H.P. and E.I. Mayer, Ultrasound evaluation of uterine and ovarian size from birth to puberty. Pediatr Radiol, 1994. 24(1): p. 11-3.
4. Orsini, L.F., et al., Pelvic organs in premenarcheal girls: real-time ultrasonography. Radiology, 1984. 153(1): p. 113-6.
5. Salardi, S., et al., Pelvic ultrasonography in premenarcheal girls: relation to puberty and sex hormone concentrations. Arch Dis Child, 1985. 60(2): p. 120-5.

6. Nussbaum, A.R., et al., Neonatal ovarian cysts: sonographic-pathologic correlation. Radiology, 1988. 168(3): p. 817-21.
7. Millar, D.M., et al., Prepubertal ovarian cyst formation: 5 years' experience. Obstet Gynecol, 1993. 81(3): p. 434-8.
8. van Winter, J.T., P.S. Simmons, and K.C. Podratz, Surgically treated adnexal masses in infancy, childhood, and adolescence. Am J Obstet Gynecol, 1994. 170(6): p. 1780-6; discussion 1786-9.
9. Templeman, C., et al., Noninflammatory ovarian masses in girls and young women. Obstet Gynecol, 2000. 96(2): p. 229-33.
10. Sisler, C.L. and M.J. Siegel, Ovarian teratomas: a comparison of the sonographic appearance in prepubertal and postpubertal girls. AJR Am J Roentgenol, 1990. 154(1): p. 139-41.
11. Graif, M., et al., Torsion of the ovary: sonographic features. AJR Am J Roentgenol, 1984. 143(6): p. 1331-4.
12. Stark, J.E. and M.J. Siegel, Ovarian torsion in prepubertal and pubertal girls: sonographic findings. AJR Am J Roentgenol, 1994. 163(6): p. 1479-82.
13. Mariam M., Teresa C., Patricia Y. F., . Evaluation and Management of Disorders of Sex Development: Multidisciplinary Approach to a Complex Diagnosis. Radiographics, 2012. 32: p. 1599–1618.
14. Sivit, C.J., et al., Sonography in neonatal congenital adrenal hyperplasia. AJR Am J Roentgenol, 1991. 156(1): p. 141-3.
15. Secaf, E., et al., Role of MRI in the evaluation of ambiguous genitalia. Pediatr Radiol, 1994. 24(4): p. 231-5.
16. Herter, L.D., et al., Ovarian and uterine findings in pelvic sonography: comparison between prepubertal girls, girls with isolated thelarche, and girls with central precocious puberty. J Ultrasound Med, 2002. 21(11): p. 1237-46; quiz 1247-8.
17. Battaglia, C., et al., Pelvic ultrasound and color Doppler findings in different isosexual precocities. Ultrasound Obstet Gynecol, 2003. 22(3): p. 277-83.
18. Herter, L.D., et al., Ovarian and uterine sonography in healthy girls between 1 and 13 years old: correlation of findings with age and pubertal status. AJR Am J Roentgenol, 2002. 178(6): p. 1531-6.
19. Witchel, S.F., et al., The Diagnosis of Polycystic Ovary Syndrome during Adolescence. Horm Res Paediatr, 2015.
20. Fauser, B.C., et al., Consensus on women's health aspects of polycystic ovary syndrome (PCOS): the Amsterdam ESHRE/ASRM-Sponsored 3rd PCOS Consensus Workshop Group. Fertil Steril, 2012. 97(1): p. 28-38 e25.

중재적 시술 영역의 초음파

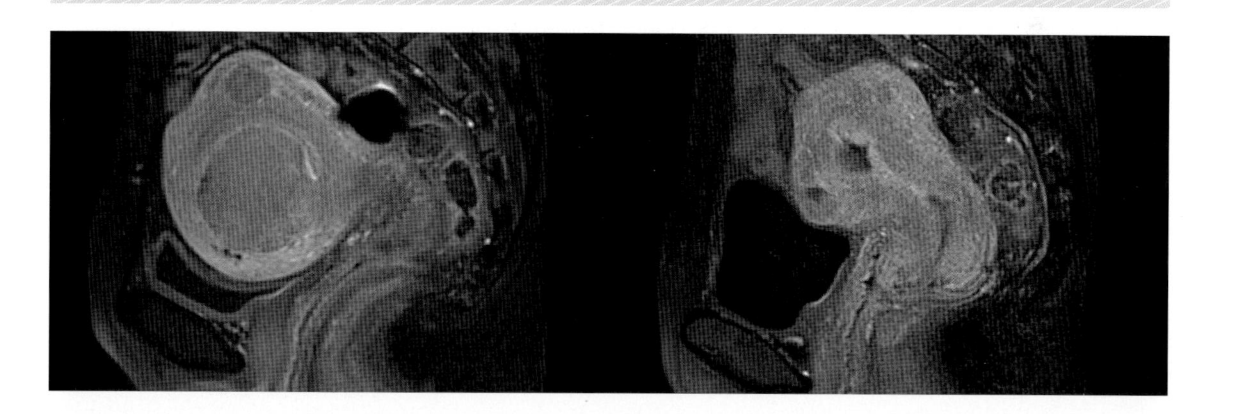

황경주_ 아주의대 산부인과
김만득_ 연세의대 영상의학과
김진우_ 아주의대 영상의학과
최동석_ 최상산부인과

15 중재적 시술 영역의 초음파

의료 기술의 발달로 다양한 영상기기를 통해 인체 내부를 관찰하고 이를 사용하는 중재적 시술이 더욱 발달하게 되었으며 부인과 영역에서는 농양 배액술, 골반의 양성 낭종 경화요법, 자궁근종 색전술, 고주파 자궁근종 용해술 등이 있음. 영상의학적 기기를 이용한 중재절 시술 영역의 초음파에 관련하여 현재까지 이용되고 있는 다양한 적응증에 대해 알아보고자 함.

1 농양배액술(Abscess drainage)

골반농양(Pelvic abscess)

1) 정의

- 골반강 내 형성된 농양을 골반강 내 농양(pelvic abscess)이라고 하며 농양의 위치가 난관난소 주변으로 형성된 경우 난관난소 농양(Tubo-ovarian abscess)이라 함.
- 농양은 주로 복합적 세균감염에 의해 발생하며 난관난소 농양의 약 30%는 골반염(pelvic inflammatory disease)에 연관되어 발생하고 장 천공 혹은 골반 악성 종양 등 다른 원인에 의해서도 발생됨(Gradison 등, 2012).

2) 원인균

- 가상 흔한 원인 균으로는 Escheria coli (37%), Bacteroides fragilis (22%), 다른 Bacteroides 종 (26%) Peptostreptococci (18.5%), peptococci (11%) 등 이 있음.

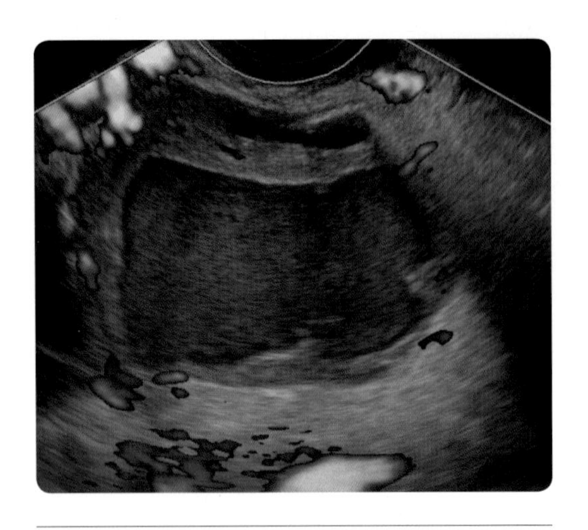

그림 15-1 난관난소 농양 초음파 소견. 약 4.9 cm 크기의 젖빛유리(ground glass) 패턴을 보이며 농양 벽이 두꺼워져 있고 농양 내 고에코 소견이 관찰됨.

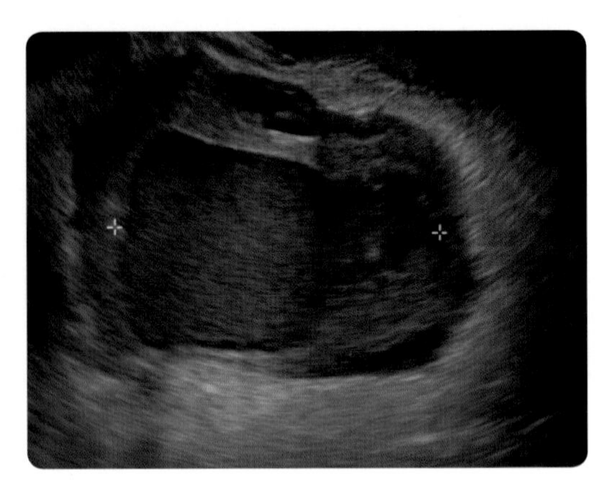

그림 15-2 골반 농양 초음파 소견. 약 5 cm 크기의 여러 방으로 이루어지고 두꺼운 벽으로 둘러싸인 고에코성 낭종이 우측 난관난소 주위에 관찰됨.

3) 진단

진단은 임상적 증상과 징후, 혈액 검사 및 영상학적 검사 검사 등으로 진단할 수 있음.

4) 임상적 증상

하복부 통증과 압통(90%), 전신쇠약, 38.5도 이상의 고열, 오한, 과도한 질 분비물, 오심, 구토, 성교 통, 요로 장애, 설사 등이 나타날 수 있음.

5) 진단적 검사

진단적 검사는 골반염의 증상이 있으면서 골반 내진(pelvic examination) 시 자궁경부 내진 시 압통(cervical motion tenderness)이 관찰되고 초음파, 전산화 단층 촬영 및 방사선 투시 장비 등을 사용하여 이상소견을 발견할 수 있음. 영상학적 검사로는 초음파와 전산화 단층촬영이 가장 많이 사용됨.

(1) 초음파 소견

- 난관난소 농양이 형성된 경우 정상적인 난소 모양이 관찰되지 않고 난관 주변 염증으로 인한 난관 주위 및 난관 유착 등이 관찰됨.
- 또한 난관의 지름이 증가되고 농양 벽이 두꺼워져 있으며 고에코 소견의 농양이 관찰됨. 골반농양의 경우에도 농양 주변의 벽이 두꺼워져 있고, 농양 내 고에코 소견의 체액이 관찰됨(그림 15-1, 그림 15-2).

(2) 전산화 단층촬영 소견(CT)

- 가장 흔하게 관상구조 모양의 두꺼운 벽의 낭종

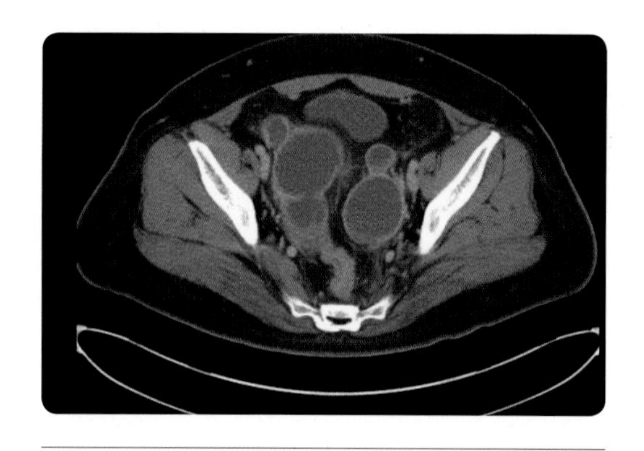

그림 15-3 골반 농양 전산화 단층 촬영 소견. 관상구조 모양의 두꺼운 벽의 낭종이 여러 방으로 되어 있고(multi-septated) 자궁 양측으로 관찰되고 낭종 내 고에코 소견의 체액이 관찰됨.

으로 관찰되며 낭종 내 고에코 소견의 체액이 관찰됨.

- 자궁부속기 주변으로 두꺼운 벽의 여러 방(multi-septated)으로 이루어진 낭종이 관찰됨. 또한 염증으로 인하여 자궁천골 인대(uterosacral ligament)가 두꺼워져 있으며, 골반주위 장기의 부종 및 골반강 내 체액이 관찰됨(그림 15-3).
- 드물게는 농양 내 기포가 형성되어 관찰되기도 하며 염증 복합체와 자궁 그리고 장을 포함한 다른 골반 기관 사이에 지방면의 소실을 보이기도 함.
- 또한 난관난소 농양에 복수 또는 림프절병(lymphadenopathy) 등이 동반되어 있을 경우 악성종양과 감별이 필요함(Sam 등, 2002).

(3) 자기공명영상(MRI)

- 골반 농양의 난소 침범 여부를 진단하는데는 전산화 단층촬영보다 자기공명영상이 더 높은 민감도를 보임.
- 골반 농양과 자궁관혈종을 감별하기 위해 사용되기도 함. 골반농양의 경우 T1 영상에서는 저신호 강도(low signal intensity)를 보이나 농양 의 벽은 T1 영상에서도 고신호 강도(high signal intensity)를 보여 농양이 고신호 강도를 보이는 벽으로 둘러싸인 것을 T1 영상에서 확인할 수 있음.
- T2 영상에서는 농양은 전반적으로 고신호 강도(high signal intensity)를 보인다. 농양 내 출혈 및 단백질 성분에 따라 자기공명영상의 강도가 다르게 나타날 수 있으므로 이를 고려해야 함(Rezvani 등, 2011).

6) 치료

- 치료는 크게 내과적 치료, 수술적 치료 및 경피배액술 등이 있음.
- 난관난소 농양의 환자의 약 30%는 입원치료를 필요로 하며 재발율이 높아 진단이 되면 적극적인 치료를 필요로 함.
- 치료 방법으로는 항생제 투여, 수술, 경피 배액술 등이 있음.

(1) 내과적 치료

- 골반농양은 복합적인 세균에 의한 감염으로 광범위 항생제를 사용해야 함.
- 농양에서 흔히 발견되는 세균에 적절히 적용되는 항생제를 사용하며 최소 7일 이상 사용함.
- 혐기성 감염에 효과가 있는 metronidazole과 그람 음성의 호기성 감염에 효과가 있는 cephalosporin과 aminoglycoside 계열의 항생제가 사용됨.

(2) 수술적 치료

- 수술적 치료는 환자의 상태나 수술의 위험성, 농양 파열 등의 합병증 등을 고려하며 시행함.
- 수술적 치료는 복강 내 파열이 의심되어 수술적 응급을 필요한 경우, 적절한 항생제 요법에도 증상의 호전이 없을 때, 충수돌기염과 같은 다른 수술적 응급이 의심될 때 수술적 치료를 할 수 있음.

(3) 경피배액술

① 경피배액술의 적응증 및 금기증

- 골반내 농양이 있으며, 수술적 치료가 필요하지 않은 경우에 항생제와 병용하여 경피배액술을 시행할 수 있음.
- 하지만, 농양의 위치가 골반 내 깊은 곳에 위치하여 주변장기의 손상의 우려되는 경우, 안전한 접근 경로가 불충한 경우, 또한 혈액 응고장애, 심폐기능 및 다기관 부전, 혈액학적 불안정성, 잘 배액되지 않을 괴사 조직으로 형성된 수술적 제거가 필요한 농양, 광범위하게 산재된 여러 개의 농양인 경우에는 경피배액술을 시행할 수 없음.

② 시술방법

- 환자 전 처치
  시술직전 진통제를 수액에 섞어 정맥 주사하고, 천자부위와 주변부 소독하고 5 mL 정도의 리도카인을 피하지방층과 배액관 삽입될 부위에 투여함. 정맥진정제 사용 시 호흡, 혈압, 맥박, 산소포화도, 심전도 등 모니터를 실시간으로 시행함.
- 천자경로
  - 천자경로는 병변의 위치를 고려하여 시행하며 주변장기의 손상을 가하지 않도록 농양과 가장 가까운 접근 경로를 선택하여 시술함.
  - 농양의 위치에 따라 초음파 유도 하 질을 통한 경로, 초음파 혹은 전산화 단층촬영 유도 하 복벽 및 볼기부위를 통한 경로를 이용하여 농양을 배액할 수 있음.

(4) 전산화 단층 촬영 유도 배액술

- 초음파보다 공간분해 능력이 좋고 농양의 정확한 위치 및 주변 장기들의 위치를 정확히 파악할 수 있는 장점이 있음.
- 하지만, 방사선 노출의 위험성이 있고 조영제를 사용해야 되므로 소아 환자 또는 조영제를 사용하지 못하는 환자에게는 사용하기 어려움.

(5) 초음파 유도 배액술

- 전산화 단층 촬영에 비해 방사선 노출이 없는 장점이 있음.
- 도플러를 이용하여 혈관 손상을 피할 수 있음.
- 초음파 유도 배액술(그림 15-4)을 시행할 경우 시술 전 방광을 비우고, 직장 내 공기가 많은 경우 초음파에서 농양을 관찰하기 어려움이 있을 수 있어, 이 경우에는 직장 내 튜브를 삽입하여 감압한 이후 초음파를 통한 배액술을 시행할 수 있음 (Sudakoff 등, 2005).

(6) 복벽을 통한 경로(transabdominal route)

- 복벽을 통한 배액술은 수술 이후 발생한 골반 농양에 주로 사용되는 가장 일반적일 시술 경로임.
- 그러나, 농양의 위치가 복벽을 통해 접근이 어려울 경우 볼기 부위 혹은 질을 통한 다른 경로는 통해 배액할 수 있음(Lagana 등, 2008).

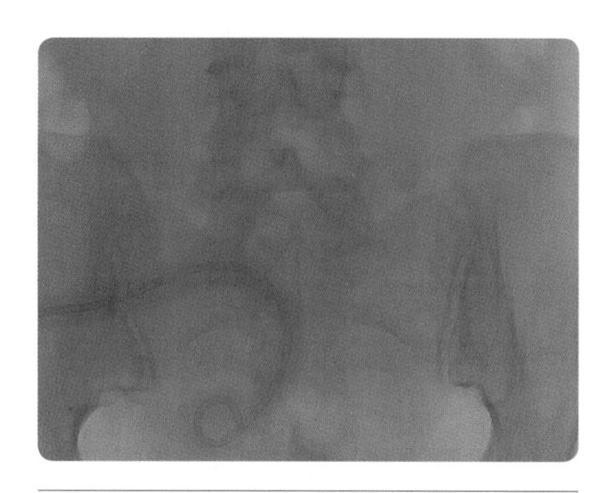

그림 15-4 골반농양 복벽을 통한 배액술. 10 Fr의 카테터를 우측 골반 농양에 위치한 모습.

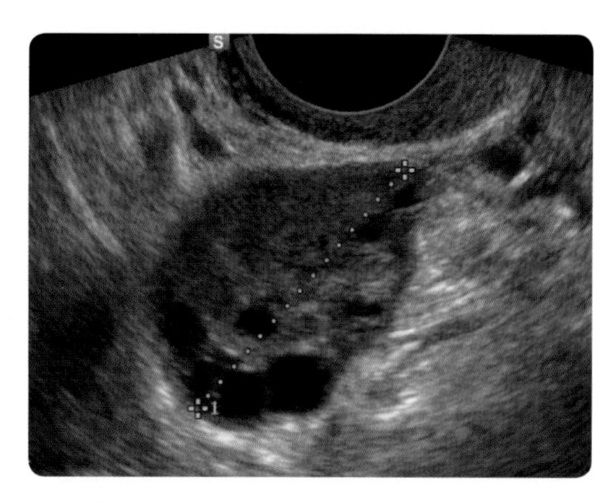

그림 15-5 우측 골반 농양 환자 배액 제거 후: 약 10일간의 항생제 치료 와 배액술을 병용하여 치료하고 배액관 제거 후 1달 뒤 초음파 시행 시 골반 농양의 소실이 초음파에서 관찰됨.

(7) 볼기부위를 통한 경로(transgluteal route)

- 볼기부위를 통한 경로를 통해 농양을 안전하게 천자하기 위해서는 골반내 구조의 대한 정확한 이해가 필요함.
- 골반내 천극인대(sacrospinous ligament), 궁둥신경(sciatic nerve), 궁둥구멍근(piriformis muscle)과 농양의 위치를 고려하여 천자함.
- 환자를 복와위, 복와사위, 혹은 측와위로 눕이고 전산화 단층촬영을 통해 농양의 위치와 골반 내 주요 해부학적 구조를 확인함.
- 천자를 할 경우 좌골신경, 천추총, 상하둔 혈관등을 피해 시술함.

(8) 질을 통한 경로(transvaginal route)

- 소아 환자 또는 성경험이 없는 환자에서는 시행하기 어려우며, 시술 뒤 통증과 불편감이 큼.
- 질을 통한 천자시 카테터를 장기간 유지하기 어렵고, 배액관의 관리가 어렵다는 단점이 있으나 전산화 단층 촬영 유도로 천자하기 어려운 위치에 골반 농양이 위치한 경우 질은 통한 배액을 시행해 볼 수 있음.

(9) 경피 배액술 관련 합병증

- 관련 합병증은 다리로 방사되는 통증, 감각 이상증, 경도관 색전술을 요구하는 골반 내 출혈 등이 있을 수 있음.
- 배액관 꼬임의 경우 볼기 부위를 통한 배액술에서 흔히 나타날 수 있으나 다른 경로를 통해 배액관을 삽입한 경우에도 흔히 나타날 수 있음.

(10) 배액관 유지 및 제거

- 배액관은 농양의 크기, 환자의 상태에 따라 유지기간이 다르며 농양의 치료의 경우 경피적 배액술과 광범위 항생제를 병용하여 사용하는데 배액술을 통해 농양강 내 농양을 완전히 배액 될 때까지 배액관을 유지해야 함.
- 또한 배액관제거 이후에도 남아있는 농양의 치료를 위해 일정기간 항생제를 사용함.

- 배액관 제거를 결정하기 위해 환자의 증상 소실, 배액되는 양, 초음파 및 단층촬영 추적 검사에서 농양의 호전상태 등을 고려하여 배액관 제거를 고려함.

(11) 경피 배액술의 임상적 의의

- 경피 배액술은 항생제 치료만으로 치료되지 않고 수술적 치료를 필요로 하지 않는 골반 농양에 사용될 수 있음.
- 경피 배액술 시행 후 광범위한 항생제와 병용하면 골반농양의 치료 성공률을 높일 수 있음.
- 경피 배액술은 수술적 치료에 비해 덜 침습적이면서 높은 치료 성공률을 보이는 방법으로 골반내 농양 치료에 적절한 치료법으로 사용될 수 있음 (그림 15-5).

2 경화요법

림프류의 경화요법

1) 서론

- 림프류(lymphocele)는 림프관에 이상이 생겨서 림프액이 축적되어 형성되는 낭종성 병변을 말하며 상피세포가 없는 대신 섬유성 가성막에 둘러싸여 있음(Mahrer 등, 2010).
- 부인과 종양을 수술할 때 림프절 제거를 한 뒤 림프류가 발생하는 빈도가 18-44% 정도로 보고 되었음(Cohan 등, 1988; Caliendo 등, 2001; Kim 등, 2004; Tam 등, 2008; Fernandes 등, 2014).
- 림프절을 제거하면 림프관에 결손 부위가 남게 되는데 이 부위에서 유출된 림프액이 고이면서 림프류가 형성되는 것임.
- 림프류는 자연적으로 소실되거나, 증상이 없기 때문에, 정확한 발생률이 잘 알려져 있지 않음(Kim 등, 2004).
- 임상적으로 의미가 있는 림프류는 이차 감염이나 통증 같은 합병증이 발생하는 경우로서 통증은 주변조직이 눌리면서 생김.
- Achouri 등은 부인과 수술을 한 환자의 약 34.5%에서 합병증이 있는 림프류가 생긴다고 보고하였음(Zuckerman and Yeager 1997; Kim 등, 1999; Gauthier 등, 2012; Achouri 등, 2013).
- 합병증이 있는 림프류의 치료는 단순흡입술 또는 배액관삽입술이 수술적인 방법에 비해 덜 침습적이므로 여러 치료 방법 중 가장 먼저 시도해 볼 수 있음(Mahrer 등, 2010).
- 그러나 약 23-50%의 환자에서 림프류의 배액술 후에 다시 크기가 커지는데 이는 림프관의 결손 부위에서 림프액이 지속적으로 유출되기 때문임(Kim 등, 1999; Caliendo 등, 2001; Baek 등, 2016).
- 림프류의 재발을 줄이고 치료 효과를 높이기 위해서는 림프류내 공간으로 경화제(sclerosant)를 주입하여 림프류의 내벽 및 림프관의 누출 부위에 염증 및 유착을 유발하여 림프액의 유입을 차단하는 동시에 림프류내의 공간을 없앰(Gilliland 등, 1989; Sawhney 등, 1996).

2) 시술방법

- 경화제는 주사바늘 또는 배액관을 통해 림프류내 공간으로 주입할 수 있음.

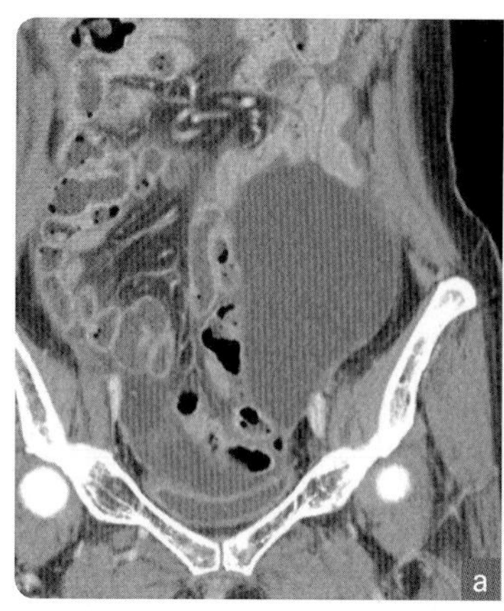

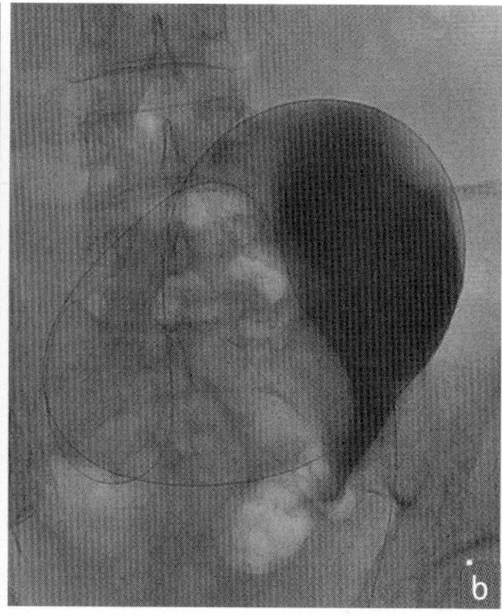

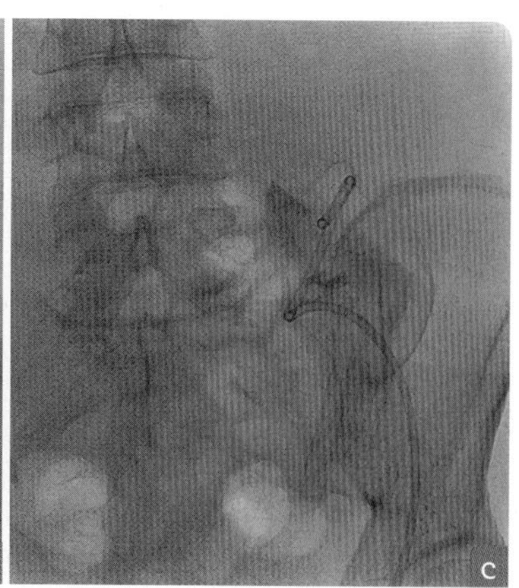

그림 15-6 카테터 배액 및 경화치료. (a) 난소암으로 3개월 전에 수술 받은 49세 환자의 CT영상에서 림프류의 모습이 관찰됨. (b) 투시하 배액관 삽입 과정 중 조영제를 림프류 내강에 주입하여 병변의 범위 및 림프액 누출 여부를 확인할 수 있음. (c) 림프류내 액체를 완전히 배액한 후 에탄올 100 ml을 주입함. 5분 간격으로 체위 변동을 하여 20분 후 에탄올을 모두 제거함. 동일한 방법으로 경화치료를 총 4회 시행하여 치료함.

- 경화제를 주입할 때와 경화제를 제거할 때 배액관을 이용하는 것이 보다 안전함.
- 나아가 경화치료 이후 배액관을 통해 배액되는 림프액의 양을 확인함으로써 치료의 반응을 객관적으로 확인할 수 있는 장점이 있음.
- 만약 재치료가 필요할 경우, 배액관을 가지고 있는 경우에는 반복 치료가 더 쉬움.
- 림프류내 공간으로 경화제를 주입하기 전에 낭종조영술(cystography)을 해야 함(그림 15-6).
- 낭종조영술을 통해 림프액이 유출되지 않는 것을 확인하였음이면, 경화제를 림프류내 공간으로 주입함.
- 경화제가 림프류내 공간에 최대한 많이 접촉하게 하기 위해서는 경화제를 주입한 이후 환자에게 여러 방향으로 자세를 바꾸도록 해야 함.
- 경화제의 양과 노출 시간은 경화제의 종류에 따라 다름.

3) 경화제의 종류

- 이상적인 경화제는 주변 조직에 손상을 가하지 않으면서 림프류에 작용하는 것임.
- 경화제의 작용기전은 경화제의 종류에 따라 다름.
- 각 경화제의 효과 및 부작용에 대해 직접 비교한 연구 결과가 없기 때문에, 경화제를 선택하는 것은 직접 시술하는 의사의 의견에 의해 결정됨.
- 흔히 사용되는 경화제에는 에탄올, 아세트산, 베타딘, 블레오마이신, 테트라사이클린 등이 있음.

(1) 에탄올

- 에탄올(ethanol, ethyl alcohol 95-99%)은 구하기 쉽고, 저렴한 비용 때문에 가장 흔히 사용되는 경화제임.
- 림프류 내 공간에 에탄올을 주입하면 1-3분 내로 림프류의 내벽에 단백질의 변성, 세포사, 염증성

섬유화를 일으킴(Hanna 등, 1996).

- 4-12시간이 경과하면 경화제가 림프류를 둘러싸고 있는 섬유화된 막을 침투하기 때문에, 주변조직에 손상을 방지하기 위하여 장시간 노출을 피해야 함.
- 경화제의 용량은 림프류 부피의 20-50% 정도 선에서 사용함.
- 일반적으로 경화제의 총량은 100 ml 를 넘지 않아야 하는데, 에탄올로 인한 중독의 위험성을 높이기 때문임(Cheng 등, 2012).
- 환자에게 5-10분 간격으로 여러 방향으로 자세를 바꾸도록 하여 림프류 내벽을 최소 20분간 에탄올에 노출시킴.
- 시술이 끝난 후 경화제는 림프류 내에 남아 있지 않도록 제거해야 하고, 남아 있는 에탄올이 충분히 배출되게 하기 위해서는 배액관을 열어 두어야 함.
- 에탄올과 관련된 합병증은 통증, 열, 쇼크, 전신적인 독성(취한 듯한 느낌), 림프류 내의 출혈 등이 있음(Paananen 등, 2001; Dell'Atti 2015; Larssen 등, 2016).

(2) 아세트산

- 아세트산(acetic acid)은 간암세포의 경피시술시에 처음 사용됨(Ohnishi 등, 1994).
- 세포독성영향은 매우 강해서, 원액의 20% 정도로 희석시켜도 에탄올에 비해 응고 괴사가 더 잘 됨(Seo 등, 2000).
- 따라서 아세트산은 경화제로 사용할 때, 20-50% 정도의 농도로 희석해서 사용함(Cho 등, 2008).
- 에탄올과 마찬가지로, 시술이 끝난 후에는 아세트산을 림프류내에서 밖으로 제거해야 함.
- 아세트산과 관련된 합병증은 통증, 구역, 작열감 등이 있음.

(3) 포비돈-아이오다인

- 포비돈-아이오다인(povidone-iodine)은 폴리비닐피롤리돈(polyvinylpyrrolidone)과 아이오다인(iodine)이 합성된 친수성액체로서, 피부를 깨끗하게 하고 상처를 소독하는데 널리 쓰임.
- 작용 기전으로는 세균의 세포막 근처에 유리된 아이오다인을 방출함으로써 항균 작용을 나타냄.
- 림프류 내로 주입하였을 때, 국소적인 산화효과를 통해 염증반응을 일으킴.
- 포비돈-아이오다인은 에탄올이나 아세트산과 비교했을 때 더 약하기 때문에, 비슷한 정도의 치료효과를 얻기 위해서는 수 일이나 수 주간 여러 번 반복할 필요가 있음(Gilliland 등, 1989; Sawhney 등, 1996).
- 만약 포비돈-아이오다인액을 많은 양을 사용한다면, 혈청내 아이오다인이 일시적으로 상승할 수 있음(Cohan 등, 1988; Gilliland 등, 1989).
- 아이오다인 과민반응이 드물게 보고된 적이 있으므로 아이오다인에 대한 과민성이 있는 환자에서는 피하는 것이 좋음.

(4) 블레오마이신

- 블레오마이신(bleomycin)은 악성 흉막삼출액이 있는 환자에서 흉막유착술(pleurodesis)을 위해 사용하던 항암제임(Tan 등, 2006).
- 최근에는 림프류, 혈관종, 혈관 기형등의 치료에도 이용됨. 블레오마이신의 가장 큰 장점은 주입시에 통증이 거의 없다는 점과 에탄올 또는 포비돈-아이오다인에 비하여 치료 횟수를 줄일 수 있

다는 점이 있음.

- 그러나, 세포독성 때문에 시술시에 사용하기가 상대적으로 어려운 단점이 있음.
- 합병증으로 열감, 오심, 구토, 구내염, 피부발진, 흉통 등이 발생할 수 있음(Kerlan 등, 1997; Fernandes 등, 2014).

(5) 테트라사이클린

- 테트라사이클린(tetracycline)은 항생제의 일종으로 악성 흉막삼출액의 치료에 사용하던 약물임(White 등, 1985).
- 체내에 강산성과 이물질에 의한 염증성 반응을 유발함으로써 림프류의 유착과 섬유화를 일으킴(Karcaaltincaba 등, 2005).
- 테트라사이클린은 원래 정맥 내 주사로 사용하는 약물이므로 생체 내에서 안전하며 시술 후에 제거할 필요가 없음.
- 그러나, 강산성 때문에 시술 시에 통증이 생길 수 있음은 단점이 있음.

4) 치료 성적

- 경화제의 종류에 따라 치료 성적이 달라질 수는 있으나 림프류에서 어느 경화제의 효과가 더 좋은지에 대한 객관적인 증거는 충분하지 않음.
- 에탄올을 이용한 경화 치료는 88-98%의 성공율을 보임(Kuzuhara 등, 1994; Sawhney 등, 1996; Zuckerman 등, 1997; Akhan 등, 2007).
- 포비돈-아이오다인을 이용한 경화치료는 성공율이 62-86%로 보고되었음(Cohan 등, 1988; Gilliland 등, 1989; Rivera 등, 1996).
- 테트라사이클린과 블레오마이신을 이용한 경화치료에 대한 연구를 보고한 논문은 드묾.
- Shokeir 등의 보고에 따르면, 테트라사이클린은 신장이식과 연관된 림프 낭종이 있는 30명의 환자중 93%에서 경화 치료에 좋은 반응을 보였음(Shokeir 등, 1993).
- Kerlan 등은 다른 경화제를 사용한 치료에 실패했던 4명의 환자에서 블레오마이신으로 경화치료를 하였을 때, 성공적으로 치료한 예를 보고하였음(Kerlan 등, 1997).
- 에탄올, 아세트산, 포비돈-아이오다인은 쉽게 구할 수 있고, 가격이 합리적이고 안전하기 때문에 많이 사용됨.
- 단, 이 경화제들은 반복치료를 해야할 가능성이 높음.
- 테트라사이클린과 블레오마이신은 경화 치료에서 첫 번째로 사용되지는 않지만, 에탄올, 아세트산, 포비돈-아이오다인과 같은 다른 경화 치료에서 실패한 경우에 사용해 볼 수 있음.

양성난소낭종 경화요법

1) 서론

- 초음파를 포함한 영상의학적 검사 및 종양표지자 검사에서 양성을 시사할 경우에 시행 가능함.
- 낭종의 부피를 감소시킴으로써 파열(rupture)과 꼬임(torsion)을 막는데 효과적이며 이로 인한 골반 통증 등의 다양한 증상을 빠르게 해소함.
- 결과의 정확성이 대체로 떨어지지만 채취한 낭종 내용물의 병리학적 분석이 필요함.

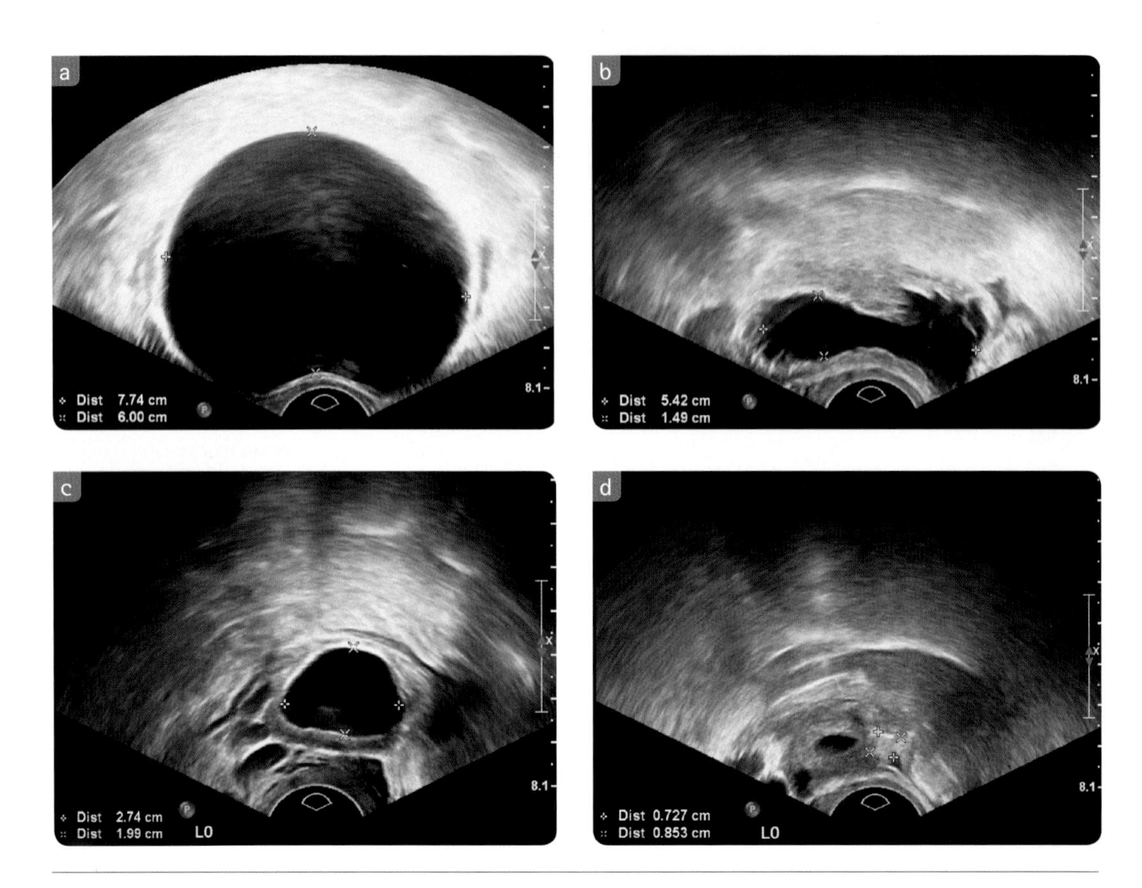

그림 15-7 좌측 난소의 장액성 낭종의 경화요법. 43세 여환으로 초음파상 골반내 낭성 병변 발견되어 내원함. (a) 질식 초음파에서 좌측 난소 낭종으로 추정되는 7.74 x 6.00 cm 크기의 얇은 벽을 갖은 무에코 병변이 관찰됨. (b) 질식 초음파 유도하 경화요법을 시행 1주일 후 낭종벽이 쭈글거리고 크기가 5.42 x 1.49 cm로 감소함. (c) 1달 후 질식 초음파상 낭종의 크기가 2.74 x 1.99 cm로 감소함. (d) 3달 후 질식 초음파상 1x1 cm 미만의 고에코의 병변만 관찰되고 주위 정상 난소조직이 온전하게 보임.

- 단순 흡인(simple aspiration)은 높은 재발율을 보이기 때문에 이를 해결하기 위해 경화제(sclerosing agent)를 사용함.

2) 경화제의 역할 및 종류

- 경화제의 종류와 기능은 다양하나 공통된 것은 낭종을 채우는 액체의 원천이 되는 낭종 내벽의 상피세포를 파괴하고 염증반응과 섬유화를 유도하여 낭종을 폐쇄(obliteration)시키는 것임(그림 15-7).
- 경화제로 알코올(alcohol), 에리스로마이신(erythromycin), 독시사이클린(doxicyclin), 테트라사이클린(tetracycline), 메토트렉세이트(methotrexate), 인터루킨-2(IL-2) 등이 있음(Gonçalves 등, 2016).

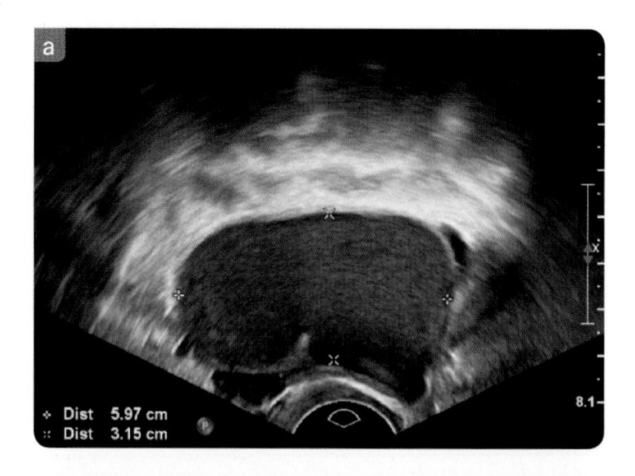

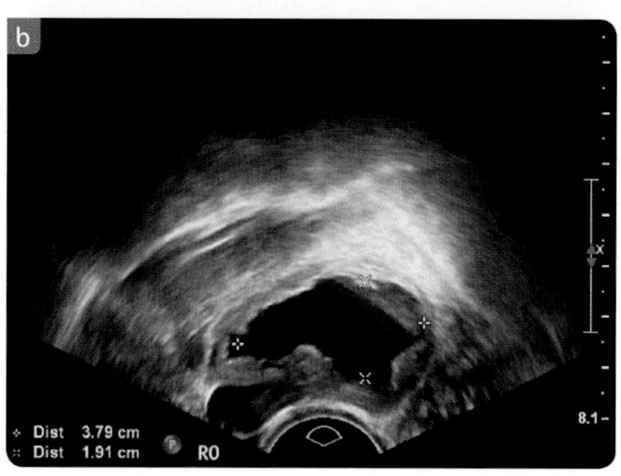

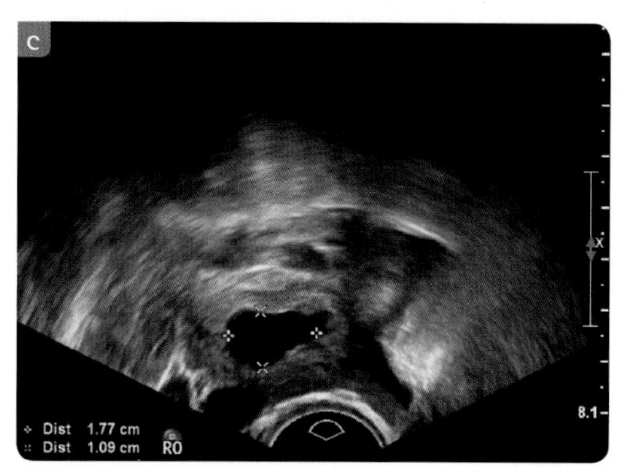

그림 15-8 우측 난소 자궁내막종의 경화요법. 37세 여환으로 생리통과 골반통 있음. (a) 질식 초음파상 우측 난소에 5.97 x 3.15 cm 크기의 균일한 저에코 병변의 전형적인 자궁내막종 소견 보임. (b) 질식 초음파 유도하 경화요법 시행 1달 후 낭종벽이 쭈글거리고 크기가 3.79 x 1.91 cm로 감소함. (c) 3달 후 질식 초음파상 낭종 크기가 1.77 x 1.09 cm로 감소하고 낭종 주위로 정상 난소조직이 두껍게 관찰됨.

3) 성공적인 결과를 위한 조건

- 낭종의 효과적인 폐쇄(obliteration)와 낮은 재발율을 위한 물리적, 생물학적인 조건
- 낭종벽이 얇을수록 좋음.
- 낭종 내벽에 염증반응과 섬유화를 방해하는 섬유소(fibrin), 플라스민(plasmin), 트립신(trypsin), 우로키나아제(urokinase) 등이 적을 수록 좋음.

4) 좋은 결과를 위해 경화요법을 시행할 때 주의할 사항

- 낭종벽을 가깝게 하기 위해 낭종 내의 액체와 기포를 최대한 제거해야 함.
- 낭종 내벽의 상피세포와 경화제의 접촉을 늘리기 위해 충분한 세척(irrigation)이 필요함.

5) 난소 자궁내막종의 경화요법

- 경화요법은 장액성 낭종, 점액성 낭종과 같은 대부

분이 양성 부속기 낭종의 치료에 적용될 수 있으며 특히 자궁내막종의 치료에 장점이 많음(그림 15-8).

- 자궁내막종은 수술 후 재발율이 높고 난임의 원인이 되며 보조생식술을 시도할 때 난자 회수율을 낮추는 원인이 됨.
- 자궁내막종의 수술적 치료는 불가피한 정상난소조직의 손실을 통해 생식능력에 상당한 정도로 악영향을 주지만 경화요법은 시술에 의한 정상 난소조직의 영향을 최소화할 수 있음. 수술로 인해 항뮬러호르몬(Anti-Mullerian hormone) 수치가 한쪽 난소낭종 절제로 24%, 양쪽 난소낭종 절제로 67%까지 감소할 수 있음(Vercellini 등, 2009; Berllanda 등, 2010).
- 경화요법은 3 cm 이상의 자궁내막종이 있을때 고려되며 특히 한쪽 난소만 있는 경우 또는 난소 수술의 기왕력이 있어 수술이 생식능력을 저하시킬 우려가 있을 때 우선 고려의 대상이 됨.
- 시험관아기시술(In vitro fertilization: IVF) 전에 자궁내막종에 대한 경화요법을 시행할 경우 배아의 질, 착상율, 임신율이 높아졌으며 자연유산율이 감소하였음(Guo 등, 2012).
- 15.8%의 난임환자가 자궁내막종의 경화요법 후 12개월 이내에 자연임신 혹은 과배란 유도에 의해 임신되었음(Chang 등, 2013).

6) 경화요법의 성적

- 연구에 따라 4.76%~41.6%로 다양한 재발율을 보임.
- 이는 낭종의 종류, 시술방법, 시술자의 숙련도 등에 따라 결과가 달라질 수 있음을 의미함.
- 현재까지의 연구에 의하면 경화제의 종류에 따른 재발율의 차이가 뚜렷하지 않음.
- 자궁내막종에 대한 대표적인 두 연구는 108명과 196명의 환자에 대해 재발율이 각각 26.9%와 56.6%임(Hsieh 등, 2009; Chang 등, 2013). 이는 수술적 절제로 인한 재발율 11~32%과 비교될 수 있음(Koga 등, 2013; Hart 등, 2008).

7) 합병증

- 복통, 8.1%
- 낭종 파열로 인한 경화제 누출, 0.8%
- 출혈, 0~3.1%
- 감염, 2~9%. 시술 후 ampicillin, metronidazole, clindamycin 등의 예방적 항생제 사용을 권장함(Chan 등, 2003).
- 급성 알코올 증후군, 매우 낮음.

8) 경화요법의 장점

- 난소기능을 유지하며 정상난소조직에 악영향을 최소화함. 특히 향후 임신을 계획하거나 재발하였을 경우 고려할 수 있음.
- 반복적인 시술이 가능하며 반복할 경우 재발율을 낮추는 것으로 보임.
- 출혈과 감염과 같은 합병증을 유발할 수 있으나 빈도가 상당히 낮음.

9) 경화요법의 한계

- 병리학적인 확진이 어려움.

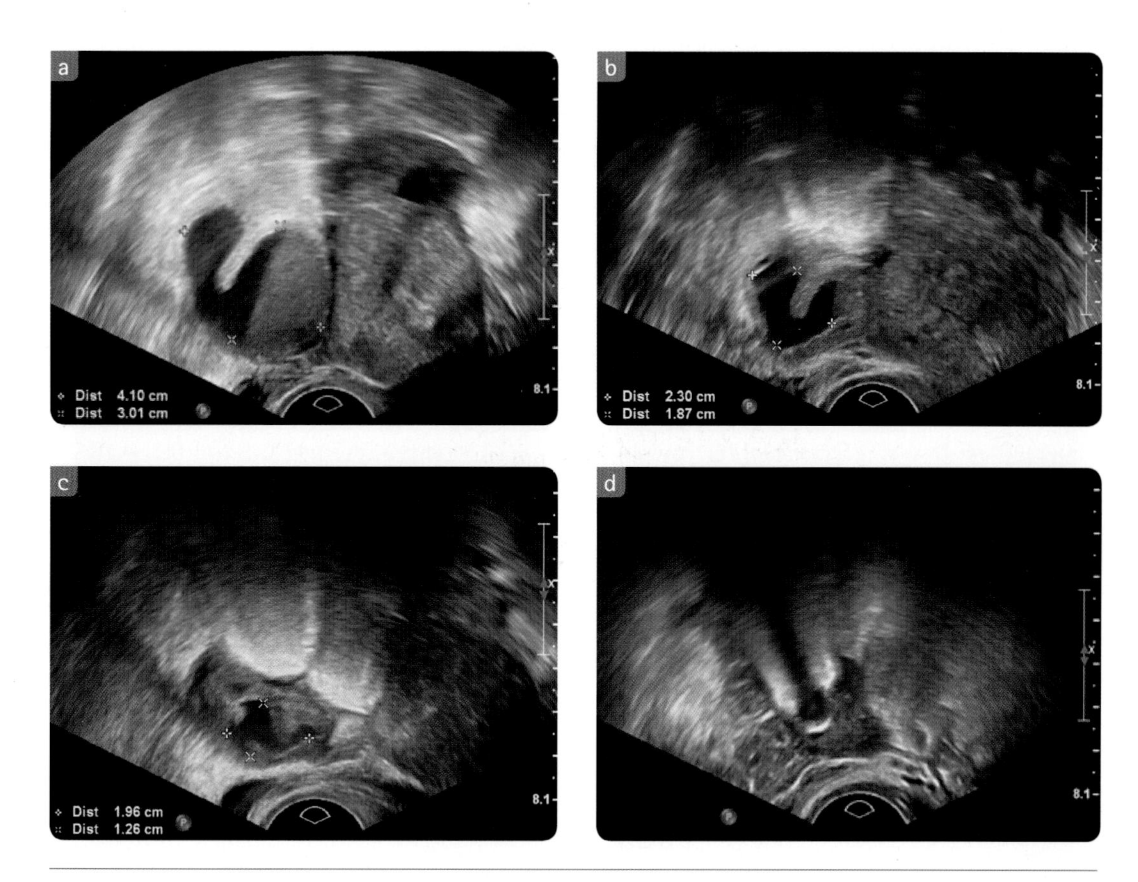

그림 15-9 우측 난관수종의 경화요법. 46세 여환으로 우측 골반통증을 주소로 내원함. (a) 질식 초음파상 우측 난관이 팽창되어 4.10x3.01 cm 크기의 저에코 병변이 관찰됨. (b) 질식 초음파 유도하 경화요법 시행 1주일 후 난관수종 크기가 2.30x1.87 cm로 감소함. (c) 1달 후 질식 초음파상 난관수종 크기가 1.96x1.26 cm로 감소함. (d) 2달 후 질식 초음파상 1x1 cm 미만의 고에코 병변만 관찰되고 난관수종이 폐쇄된 소견 보임.

- 골반유착을 해소할 수 없음.
- 수술적 치료와의 비교 연구가 없음.

난관수종의 경화요법

- 난관수종은 시험관아기시술(in vitro fertilization: IVF) 시 착상율과 임신율을 약 50% 낮추며 자연 유산율을 올리는 것으로 알려져 있음(Johnson 등, 2010; Zeyneloglu 등, 1998).
- 시험관아기시술(in vitro fertilization : IVF) 이전에 난관절제술(salpingectomy) 혹은 난관 폐쇄(tubal occlusion))을 시행하여 임신율을 유의하게 상승시킬 수 있음(Tsiami 등 2016).
- 난관절제술은 자궁동맥을 통한 난소의 혈액공급의 일부를 줄이며 난소의 저장(ovarian reserve)에 악영향을 줄 수 있음(Kotlyar 등, 2017).
- 이에 대한 상반된 결과의 연구가 존재하나 한 메

타분석 결과 양측성 난관절제술을 시행할 경우 난자 회수율이 유의하게 감소하는 것으로 나타났음(Fan 등, 2016).

- 난관수종의 경화요법은 난관절제술에 비해 덜 침습적이며 난소의 저장(ovarian reserve)에 영향이 적음(그림 15-9).
- IVF에 앞서 시행한 난관수종 환자의 경화요법 혹은 난관절제술이 임신율과 초기 자연유산율에 유의한 차이를 주지 않음(Song 등, 2017).

1) 난관수종 경화요법의 주의점

- 높은 재발율 21.7%, 30.8%(Hammadieh 등, 2008; Zhang 등, 2014)
- 경화제의 누출
- 10 mm 이하 혹은 심하게 분절, 분리되어 있는 난관수종에 적용하기 어려움(Kasius 등, 2015).

3 자궁 동맥 색전술(Uterine Artery Embolization, UAE)

1) 자궁근종 치료를 위한 자궁동맥 색전술

(1) 서론

- 자궁 근종에 대한 치료로는 전통적인 방법으로 자궁 절제술(hysterectomy)이 주류를 이루어 왔으며, 미국의 경우 자궁절제술이 연간 600,000 건에 이르며 이 중 약 3분의 1은 자궁근종의 치료목적으로 이루어지고 있음(Lepine 등, 1997).
- 또한 근종절제술(myomectomy), 근종용해술(myolysis), 호르몬 요법과 같은 보존적 치료방법이 있으며, 그 외 초음파나 고주파 등을 이용한 국소적 치료법들이 시행되고 있음.
- 프랑스 산부인과 의사인 Ravina 교수가 자궁절제술시 출혈 등의 합병증을 감소시키기 위해 자궁동맥(Uterine Artery, 이하 UA) 색전술을 의뢰하였고, 색전술을 시행 받은 환자의 다수가 근종의 크기가 감소하고 증상이 호전되어 색전술 자체가 치료 효과가 있었음을 1995년 처음으로 문헌에 보고함(Ravina 등, 1995).
- 이 후 북미산부인과학회(American Congress of Obstetricians and Gynecologists, ACOG)에서 2008년에 산부인과 의사를 위한 시술 가이드라인의 일종인 practice bulletin board에 단기 및 장기 추적결과, 자궁 근종 색전술은 안전하고 효과적이라고 발표함.
- 지금은 미국에서 연간 약 30,000 명의 환자가 시술을 받고 있음. 국내에서는 한해 평균 500예 이상 시술이 이루어지고 있다.

(2) 병리 소견

- 혈관이 색전되면 혈전이 생기고 한편으로는 색전물질에 대한 이물 거대 세포반응(foreign body giant cell reaction) 및 혈관염을 일으키게 되어 혈관이 막히게 됨(그림 15-10).
- 자궁 근종은 정상 myometrium 조직에 비해 허혈에 더 취약(susceptible)하여, 자궁 동맥을 색전하면 정상 자궁 조직은 골반의 측부 순환으로 허혈을 피할 수 있지만 근종은 이미 커져 있는 자궁 동맥으로부터만 혈액 공급을 받아 허혈성 괴사가 일어나고 근종의 크기가 줄어들게 됨.

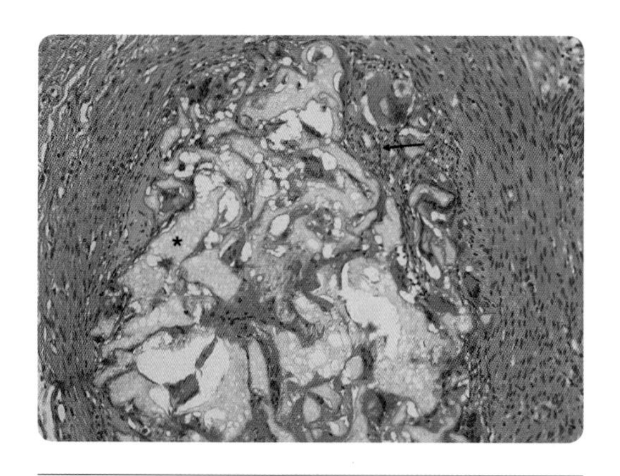

그림 15-10 혈관내에 이물 거대세포(arrow) 반응 (foreign body giant cell reaction)이 관찰되고 있음. 혈관은 색전물질(asterisk)로 막혀 있음(Kim, 등, European Journal of Radiology 2010;73:339–344).

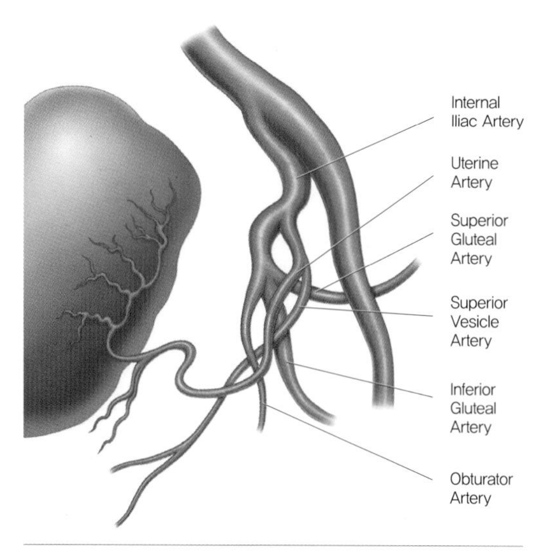

그림 15-11 장동맥가지(branches of iliac artery).

(3) 해부학

- UA는 내장골 동맥(internal iliac artery)으로부터 유래하며 꾸불꾸불한 특징적인 모양을 보이므로 혈관 조영술에서 쉽게 확인할 수 있음.
- UA는 상행 분절(descending segment), 수평 분절(transverse segment), 상행 분절(ascending segment)로 나눔.
- 내장골 동맥에서 시작하는 UA는 골반의 측벽을 따라 아래로(descending) 주행하다가 방향을 바꿔 중앙을 향해 수평(transverse)으로 주행함.
- 자궁에 도달하게 되면 다시 위쪽으로 방향을 바꾸게 되고 많은 perforating vessel 을 분지하게 됨.
- Perforating vessel은 자궁 내에서 서로 연결 되어 있어 한쪽 UA만 막아서는 괴사를 얻기 어려우며 특별한 경우를 제외하곤 양쪽 UA 모두를 색전해야 함(그림 15-11).

(4) 진단

- 자궁 근종의 진단은 초음파와 자기공명영상(Magnetic Resonance Imaging, 이하 MRI)이 가장 많이 사용됨.
- 그러나 초음파가 근종을 진단하기 쉽고 비용을 절감할 수 있는 반면에 시술자에 따라 진단에 차이가 있을 수 있는 반면 MRI는 근종의 위치, 크기, 수를 보다 객관적으로 알 수 있고, 다른 골반 질환과의 동반여부 즉, 자궁선근증(adenomyosis), 자궁내막증(endometriosis), 물자궁관증(hydrosalpinx), 자궁내막암(endometrial cancer) 혹은 자궁경부암(cervical cancer) 등을 알아보는데 초음파에 비해 뛰어나다고 할 수 있음.
- 특히, 조영증강 MRI 영상을 얻을 경우 근종의 혈관 발달 정도를 알 수 있어 시술 후 근종의 괴사 여부를 판단할 수 있음(Burn 등, 2000).
- 특히, 시술 전 MRI 에서 전혀 조영증강이 되지 않

고 퇴화(degeneration) 되어 있다고 판단되는 근종의 경우는 색전술을 피해야 함.

(5) 환자 선택(Patient Selection)

- 어떤 환자를 시술할 것인가를 결정하는 것은 매우 중요함.
- 반드시 환자가 호소하는 증상이 자궁 근종에 의한 것이어야 함.
- 자궁내막증이나 나팔관염 등의 골반내 염증이 동반되어 있는 경우, 환자의 증상이 근종에 의한 것인지 골반내 염증에 의한 것인지 알 수 없으므로 주의해야 함.
- 증상이 없는 근종이라면, 좀 더 추적 관찰할 필요가 있음.
- 또, 최근 1년 동안 자궁암 검사를 받았는지 확인하고 그렇지 않은 경우 이학적 검사와 세포 검사를 해야 함.
- 환자의 주 증상이 커다란 근종으로 인한 주위 장기 압박 증상만 있는 경우, 종괴의 크기가 다소 줄다 하더라도 여전히 주위 장기를 압박할 것으로 예상되면 좋은 환자 선택이라고 보기는 어려움.
- McLucas 등은 근종이 8.5 cm 이상일 경우 치료 실패할 가능성이 높다고 하였고, Pelage 등은 10 cm 이상의 근종의 경우 색전술 후 감염 등의 합병증 발생이 우려되므로 피해야 한다고 하였음(McLucas 등1999).
- 반면에 Katsumori 등은 152명의 환자를 대상으로 10 cm 이상인 근종을 가진 그룹과 10 cm 미만의 근종을 가진 두 그룹을 비교하였는데 합병증에 있어서 두 그룹간의 유의한 차이는 없었다고 보고하여, 근종의 크기에 따른 UAE 의 효용성은 좀 더 연구가 필요한 상태임(Katsumori 등, 2003).
- 최근, 김 등은 10 cm 이상의 근종에서 Gonadotropin-Releasing Hormone (GnRH)를 1-5회 투여한 후 근종의 크기를 감소시킨 뒤에 자궁 동맥 색전술을 시행하였는데, 일반적으로 GnRH 투여는 자궁 동맥을 수축시켜 색전술에 방해가 된다고 알려져 있었으나, 거대 근종의 경우에는 이미 자궁 동맥이 상당히 커져 있어서 GnRH 투여로 자궁 동맥의 크기가 비록 감소하여도 색전술에 영향은 없었다고 보고하였음(Kim 등 2012).
- 유경성 장막밑근종(pedunculated subserosal myoma)인 경우, 색전술 후 괴사된 근종이 복강 내로 떨어져 2차 감염의 우려가 있음은 주장이 있으나 이론적인 가능성뿐이고 아직 문헌에 보고된 적이 없음.
- 최근 여러 연구에 의하면 유경성 장막밑근종에도 색전술은 안전하게 시행되었다고 보고되고 있음(Margau 등, 2008).
- 자궁 경부에 생긴 근종(cervical fibroid) 의 경우 전체 근종의 5%를 차지하고 있고 이 부위는 근종 제거술을 하기도 까다로운 위치이며 출혈 등의 합병증이 높은 곳임.
- 색전술의 경우도 자궁경부에 발생한 근종의 경우 완전 괴사가 약 40% 정도 밖에 되지 않을 정도로 어려운 것으로 보고되고 있어 환자 선택에 있어서 주의를 요함(Kim 등, 2012).
- 이미 폐경이 와있는 여성에게도 근종으로 인한 빈뇨 등으로 종괴에 의한 압박증상이 있거나 혹은 폐경의 증상 치료를 위한 호르몬 투여 과정 중 부정 출혈 등의 증상이 있는 경우 악성의 가능성을 배제하면 색전술 치료를 고려할 수 있음(Lee 등, 2016).

(6) 검사 준비(Laboratory Preparation)

- 기본적인 전혈구 계산(complete blood count, CBC), 출혈 경향이 있는지 검사함.
- 난포 자극 호르몬(FSH), 황체 형성 호르몬(LH) 같은 검사는 시술 전 반드시 검사해야 하는 항목은 아니지만 45세 이상인 환자와 같이 시술 후 폐경 등의 합병증이 높을 환자군일 경우 사전에 기초 자료로 검사할 필요가 있음.
- FSH의 경우 생리 시작 3일째 채혈하여야 하며 그렇지 않은 경우 생리 주기에 따라 혈중 농도에 변동이 있어 해석에 주의를 요구하며 주기와 상관없이 난소 기능을 반영하는 Anti Mullerian Hormone (AMH)가 많이 이용되고 있음.

(7) 시술(Procedure)

- 대개 우측 대퇴 동맥을 천자하여 시술하나 연구자에 따라 방사선 피폭을 줄이기 위해 양측 대퇴 동맥으로 동시에 접근하기도 함.
- 5Fr 돼지꼬리 형 카테타(pigtail catheter)를 대동맥 분지 상방에 두고 골반 동맥 조영을 시행한 후 양측 자궁동맥을 확인함.
- 5Fr 구부러진 카테타를(curved catheter) 이용 내장골 동맥을 선택한 후 UA의 기시부를 알기 위해 혈관 조영술을 추가로 얻는데 이때 선택하여는 UA의 반대쪽 혹은 같은쪽 전사위(contralateral or ipsilateral anterior oblique) 45° 영상을 얻으면 보다 쉽게 UA가 이디시 기시하는지 알 수 있음.
- UA의 기시부를 확인 한 뒤에 UA를 선택 할 때, 혈관 경련(vasospasm)을 줄이기 위해 마이크로카테타(microcatheter)를 사용하는 것이 좋음.
- 마이크로 카테타의 원위부 위치는 자궁경부질 가지(cervicovaginal branch)를 넘어서 위치하는 것이 좋으나 전체 시술 환자의 50% 에서는 이 혈관이 안보이고 비록 색전술을 하더라도 부작용은 매우 드문 것으로 알려져 있음.

(8) 난소 동맥(Ovarian Artery, 이하 OA) 색전

- 양측 UA를 모두 색전한 후, 양측 신동맥 위치에 pigtail catheter를 두고 대동맥 조영술을 시행하여 OA의 측부 순환 유무를 확인함.
- OA 의 측부 순환이 확인되었을 때 OA를 색전해야 하느냐는 아직 논란이 있음.
- 근종에 대한 OA의 측부순환이 자명할 경우, 색전하지 않으면 치료가 불완전해질 수 있지만, OA를 색전한다는 것은 난소에 직접적인 기능 부전을 발생시킬 수 있으며 이로 인한 폐경 등의 합병증으로 이어질 수 있기 때문에 비록 한 개의 OA만을 색전하는 경우라도 환자의 나이 등을 고려하여 결정함.
- 최근 이 등은 349 명의 환자에서 MRI 뿐만 아니라 UA 의 조영 증강 MR angiography를 사용하여 시술 전 UA의 해부학을 파악할 수 있었으며 또한 난소동맥의 측부 순환을 예측할 수도 있다고 하였음(Lee 등, 2012).
- 특히, UA가 하장간막 동맥(inferior mesenteric artery) 보다 크기가 작을 경우, 난소 동맥이 굵어져 있는 경우 난소동맥으로부터의 측부 순환 가능성이 많다고 보고하였음.
- OA 색전이 불가피할 경우, 반대측 난소가 이상이 없는 것을 다시 한 번 확인한 뒤, 젤폼(Gelfaom)이나 PVA(Polyvinyl Alcohol) 등을 이용해 색전술을 시행함.

(9) 색전물질(Embolic Agent)

- 색전 물질로는 PVA (Polyvinyl Alcohol) particle, tris-acryl gelatin microsphere, PVA microsphere, Gelfoam등이 사용됨.

① Nonspherical (Classic) PVA Particle

- 현재까지 가장 많이 사용되는 색전 물질로 보고자에 따라 여러 가지의 입자 크기를 사용하였는데, small particle (250-355 μm)를 사용한 보고가 large particle (500-700 μm)을 사용한 보고보다 근종의 크기 감소율은 더 좋은 반면, 염증이나 통증과 같은 합병증이 더 많이 발생하는 경향이 있어 현재는 355-500 μm 크기가 일반적으로 사용되고 있음.
- Tris-acryl gelatin microsphere 와 비교하였을 때도 최근 연구에 의하면 자궁동맥색전술에 치료효과에 차이가 없고 또한 비용이 적게 드는 장점이 있음.
- 반면에 clumping 되는 경향이 있어 카테타가 막힐 수 있어 희석을 충분히 하고 천천히 주입하여야 함.

② Tris-acryl gelatin microsphere

- 최근에 개발되어 자궁동맥색전술에 북미나 유럽 등에서 많이 사용되고 있음.
- 크기는 보통 500-700 μm 를 사용하며, PVA 입자에서 나타나는 카테타 막힘 현상이 적고 색전 효과가 뛰어나나, 환자 1명에 사용되는 양이 PVA 양보다 평균 2-3배 이상 많이 사용되어 비용이 많이 든다(Spies 등 2004).

③ PVA Microsphere (Spherical PVA)

- 이것은 microsphere의 장점과 PVA 라는 친숙한 색전 물질을 고안하여 개발되었으나 최근 Spies 등의 보고에 의하면 500-700 μm를 이용하였을 때 Tris-acryl gelatin microsphere과 비교하여 색전 효과가 현저히 떨어지는 것을 보고하여 자궁동맥색전술에 적합하지 않다고 하였음(Spies 등, 2005).

④ 젤폼(Gelfoam)

- 젤폼은 산후 출혈 등에서 이미 안정성이 알려진 색전물질로 gelfoam pledget 만을 색전물질로 사용해도 근종의 크기 감소와 증상 치료에 효과적이었다는 일부 보고가 있으나 아직 근종 색전에 보편적으로 사용되지는 않음(Katsumori 등, 2002).

(10) 결과

- 근종에 대한 자궁동맥색전술은 여러 연구를 종합해 보면 월경과다(menorrhagia) 증상은 83-90%, 생리통(menstrual pain)은 77-79%, 압박증상(pressure symptoms)은 86-93% 에서 증상개선이 있었고 4-11% 에서 치료 실패가 있었고, 시술 만족도는 91-97%에 달하는 것으로 보고하였음.
- 색전술 후 근종은 42-73%, 자궁 자체는 35-55%에서 부피가 감소함.
- 이러한 부피 감소는 약 1년까지 계속 진행되는 것으로 알려져 있음(Walker 등, 2002, Pron 등, 2003).
- 국내 연구로는 김 등이 69명의 환자를 대상으로 보고하였는데, 월경과다는 87.5%, 생리통은 83.3%, 압박 증상은 79.2%에서 임상 호전이 있음을 보고하였음(김 등, 2005).

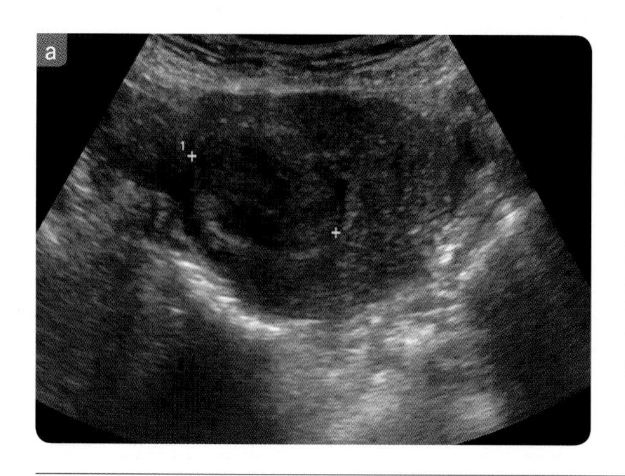

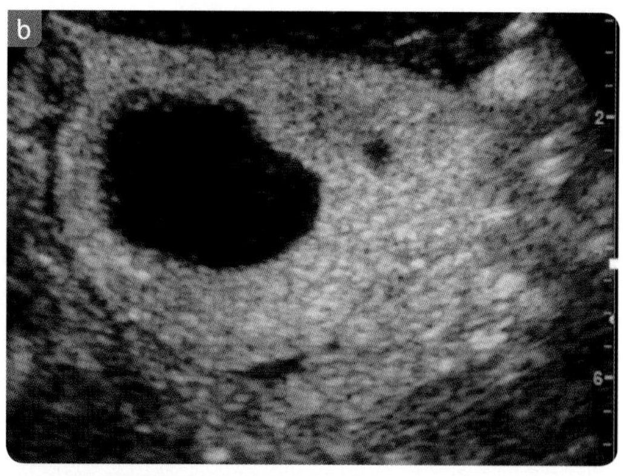

그림 15-12 **자궁동맥색전술 후 추적관찰**. (a) 시술 후 3개월 째 시행한 초음파상 근종이 계속관찰되고 있음. (b) 조영제를 정맥 내 주입한 후 근종은 조영증강 되지 않아 근종은 괴사되었음을 알 수 있음.

- 또한 Spies 등은 5년 장기 추적 결과에서 20% 가량이 재발하여 UAE가 장기간에도 효과 있음을 발표하였음.
- 재발의 원인으로는 새로 생긴 근종, 불완전한 근종의 괴사(incomplete leiomyoma infarction)로 인한 재성장, 초기 근종의 크기가 너무 큰 경우 등이 제시되고 있으나 좀 더 연구가 필요한 상태임(Spies 등, 2005).
- Goodwin 등은 근종 제거술과 자궁 근종 색전술과 비교하였는데 두 그룹 모두 증상의 호전과 자궁의 부피 감소는 통계적으로 차이가 없었던 반면 입원기간과 일상생활로의 복귀하는 기간은 자궁 근종 색전술을 받은 그룹이 의의 있게 적다고 하였음(Goodwin 등, 2006).
- 자궁 근종 색전술과 수술을 5년 동안 비교한 한 무작위 연구에서는, 자궁 근종 색전술 그룹에서 치료 실패 또는 합병증으로 다시 치료를 받은 경우가 32%로 수술한 그룹 4% 보다 의의 있게 많았다고 보고하였음(Moss 등, 2011).
- 이는 자궁 근종 색전술을 시행하기 전 자궁을 보존함으로써 생길 수 있는 재치료 가능성에 대하여 환자에게 충분한 설명과 동의를 구해야 됨은 의미가 될 수 있음.
- 하지만, 이러한 연구에는 시술자체의 기술적인 실패(technical failure)와 시술 후 결과가 좋지 않은 경우(clinical failure)가 많이 포함되어 있어 경험이 풍부한 시술자가 시행할 경우 결과에는 약간 차이가 있을 수 있어 좀 더 연구가 필요함.

(11) 추적관찰(Follow-up)

- 시술 후 1달까지는 외래를 1차례 방문하여 부작용 발생에 대하여 주의를 살피고, 3-6개월 후에 MRI를 촬영하여 시술 전 MRI와 비교하여 근종과 자궁의 부피감소율과 조영 증강 영상을 통하여 근종의 완선 괴사 여부를 확인함.
- 초음파로는 시술자에 따라 정확한 부피의 변화를 측정하기 어려우며 특히 근종의 완전 괴사 여부를 알기 어려움. 하지만, 최근 조영증강 초음파(contrast-enhanced ultrasound)를 이용하면 근종의 괴사여부를 확인할 수 있음(그림 15-12).

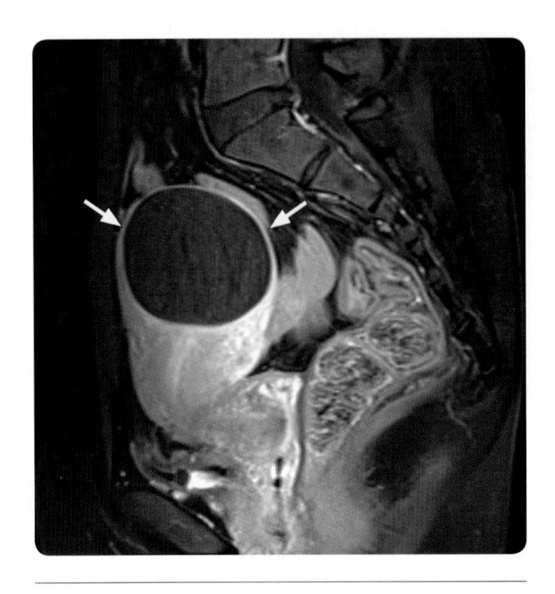

그림 15-13 색전술 후 3 개월 째 시행한 MRI에서 근종(arrows)이 완전 괴사되어 전혀 조영 증강이 되지 않음.

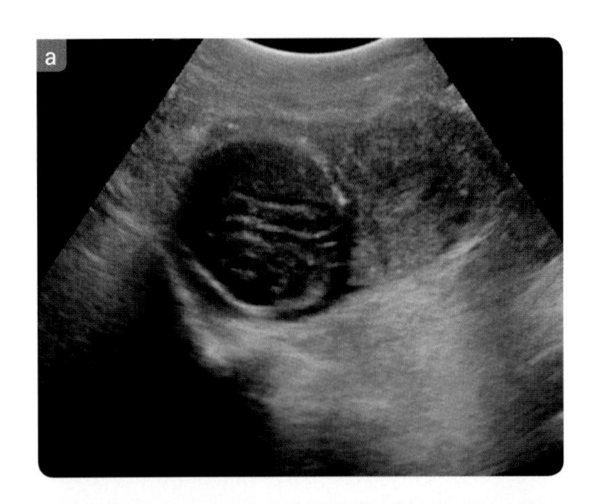

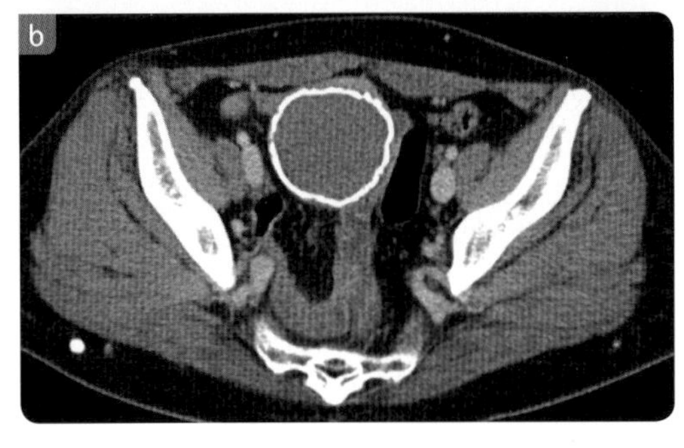

그림 15-14 (a) 괴사된 근종의 변연부 석회화(Fetal head sign) 초음파 소견. (b) 같은 환자 CT 소견.

표 15-1 Complication of Uterine artery embolization

- Postembolization syndrome – Postprocedural pain, Mild fever, Nausea/Vomitting
- Postpuncture hematoma
- Infection – pyometra, foul odor, high fever
- Intermittent vaginal discharge (bloody)
- Ovarian failure – Transient /Permanent amenorrhea
- Uterine necrosis
- Transvaginal passage (expulsion) of leiomyomata
- Pulmonary embolism

- 근종이 완전 괴사가 된 경우, 조영증강 T1강조 영상에서 전혀 조영증강 되는 부분이 없음(그림 15-13).
- 단기 추적 관찰 후에는 1년에 1 차례 정기 검사를 시행함.
- 괴사된 근종은 시간이 지나면서 퇴화되어 근종 주위로 석회화를 동반하기도 하여 초음파 검사에서 마치 태아의 머리(fetal head sign)같이 보이는 경우도 있음(그림 15-14).

(12) 합병증(Complication)

UAE 후에 올 수 있는 합병증에 대하여 적절히 대처하기 위해서는 합병증에 대한 충분한 이해가 필요함(표 15-1).

- 색전술을 시행한 직후부터 생리통과 유사한 골반내 통증을 거의 모든 환자에서 호소하며 24시간이 지나서야 통증이 많이 가라 앉게 됨.
- 통증을 조절하는 방법으로는 morphine 등을 환자 스스로가 조절하는 PCA (patient-controlled analgesia) 펌프나, ketoprofen 또는 morphine 등을 정맥 주사하는 방법이 있음.

- 하지만 이러한 통증은 환자에 따라 수 일간 지속될 수 있음을 환자에게 미리 충분히 설명하는 것이 좋음.
- 시술 당일 오심과 구토를 약 2/3의 환자에서 볼 수 있고 또, 점상질출혈(vaginal spotting), 질 분비물(vaginal discharge)이 있을 수 있으며, 약 20%에서 미열이 날 수 있는데 이는 색전후 증후군(post-embolization syndrome)으로 보존적인 치료를 하면 자연 치유됨.
- 하지만 감염과의 감별이 중요한데 감염의 경우, 백혈구 증가, 높은 고열의 지속, 질 분비물에서의 악취(foul odor), 분비물의 세균학적 검사 등으로 알 수 있으며, 감염의 가능성을 낮추기 위하여 색전술 전날부터 1주일 후까지 예방적으로 광범위 항생제(broad spectrum antibiotics) 를 투여하는 것이 좋으며 외래 추적 관찰이 필요함.
- 매우 드물지만 1-2% 환자에서, 자궁이 괴사되어 감염을 일으켜 응급 자궁 절제술을 받은 예가 있음(Spies 등, 2002).
- 자궁동맥색전술 후 폐경이 발생할 수 있는데 그 빈도는 약 2-7 %에서 보고되고 있음(McLucas 등, 2001).
- 이러한 폐경 환자는 나이가 45세 이상인 경우가 월등히 많은데 그 가능한 이유로 난소 기능이 떨어진 경우 약간의 색전술로도 기능 부전이 온다는 주장, 여성의 자연 폐경이 45세에서 4%, 49세에서 35%로 폐경 시점이 색전 시점과 우연히 일치한다는 주장과 그리고 자궁 절제술만 받은 환자에서도 폐경이 약 15% 정도 온다는 점으로 볼 때 자궁이 난소의 정상적인 기능에 일정 부분 내분비적인 기여를 한다는 가능성이 제기되고 있음.

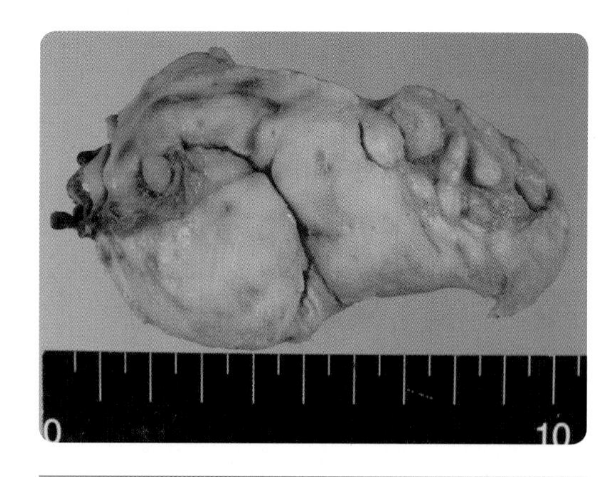

그림 15-15 색전술 후 자연배출된 근종.

- 간혹 근종의 괴사된 조직이 반복적으로 조그만 덩어리 형태로 떨어지거나, 또는 한번에 질로 배출되어 추적 검사에서 근종이 완전히 없어지기도 하는데 이때 복통, 혈성 분비물 등이 동반되기도 함.
- 이를 부작용이라고 보는 견해도 있으나, 국내 연구에 의하면 환자 대부분이 별 합병증 없이 자연 배출되거나(그림 15-15), 자궁경(hysteroscope) 등을 이용한 도움만으로도 어렵지 않게 근종이 배출되어 부작용이라기보다는 조절 가능한 치료 반응의 일부라고 주장하였음(Park 등, 2005).

(13) 임신과의 연관성

- 임신을 원하는 여성의 경우, 시술을 담당하는 이로서는 자궁동맥색전술에 대하여 주저하게 됨.
- 자궁 동맥 색전술이 자궁 내막에 손상을 주어 착상을 방해하거나 또는 자궁동맥 색전술을 받은 여성이 임신을 하였을 때 태아가 자라면서 태반을 포함한 많은 혈류의 공급이 자궁동맥 외에 다른 곳으로부터 원활할지, 태아가 정상적으로 발달할 수 있는지 염려가 됨.

- 자궁 동맥 색전과 임신과의 관계는 한마디로 아직 명확하게 확립되어 있지는 않으며 지금도 연구가 계속 진행 중이라고 볼 수 있음.
- 다만 지금까지의 보고를 종합하면, 많은 정상적인 임신과 출산이 보고되고 있어 자궁동맥색전술이 임신을 방해하지는 않는 것으로 보인다는 주장과, 반면에 전치 태반(placenta previa)이나 유착 태반(placenta accrete)등과 같은 태반 이상과 관계가 있을 수 있음은 보고가 있음(Ravina 등, 2000).
- 이러한 태반 이상은 임신한 여성이 35세 이상일 때, 다분만(multiparity), 흡연, 제왕절개술 병력 등이 위험 요소로 알려져 있어 태반이상이 자궁 동맥색전술과 직접적인 관련이 있는 것인지는 확실하지 않으나 일단 색전술을 시술받았던 환자가 임신하였을 때는 태반상태에 대하여 자세히 관찰해야 한다고 하였음.
- 그 외에 이상 태위(malpresentation), 부당 경량아(Small for Gestational Age, SGA) 등도 보고 되고 있지만 이것 역시 자궁동맥 색전술 자체 때문인지 아니면 치료 후 아직 남아있는 근종 때문인지 정확히 알려져 있지 않음.
- 분만 후 출혈(postpartum hemorrhage)도 색전술을 받지 않은 여성(4-6%) 보다 다소 높게(9%) 보고 되어 있음(Goldberg 등, 2002).
- 김 등은, 총 94명의 자궁동맥 색전술을 받은 환자를 대상으로 하였을 때, 임신을 원했던 6명 중 5명(83.3%)이 임신을 하였고, 1명에서 조기 양막파열(Premature rupture of membrane)로 인한 SGA가 있었으나 신생아 모두 건강하였으며 자궁 태반 기능 부전(uteroplacental insufficiency)나 자궁 수축 이상(contractional abnormality) 등은 없어 자궁 동맥 색전술이 임신에 영향을 미치지 않았다고 보고하였음(Kim 등, 2005).
- 현재 SIR(Society of Interventional Radiology)에서는 임신을 계획하고 있는 여성에게는 근종 제거술을 일차적으로 권유하고 있으나 근종이 내막과 너무 근접해있어 근종 제거술 시 내막 손상이 우려되거나 다발성 근종으로 근종 제거술이 불가능할 경우 등 수술이 어렵다고 판단되는 경우에는 색전술을 시행하도록 권고하고 있음.
- 의학적 판단 외에 환자의 여러 가지 사회 경제적인 상황 등도 고려하여 환자와 일정 부분 치료 방향을 같이 상의하여 결정을 하는 것이 바람직함.

(14) 방사선 노출(Radiation Exposure)

- Nikolic 등은 자궁동맥 색전술시 노출된 방사선량은 평균 22.34 cGy로 우려할 만한 수준은 아니라고 함.
- 하지만 난소는 방사선에 민감한 장기이므로 가급적 방사선 조사량을 줄여야 함.
- 그러기 위해서는 시술하는 사람 환자에게 노출되는 선량을 줄이려는 노력이 필요함.
- 즉 환자 테이블을 X-ray source에서 멀리 하고 i영상증강장치(image intensifier)와는 가깝게 하는 것이 좋음.
- 확대영상(magnification image)은 피폭량을 늘이므로 가급적 사용을 줄이고 조준(collimation)을 이용하여 필요 없는 곳에 방사선을 조사하는 일이 없도록 함.
- 또한, 다른 혈관 조영술에 사용하는 초당 3-4 frame 보다 적은 초당 0.5 -1 frame으로 하는 것이 좋음(Nikolic 등, 2000).

2) 자궁 선근증(Adenomyosis)

- 자궁 선근증(adenomyosis)은 자궁내막샘(endometrial gland) 또는 버팀질(stroma) 조직이 자궁 근육층에 존재하면서 주위 평활근의 증식을 초래하는 질환으로 증상은 자궁 근종과 유사하나, 자궁 절제술 외에는 특별한 치료 방법이 없는 질환으로 알려져 있음.
- 자궁 선근증에 대한 자궁동맥색전술의 효용성은 아직도 논란의 여지가 있으며, 근종 색전술의 치료 실패원인으로도 보고된 적이 있음(Smith 등, 1999).
- 하지만, 자궁 선근증에 대한 색전술의 유용성에 대하여 Siskin이나 김 등은 단기 추적 결과 90% 이상 증상 호전이 있음을 보고하였음(Siskin 등, 2001, Kim 등, 2004).
- 하지만 Pelage 등은 16명의 자궁선근증 환자를 대상으로 색전술 후 2년 추적하였을 때 9명 중 5명(55%) 만이 증상의 개선을 보여 결과가 실망스럽다고 하였음(Pelage 등, 2005).
- 반면 김 등은 54명의 환자를 5년 장기 추적한 결과 초기 성공률 92.6%, 재발율 38% 라고 보고하여 Pelage 연구결과와는 달리 비교적 성적이 우수한 결과를 발표하였음(Kim 등, 2007).
- 두 그룹간에 성적에 차이가 있는 것은 사용된 색전물질의 입자의 크기가 작용했을 것으로 추측하였으며 작은 입자의 크기가 선근종의 괴사를 많이 유도한 것으로 보고하였음.
- 그들은 자궁선근증이 특별한 치료 방법이 없다는 것을 감안할 때, 근종에 비해서는 비교적 작지 않은 재발율에도 불구하고, 선근종에 대한 일차적인 치료를 색전술로 고려하는 것을 제안하였음.
- 색전술 후 자궁선근의 괴사는 예후에 매우 중요한데 김 등은 그 후 특히 150-250 마이크론 PVA particle을 색전술 처음에 소량 쓰고 점차적으로 색전 입자의 크기를 250-350 마이크론, 350-500 마이크론 크기로 증가하면서 색전술을 하는 1-2-3 프로토콜을 이용하여 선근종의 완전 괴사율을 80% 이상으로 보고하였음(Kim 등, 2011).
- 하지만, 이러한 방법은 통증이 더 심하게 유발시키는 단점이 있어 통증 조절에 더 신경을 써야 하며 간혹 내막이 얇아지게 하는 경우가 있어 임신을 원하는 여성에게는 피해야 함.
- 자궁선근증 중에서도 MRI의 sagittal T2 강조 영상에서 복직근의 신호 강도와 같이 낮은 경우 치료 결과가 더 좋은 것으로 알려져 있음.

3) 요약

- 자궁동맥 색전술은 안전하고 근종으로 인한 여러 증상에 매우 효과적인 치료법이라 할 수 있으며, 자궁의 기능을 보존할 수 있고, 수술을 피할 수 있고, 짧은 입원기간 및 빠른 회복으로 조기에 일상생활에 복귀할 수 있으며, 한 번의 시술로 여러 개의 자궁근종을 동시에 치료할 수 있고, 만약 실패하더라도 다른 여러 가지의 치료를 다시 시행할 수 있는 장점이 있어 여성의 자궁 근종 치료에 일차적인 치료방법으로 기대됨.

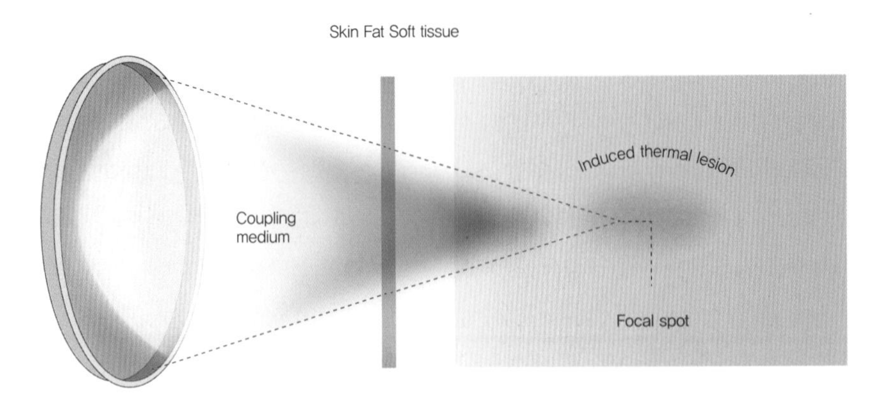

그림 15-16 고강도집속초음파 치료의 원리. 하이푸 변환기(HIFU transducer)를 통해 생성된 고강도 초음파를 목표지점에 집속시켜 조직의 열변성 괴사를 유도함. 하이푸 변환기와 인체 사이에는 접촉 매질(coupling medium)이 있어 에너지의 손실을 최소화하고 냉각을 통해 피부의 손상을 예방함.

4 고강도집속초음파치료(high intensity focused ultrasound oblation therapy : HIFU)

- 하이푸(HIFU)치료는 종양의 목표지점에 고강도의 초음파에너지를 집속시켜 이로 인해 발생한 고열로 종양세포를 선택적으로 괴사시키는 치료임.
- 간암, 췌장암, 유방암, 골육종 등의 악성종양과 자궁근종, 자궁선근증, 유방섬유선종 등과 같은 양성종양의 치료에 사용됨.

1) 원리

- 인체 내 모든 세포는 56도 이상으로 1초 이상 노출될 때 단백질변성 및 응고괴사가 진행되어 비가역적 손상이 발생함.
- 몸을 투과하는 고강도초음파를 치료 표적 내의 한 점에 모으면 해당 초점에만 조직의 괴사를 유발하는 강한 열에너지가 발생함.
- 이는 돋보기로 태양열을 모아 종이를 태우는 원리와 흡사함.
- 즉 하이푸치료의 기본원리는 몸을 투과하는 초음파에너지를 종양에 집속시켜서 인체 표면에서 목표점까지의 정상 조직에는 손상 없이 병변만 선택적으로 괴사시키는 것임(그림 15-16).

2) 종류 : 영상구현법(imaging method)에 따른 분류

(1) 초음파 유도하 하이푸(US guided HIFU)

- 실시간 영상으로 자궁 및 주위장기의 움직임을 파악할 수 있음.

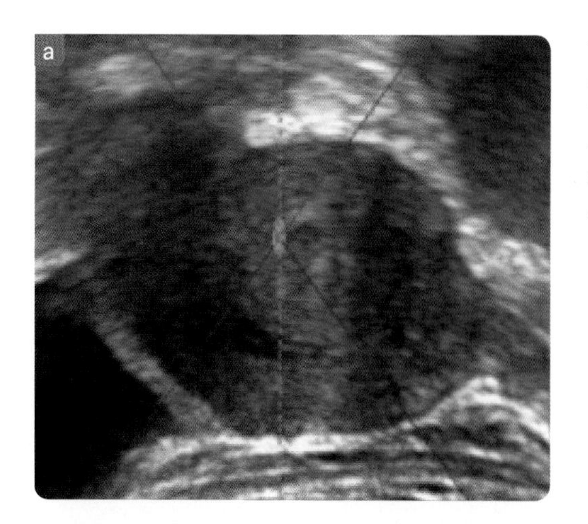

그림 15-17 초음파 유도하 하이푸에 의한 치료부위의 음영변화. (a) 치료 전 자궁 후벽이 비대해진 자궁선근증 병변이 관찰됨. (b) 하이푸 치료 시작 직후 초점에 고에코의 점이 생김. (c) 하이푸 치료가 진행됨에 따라 초점 주위로 고에코 치료 부위가 넓어짐.

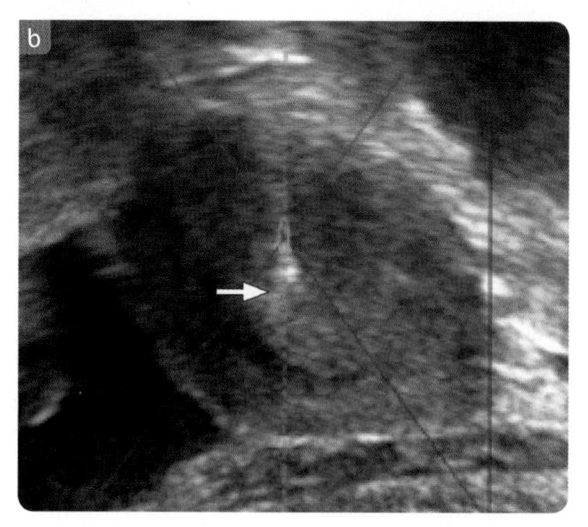

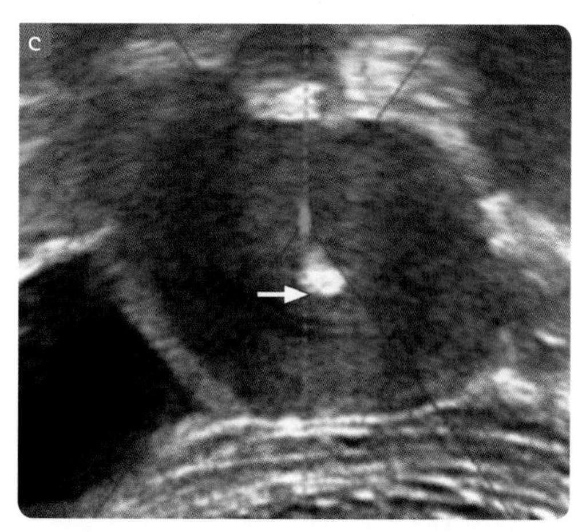

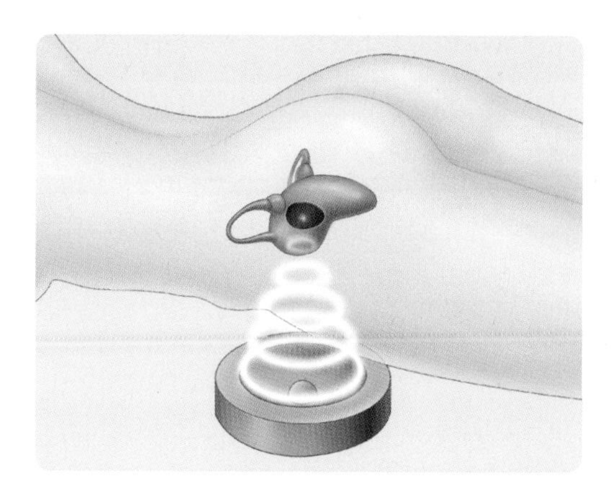

그림 15-18 복와위식 하이푸 치료. 치료 베드(treatment bed)에 엎드려 누워 치료하는 방식. 접촉 매질(coupling medium)인 탈기수(degassed water)가 인체와 직접 접촉하므로 에너지 전달효율이 상대적으로 우수함.

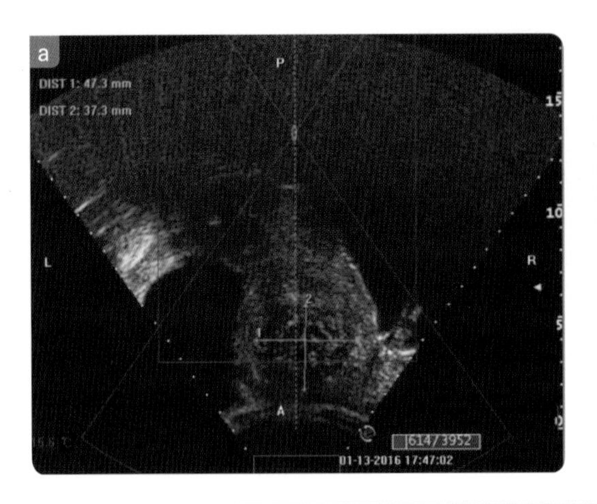

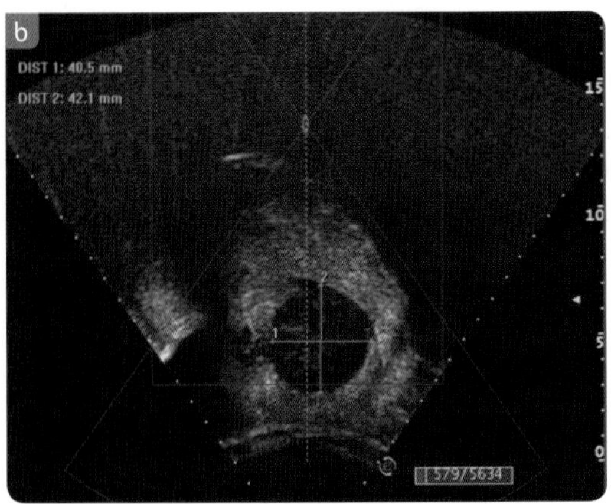

그림 15-19 하이푸 시술 전후 조영초음파(contrast enhanced US: CEUS)로 확인한 비관류용적(non perfused volume: NPV). (a) 점막하근종의 하이푸치료 전 조영초음파 영상으로 근종 내의 혈류가 관찰됨. (b) 하이푸치료 후 조영초음파 영상으로 근종 내의 혈류가 대부분 소실된 것을 확인함.

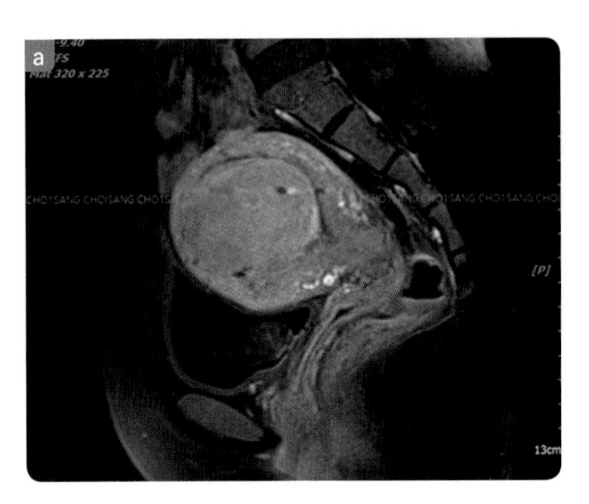

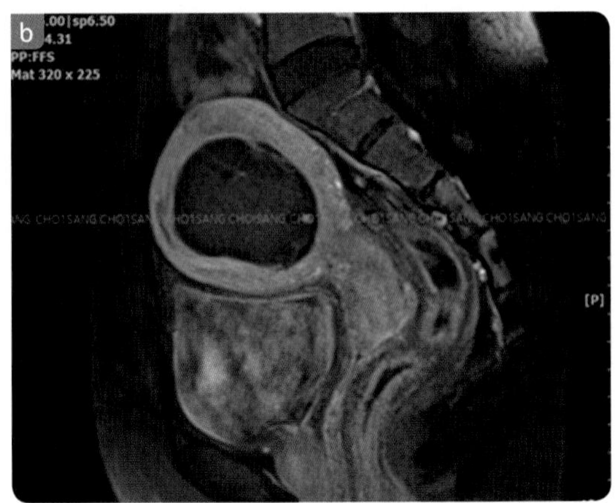

그림 15-20 하이푸치료 전후 조영자기공명영상(contrast enhanced MR: CEMR)으로 확인한 비관류용적(non perfused volume: NPV). (a) 점막하근종의 하이푸치료 전 조영자기공명 영상으로 근종 내의 혈류가 관찰됨. (b) 하이푸치료 후 조영자기공명 영상으로 근종 내의 혈류가 대부분 소실된 것을 확인함.

- 해상도가 자기공명영상에 비하여 상대적으로 떨어짐.
- 치료부위의 음영변화(gray scale change)를 통해 치료의 적절성 및 종결을 판단해야 함(그림 15-17).

(2) 자기공명 유도하 하이푸(MR guided HIFU)

- 해상도가 뛰어나서 해부학적 구조를 상대적으로 명확히 알 수 있음.
- 병변 및 주위 장기의 온도상승을 알 수 있어 치료

의 적절성 및 종결의 판단에 도움이 됨.
- 실시간 영상을 통해 치료를 진행할 수 없음.

3) 목적

- 여성은 자궁근종과 자궁선근증의 위치 및 크기에 따라 생리통, 생리과다, 골반통, 빈뇨, 복부 종괴감 등의 증상이 발생함.
- 하이푸치료의 목적은 이처럼 자궁의 양성종양으로 인해 발생하는 다양한 증상들을 비침습적으로 치료하는 것임.
- 여러 연구에 의하면 종양의 괴사율이 높을수록 부피감소율과 증상개선율이 증가함. 따라서 하이푸 치료의 목적인 종양의 부피감소와 증상개선을 위해 안전성이 확보된 이상 가능한 최대의 종양괴사를 유도하는 것이 중요함.

4) 종양 괴사 및 부피 감소

- 비관류용적(non perfused volume)
- 조영초음파(contrast enhanced US) 혹은 조영자기공명(contrast enhanced MR) 영상으로 확인 가능함(그림 15-21).
- 비관류용적은 조직학적으로 괴사된 조직과 일치하는 것으로 보고됨(Ren 등, 2007).
- 10개 센터 9988명을 대상으로 한 대규모 연구에 의하면 초음파유도하 하이푸치료의 경우 비관류용적이 83%로 높음(Chen 등, 2015).

5) 부피감소율

- 비관류용적이 많을수록 부피감소가 많이 일어남.
- 비관류용적비율이 80% 이상이 그 이하보다 우수한 부피감소율을 보임(LeBlang 등, 2010; Park 등, 2014) (그림 15-21, 15-22, 15-23).

6) 증상 개선 및 삶의 질 개선

- 비관류용적이 많을수록 증상 및 삶의 질 개선이 많이 일어남(Gizzo 등, 2014; Clark 등, 2014) (그림 15-24, 15-25).

7) 주요 적응증

- 18세 이상의 환자로서 출혈, 빈혈, 통증 등의 증상을 동반하는 자궁근종 혹은 자궁선근증을 가진 폐경 전 환자를 대상으로 함.

8) 주의사항

- 다음의 경우에는 시술에 있어서 특별한 주의를 요함.
- 최대 자궁근종의 크기가 12 cm 초과하는 경우
- 다발성 자궁근종으로 장시간의 시술이 예상되는 경우
- 미만성 자궁선근증의 경우
- 초음파가 투과하는 복부 경로상에 반흔(수술흔 등)이 있는 경우

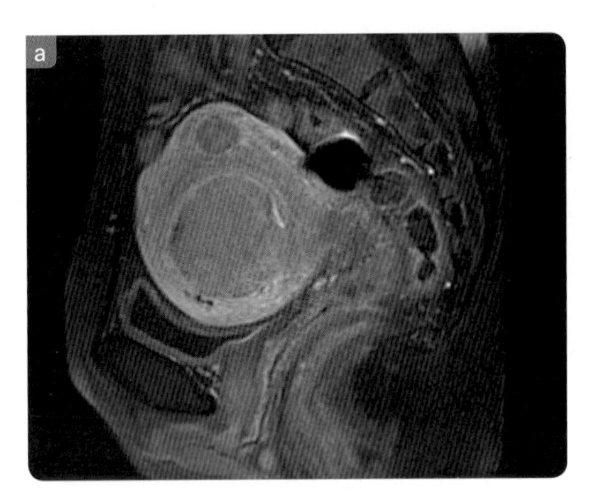

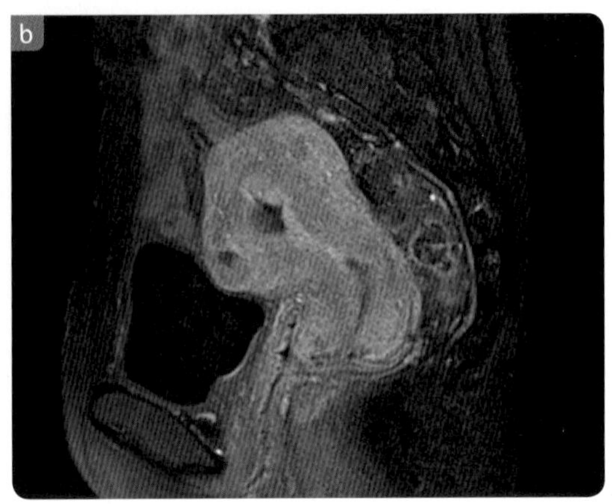

그림 15-21 조영자기공명 영상으로 확인한 하이푸치료 전후 점막하근종의 부피변화. 45세 여환으로 극심한 생리통과 생리과다로 내원함. (a) 점막하근종의 하이푸치료 전 조영자기공명 영상으로 근종 내의 혈류가 관찰됨. (b) 하이푸치료 7개월 후 조영자기공명 영상으로 근종의 부피가 97.7% 감소함을 확인.

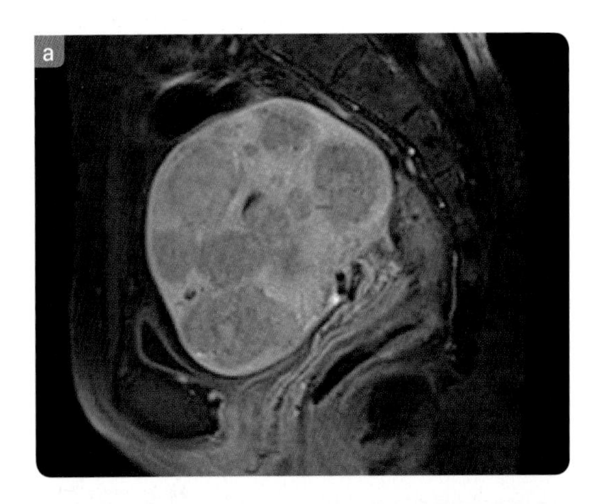

그림 15-22 조영자기공명 영상으로 확인한 다발성근종 환자 하이푸치료 전후 자궁의 부피변화. 47세 환자로 생리통과 빈뇨를 주소로 내원함. (a) 하이푸치료 전 조영자기공명 영상으로 혈류가 고르게 분포하는 근층내 다발성근종근종 관찰됨. (b) 하이푸치료 직후 조영자기공명 영상으로 근종내 혈류가 높은 비율로 소실됨을 확인함. (c) 하이푸치료 7개월 후 조영자기공명 영상상 각 근종의 부피감소를 확인할 수 있었고 자궁의 부피가 하이푸치료 후 41.3% 감소함.

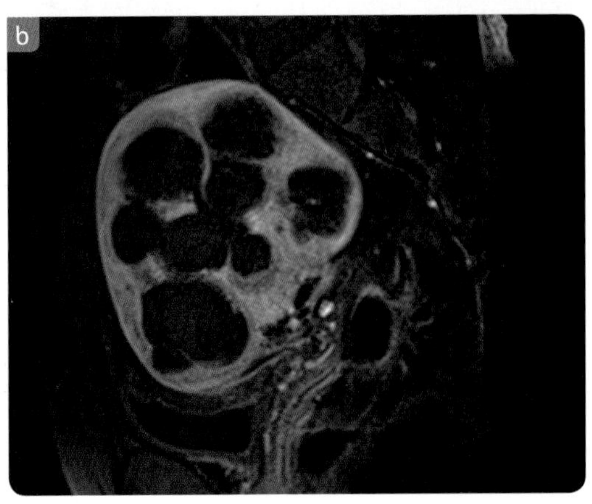

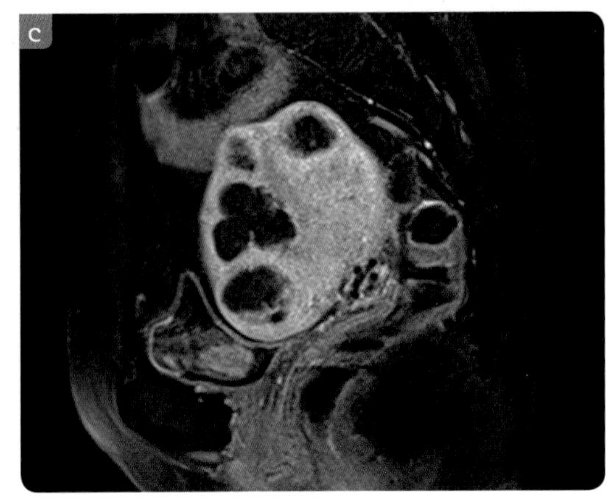

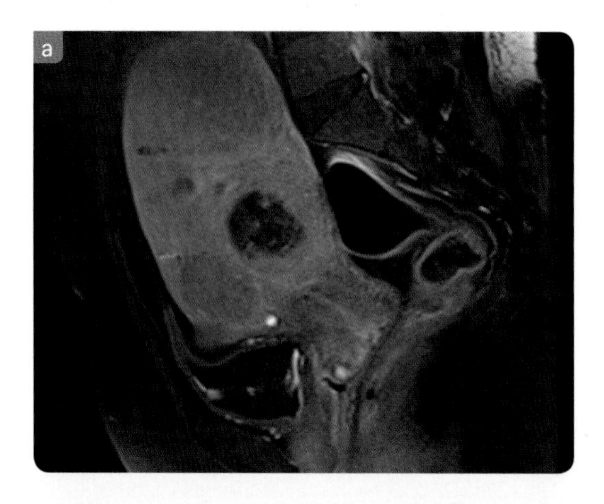

그림 15-23 조영자기공명 영상으로 확인한 다발성근종 환자 하이푸치료 전후 자궁의 부피변화. 46세 환자로 골반통과 복부 종괴감을 주소로 내원함. (a) 하이푸치료 전 조영자기공명 영상으로 혈류가 고르게 분포하는 근층내 다발성근종근종 관찰되고 자궁이 골반강(pelvic cavity)을 벗어날 정도로 커져 있음. (b) 하이푸치료 3개월 후 조영자기공명 영상으로 크기가 감소한 괴사된 근종들이 확인되고 자궁의 부피가 감소하여 골반강 안으로 진입함. (c) 하이푸치료 6개월 후 조영자기공명 영상으로 자궁의 부피가 69.3% 감소함을 확인.

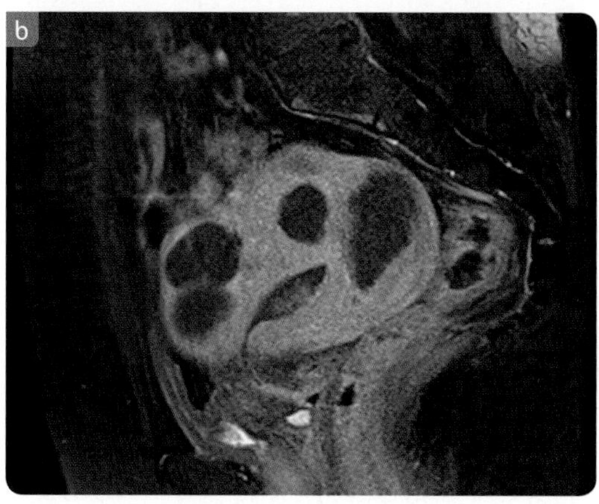

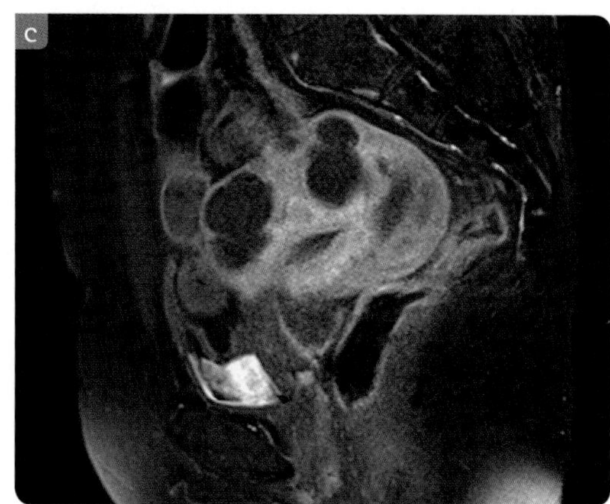

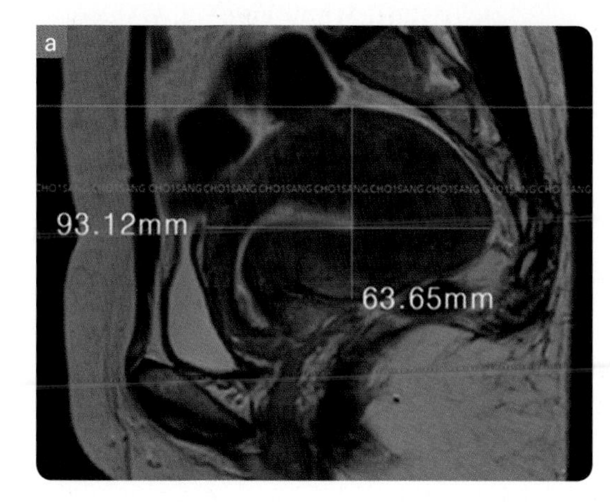

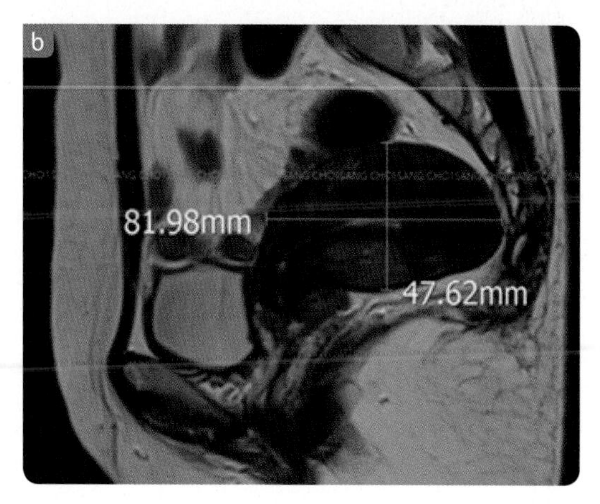

그림 15-24 조영자기공명 영상으로 확인한 미만성 자궁선근증 환자 하이푸치료 전후 자궁의 부피변화. 42세 여환으로 극심한 요통과 생리통, 생리과다를 주소로 내원함. (a) 하이푸치료 전 T2 weighted 조영자기공명 영상으로 자궁 접합층(junctional zone)이 비후되고 후굴된(retroverted) 미만성 자궁선근증 관찰됨. (b) 하이푸치료 3개월 후 T2 weighted 조영자기공명 영상상 자궁의 부피가 48.3% 감소됨. 3개월 후 증상위중도점수(symptom Severity Score)가 89에서 18로 79.8% 개선됨.

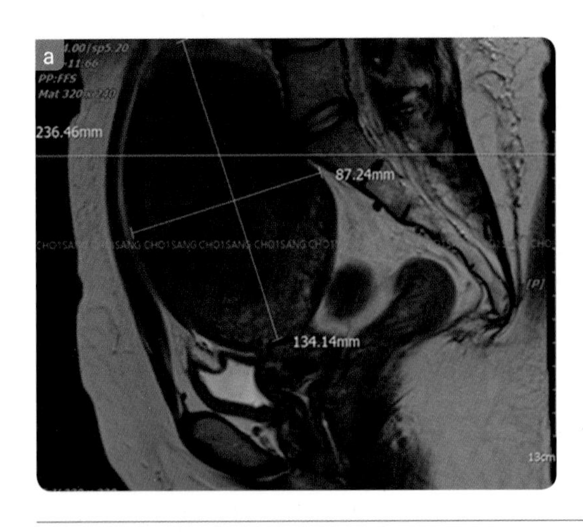

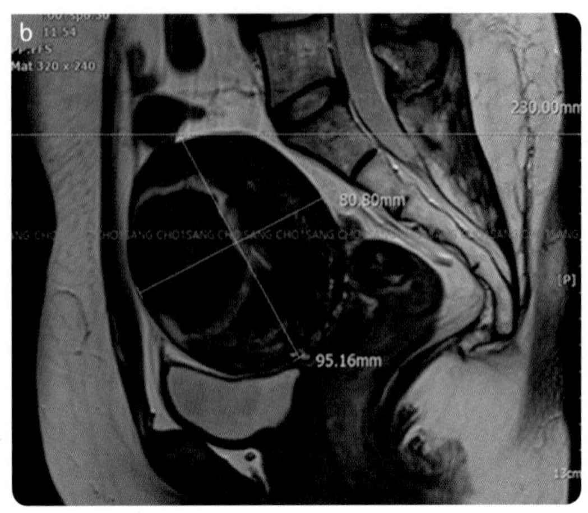

그림 15-25 조영자기공명 영상으로 확인한 미만성 자궁선근증 환자 하이푸치료 전후 자궁의 부피변화. 37세 여환으로 생리통과 하혈, 복부종괴감을 주소로 내원함. (a) 하이푸치료 전 T2 weighted 조영자기공명 영상으로 자궁 접합층(junctional zone)이 비후되고 골반강을 벗어날 정도로 커진 미만성 자궁선근증 관찰됨. (b) 하이푸치료 4개월 후 T2 weighted 조영자기공명 영상으로 자궁의 부피가 51.4% 감소하고 자궁이 골반강으로 진입함을 확인. 증상위중도점수가 치료 4개월 후 93에서 26으로 72.0% 개선됨.

- 복부지방흡입술의 기왕력이 있는 경우
- 이전 고강도초음파집속술(HIFU) 시술에 치료 효과가 충분하지 않았던 경우

9) 일반적 금기증

- 임신부
- 여성 생식기 관련 악성 병변이 의심되거나 진단된 경우
- 골반염 등 생식기 염증이 있는 경우
- 중증의 전신질환이 있는 경우

10) 향후 임신 계획이 있는 경우에 대한 권고

- 자궁근종 및 자궁선근증에 대한 고강도집속초음파치료(HIFU) 시술 후 가임력 및 임신의 안전성에 대한 근거는 불충분한 상태이므로, 충분한 임상 근거가 확보되기 전까지 상대적 금기증으로 권고 해야 함.
- 자궁근종에서 가임력 유지를 원하는 경우에도 자기공명영상 유도하 고집적초음파소작술의 시행을 고려할 수 있다고 발표한 미국 FDA의 결정은 이 시술 후 계획하지 않은 임신을 한 118명의 임상 결과에 근거한 것임.
- 자궁근종에 대한 고강도집속초음파치료(HIFU) 시술 후 임신하였을 때 자궁파열 및 신생아가 사망한 경우가 보고되었음.

11) 합병증

(1) 피부 화상

- 대부분 1도 혹은 2도 화상임.
- 복부 흉터 혹은 복부 지방흡입의 기왕력이 있는 경우 발생 가능성이 증가함.
- 충분한 직접적 피부 냉각(active skin cooling)을 시행하고 시술 시 피부 통증을 지속적으로 확인함.

(2) 좌골신경 손상

- 드물고 대부분 수 주에서 수 개월 사이에 자연 회복됨.
- 다리 저림, 통증이 주로 발생하지만 심한 경우 보행장애를 유발함.
- 예방을 위해 하이푸치료 전 자기공명영상(MRI)으로 좌골신경의 위치를 파악함.
- 초음파 창(acoustic window)에 좌골신경을 가급적 피하고 불가피한 경우 간헐적으로 조사함.
- 의식적 마취(conscious sedation)를 시행하여 시술 시 지속적으로 하지의 통증을 확인함.

(3) 혈뇨

- 드물지만 방광상피의 열손상에 의해 발생할 수 있으며 수 시간에서 수 일 이내에 소실되는 경우가 대부분임.
- 방광 내 공기나 부유물을 제거함으로써 대부분 예방할 수 있음.

(4) 장손상

- 장에 변이나 공기가 있는 경우에 발생할 수 있음.
- 심한 경우 장천공과 복막염이 유발되며 보통 시술 1주 후에 발생함.
- 초음파 창(acoustic window) 내에 장이 포함 안되도록 주의함.

(5) 질출혈/질분비물

- 점막하근종이나 미만성 자궁선근증과 같이 병변이 자궁내막과 접해있거나 침범하고 있는 경우에 발생할 가능성이 높아짐.
- 대부분 일시적이며 수 일에서 수 주 이내에 저절로 멈춤.

참 고 문 헌

1. Al Hilli MM1, Stewart EA. Magnetic resonance-guided focused ultrasound surgery. Semin Reprod Med. 2010 May;28(3):242-9.
2. Almog B, Wagman I, Bibi G, et al. Effects of salpingectomy on ovarian response in controlled ovarian stimulation for in vitro fertilization: a reappraisal. Fertil Steril 2011;95:2474-6.
3. and ethanol sclerotherapy (EST) for treatment of cyst recurrence in patients after previous endometriosis surgery: analysis of influencing factors using a decision tree. J Minim Invasive Gynecol 2013; 20(5):595–603.
4. Berlanda N, Vercellini P, Fedele L. The outcomes of repeat surgery for recurrent symptomatic endometriosis. Curr Opin Obstet Gynecol 2010;22(4):320–5.
5. Bohlmann MK1, Hoellen F1, Hunold P2, David M3. High-Intensity Focused Ultrasound Ablation of Uterine Fibroids - Potential Impact on Fertility and Pregnancy Outcome. Geburtshilfe Frauenheilkd. 2014 Feb;74(2):139-145.

6. Bruno J, Czeyda-Pommersheim F, Magee ST, Ascher SA, Jha RC. Long-term outcome of uterine artery embolization of leiomyomata. Obstet Gynecol 2005; 106:933-939
7. Burn PR, McCall JM, Chinn RJ, Vashisht A, Smith JR, Healy JC. Uterine fibroleiomyoma: MR imaging appearances before and after embolization of uterine arteries. Radiology 2000; 214:729-734
8. Chan LY, So WW, Lao TT. Rapid recurrence of endometrioma after transvaginal ultrasound-guided aspiration. Eur J Obstet Gynecol Reprod Biol 2003; 109(2):196–8.
9. Chang MY, Hsieh CL, Shiau CS, Hsieh TT, Chiang RD, Chan CH. Ultrasound-guided aspiration
10. Chen J, Chen W, Zhang L, Li K, Peng S, He M, Hu L.. Safety of ultrasound-guided ultrasound ablation for uterine fibroids and adenomyosis: A review of 9988 cases. Ultrason Sonochem. 2015 Nov;27:671-6.
11. Clark NA, Mumford SL, Segars JH. Reproductive impact of MRI-guided focused ultrasound surgery for fibroids: a systematic review of the evidence. Curr Opin Obstet Gynecol. 2014 Jun;26(3):151-61.
12. Fan M, Ma L.. Effect of salpingectomy on ovarian response to hyperstimulation during in vitro fertilization: a meta-analysis. Fertil Steril. 2016 Aug;106(2): 322-329.e9.
13. Fruehauf JH, Back W, Eiermann A et al. High-intensity focused ultrasound for the targeted destruction of uterine tissues: experiences from a pilot study using a mobile HIFU unit. Arch Gynecol Obstet 2008; 277:143–150
14. Gizzo S, Saccardi C, Patrelli TS, Ancona E, Noventa M, Fagherazzi S, Mozzanega B, D'Antona D, Nardelli GB. Magnetic resonance-guided focused ultrasound myomectomy: safety, efficacy, subsequent fertility and quality-of-life improvements, a systematic review. Reprod Sci. 2014 Apr;21(4):465-76.
15. Goldberg J, Pereira L, Berghella V. Pregnancy after uterine artery embolization. Obstet Gynecol 2002; 100:869-72.
16. Gonçalves FC, Andres MP, Passman LJ, Gonçalves MO, Podgaec S. A systematic review of ultrasonography-guided transvaginal aspiration of recurrent ovarian endometrioma. Int J Gynaecol Obstet 2016; 134:3-7
17. Goodwin SC, McLucas B, Lee M, et al. Uterine artery embolization for the treatment of uterine leiomyomata: mid-term results. J Vasc Interv Radiol 1999; 10: 1159–1165
18. Goodwin SC1, Bradley LD, Lipman JC, et al . Uterine artery embolization versus myomectomy: a multicenter comparative study. 2006 Jan;85(1):14-21.
19. Gradison M. Pelvic inflammatory disease. Am Fam Physician. 2012;85(8):791-6.
20. Guo YH, Lu N, Zhang Y, Su YC, Wang Y, Zhang YL, et al. Comparative study on the pregnancy outcomes of in vitro fertilization-embryo transfer between long-acting gonadotropin-releasing hormone agonist combined with transvaginal ultrasound guided cyst aspiration and long-acting gonadotropin-releasing hormone agonist alone. Contemp Clin Trials 2012; 33(6):1206–10.
21. Hammadieh N, Coomarasamy A, Ola B, Papaioannou S, Afnan M, Sharif K. Ultrasoundguided hydrosalpinx aspiration during oocyte collection improves pregnancy outcome in IVF: a randomized controlled trial. Hum Reprod 2008;23:1113-7.
22. Hart RJ, Hickey M, Maouris P, Buckett W. Excisional surgery versus ablative surgeryfor ovarian endometriomata. Cochrane Database Syst Rev 2008; 16(2), CD004992.
23. He GB1, Luo W, Zhou XD, Liu LW, Yu M, Ma XD. A preliminary clinical study on high-intensity focused ultrasound therapy for tubal pregnancy. Scott Med J. 2011 Nov;56(4):214-9.
24. Hsieh CL, Shiau CS, Lo LM, Hsieh TT, Chang MY.

Effectiveness of ultrasound-guided aspiration and sclerotherapy with 95% ethanol for treatment of recurrent ovarian endometriomas. Fertil Steril 2009;91(6):2709–13.
25. Hutchins FZ. Abdominal myomectomy as a treatment for symptomatic uterine fibroids. Obstet Gynecol Clin North Am 1995;22:781-789
26. Imaoka I, Wada A, Matsuo M, Yoshida M, Kitagaki H, Sugimura K. MR imaging of disorders associated with female infertility: use in diagnosis, treatment, and management. RadioGraphics 2003;23(6):1401–1421. Int J Gynaecol Obstet. 2016 Jul;134(1):3-7.
28. Jiang H, Pei H, Zhang WX, Wang XM. A prospective clinical study of interventional ultrasound sclerotherapy on women with hydrosalpinx before in vitro fertilization and embryo transfer. Fertil Steril 2010;94:2854-6.
29. Johnson N, van Voorst S, Sowter MC, Strandell A, Mol BW. Surgical treatment for tubal disease in women due to undergo in vitro fertilisation. Cochrane Database Syst Rev. 2010;20:CD002125.
30. Kasius JC, Broekmans FJ. Pregnancy outcomes of interventional ultrasound sclerotherapy with 98% ethanol on women with hydrosalpinx. Am J Obstet Gynecol. 2015 Jan;212(1):118.
31. Katsumori T, Nakajima K, Mihara T, Tokuhiro M. Uterine artery embolization using gelatin sponge particles alone for symptomatic uterine fibroids: midterm results. Am J Roentgenol 2002;178:135-139
32. Katsumori T, Nakajima K, Mihara T. Is a large fibroid a high-risk factor for uterine artery embolization? Am J Roentgenol 2003, 181:1309-1314
33. Keltz J, Levie M2, Chudnoff S. Pregnancy Outcomes After Direct Uterine Myoma Thermal Ablation: Review of the Literature. J Minim Invasive Gynecol. 2017 May - Jun;24(4):538-545.
34. Kim MD, Kim NK, Kim HJ, Lee MH. Pregnancy following uterine artery embolization with polyvinyl alcohol particles for patients with uterine fibroid or adenomyosis. Cardiovasc Intervent Radiol 2005; 28:611-615
35. Kim MD, Kim S, Kim NK, Lee MH, Ahn EH, Kim HJ, Cho JH, Cha SH.Long-term results of uterine artery embolization for symptomatic adenomyosis. AJR Am J Roentgenol. 2007 Jan;188(1):176-81.
36. Kim MD, Kim YM, Kim HC, Cho JH, Kang HG, Lee C, Kim HJ, Lee JT. Uterine artery embolization for symptomatic adenomyosis: a new technical development of the 1-2-3 protocol and predictive factors of MR imaging affecting outcomes. J Vasc Interv Radiol. 2011 Apr;22(4):497-502.
37. Kim MD, Lee M, Jung DC, Park SI, Lee MS, Won JY, Lee do Y, Lee KH. Limited efficacy of uterine artery embolization for cervical leiomyomas. J Vasc Interv Radiol. 2012 Feb;23(2):236-40.
38. Kim MD, Lee M, Lee MS, Park SI, Wonq JY, Lee do Y, Lee KH. Uterine artery embolization of large fibroids: comparative study of procedure with and without pretreatment gonadotropin-releasing hormone agonists. AJR Am J Roentgenol. 2012 Aug; 199(2):441-6
39. Kim MD, Won JW, Lee DY, Ahn CS. Uterine artery embolization for adenomyosis without fibroids. Clin Radiol 2004; 59:520-526
40. Koga K, Osuga Y, Takemura Y, TakamuraM, Taketani Y. Recurrence of endometrioma after laparoscopic excision and its prevention by medical management. Front Biosci(Elite Ed) 2013;5:676–83.
41. Kotlyar A, Gingold J, Shue S, Falcone T. The Effect of Salpingectomy on Ovarian Function. J Minim Invasive Gynecol. 2017 May - Jun;24(4):563-578.
42. Kyung Ah Kim, Man Deuk Kim, Hee Jin Kim, et al. Uterine Artery Embolization for the Treatment of Symptomatic Fibroids. 대한 방사선 학회지 2005; 52: 401-407
43. Laganà D, Carrafiello G, Mangini M et al. Image-

guided percutaneous treatment of abdominal-pelvic abscesses: a 5-year experience. Radiol Med 2008; 113: 999 – 1007Deep pelvic collection drainage

44. Landers DV, Sweet RL. Tubo-ovarian abscess: contemporary approach to management. Rev Infect Dis 1983;5(5): 876–884.
45. LeBlang, S.D., Hoctor, K., Steinberg, F.L. Leiomyoma shrinkage after MRI-guided focused ultrasound treatment: report of 80 patients. AJR Am J Roentgenol. 2010;194:274–280.
46. Lee MS, Kim MD, Lee M, Won JY, Park SI, Lee do Y, Lee KH. Contrast-enhanced MR angiography of uterine arteries for the prediction of ovarian artery embolization in 349 patients. J Vasc Interv Radiol. 2012 Sep;23(9):1174-9
47. Lee SJ, Kim MD, Kim GM, et al. Uterine artery embolization for symptomatic fibroids in postmenopausal women. Clin Imaging. 2016 Jan-Feb;40(1): 06-9.
48. Lepine LA, Hillis SD, Marchbanks PA, Roonin LM, Morrow B, Kieke BA, et al. Hysterectomy surveillance-United States, 1980- 1993. MMW Morb Mort Wkly Rep CDC Surveill Summ 1997;46:1-15
19. Li XW, Liang MY1, Wang JL, Wang DP. Spontaneous Uterine Rupture during Late Pregnancy after High-intensity Focused Ultrasound. Chin Med J (Engl). 2015 May 20;128(10):1419.
50. Mara M, Fucikova Z, Kuzel D et al. Hysteroscopy after uterine fibroid embolization in women of fertile age. J Obstet Gynaecol Res 2007; 33:316–324
51. Margau R, Simons ME, Rajan DK, Hayeems EB, Sniderman KW, Tan K, Beecroft JR, Kachura JR. Outcomes after uterine artery embolization for pedunculated subserosal leiomyomas. J Vasc Interv Radiol. 2008 May;19(5):657-61.
52. McLucas B, Adler L, Perella R. Uterine fibroid embolization: nonsurgical treatment for symptomatic fibroids. J Am Coll Surg 2001; 192: 95–105
53. McLucas B, Adler L, Perrella R. Predictive factors for success in uterine fibroid embolisation. Minim Invasive Ther Allied Technol 1999;8:429–432
54. Mara M, Maskova J, Fucikova Z, et al. Midterm clinical and first reproductive results of a randomized controlled trial comparing uterine fibroid embolization and myomectomy. Cardiovasc Intervent Radiol. 2008 Jan-Feb;31(1):73-85.
55. Moss JG, Cooper KG, Khaund A, et al. Randomised comparison of uterine artery embolisation (UAE) with surgical treatment in patients with symptomatic uterine fibroids (REST trial): 5-year results.. BJOG. 2011 Jul;118(8):936-44.
56. Nikolic B, Spies JB, Lundsten MJ, Abbara S. Patient radiation dose associated with uterine artery embolization. Radiology 2000; 214: 121–125
57. Park HR, Kim MD, Kim NK,et al. Uterine restoration after repeated sloughing of fibroids or vaginal expulsion following uterine artery embolization. Eur Radiol 2005; 15:1850-1854
58. Park MJ, Kim YS, Rhim H, Lim HK.Safety and therapeutic efficacy of complete or near-complete ablation of symptomatic uterine fibroid tumors by MR imaging-guided high-intensity focused US therapy. J Vasc Interv Radiol. 2014 Feb;25(2):231-9.
59. Pelage JP, Jacob D, Fazel A, Namur J, Laurent A, Rymer R, Le Dref O Midterm results of uterine artery embolization for symptomatic adenomyosis: initial experience. Radiology. 2005 Mar;234(3):948-
60. Pelage JP, Le Dref O, Soyer P, et al. Fibroid-related menorrhagia: treatment with superselective embolization of the uterine arteries and midterm follow-up. Radiology 2000; 215:428-431
61. Pron G, Bennett J, Common A, Wall J, Asch M, Sniderman K. The Ontario Uterine Fibroid Embolization Trial. Part 2. Uterine fibroid reduction and symptom relief after uterine artery embolization for fibroids. Fertil Steril 2003;79:120-127

62. Pron G, Mocarski E, Bennett J, Vilos G, Common A, Vanderburgh L; Ontario UFE Collaborative Group. Pregnancy after uterine artery embolization for leiomyomata: the Ontario multicenter trial. Obstet Gynecol 2005; 105:67-76
63. Ravina JH, Herbreteau D, Ciraru-Vigneron N, et al. Arterial embolisation to treat uterine myomata. Lancet 1995; 346: 671–672
64. Ravina JH, Vigneron NC, Aymard A, Le Dref O, Merland JJ. Pregnancy after embolization of uterine myoma : report of 12 cases. Fertility and Sterility 2000; 73:1241-1243
65. Reidy JF, Bradley EA. Uterine artery embolization for fibroid disease. Cardiovasc Intervent Radiol 1998;21:357-360
66. Ren XL, Zhou XD, Zhang J, He GB, Han ZH, Zheng MJ, Li L, Yu M, Wang L. Extracorporeal ablation of uterine fibroids with high-intensity focused ultrasound: imaging and histopathologic evaluation. J Ultrasound Med. 2007 Feb;26(2):201-12.
67. Rezvani M, Shaaban AM. Fallopian tube disease in the nonpregnant patient. RadioGraphics 2011;31(2): 527–548)
68. Sam JW, Jacobs JE, Birnbaum BA. Spectrum of CT findings in acute pyogenic pelvic inflammatory disease. RadioGraphics 2002;22(6):1327–1334.
69. Saokar A, Arellano RS, Gervais DA et al. Transvaginal drainage of pelvic fluid collections: results, expectations, and experience. Am J Roentgenol 2008; 191: 1352 – 1358only possible when the pelvic abscess is within the reach of the ultrasound probe
70. Shokeir T. Letter to the Editor: Re: Comparison of IVF-ET outcomes in patients with hydrosalpinx pretreated with either sclerotherapy or laparoscopic salpingectomy. Clin Exp Reprod Med 2014;41:37-8.
71. Siskin GP, Tublin ME, Stainken BF, Dowling K, Dolen EG. Uterine artery embolization for the treatment of adenomyosis: clinical response and evaluation with MR imaging. Am J Roentgenol 2001; 177: 297-302
72. Smith SJ, Sewall LE, Handelsman A. A clinical failure of uterine fibroid embolization due to adenomyosis. J Vasc Interv Rad 1999;10:1171–1174
73. Spies J, Spector A, Roth AR, Baker CM, Mauro L, Murphy-Skrzyniarz K. Complications after uterine artery embolization for leiomyomas. Obstet Gynecol 2002; 100: 873–880
74. Spies JB, Allison S, Flick P, et al. Polyvinyl alcohol particles and tris-acryl gelatin microspheres for uterine artery embolization for leiomyomas: results of a randomized comparative study. J Vasc Interv Radiol 2004; 15:793-800
75. Spies JB, Allison S, Flick P, et al. Spherical polyvinyl alcohol versus tris-acryl gelatin microspheres for uterine artery embolization for leiomyomas: results of a limited randomized comparative study. J Vasc Interv Radiol 2005; 16:1431-1437
76. Stenchever MA. Comprehensive gynecology. 4th ed. St Louis, Mo: Mosby, 2001
77. Sudakoff GS, Lundeen SJ, Otterson MF. Transrectal and transvaginal sonographic intervention of infected pelvic fluid collections: a complete approach. Ultrasound Q 2005; 21: 175 – 185
78. Sutton CJ. Treatment of large uterine fibroids. Br J Obstet Gynaecol 1996;103:494-496
79. Tsiami A, Chaimani A, Mavridis D, Siskou M, Assimakopoulos E, Sotiriadis A. Surgical treatment for hydrosalpinx prior to in-vitro fertilization embryo transfer: a network meta-analysis. Ultrasound Obstet Gynecol.2016;48:434–445.
80. Vercellini P, Somigliana E, Vigano P, De Matteis S, Barbara G, Fedele L. The effect of second-line surgery on reproductive performance of women with recurrent endometriosis: a systematic review. Acta Obstet Gynecol Scand 2009;88(10):1074–82.
81. Walker WJ, Pelage JP. Uterine artery embolisation

for symptomatic fibroids: clinical results in 400 women with imaging follow up. BJOG 2002; 109: 1262–1272
82. Wallach EE, Vu KK. Myomata uteria and infertility. Obstet Gynecol Clin North Am 1995;11:791– 799
83. Wang SW1, He XY, Li MZ. High-intensity focused ultrasound compared with irradiation for ovarian castration in premenopausal females with hormone receptor-positive breast cancer after radical mastectomy. Oncol Lett. 2012 Nov;4(5):1087-1091.
84. Wang Y, Wang W, Wang L, Wang J, Tang J. Ultrasound-guided high-intensity focused ultrasound treatment for abdominal wall endometriosis: preliminary results. Eur J Radiol. 2011 Jul;79(1):56-9.
85. Worthington-Kirsch RL, Popky GL, Hutchins FL Jr. Uterine arterial embolization for the management of leiomyomas: quality-of-life assessment and clinical response. Radiology 1998;208:625-629
86. Xiao J, Zhang S, Wang F, Wang Y, Shi Z, Zhou X, Zhou J, Huang J. Cesarean scar pregnancy: noninvasive and effective treatment with high-intensity focused ultrasound. Xiao J, Zhang S, Wang F, Wang Y, Shi Z, Zhou X, Zhou J, Huang J. Am J Obstet Gynecol. 2014 Oct;211(4):356.e1-7.
87. Zeyneloglu HB, Arici A, Olive DL. Adverse effects of hydrosalpinx on pregnancy rates after in vitro fertilization-embryo transfer. Fertil Steril.1998;70: 492–499.
88. Zhang L, Zhang W, Orsi F, Chen W, Wang Z. Ultrasound-guided high intensity focused ultrasound for the treatment of gynaecological diseases: A review of safety and efficacy. Int J Hyperthermia. 2015 May; 31(3):280-4.
89. Zhang W-x, Jiang H, Wang X-m, et al. Pregnancy and perinatal outcomes of interventional ultrasound sclerotherapy with 98% ethanol on women with hydrosalpinx before in vitro fertilization and embryo transfer. Am J Obstet Gynecol 2014;210:250.e1-5.
90. Zhang WX, Jiang H, Wang XM, Wang L. Pregnancy and perinatal outcomes of interventional ultrasound sclerotherapy with 98% ethanol on women with hydrosalpinx before in vitro fertilization and embryo transfer. Am J Obstet Gynecol 2014;210:250. e1-5.
91. Achouri, A., C. Huchon, et al. (2013). "Complications of lymphadenectomy for gynecologic cancer." Eur J Surg Oncol 39(1): 81-86.
92. Akhan, O., M. Karcaaltincaba, et al. (2007). "Percutaneous transcatheter ethanol sclerotherapy and catheter drainage of postoperative pelvic lymphoceles." Cardiovasc Intervent Radiol 30(2): 237-240.
93. Baek, Y., J. H. Won, et al. (2016). "Lymphatic Embolization for the Treatment of Pelvic Lymphoceles: Preliminary Experience in Five Patients." J Vasc Interv Radiol 27(8): 1170-1176.
94. Caliendo, M. V., D. E. Lee, et al. (2001). "Sclerotherapy with use of doxycycline after percutaneous drainage of postoperative lymphoceles." J Vasc Interv Radiol 12(1): 73-77.
95. Cheng, D., P. Amin, et al. (2012). "Percutaneous sclerotherapy of cystic lesions." Semin Intervent Radiol 29(4): 295-300.
96. Cho, D. S., H. S. Ahn, et al. (2008). "Sclerotherapy of renal cysts using acetic acid: a comparison with ethanol sclerotherapy." Br J Radiol 81(972): 946-949.
97. Cohan, R. H., M. Saeed, et al. (1988). "Povidone-iodine sclerosis of pelvic lymphoceles: a prospective study." Urol Radiol 10(4): 203-206.
98. Dell'Atti, L. (2015). "Comparison between the use of 99% ethanol and 3% polidocanol in percutaneous echoguided sclerotherapy treatment of simple renal cysts." Urol Ann 7(3): 310-314.
99. Fernandes, A. S., A. Costa, et al. (2014). "Bleomycin sclerotherapy for severe symptomatic and persistent pelvic lymphocele." Case Rep Obstet Gynecol 2014: 624803.

100. Gauthier, T., C. Uzan, et al. (2012). "Lymphocele and ovarian cancer: risk factors and impact on survival." Oncologist 17(9): 1198-1203.

101. Gilliland, J. D., J. B. Spies, et al. (1989). "Lymphoceles: percutaneous treatment with povidone-iodine sclerosis." Radiology 171(1): 227-229.

102. Hanna, R. M. and M. H. Dahniya (1996). "Aspiration and sclerotherapy of symptomatic simple renal cysts: value of two injections of a sclerosing agent." AJR Am J Roentgenol 167(3): 781-783.

103. Karcaaltincaba, M. and O. Akhan (2005). "Radiologic imaging and percutaneous treatment of pelvic lymphocele." Eur J Radiol 55(3): 340-354.

104. Kerlan, R. K., Jr., J. M. LaBerge, et al. (1997). "Bleomycin sclerosis of pelvic lymphoceles." J Vasc Interv Radiol 8(5): 885-887.

105. Kim, H. Y., J. W. Kim, et al. (2004). "An analysis of the risk factors and management of lymphocele after pelvic lymphadenectomy in patients with gynecologic malignancies." Cancer Res Treat 36(6): 377-383.

106. Kim, J. K., Y. Y. Jeong, et al. (1999). "Postoperative pelvic lymphocele: treatment with simple percutaneous catheter drainage." Radiology 212(2): 390-394.

107. Kuzuhara, K., S. Nishimori, et al. (1994). "Conservative treatment of lymphocele after renal transplantation, using 95% ethanol instillation." Transplant Proc 26(4): 1988-1990.

108. Larssen, T. B., A. Viste, et al. (2016). "Single-session alcohol sclerotherapy of symptomatic liver cysts using 10-20 min of ethanol exposure: no recurrence at 2-16 years of follow-up." Abdom Radiol (NY) 41(9): 1776-1781.

109. Mahrer, A., P. Ramchandani, et al. (2010). "Sclerotherapy in the management of postoperative lymphocele." J Vasc Interv Radiol 21(7): 1050-1053.

110. Ohnishi, K., N. Ohyama, et al. (1994). "Small hepatocellular carcinoma: treatment with US-guided intratumoral injection of acetic acid." Radiology 193(3): 747-752.

111. Paananen, I., P. Hellstrom, et al. (2001). "Treatment of renal cysts with single-session percutaneous drainage and ethanol sclerotherapy: long-term outcome." Urology 57(1): 30-33.

112. Rivera, M., R. Marcen, et al. (1996). "Treatment of posttransplant lymphocele with povidone-iodine sclerosis: long-term follow-up." Nephron 74(2): 324-327.

113. Sawhney, R., H. B. D'Agostino, et al. (1996). "Treatment of postoperative lymphoceles with percutaneous drainage and alcohol sclerotherapy." J Vasc Interv Radiol 7(2): 241-245.

114. Seo, T. S., J. H. Oh, et al. (2000). "Acetic acid as a sclerosing agent for renal cysts: comparison with ethanol in follow-up results." Cardiovasc Intervent Radiol 23(3): 177-181.

115. Shokeir, A. A., T. A. el-Diasty, et al. (1993). "Percutaneous treatment of lymphocele in renal transplant recipients." J Endourol 7(6): 481-485.

116. Tam, K. F., K. W. Lam, et al. (2008). "Natural history of pelvic lymphocysts as observed by ultrasonography after bilateral pelvic lymphadenectomy." Ultrasound Obstet Gynecol 32(1): 87-90.

117. Tan, C., A. Sedrakyan, et al. (2006). "The evidence on the effectiveness of management for malignant pleural effusion: a systematic review." Eur J Cardiothorac Surg 29(5): 829-838.

118. White, M., P. R. Mueller, et al. (1985). "Percutaneous drainage of postoperative abdominal and pelvic lymphoceles." AJR Am J Roentgenol 145(5): 1065-1069.

119. Zuckerman, D. A. and T. D. Yeager (1997). "Percutaneous ethanol sclerotherapy of postoperative lymphoceles." AJR Am J Roentgenol 169(2): 433-437.

부인과 초음파 2판

유방 및 갑상선 초음파

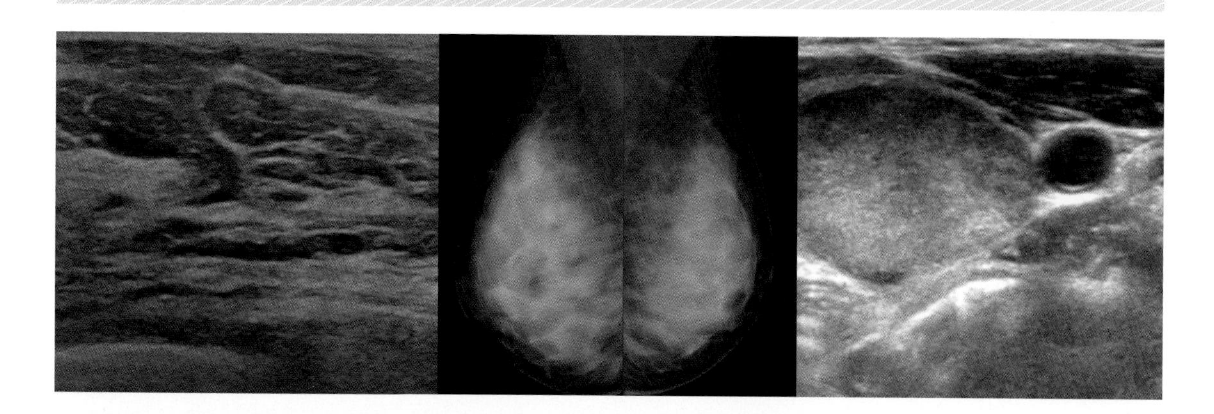

조나리야_ 서울의대 영상의학과
안태규_ 조선의대 산부인과
김지훈_ 서울의대 영상의학과
유노을_ 서울의대 영상의학과
문우경_ 서울의대 영상의학과

16 유방 및 갑상선 초음파

I 유방초음파

1 유방 초음파 진단의 임상 적용

1) 서론

유방암을 조기에 발견, 진단하면서도 과도한 추적 검사나 불필요한 조직검사를 최소화하는 것이 유방 초음파 진단학의 최대 과제임. 유방암을 놓치거나 양성으로 오진하여 발생할 수 있는 환자와 의사의 피해를 최소화하기 위해서는 체계적인 진료 시스템을 갖추는 것이 중요하며 문진, 시진, 유방촉진, 유방촬영술, 유방초음파, 바늘생검 등이 유방질환의 기본 진단 방법으로 사용되고 있음. 이들 진단 방법들은 상호 보완적이며 각각 장점과 제한점을 가지고 있음(문우경, 2006).

양질의 유방촬영술은 조기 유방암 발견에 가장 우수하지만 폐경기 이전 여성이나 치밀유방을 가진 여성에서는 민감도가 떨어져 10-30%정도의 유방암은 유방촬영술에서 발견되지 않으며(그림 16-1) (Kerlikowske 등, 1996) 검사의 특이도가 낮아 유방암과 양성 질환을 구별하는 것이 쉽지 않음. 유방 초음파 검사는 방사선 조사의 위험성이 없고 검사 중에 불편함이 없는 것이 큰 장점임. 유방초음파는 환자와 직접 접촉하면서 실시간 검사가 가능하며, 평면영상인 유방촬영술과 달리 겹침이 없이 서로 다른 에코를 가진 정상 및 이상 구조물을 구분할 수 있어서 특히 젊은 여성에서 유방암 진단의 민감도와 특이도를 모두 높일 수 있음(Zonderland 등, 1999). 압박이나 도플러 검사 등을 통해 생리적 정보를 제공할

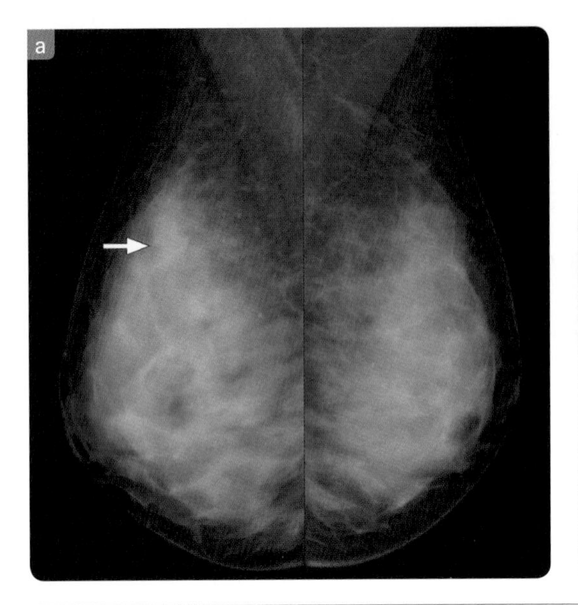

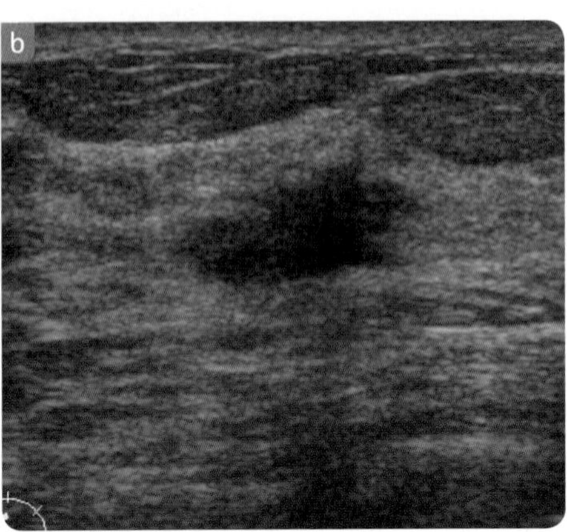

그림 16-1 유방초음파에서 발견된 암. (a) 44세 무증상 여성의 스크리닝 유방촬영술로 매우 치밀유방이며 정상 소견임. (b) 같은 여성의 유방초음파 사진으로 유방촬영술에서 보이지 않던 불규칙형의 종괴가 유방의 상외측 (a의 화살표)에 있으며 수술 후 1.5 cm 크기의 침윤성 관상피암으로 확진되었음.

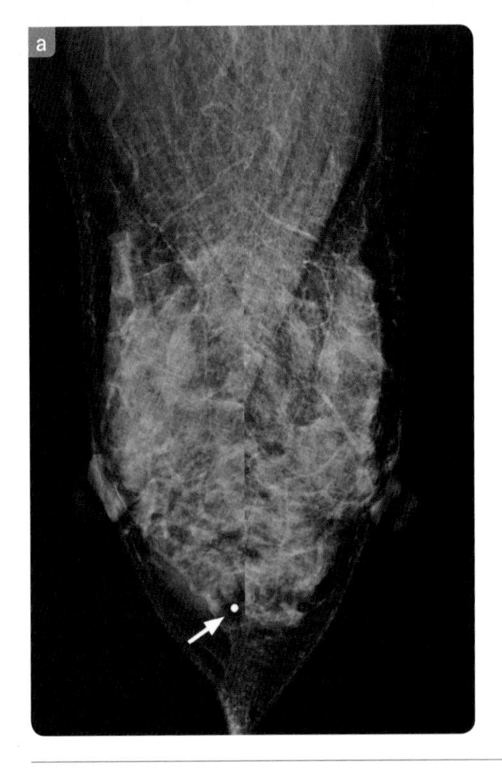

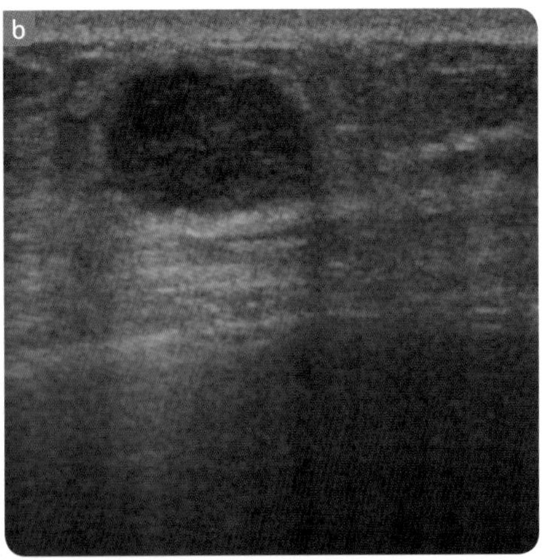

그림 16-2 유방의 변연부에 위치한 암. (a) 만져지는 종괴가 있는 30세 여성의 유방촬영술에서 만져지는 부위가 우측 유방의 가장자리에 있어 유방촬영술에서 보이지 않음(화살표). (b) 유방초음파에서 만져지는 종괴는 우측 유방 6시 방향, 유두거리 5 cm 위치에 구형 종괴이며 수술 후 2.5 cm 크기의 침윤성 관상피암으로 확진되었음.

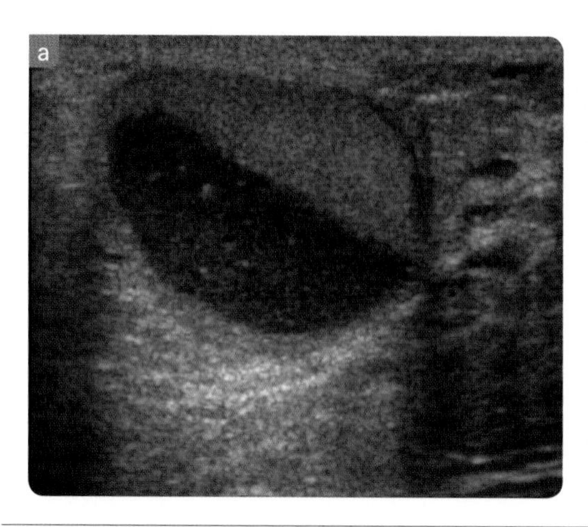

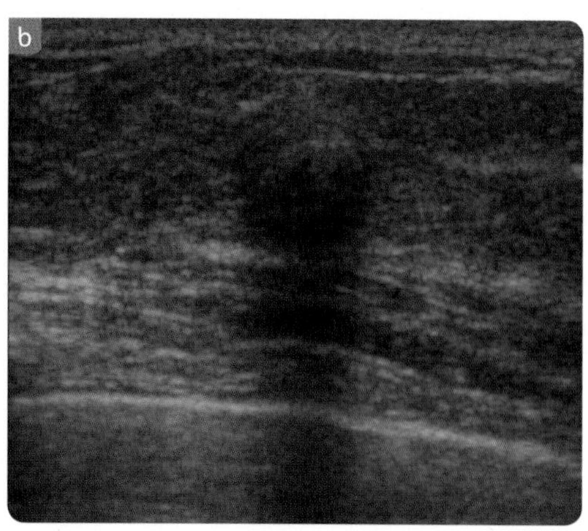

그림 16-3 유낭종. (a) 우측 유방에 만져지는 종괴가 생긴 수유 4개월째인 33세 여성의 초음파에서 만져지는 위치에 보이는 낭종 내에 고에코의 지방성분이 떠 있으며 유낭종의 진단이 가능하였음. (b) 수유 중단하고 8개월 후 추적관찰 초음파에서 이전에 보이던 유낭종의 크기가 줄었음.

수 있으며, 유방촬영술로 포함시키기 힘든 변연부(그림 16-2)나 액와부 그리고 깊은 곳에 위치한 병변의 평가 및 이들 병변의 조직검사 유도에 유용함. 따라서, 30세 미만의 젊은 여성, 임신 또는 수유 중인 여성(그림 16-3)에서 유방 검사가 필요한 경우 유방 초음파가 일차적 검사 방법임.

하지만, 유방초음파는 유방촬영술에 비해 시야가 제한적이고 해상도가 떨어지며 의사가 직접 검사를 수행하며 판독해야 하므로 시간이 많이 걸림. 유방초음파 검사의 정확도는 검사기기 및 검사자의 질에 전적으로 좌우되므로 유방초음파를 시작하고자 하는 의사들은 유방암 진단과 초음파 검사의 특성에 대해 충분한 교육과 이해가 이루어진 후에 검사에 임해야 함. 지난 20년간 유방질환의 진단과 처치에 초음파의 사용 영역이 크게 넓어졌음. 촉지성 또는 유방촬영술의 이상소견의 평가, 유방 보형 삽입물의 평가와 조직검사의 유도 등 제한적인 영역에서 시작하여 종괴의 양성과 악성의 감별진단, 유두분비물 등 임상 증상의 평가, 유방암 수술 전 범위파악, 수술 후 추적검사, 그리고 고위험군 여성에 대한 선별검사 등으로 확장되었음(Jackson, 1995; Mehta, 2003; Mendelson, 2004).

2) 검사 기법

(1) 검사 이유의 파악

검사자는 미리 환자의 임상적인 증세와 이전 검사 내용을 숙지하고 있어야 함. 대기 중에 간단한 설문지를 작성하도록 하는 것도 좋음.

촉지종괴, 유방통, 유두분비 등의 증상유무, 이전에 실시한 유방촬영술이나 초음파 검사 결과, 유방암의 가족력, 조직검사나 수술여부 등에 대한 정보가 필요함. 또한, 유방촬영술 사진을 면밀히 검토한 후 초음파 검사에 임해야 함. 특히, 조기 유방암의 초기 변화인 미세석회화 병변이나 지방형 유방에서 1 cm미만의 작은 결절은 유방초음파에서 발견하기 어려우므로 유방촬영술 사진 없이 유방초음파 검사를 시행할 경우 이와 같은 유방암의 초기 소견을 놓치기 쉬움.

(2) 환자 자세

검사하는 유방조직은 두께를 가능한 한 얇게 하여 고정시키고, 탐촉자 표면과 유방조직이 평행을 이루게 하여야 초음파의 투과가 개선되고 굴절로 인한 음영이 감소함. 따라서 환자의 자세는 양팔은 머리 위로 올린 채, 내측 유방을 검사할 때는 똑바로 누운 자세로, 외측 유방을 검사할 때는 검사하는 쪽 등 뒤에 베개 등을 받친 자세로 함. 앙와위는 유방이 흉벽에 편평하게 하며, 팔을 올림으로써 긴장을 주어 더 편평하게 하고 움직이지 않도록 해줌.

(3) 시간게인보상과 초점 조절

환자의 깊은 곳에서 나온 에코는 탐촉자에서 가까운 곳에서 나온 에코보다 더 감쇠가 많이 일어나기 때문에, 깊이가 다르더라도 같은 굴절율의 구조물이 같은 밝기를 보이도록 구조물 깊이에 비례하는 게인보상을 함. 조절판을 이용하여 원하는 대로 쉽게 조절 가능함. 또한 초점 조절을 적절히 해야 탐촉자에 가까운 표층 구조물에서 용적평균화효과 없이 고해상력으로 볼 수 있음. 깊은 곳의 밝기가 시간게인보상과 초점조절로 해결되지 않고 구조물이 잘 안 보이는 경우는 탐촉자의 주파수를 낮춰야 함.

(4) 스캔 방향

유방에는 해부학적 지표가 되는 구조물이 없기 때문에 체계적인 방법으로 탐촉자를 움직여야 완전한 검사가 가능하며, 적어도 두 면 이상으로 중복 스캔해야 유방의 모든 부위를 빠뜨리지 않을 수 있음. 특히 유방주변부를 빠뜨리지 않도록 주의해야 함. 스캔방향에는 종-횡단(longitudinal-transverse) 스캔과 방사-역방사(radial-antiradial) 스캔의 두 가지 방법이 있음(그림 16-4). 방사-역방사 스캔은 유두와 유륜을 중심으로, 수레바퀴 모양으로 주위로 뻗어나가는 유관의 분포에 따라 스캔하므로, 유관과 병변의 관계를 파악하는데에 좋으나 유방전체를 검사하기에는 시간이 많이 소요됨. 종-횡단 스캔은 유관의 해부학적 방향과 맞지 않은 단점이 있으나 빨리 볼 수 있음. 따라서 체계적이고 효과적인 검사를 위해서는 종/횡단 스캔으로 국소 병변을 찾고, 방사/역방사 스캔으로 유관내 병변, 유관 자체의 변화, 종괴와 유관과의 관계를 보는 것이 바람직함(그림 16-5).

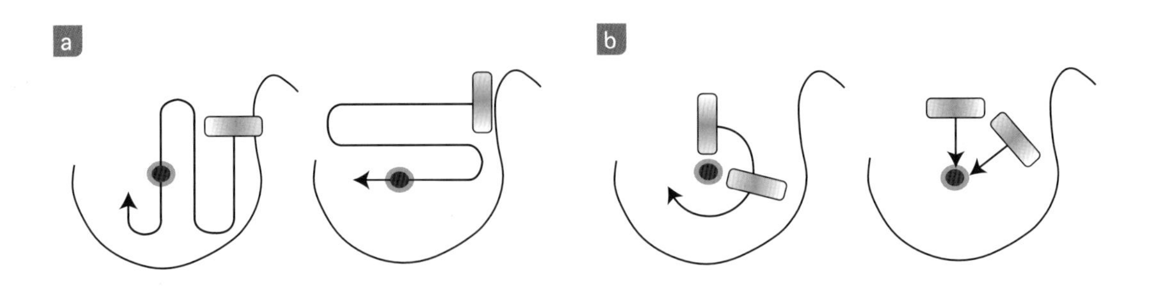

그림 16-4 유방초음파의 스캔방향. (a) 종–횡단 스캔. (b) 방사–역방사 스캔

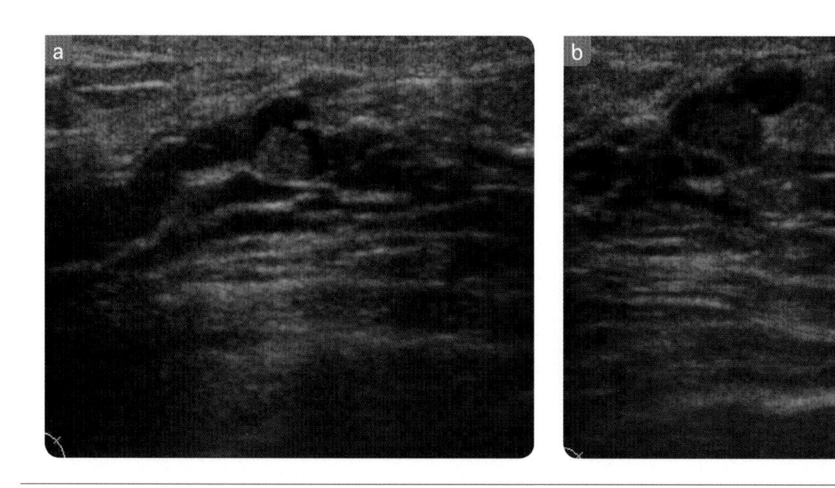

그림 16-5 유륜하에 위치한 유관 유두종의 방사-역방사스캔. (a) 방사스캔(Radial scan): 방사스캔은 유관내 종괴와 유관과의 관계를 보는 데에 좋음. (b) 역방사스캔(Anti-radial scan): 역방사스캔은 종괴의 모양과 변연을 보는 데에 좋음.

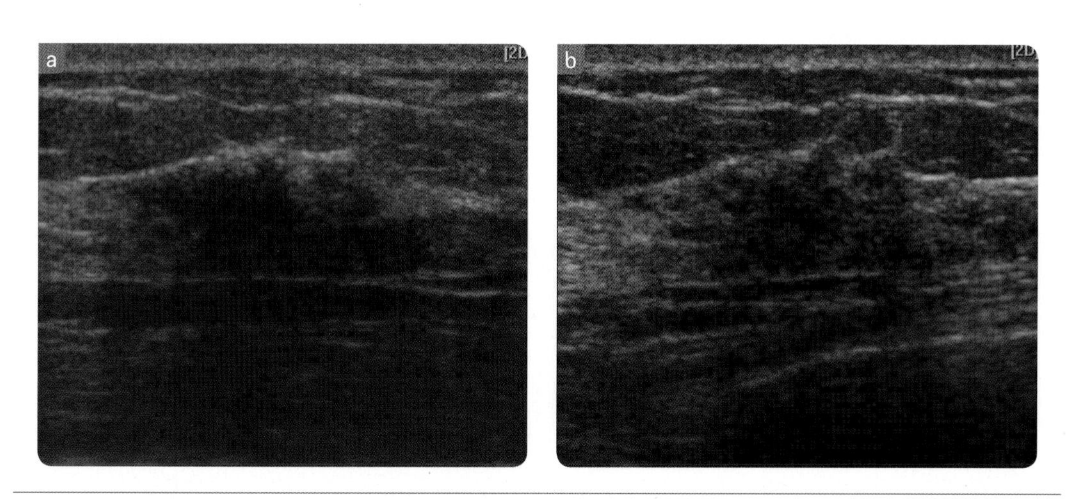

그림 16-6 적절한 압박. (a) 미만성 저에코 병변과 동반된 후방음향그림자가 보임. (b) 같은 병변을 탐촉자에 압박을 강하게 가할 때에는 후방음향그림자가 약화됨. 30년 전부터 당뇨병이 있었던 70세 여성으로 당뇨병성 섬유성 유방병변에 의한 후방음향그림자는 적절한 탐촉자의 압박을 통해 약화됨.

(5) 압박

유방 검사를 위해서는 탐촉자에 적당량의 압박을 가해야 하는데, 너무 세게 압박하면 유방의 해부학적 구조를 변형시키며 오히려 유방 조직을 밀어내게 되어 병소를 놓칠 수 있음(그림 16-6). 깊숙한 위치의 병변을 보거나 쿠퍼인대의 비스듬한 면에서 생기는 그림자 허상을 없애기 위해서는 탐촉자로 유방에 다양한 강도의 압박을 가하거나 입사 각도를 바꿔 가며 스캔해야 함. 특히 유두와 유륜은 유두 아래 유관의 주행이 초음파 방향과 평행하며, 유두 내 섬유조직이 초음파의 전달을 방해하기 때문에 유두와 유륜 아래의 유관을 검사할 때에는 탐촉자로 유

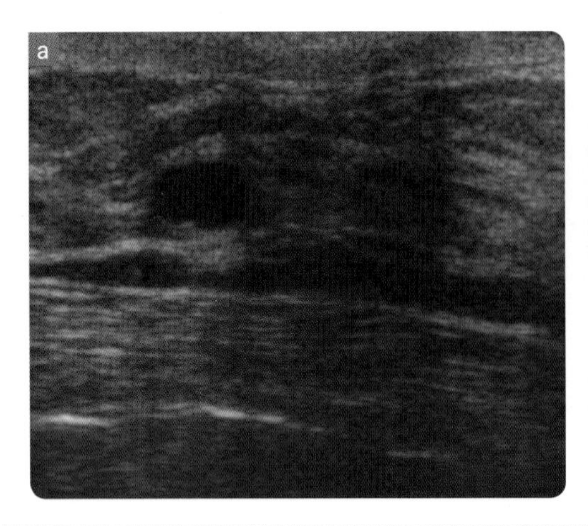

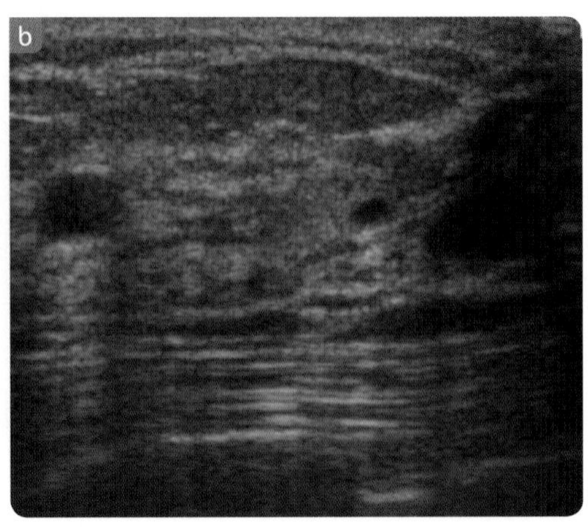

그림 16-7 유륜 아래 부위의 스캔. (a) 유륜 아래 유관은 유두 내 섬유조직에서 생기는 후방음향그림자 때문에 잘 보이지 않음. (b) 탐촉자의 방향을 바꿔 유두를 옆으로 밀면서 보면 유륜 아래 유관과 낭종을 볼 수 있음.

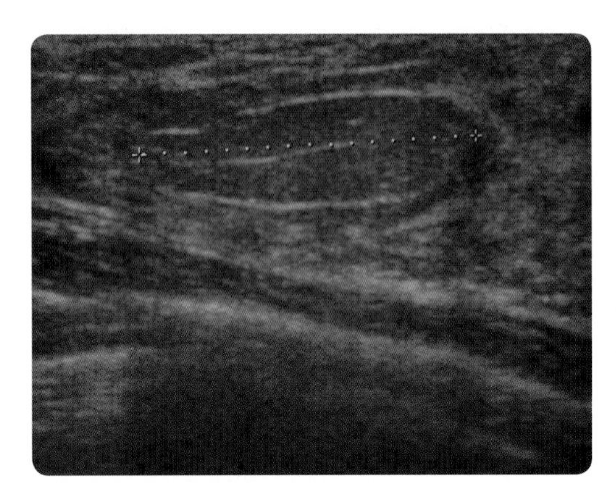

그림 16-8 지방종. 난원형, 국한성 변연의 등에코 종괴가 피하 지방층에 보임.

그림 16-9 초음파 영상의 표기. 화면 상단에 환자의 이름, 검사를 시행한 기관명, 병록번호, 검사날짜가 적혀 있고, 좌측에 병변의 위치와 탐촉자 방향, 병변의 위치를 알수 있는 신체 표지자(body marker)를 이용하는 것이 간단하면서도 정확함. 화면 하단에 환자의 증상 유무를 적는 것이 좋음.

두와 유륜을 옆으로 비스듬히 밀면서 보아야 함(그림 16-7). 유두 분비의 원인을 찾기 위해 초음파로 유관검사를 할 때는 평소보다 압박을 덜 하는 것이 좋음(그림 16-5)(Stavros, 2004). 압박 정도를 분석하여 병변 유무 및 감별 진단에 이용할 수도 있음. 정상조직은 탐촉자로 천천히 누르면 종양에 비해 잘 압박됨. 지방소엽(fat lobule)이나 지방종(lipoma)는 섬유선종이나 유방암에 비해 압박이 잘 되며 압박해도 주변 조직을 누르지 않음(그림 16-8).

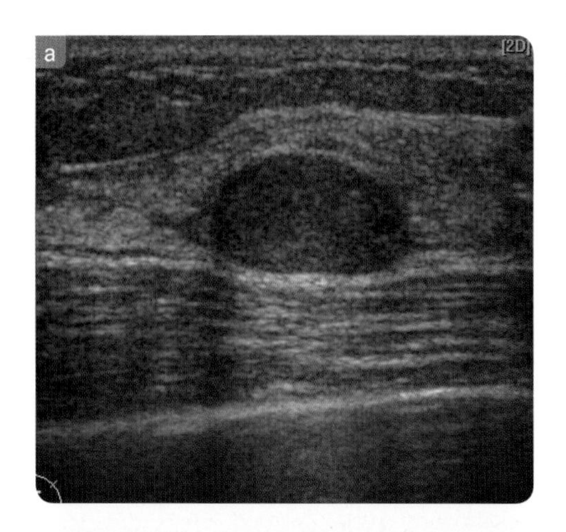

그림 16-10 병변의 기록. 병변이 있다면 사진을 남기고, 병변의 최대 직경을 측정함. (a) 병변의 위치는 우측인지 좌측 유방인지, 몇 시 방향인지, 어떤 탐촉자 방향 (방사 또는 역방사 스캔, 종단 또는 횡단 스캔)인지, 유두에서 떨어진 거리 등을 표시하고, (b) 병변의 가장 긴 직경을 포함하여 적어도 두 방향의 수직면에서 스캔하여 사진을 남겨야 하는데, (c) 병변의 크기를 재는 눈금을 포함하지 않는 영상을 반드시 포함하여야 함.

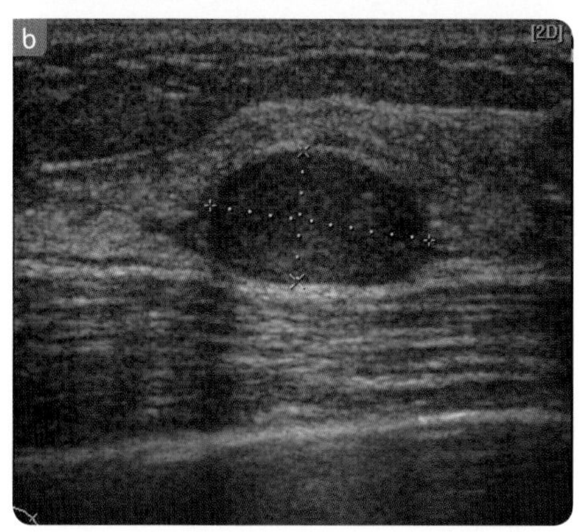

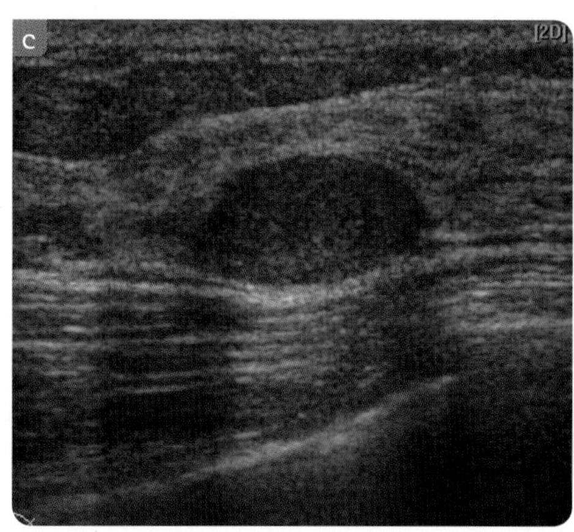

(6) 영상의 기록

환자의 이름, 병록번호, 나이, 기관 이름, 검사 날짜를 기입하고, 사진에는 좌우 방향 표시, 환자에 대한 탐촉자의 방향을 표시함(그림 16-9). 병변이 있다면 사진을 남기고, 병변의 최대 직경을 측정함. 병변의 위치는 우측인지 좌측 유방인지, 몇 시 방향인지, 어떤 탐촉자 방향(방사 또는 역방사 스캔, 종단 또는 횡단 스캔)인지, 유두에서 떨어진 거리 등을 표시하고, 병변의 가장 긴 직경을 포함하여 적어도 두 방향의 수직면에서 스캔하여 사진을 남겨야 하는데, 병변의 크기를 재는 눈금을 포함하지 않는 영상을 반드시 포함하여야 함(그림 16-10). 정확하고 재현 가능한 기록을 남겨두어야 추후 조직검사나 추적검사할 때 혼란을 줄일 수 있음.

(7) 화질 관리

유방초음파의 화질 관리 및 평가의 필요성이 대두되면서 미국초음파의학회(American Institute of Ultrasound in Medicine; AIUM)와 미국방사선의학회(American College of Radiology; ACR) 등에서 양질의 유방 초음파를 위한 장비 기술적인 측면, 영상기록, 검사자의 자격 등에 관한 지침과 인증 프로

표 16-1 미국방사선의학회의 유방초음파의 표준화를 위한 지침

1. 7-MHz 이상의 선형 탐촉자(중심주파수 6-MHz 이상)
2. 병변이 있는 깊이에 초점 영역을 맞춰야 함.
3. 게인은 단순 낭종과 고형 종괴를 구분할 수 있도록 맞춰야 함.
4. 병변은 수직이 되는 두 면에서 사진을 남겨둬야 함.
5. 종괴의 최대 직경을 측정해야 함.
6. 영상의 라벨에는 좌우표시, 병변의 위치(사분면, 시계방향, 유두로부터의 거리), 탐촉자의 방향을 포함해야 함.
7. 전체 라벨에는 환자 이름, 병록 번호, 생년월일, 기관의 이름과 위치, 검사 날짜, 초음파를 시행한 사람의 표시를 포함해야 함.

그램을 만들었음. 유방 초음파에 대한 화질관리 프로그램은 이제 시작 단계이며 실제 미국의 한 연구에 의하면 152개의 유방 초음파에 대한 조사에서 60%가 최소 1가지 이상의 항목에서 ACR 지침(표 16-1)을 지키지 못하였다고 보고한 바 있음(Baker 등, 2002). 우리나라에서도 유방 초음파검사 화질 평가에 관한 한 보고에 의하면, 69%의 유방 초음파 영상이 이러한 기준에 미치지 못하고 있었음(고경희 등, 2003). 유방 초음파 화질관리 지침과 인증에 관한 자세한 내용은 미국초음파의학회와 미국방사선의학회의 홈페이지(www.aium.org 과 www.acr.org)에서 확인이 가능함.

2 유방 초음파 해부학

유방 초음파에서는 피하지방의 에코를 기준으로 병변의 에코가 지방보다 낮으면 저에코, 지방과 같으면 등에코, 지방보다 높으면 고에코라 함. 따라서 유방에서는 근거리나 원거리의 지방이 동일한 밝기가 되도록 게인과 시간게인보상을 조절하고 검사해야 함.

1) 피부 및 피하지방층

탐촉자와 피부 사이의 경계면은 초음파에서 고에코의 선으로 보이고, 진피는 저에코로 보임. 진피와 피하지방의 경계면도 고에코의 선으로 보임(그림 16-11). 피하지방층에는 지방소엽, 쿠퍼인대와 혈관이 있음. 피하지방층의 두께는 다양하지만, 등에코의 지방소엽들과 고에코의 곡선 구조물인 쿠퍼인대로 구성된 비교적 일정한 초음파 소견을 보임. 종종 쿠퍼인대가 교차하는 지점에서 후방 음향 그림자 허상이 생기는데, 이때는 탐촉자로 다양한 강도의 압박을 가하거나 입사각도를 바꿔가며 스캔하면 그림자 허상이 감소함(그림 16-12). 피하지방층에서 보이는 병변은 몸의 어느 부위에서나 생길 수 있는 것으로, 지방종, 표피포함낭, 혈관종, 림프종과 피지낭 등이 있음. 피부 비후를 일으키는 것이 피하지방층에도 영향을 주는데 감염, 수술 후 반흔(그림 16-13), 지방괴사, 방사선 피부염과 섬유화 등임.

2) 유선층

유선층은 고에코의 섬유조직, 등에코의 지방과 유선조직의 상대적인 양과 분포에 따라 매우 다양한 소견을 보임. 이는 연령과 호르몬 상태에 따라 변하는데, 같은 연령대의 여성에서도 또는 같은 여성의 유방 내에서도 부위별로 차이를 보이는 경우가 많

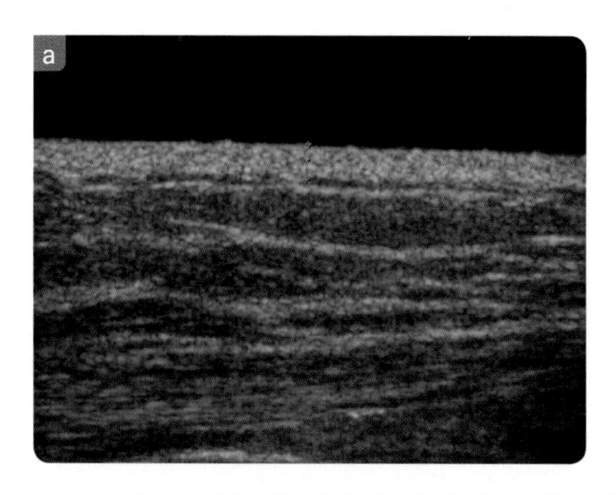

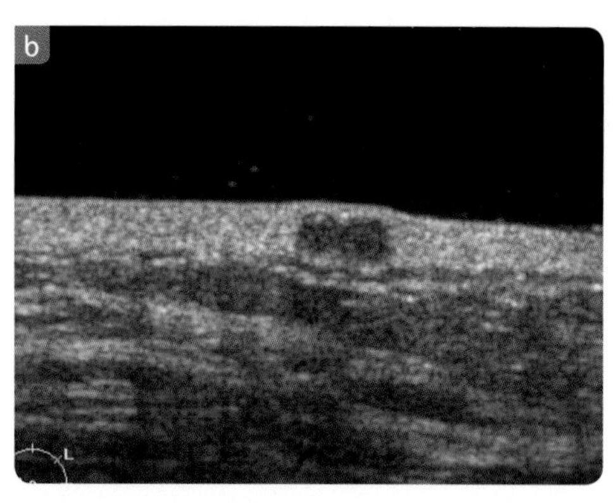

그림 16-11 피부. (a) 정상 피부. 탐촉자와 피부 사이의 경계면은 고에코의 선으로, 진피는 저에코로 보이며, 진피와 피하지방의 경계면도 고에코의 선으로 보임. 유륜 주위를 제외하고 유방 피부의 두께는 2–3 mm 이하가 정상임. (b) 피부포함낭. 피부 내에 국한성 변연의 난원형 낭종으로 보임.

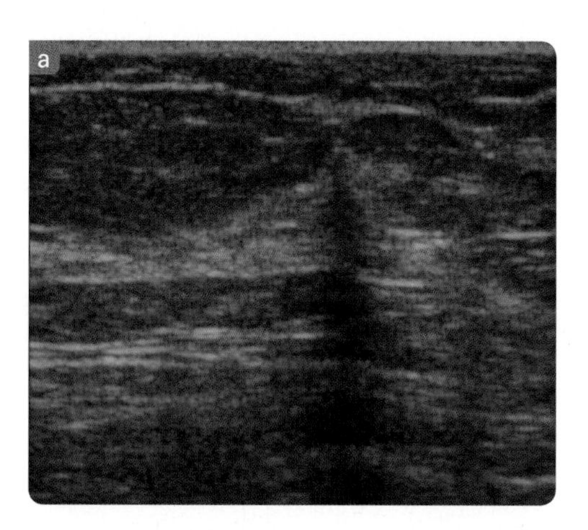

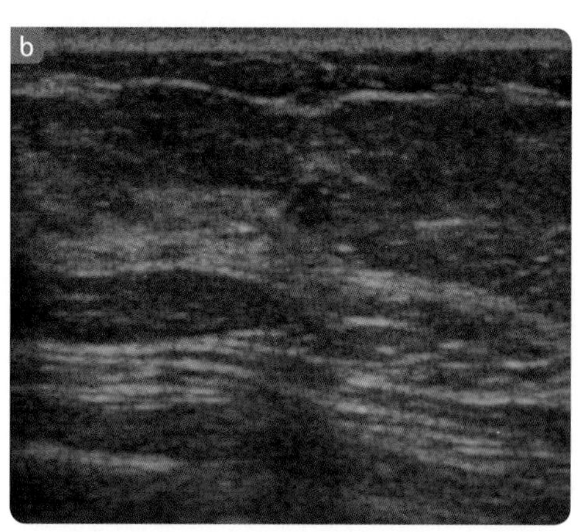

그림 16-12 쿠퍼인대가 교차하는 지점의 후방음향그림자 허상. (a) 피하지방층에 고에코의 비늘 모양의 선상 구조물이 보이며 쿠퍼인대임. 쿠퍼인대가 교차하는 지점에 후방 음향 그림자 허상이 생길 수 있음. (b) 탐촉자로 다양한 강도의 압박을 가하거나 입사각도를 바꿔 스캔하면 그림자 허상이 감소함.

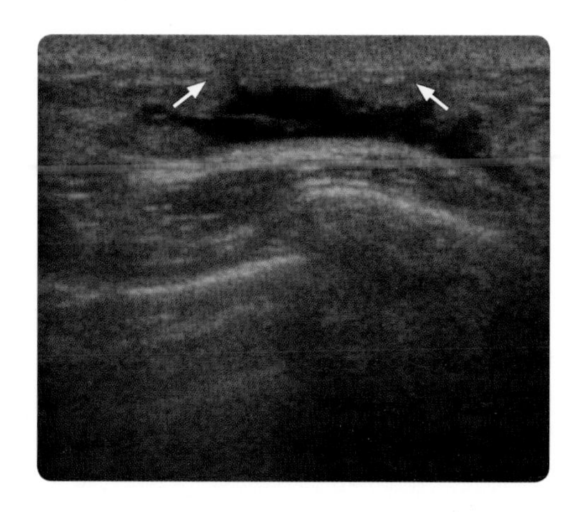

그림 16-13 두꺼워진 피부. 절제 생검 후 피부의 두께가 두꺼워져(화살표) 있으며 아래쪽으로 혈종이 형성되어 있음.

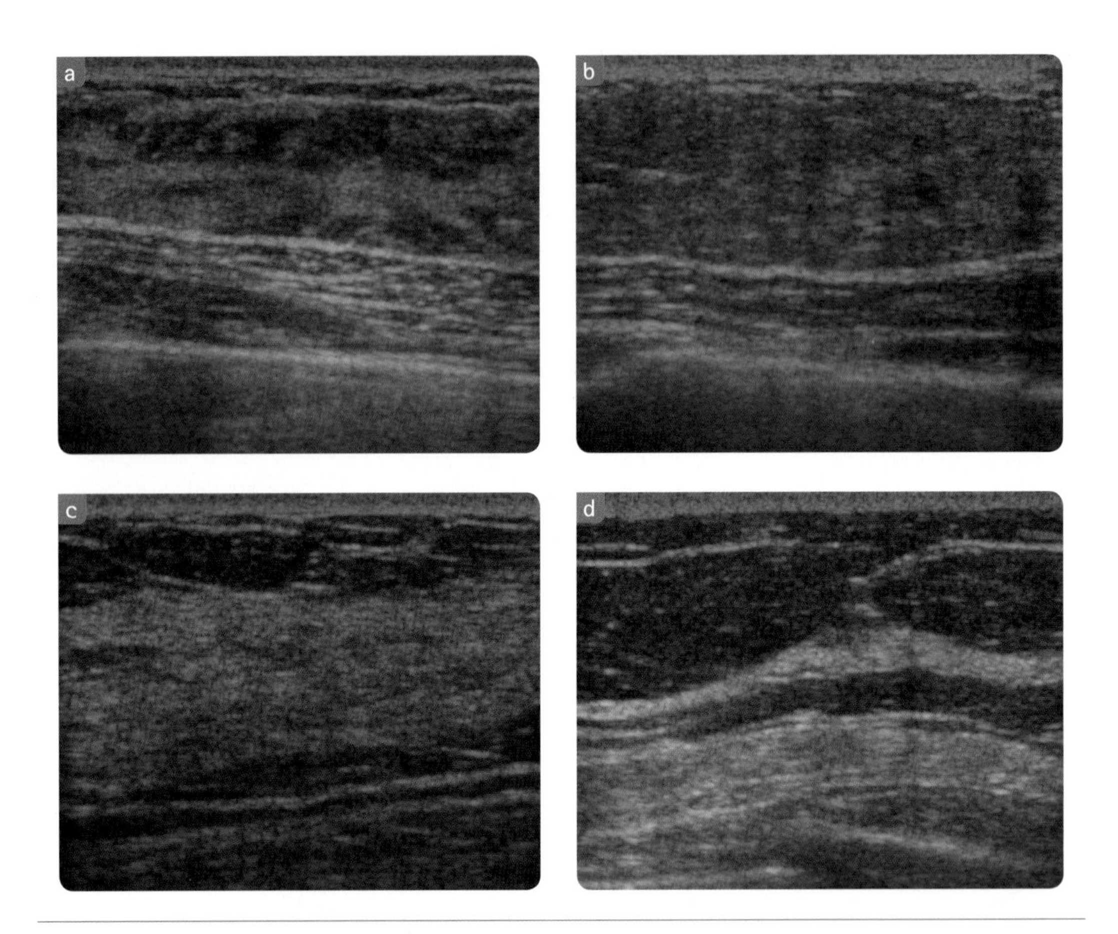

그림 16-14 연령에 따른 유선층의 에코 변화. 폐경 전 여성은 유방촬영사진에서 같은 치밀유방을 보이더라도 다양한 에코양상을 보임. 초음파에서 등에코 성분은 발달된 소엽이며 고에코 성분은 섬유조직임. (a) 10대 후반에서 20대 초반의 젊은 여성은 유선 조직층 앞부분은 풍부한 소엽 때문에 등에코 또는 저에코로 보이고 임신과 수유중인 여성(b)은 유선 전층에 걸쳐 증식한 소엽으로 저에코를 보이면서 지방 성분은 거의 보이지 않음. 폐경이 되지 않은 40세 여성(c)은 섬유조직이 주로 많아 전체적으로 균일한 고에코 또는 불균일한 혼합형 에코를 보이며, 폐경 후(d)에는 전층이 지방소엽으로 찬 유방이며, 남아있는 관은 지방 소엽을 싸고 있는 얇은 고에코의 결체 조직 안에 들어 있음.

음. 폐경전 여성은 유방촬영사진에서 치밀유방을 보이는 경우가 흔한데 유방촬영사진에서 비슷한 정도의 치밀유방이더라도 초음파에서는 고에코의 섬유조직만 또는 등에코의 유선조직만 보일 수도 있지만 대개는 고에코와 등에코가 혼합된 형태를 보임. 등에코 유형의 유방은 소엽이 충분히 많은 것을 의미하고, 소엽은 유방 실질의 앞부분에 많기 때문에 등에코로 보이는 부분은 유방의 앞부분에서 보임. 이 유형은 소엽이 빠르게 증식하는 10대 후반, 20대 초반, 에스트로겐과 프로게스테론의 분비의 불균형이 있는 배란 질환이 있을 때, 임신 2기와 3기일 때 보임. 폐경후 여성에서는 실질 조직은 위축되고 지방 조직과 치밀한 결체조직으로 대치됨(그림 16-14). 이 결체 조직 중 어느 쪽이 우세한가에 따라서 지방

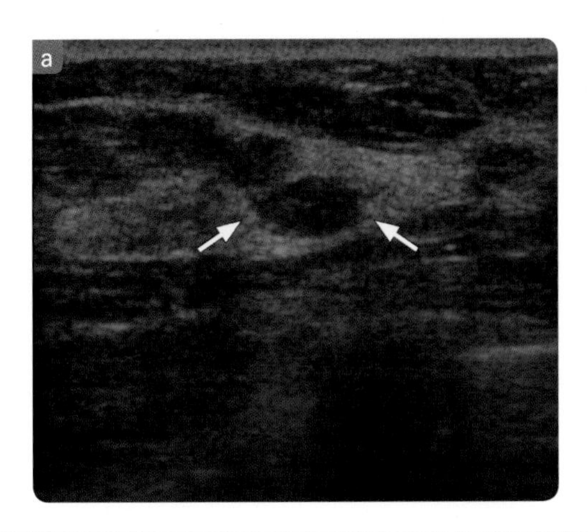

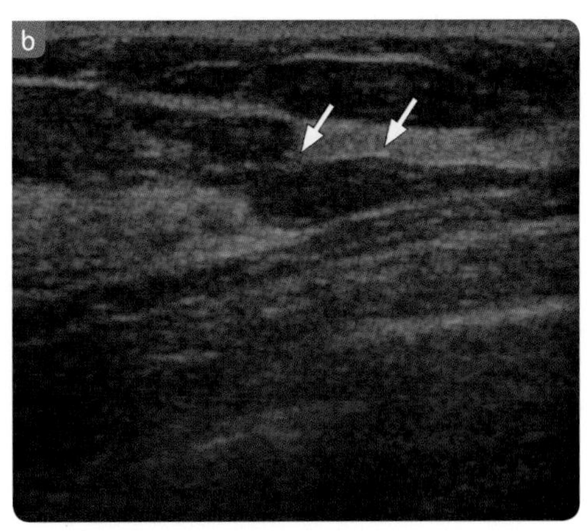

그림 16-15 지방 소엽. (a) 지방 소엽이 종괴(화살표)처럼 보임. (b) 탐촉자의 방향을 돌려서 스캔하면 옆쪽의 피하지방층과 연결되어 있음을 확인함으로써 (화살표) 지방 소엽임을 알 수 있음.

성 유방, 경미한 관주위 섬유성 유방, 중간 섬유성 유방과 치밀한 섬유성 유방으로 나눌 수 있음. 지방성 유방은 전층이 지방소엽으로 찬 유방이며, 남아 있는 관은 지방소엽을 싸고 있는 얇은 고에코의 결체 조직 안에 들어 있음.

3) 지방소엽

대부분의 유방에서는 지방소엽이 유선조직과 섬유조직 사이에 끼어 있음. 이런 경우에 지방과 등에코인 고형 결절을 지방소엽으로 판독하여 위음성 진단을 하게 되는 경우도 있고, 반대로 지방소엽을 유방 결절로 판독하여 위양성 진단을 하게 되는 경우도 있음. 지방소엽과 고형 유방 결절을 구별하는 데에는 몇 가지 방법이 있음. 첫째, 병변을 여러 방향에서 살펴봄. 대부분의 지방소엽은 주위의 지방 조직과 연결되므로 탐촉자를 여러 방향으로 돌려서 피하지방이나 유선후지방과 연결되는가를 봄(그림 16-15). 둘째, 지방소엽은 유방에서 가장 압박이 잘 되는 조직이므로 탐촉자로 압박하여 30%이상 압박되면 지방소엽일 가능성이 높음. 섬유선종이나 유방암의 일부에서도 압박이 되나 지방소엽만큼은 압박되지 않음. 셋째, 결절이 주위 조직을 누르고 있는가를 봄. 지방소엽은 흉벽이나 유방의 섬유조직, 유선 조직보다 부드러우므로, 탐촉자로 압박했을 때 주위 조직을 누르지 않음. 그러나 섬유선종이나 유방암은 탐촉자로 압박했을 때 대개 주위 조직을 누름. 넷째, 지방소엽은 초음파검사에서 가는 고에코의 선으로 보이는 섬유 중격을 가지고 있음. 이 중격은 곡선이어서 탐촉자로 누르지 않으면 잘 보이지 않고 누르면 보임.

4) 유관

유관의 초음파 소견은 성긴 관주위 결체조직의 양, 분비물에 의해 유관이 늘어난 정도, 분비물의 에코

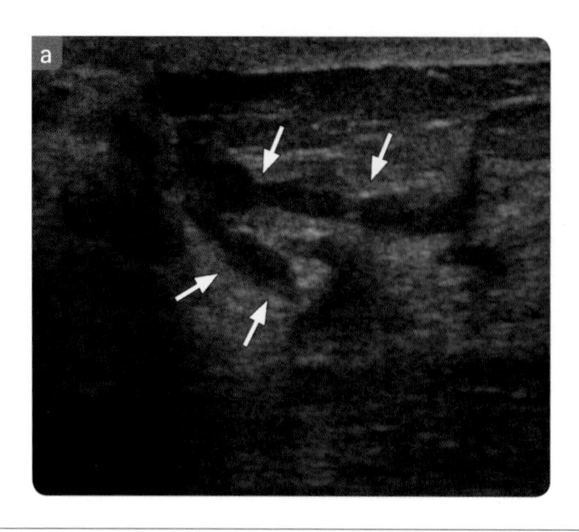

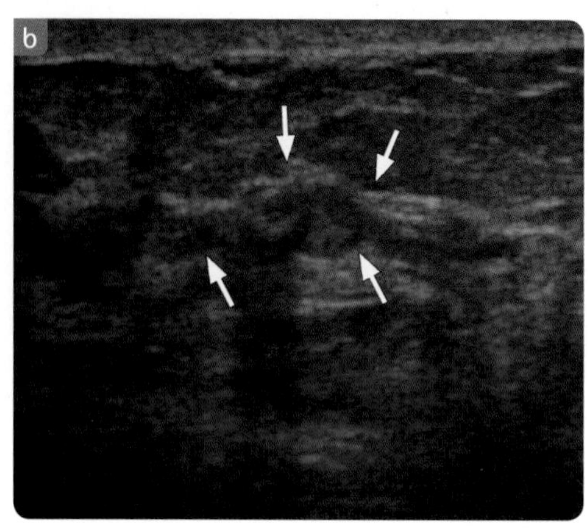

그림 16-16 만성 염증에 의한 유관 확장(ductectasia). (a) 유륜하부의 유관이 늘어나 있고 유관벽이 두꺼워져 있으며 유관 내부에 분비물로 인한 고에코 성분이 보임 (화살표). (b) 탐촉자의 방향을 바꿔 스캔하면 늘어난 유관 내의 병변이 화살 표적과 같은 모양(화살표)을 보임.

에 따라 결정됨. 초음파검사에서 유관은 실제 직경보다 크게 보이는데, 이는 유관과 유관을 둘러싸고 있는 성긴 관주위 결체조직이 같은 에코로 보이기 때문임. 때로는 납작한 유관벽이 등에코의 관주위 결체조직의 중앙에 고에코의 선으로 보일 수 있고, 수직축에서는 화살 표적같이 보이게 됨. 유관 내 분비물의 에코는 구성 성분의 함량에 따라서 다른데, 만성적으로 농축된 분비물이나 염증세포나 거품세포를 많이 포함한 분비물은 고에코로 보임. 유관의 확장은 매우 흔하게 볼 수 있는 소견임(그림 16-16).

5) 종말관소엽단위

종말관소엽단위(terminal duct lobular unit)는 소엽과 소엽외 종말관(extralobular terminal duct)으로 구성되어 있음. 소엽은 소엽내 종말관, 소관, 소엽내 결체조직으로 구성되는데, 이들은 모두 초음파에서 같은 에코를 보여 구분하여 볼 수는 없음. 소엽외 종말관도 이들과 같은 에코를 보여 초음파에서 종말관소엽단위는 테니스 라켓과 같은 모양을 보임. 라켓의 손잡이는 소엽외 종말관이고 머리 부분은 소엽에 해당됨(그림 16-17). 정상의 종말관소엽단위의 크기는 약 1-2 mm이나, 위축되거나 주위 조직과 합쳐져 구분되어 보이지 않을 수도 있고, 반대로 임신, 수유, 호르몬대체요법 등의 호르몬 자극이 있을 때, 섬유낭성질환, 양성 증식성질환 및 악성질환을 포함한 여러 원인에 의해 크기나 숫자가 증가할 수 있음(그림 16-18).

6) 유선후층 및 흉벽

유선후층은 등에코의 지방소엽과 쿠퍼인대로 이루어져 있음. 유선후층은 피하층보다 두께가 얇고 지방소엽은 피하층보다 크기가 작음. 유선후층은 유

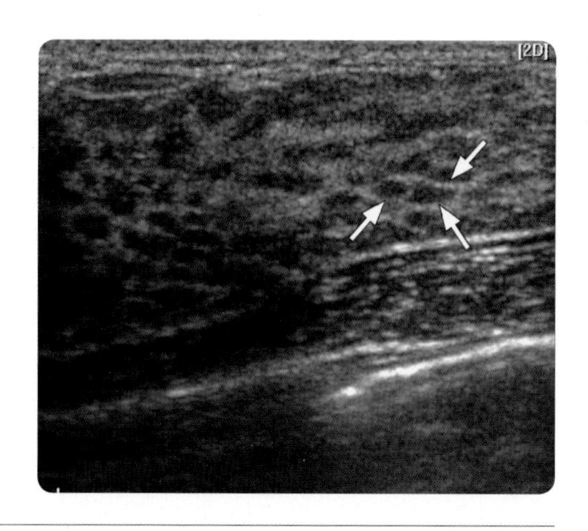

그림 16-17 종말관소엽단위. 종말관소엽단위. 고주파 탐촉자를 사용하면 대부분의 여성에서 종말관과 종말관소엽단위(화살표)를 볼 수 있음. 정상 크기는 약 1–2 mm이나 호르몬의 자극이 있을 때 그 크기가 커질 수 있음.

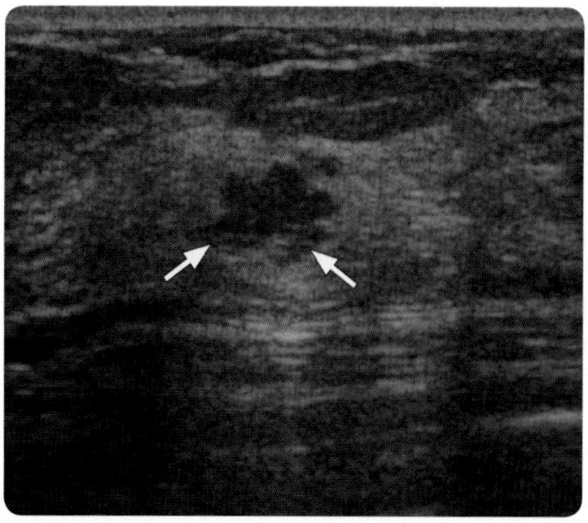

그림 16-18 선증(화살표)과 같은 양성 증식성 질환은 종말관소엽단위 중 소엽의 증식으로 생김.

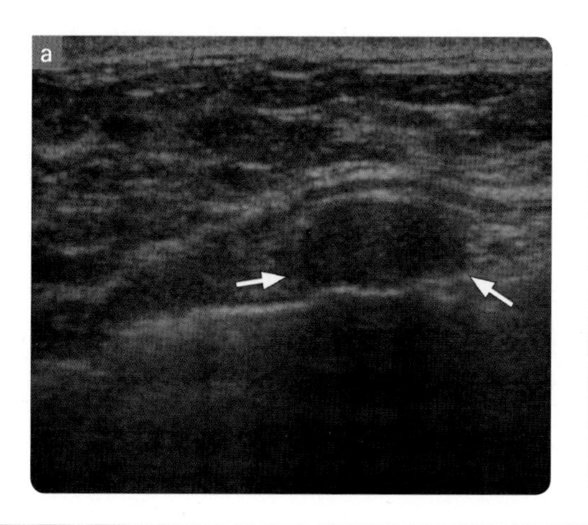

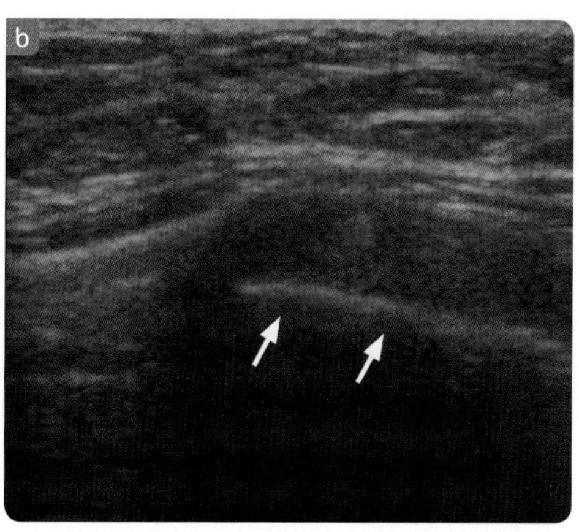

그림 16-19 늑골. (a) 유선후 지방층 뒤쪽으로 저에코 종괴(화살표)의 모양으로 보임. (b) 탐촉자를 돌려서 보면 긴 저에코의 구조물로 보이며 대흉근의 아래쪽에 위치하므로 늑골임을 알 수 있음.

방촬영술에서보다 초음파에서 두께가 얇게 보이며, 간혹 완전히 보이지 않는 경우도 있는데, 그 이유는 유방촬영술은 유방을 앞으로 당기면서 시행하며, 초음파검사는 환자가 누운 자세에서 탐촉자로 누르면서 검사를 하기 때문임. 대흉근은 유선후층의 아래에서 고에코와 저에코의 선상음영이 늑골위로 피부와 평행하게 주행하는 구조로 보이며 체격조건에 따라서 그 두께가 매우 다양함. 탐촉자를 대흉근의 외측으로 수평이동하면 바로 아래쪽에서 좁은 소흉근을 볼 수 있음. 흉근의 아래에 위치한 늑골은

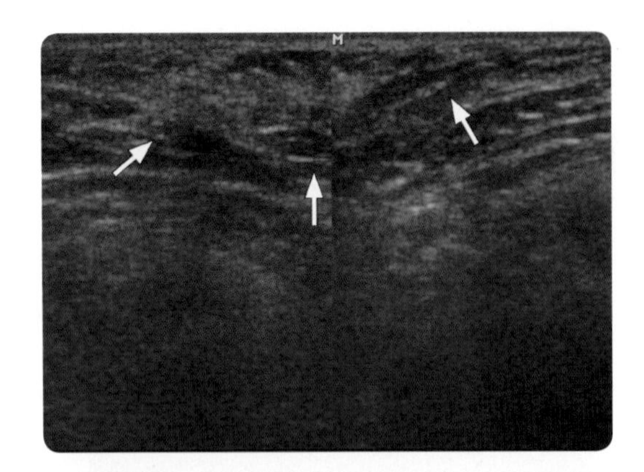

그림 16-20 액와부 부유방. 양쪽 액와부위에 만져지는 증세가 있는 14세 여자로 초음파에서 피하지방층에 섬유 유선 조직의 고에코 성분(화살표) 이 보이며 피하지방은 아래로 밀림.

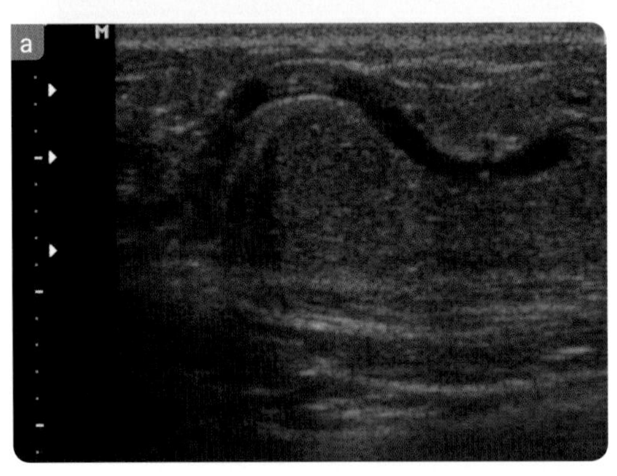

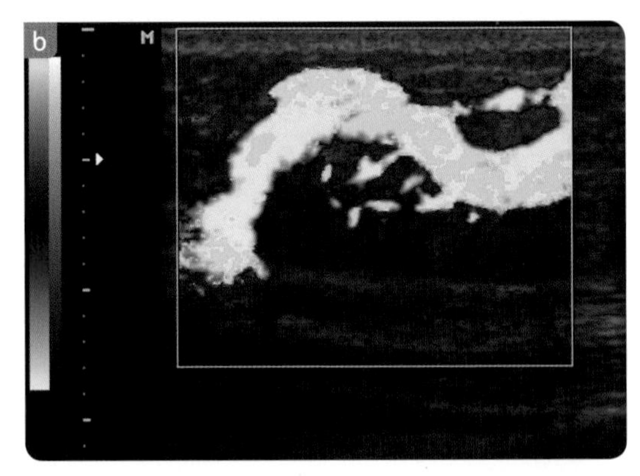

그림 16-21 표재정맥. (a) 임신 중인 31세 여자로 피하지방층에 관상구조물이 보임. (b) 색도플러 검사에서 발달한 혈관임을 알 수 있음.

횡단면에서 둥근 저에코의 구조물로 보이며 흉골접합부의 연골부위에서는 부분적으로 초음파 투과성 소견을 보임. 외측의 늑골은 윗면은 고에코의 선으로 보이며 그림자허상을 갖는 저에코 종괴와 유사하게 보이나, 탐촉자를 종단면으로 돌리면 긴 저에코의 구조로 보이며, 대흉근의 아래에 위치하는 점으로 늑골임을 쉽게 알 수 있음(그림 16-19). 초음파에서 흉막은 늑골과 늑골 연골의 뒤로 고에코의 선으로 보임.

7) 부유방

젖젖선 milk line이 퇴화하지 않고 남아 생기는 부유방의 호발 부위는 액와부이며, 유방의 상외측, 6시 방향이나 유방 바로 아래의 복벽에 생길 수도 있음. 정상 유방과 마찬가지로 부유방에도 섬유조직, 유선조직, 지방조직이 혼재되어 있음. 초음파에서는 액와부 피부의 고에코 경계면이 사라지고 등에코 또는 고에코 음영으로 두꺼워져 있고, 피하지방은 아래로 밀림(그림 16-20). 부유방 내에도 유방조직에서 생기는 모든 양성 및 악성 병변이 생길 수 있음.

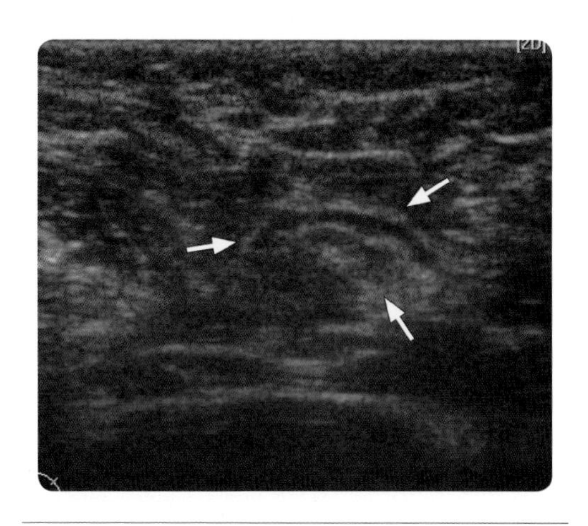

그림 16-22 정상 액와림프절(화살표) 은 중심부의 고에코 지방과 저에코의 피질층은 얇고 고른 두께를 보임.

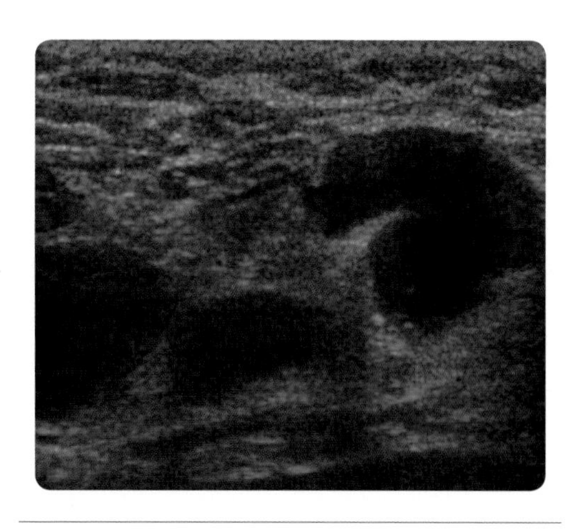

그림 16-23 결핵성 액와 림프절염. 결핵성 액와 림프절염. 33세 여자로 왼쪽 액와부에 만져지는 종괴를 주소로 내원하였으며 액와리프절 중심부의 고에코 지방이 소실되고 피질이 두꺼움. 절제후 결핵성 액와 림프절염으로 확진되었음.

8) 혈관

해부학적 지식이 있으면 초음파에서 혈관들의 주행 방향에 따라 기다란 관 모양의 구조물을 관찰할 수 있음. 압박을 하면 대부분의 표재성 혈관은 눌려서 보이지 않으므로 혈관을 관찰하고자 할 때는 압박을 최소화해야 함. 색 도플러를 이용하면 혈관의 속도와 이상 유무를 분석할 수 있음(그림 16-21).

9) 액와림프절

정상 액와림프절은 중심부 지방문이 고에코로, 주변의 피질은 얇은 저에코로 보인다(그림 16-22). 림프절 피질부가 두꺼워지거나, 림프절 중심부의 고에코 지방이 소실되거나, 모양이 구형이면 유방의 염증에 대한 반응성 증식증, 림프절염, 또는 유방암의 전이 림프절 소견으로 의심하여야 함(그림 16-23).

3 유방 초음파의 판독

유방 영상검사는 그 동안 사용 용어가 통일되지 않아, 동일한 병변에 대해서도 의사들마다 소견 분석 및 판정이 다르고, 의사 소통에도 어려움이 많았음. 이러한 문제점을 해결하고자 미국방사선의학회(American College of Radiology)에서는 수년 전부터 유방영상보고데이터체계(Breast Imaging Reporting and Data System; BI-RADS)를 개발하여 1992년에 초판을 발행한 이후, 1995년, 1998년, 2003년에 이어 2013년에 5판을 발행하였음(American College of Radiology, 2013). 유방촬영, 초음파, 자기공명영상 검사가 포함되어 있으며 초음파 BI-RADS는 2003

년에 초판을 발행하고, 2013년에 2판을 발행하였음. 유방영상보고데이터체계의 기본 정신은, 통일된 용어를 사용함으로써 판독의 표준화와 검사자-의뢰의사 간의 의견 교환을 원활히 하며, 나아가서 학술자료나 국가적인 통계 자료의 기본을 마련하는 것임. 또한, 적절한 판독 용어를 이용하여 내린 최종평가가 이후에 어떻게 되었는지 결과를 추적하고, 피드백하는 체계를 갖추는 것이 중요함.

1) 유방영상용어

(1) 배경에코구조

개개인마다 유방의 조직구성이 매우 다양하여, 배경에코구조가 병변을 발견하는데 영향을 줄 수 있음(그림 16-14). 균일 배경에코구조-지방(homogeneous background echotexture-fat), 균일 배경에코구조-섬유유선(homogeneous background echotexture-fibroglandular), 비균일 배경에코구조(heterogeneous background echotexture)의 세 가지로 분류함. 같은 치밀유방이라도 균일 배경에코구조를 갖는 여성에서 보다 비균일 배경에코구조를 갖는 여성에서 암의심 병변을 발견하기 힘들 수 있으며 증가와 감소된 에코의 혼합와 경계면의 후방그림자 등으로 인해 위양성이 증가할 수 있음. 검진 초음파에 한정해서 유방조직구성에 대해 균일인지 불균일 유형인지 기술함.

(2) 종괴

종괴는 모양(shape), 방향(orientation), 변연(margin), 에코양상(echo pattern), 후방음향양상(posterior acoustic features), 등의 다섯 가지 사항에 대하여 기술함(그림 16-24, 16-25, 16-26).

① 종괴의 모양에는 난원형(oval), 구형(round), 불규칙형(irregular)의 세가지가 있음. 난원형은 타원형 또는 두세개의 부드러운 분엽을 보이는 경우가 포함되며, 큰 분엽형(macrolobulated)이라고도 함. 구형은 원 또는 공모양으로 전후 직경과 횡경이 비슷한 경우임. 난원 또는 구형에 속하지 않는 경우를 불규칙형으로 함.

② 종괴의 방향은 병변의 장축과 피부층의 평행 여부에 따라, 평행(parallel)과 평행하지 않음(not parallel)으로 나뉨.

③ 종괴의 변연은 병변의 가장자리 또는 테두리를 말하며, 주변 조직과 구분되는 정도에 따라 국한성(circumscribed)과 비국한성(not circumscribed)으로 나뉨. 비국한성에는 불명확(indistinct), 각짐(angular), 미세분엽형(microlobulated), 침상(spiculated)의 네가지가 있음. 불명확한 변연은 종괴와 주변조직 사이에 구분이 안되는 경우이고, 각짐은 전체 또는 일부의 변연이 예리한 귀퉁이를 가지는 것으로 대개 예각을 이룸. 미세분엽형은 짧은 주기의 작은 기복들이 물결 모양을 보이는 변연이고, 침상은 종괴에서 예리한 선들이 뻗어나가는 모습임.

④ 에코 양상은 종괴 내부 에코의 강도를 피하지방의 에코와 비교한 정도임. 내부 에코가 없는 무에코(anechoic), 지방보다 높거나 섬유선조직과 비슷한 에코를 보이는 고에코(hyperechoic), 무에코(낭종성)와 에코(고형) 성분을 모두 보이는 복합에코(complex cystic and solid), 지방보다 낮은 저에코(hypoechoic)와, 지방과 같은 에코를 보이는 등에코(isoechoic), 여러 에코가 섞여있는 이질성(heterogeneous)에코의 여섯 가지로 나뉨.

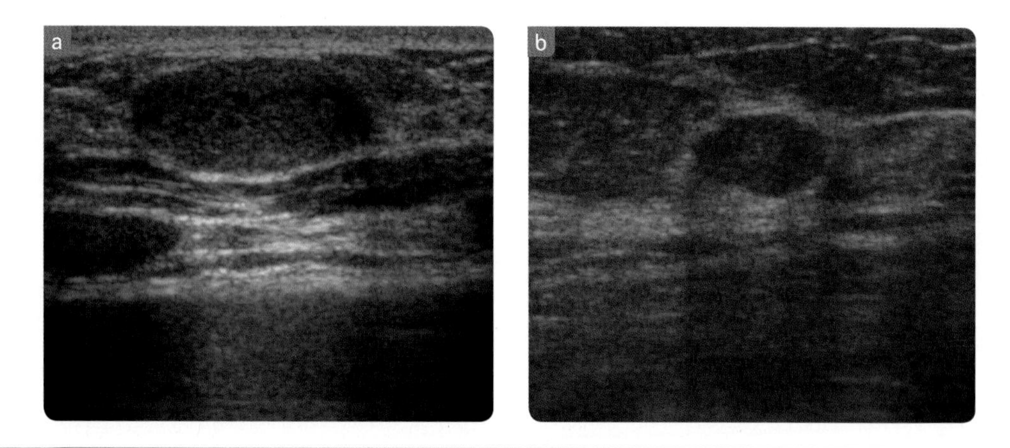

그림 16-24 전형적인 양성 종괴(섬유선종)의 기술. (a) and (b) 모양: 난원형, 방향: 평행함, 변연: 국한성, 에코양상: 저에코, 후방음향양상: 증강, 주변 조직 변화: 없음.

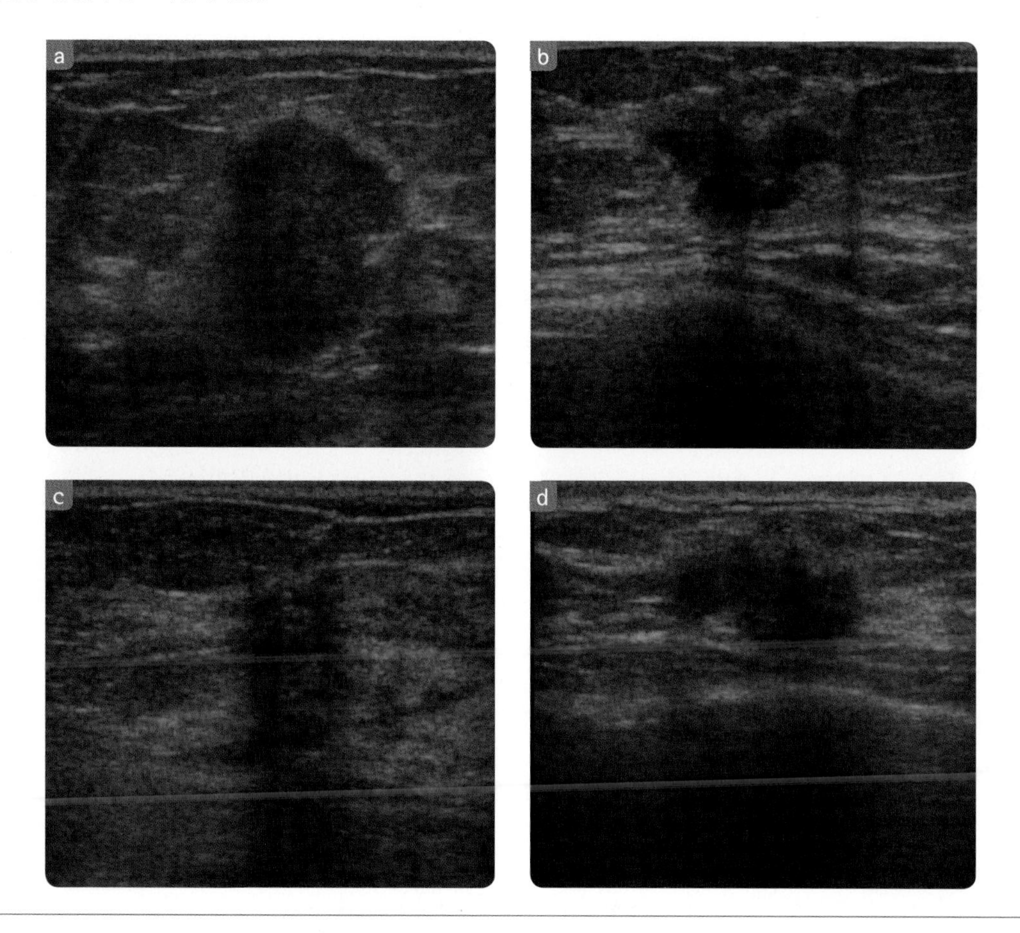

그림 16-25 전형적인 악성 종괴(침윤성 관상피암)의 기술. (a) and (b). 모양: 불규칙형, 방향: 평행하지 않음, 변연: 각짐, 에코양상: 저에코, 후방음향양상: 그림자, 주변 조직 변화: 실질 왜곡. (c) and (d). 모양: 불규칙형, 방향: 평행함, 변연: 침상, 에코양상: 저에코, 후방음향양상: 그림자, 주변 조직 변화: 실질 왜곡.

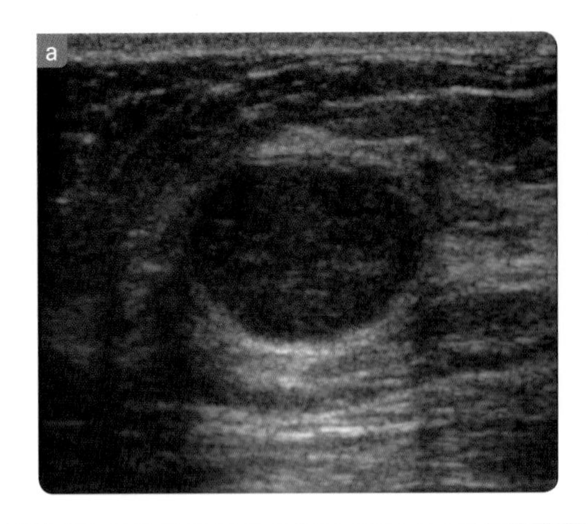

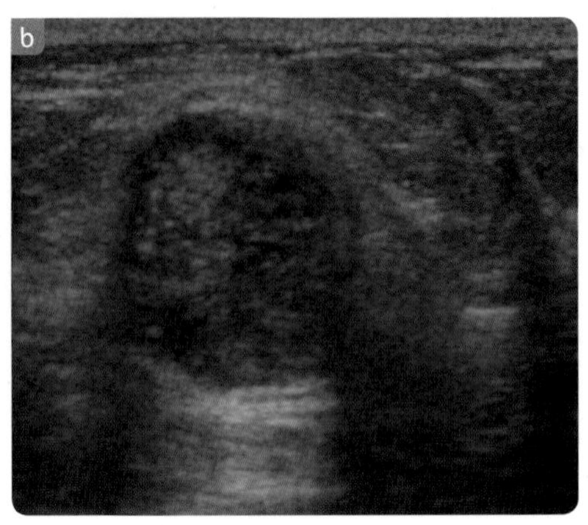

그림 16-26 양성종양을 닮은 유방암(침윤성 관상피암)의 기술. (a) 모양: 난형원, 방향: 평행함, 변연: 국한성, 에코양상: 저에코, 후방음향양상: 증강, 주변 조직 변화: 없음. (b) 모양구형, 방향: 평행하지 않음, 변연: 국한성, 에코양상: 이질성에코, 후방음향양상: 증강, 주변 조직 변화: 없음.

⑤ 후방음향양상은 병변의 후방 에코를 비슷한 깊이의 주변 에코와 비교하여 차이가 없는 후방무음영(no posterior acoustic features), 증가된 경우의 증강(enhancement), 감소된 경우의 그림자(shadowing), 증강과 감소를 모두 보이는 결합양상(combined pattern)의 네 가지로 나눔. 측방 그림자(lateral shadowing)는 후방 그림자에 포함되지 않음.

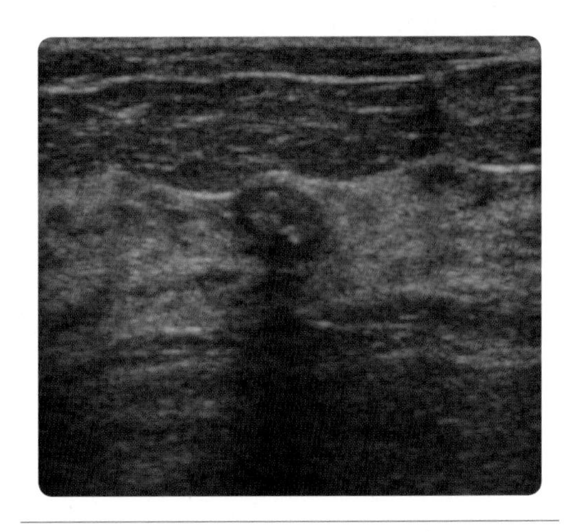

그림 16-27 퇴행성 섬유선종. 난원형 종괴 내부에 0.5 mm 이상 크기의 굵은 석회화가 동반되어 있으며, 양성 종괴임.

(3) 석회화

석회화는 초음파로 그 특성을 파악하기 힘들지만 고에코의 점상 구조물로 나타나며, 특히 종괴 내부에 있을 때에는 잘 볼 수 있음. 구판에서는 0.5 mm 이상 크기의 굵은 석회화(macrocalcifications) (그림 16-27)와 0.5 mm 미만 크기의 미세석회화(microcalcifications)로 나누었는데, 굵은 석회화는 섬유선종 등 양성 병변의 소견인 반면, 미세석회화는 악성을 시사하는 소견일 수 있음. 석회화는 종괴의 밖에 있는 것과 종괴 내부에 있는 것으로 나누어 기술함(그림 16-28). 종괴 내부에 있는 미세석회화의 경우, 저에코의 종괴와 고에코의 점상 구조물인 석회화가 대조를 이루어 잘 볼 수 있음(Moon 등, 2000).

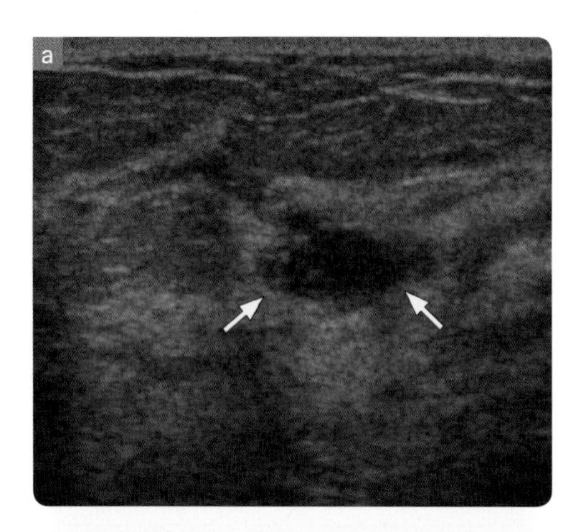

그림 16-28 미세석회화를 동반한 관상피내암. (a) 불규칙형의 종괴와 종괴 내부와 외부에 걸쳐있는 미세석회화 (화살표)가 보이며(b), 유방촬영술 (c)에서 다형성, 군집성 미세석회화가 있음. 이러한 미세석회화는 초음파로 발견하기 어려우므로 유방촬영술을 보지 않고 초음파만 시행할 경우 조기 유방암을 놓칠 위험이 높음. 수술 후 관상피내암으로 확진되었음.

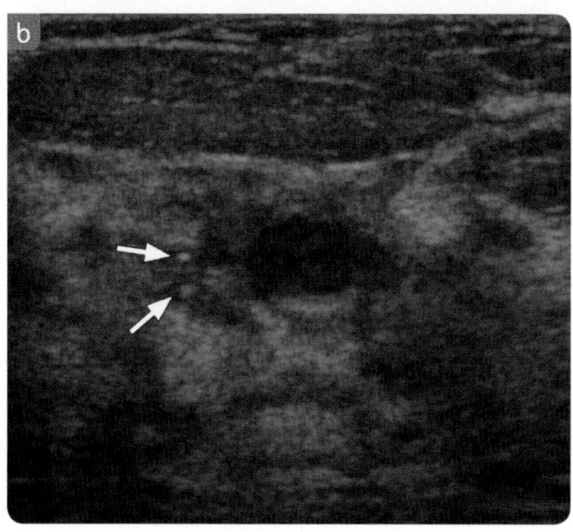

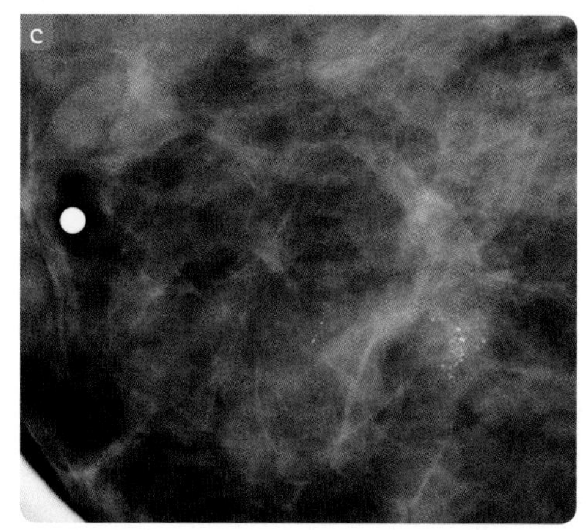

(4) 동반 소견

① 실질왜곡(architectural distortion)

종괴가 주위 주직에 미치는 영향으로서 종괴 주위 조직이 눌리거나, 침윤성 병변에 의해 주위 조직의 경계면이 불분명해지거나, 쿠퍼인대가 뻣뻣해지거나 두꺼워지거나 고에코 테두리가 보이는 등의 변화를 말함. 종괴없이 단독으로 구조왜곡이 보일 수 있음.

② 유관변화(duct changes)

유관은 정상적으로는 부드럽고 규칙적, 단계별로 분지하며 유두에서 말단부로 직경이 감소함. 비정상적인 유관 변화는 유관의 낭성 확장이나 유관의 직경이 불규칙하고 분지하는 양상을 보이거나 악성종괴로 부터 유관으로 확장하는 소견 또는 유관내의 종괴, 혈전, 찌꺼기 등의 소견을 보임.

③ 피부변화(skin changes)

실질왜곡, 피부비후, 피부당김(retraction)이 있는지 등에 대해 기술함. 피부의 두께는 유륜 주위와 유방 하부를 제외하고 2 mm 이하가 정상임.

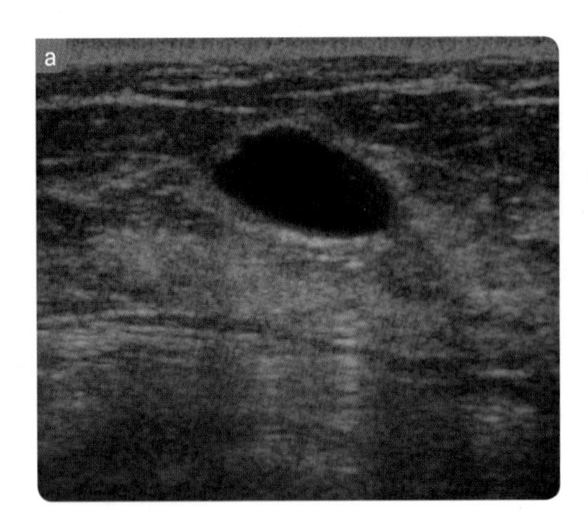

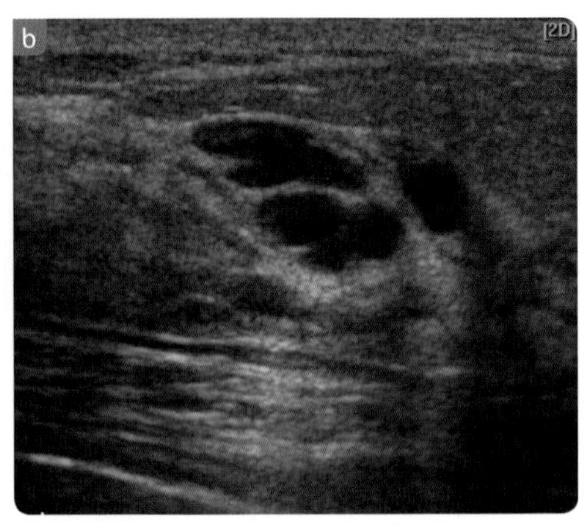

그림 16-29 양성 낭종. (a) 단순낭종은 낭종 내부에 에코 성분이 없는 무에코성, 국한성 변연, 병변을 완전히 에워싸는 고에코의 얇은 피막, 후방음향증강을 보임. (b) 군집성 낭종은 낭종 내에 얇은 사이격막(septation)이 있으나 고형성 종괴 성분은 뚜렷하지 않음.

④ 부종(edema)

주위 조직의 증가된 에코와 망상형 모양의 구조물이 보임. 이는 서로 연결된 늘어난 림프관과 기질조직에 액체가 저류되어 나타남. 현저한 피부 비후와 부종은 흔히 염증성 암, 유선염, 또는 울혈성 심부종(congestive heart failure) 등 전신질환이 있는 여성에서 동반되는 소견임.

⑤ 혈관도(vascularity)

혈관분포vascularity도 종괴를 분석하는 데 적용할 수 있는 또 다른 특징임. 반대쪽의 정상 부위 또는 같은 쪽의 병변이 없는 부위와 비교하는 것이 기본임. 첫째, 혈관의 유무를 기술함. 둘째, 혈관의 위치가 병변 내부인지, 병변 바로 주변인지를 기술함. 셋째, 주변 조직에 전반적으로 혈관성 증가 양상이 보이는지를 기술함. 유방암의 경우 주변과 내부 모두 증가되는 반면 섬유선종 등 양성종양에서는 주변만 증가됨.

⑥ 탄성도 평가(elasticity assessment)

탄성초음파영상의 해석법은 영상기법과 장비마다 다양하나, 초음파 BI-RADS 2013년도판에는 부드러움(soft), 중간(intermediate), 또는 단단함(hard)의 3단계로 정성적으로 기술하도록 권고하고 있으며(ACR BI-RADS Atlas, 2013) 정량적인 수치로 제시할 수도 있음. 탄성신호의 색패턴, 균일성, strain ratio, kpa 등의 특징을 평가하여 해석에 이용함.

(5) 특별한 소견

① 단순낭종(simple cyst)

원형 또는 난원형이며 국한성 변연의 무에코성 종괴로 후방음향 증강을 보이면 단순낭종으로 진단할 수 있음(그림 16-29 a).

② 군집성 미세낭종(clustered microcysts)

2-3 mm 보다 작은, 다수의 무에코 낭종들이 0.5 mm 미만의 얇은 사이격막(septation)으로 나뉘어 있는 병변으로 고형 성분은 포함하지 않음. 비촉지성 병

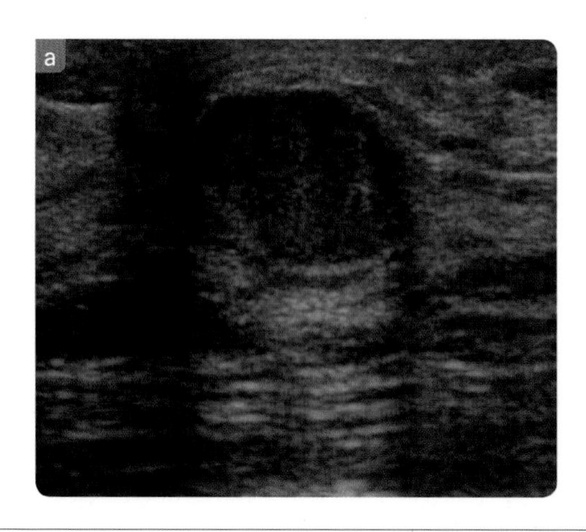

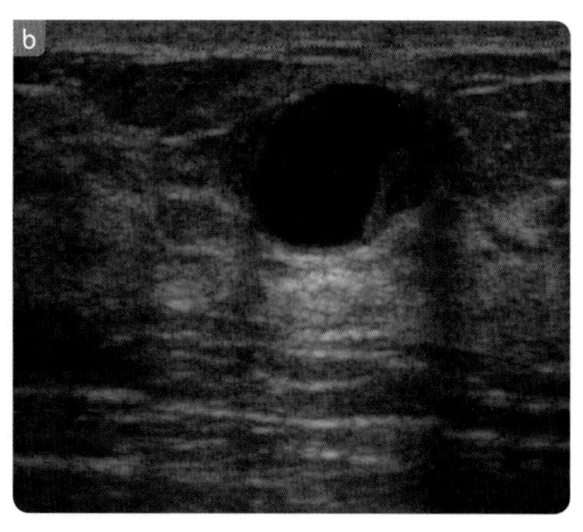

그림 16-30 합병낭종(complicated cyst). (a) 낭종 내부에 균일하고 낮은 내부 에코를 보임. (b) 환자의 자세를 바꿀 때 내부의 고에코 성분이 움직임을 보이고 있음. 고형성 결절이 아니라는 것을 알 수 있음.

변이라면 범주 3 또는 범주 2로 분류함(그림 16-29 b). 대개 섬유낭성 변화와 아포크린 화생이 이러한 병변의 원인임.

③ 합병낭종(complicated cyst)

균일하고 낮은 내부 에코를 보이는 낭종임. 액체-액체층(fluid-fluid level) 또는 액체-부스러기층(fluid-debris level)이 환자의 자세에 따라 움직이기도 함(그림 16-30). 합병(complicated) 이란 용어는 초음파에서 보이는 소견을 말하며 내부의 에코가 농이나 혈액 성분이라는 것은 아님. 합병 낭종의 내부에는 고형성 결절은 포함하지 않음. 만약 뚜렷한 고형 성분이 낭종성 병변 내부에 있다면 이는 복합 낭종 또는 복합 종괴(complex mass)로 분류하며, 조직검사를 해야 하는 병변임(그림 16-31).

④ 피부 병변(mass in or on skin)

표피포함낭(epidermal inclusion cyst), 켈로이드(keloid), 모반(mole), 신경섬유종(neurofibroma) 등이 포함됨. 피부와 유방실질 사이에 경계면을 찾아서, 적어도 종괴의 일부분이 피부 내에 있는지를 확인하는 것이 중요함.

⑤ 이물(foreign body including implants)

표지자, 코일, 철사, 도관, 실리콘, 외상 후 남은 금속이나 유리 파편 등임. 이 때에는 과거 병력이 진단과 이물질의 종류를 확인하는 데에 도움이 됨. 실리콘은 뒤쪽 깊은 곳의 구조물들의 경계를 불분명하게 하는 노이즈를 만듦. 삽입물도 이 항목에 포함됨.

⑥ 유방 내 림프절(lymph node–intramammary)

유방 내 림프절은 작은 콩팥 모양으로 고에코의 림프절문(echogenic hilus) 과 림프절문을 둘러싸는 저에코의 피질로 구성되어 있음. 유방 내 림프절은 대개 유방의 후방 상측 2/3에 위치하지만 내측에 위치하는 경우도 있음. 정상적인 유방 내 림프절의 크기는 3-4 mm부터 1 cm까지임. 림프절의 피질이 부분적 또는 전체적으로 두껍거나 림프절 내에 미세석

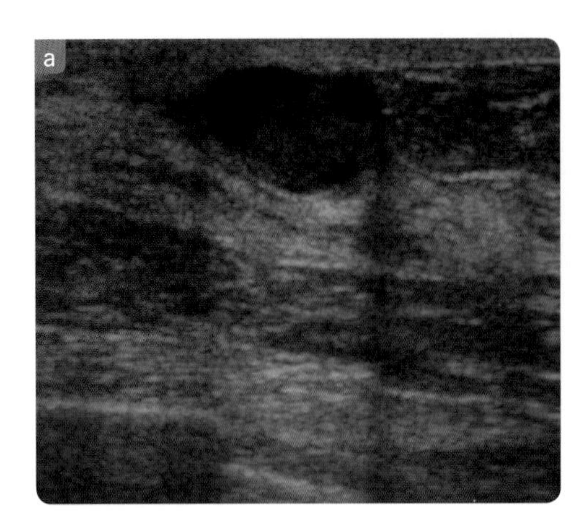

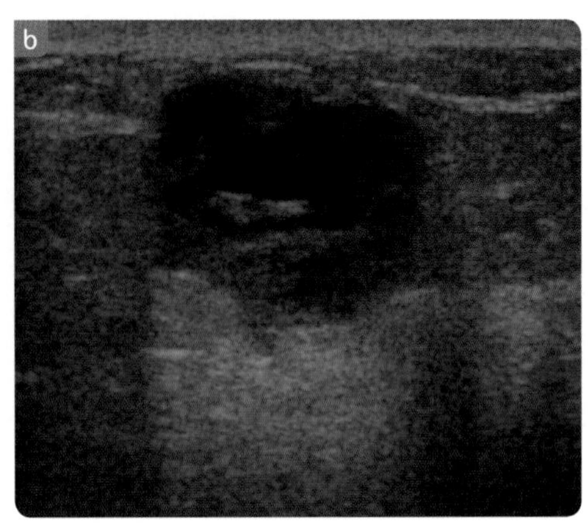

그림 16-31 복합 종괴(complex mass). (a) 양성 종양인 유관유두종. (b) 내부에 괴사를 동반한 침윤성 관상피암. 종괴의 내부에 낭성 부분과 고형성 부분이 혼재하는 경우임.

회화가 있다면, 감염이나 염증성 질환, 림프종이나 백혈병, 육아종성 질환, 류마티스관절염이나 사르코이드증 같은 결체조직 질환과 함께 전이성 질환의 가능성을 의심해야 함.

⑦ **액와림프절**(lymph node–axilla)

정상 액와림프절은 대개 크기가 2 cm 미만이며, 작은 콩팥 모양으로 고에코의 림프절문과 림프절문을 둘러싸는 저에코의 피질로 구성됨. 매우 얇은 저에코의 피질 모양이 잘 보존되어 있다면 2 cm보다 크기가 크더라도 정상일 가능성이 높음. 그러나 크기가 정상이더라도 동그란 모양이거나 지방 성분의 고에코의 림프절문이 보이지 않는다면 비정상임. 림프절문 내에 고에코 성분이 남아 있다고 해서 전이성 림프절일 가능성을 배제할 수는 없으며 유방암 환자에서 림프절의 피질이 볼록해져 있는 액와림프절의 모양은 유방암전이의 가능성을 시사함.

⑧ **혈관이상**(vascular abnormalities)

동정맥기형(arteriovenous malformations), 가성동맥류(pseudoaneurysm) 또는 몬도르병(Mondor disease)에서 비정상적인 혈관이 피하층에 보일 수 있음.

⑨ **수술 후 유액저류**(postsurgical fluid collection)

수술한 부위에 액체가 고여 있거나 장액종(seroma)을 형성한 경우로 범주 2로 진단할 수 있음. 가끔 혈액 산물이 포함될 수 있으며 실시간 초음파에서 움직이는 에코를 볼 수 있음. 수술후의 상처나 실질왜곡을 동반한 종괴 등의 다른 의심스러운 소견들과는 구별해서 사용함.

⑩ **지방괴사**(fat necrosis)

초음파에서 지방괴사의 초기 소견은 지방소엽의 부종으로 인해 지방의 에코가 올라가며, 유방염에 의한 부종이나 지방종과 비슷하기 때문에 구별하기 어려울 수 있음. 단순하게 지방괴사의 소견만 보일 수도 있으나 많은 예에서 수술 후 반흔, 혈종, 장액종 등도 함께 보임. 순수 지방괴사는 부종기를 지나면서 지방 내부에 섬유성 피막에 싸인 지방낭종을 나타내는 복합낭성 부위가 생기며 시간이 더 지나면 얇은 고에코의 벽이 생김.

2) 판독문의 작성

판정은 모든 영상 소견을 종합하고 그 임상적인 중요성을 나누어 카테고리로 분류함. 불완전 판정(incomplete assessment)인 범주 0과 완전 판정(complete assessment)인 범주 1-6으로 나눔. 유방초음파의 판독은 유방 영상의 기본인 유방촬영술과 항상 연관지어 판독해야 함. 특히, 진단적 유방촬영술과 초음파 검사는 동일한 판독문에 작성함. 각각의 소견은 분리된 단락으로 언급하고 모든 영상 검사를 종합하여 단일 최종판정을 내림. 판독문에는 다음과 같은 사항을 포함하는 것이 좋음. 첫째, 간단한 임상 과거력과 검사를 하게 된 이유, 둘째, 이전 초음파 검사력 유무와 비교, 셋째, 검사범위와 사용된 테크닉, 네째, 병변에 대한 분석으로 병변 크기와 위치(위치는 유두에서의 거리와 시간으로 표시), 다섯째, 이학적 소견, 유방촬영술, 자기공명영상 등의 영상 소견과 비교, 여섯째, 최종 판정(final assessment), 그리고 마지막으로 이후 처치에 대한 권고사항을 포함함. 최종 판정은 모든 영상 소견과 판독의의 판단 등을 총괄하여 그 임상적인 중요성을 나누어 분류하며, 크게 불완전 판정과 완전 판정으로 나눔.

(1) 불완전 판정(범주0)

결과를 확정하지 않은 상태로서 추가 검사가 필요하다고만 판정한 상태임. 초음파를 최초 검사법으로 시행한 상태에서, 유방촬영술이나 자기공명영상이 추가로 필요하거나, 이전 필름과의 비교가 필요한 경우가 여기에 속함. 예를 들면 젊은 여성, 임신이나 수유 중인 여성의 만져지는 종괴에 대한 초음파 검사후 조직검사가 필요하다고 판단될 때, 추가 병변의 확인을 위해 유방촬영술이 필요할 수 있음. 추가 검사가 끝나면 최종 판정을 함.

(2) 완전 판정(complete assessment)

① 범주 1 : 정상(negative).

아무런 이상소견 즉 종괴, 실질왜곡, 피부비후, 석회화 등이 없는 경우임. 이 범주는 반드시 초음파뿐만 아니라 먼저 시행하였던 유방촬영술 사진의 이상부위와 연관지어 결론 내려야 함.

② 범주 2 : 양성 소견(benign finding).

악성으로 볼만한 소견이 없는 경우로 단순낭종, 유방내 림프절, 유방보형물, 변화가 없는 수술반흔이나 추적검사에서 변화가 없는 섬유선종으로 생각되는 병변 등이 이에 속함.

③ 범주 3 : 양성 가능성 높음(probably benign finding).

짧은 기간의 추적검사가 요망됨. 이에 포함되는 병변은 악성 가능성은 2% 미만으로 양성 가능성이 매우 높은 병변임. 짧은 기간의 추적검사 동안 아무런 변화가 없을 것으로 기대되지만, 판독의가 그 변화가 없음을 확인할 필요가 있다고 생각하는 경우임. 여기에 속하는 영상 소견과 이후 추적관찰 알고리즘(그림 16-32)에 대해 구체적으로 이해하고 엄격하게 적용하는 것이 유방암의 진단 지연을 줄이는 데에 중요함. 유방초음파에서는 섬유선종으로 생각되

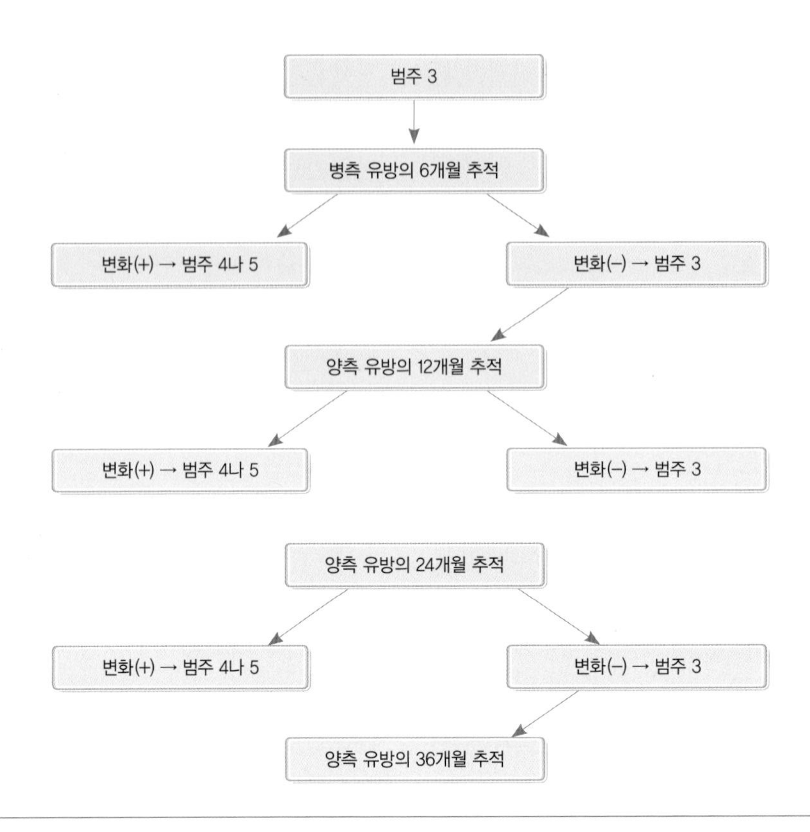

그림 16-32 범주 3 병변에 대한 추적 관찰 알고리즘.

는 국한성 난원형의 평행한 방향을 갖는 고형 종괴, 합병낭종, 군집미세낭종, 유방촬영술에서는 비촉지성의 변연이 명확한 종괴, 국소압박촬영에서 부분적으로 얇아지는 국소 비대칭음영, 군집성 점 모양 석회화 등이 범주 3에 해당함.

2013년도 BI-RADS에서는 범주 3 판정은 검진에서는 사용하지 않고 충분한 진단 검사후의 판정에 사용할 것을 강조하고 있음. 하지만 검진 검사에서 진단 검사까지 동시에 이루어지는 초음파 검사에서는 범주 3을 사용해도 됨.

④ 범주 4 : 의심되는 이상소견(suspicious abnormality).
유방암으로 확진할 만한 소견을 보이는 것은 아니지만 유방암의 가능성이 2%초과 95%미만인 병변이며 생검이 필요함. 악성 가능성의 범위가 넓기 때문에, 임상 의사나 병리 의사에게 영상 소견에 대한 정보를 구체적으로 제공하기 위해, 낮은 악성 가능성(low suspicious; 범주 4A; >2% to ≤10% 악성가능성), 중간(moderate suspicious; 범주 4B; >10% to ≤50% 악성가능성), 높은 악성가능성(High suspicious;범주 4C; >50% to <95% 악성가능성)으로 세분하여 분류하기도 함. 그러나 범주 4A, 4B, 4C 각각에 대한 소견이 규정되어 있지 않기 때문에 최종 판정 시 판독의의 경험이 중요함.

⑤ 범주 5 : 유방암이 강력히 의심됨(highly suggestive of malignancy).

이는 유방암이 거의 확정적인 병변으로 95% 이상의 악성 가능성이 있는 병변임.

⑥ 범주 6 : 조직검사로 암이 확진됨. 적당한 치료가 시행되어야 하는 병변.

조직검사로 악성이 확인된 상태로서, 범주 4, 5와는 달리 악성 확인을 위한 생검은 필요 없음.

4 양성과 악성 병변의 구분

1) 고형 종괴

유방 종양의 초음파 소견에 대한 기술은 1950년대까지 거슬러 올라가지만, 양성과 악성의 판독기준에 대한 체계적 연구는 1970년대 초 일본에서 이루어졌음. 당시 일본 연구진은 5MHz 탐촉자와 물주머니를 이용한 기계식 장비를 사용했으며 와가이, 고바야시 등이 중심이 되어 양성과 악성 종괴 판정에 대한 기준을 정립, 발표하였음(Kobayashi, 1977). 종양의 형태, 경계, 주변에코, 내부에코, 후방에코 등에 대해 기술되어 있으며 후에 Stavros에 의해 현재의 기준으로 발전하였음.

Stavros 등은 1995년 라디올로지에 750개의 초음파상 고형 종괴를 대상으로 한 전향적 연구를 통해서 양성과 악성 병변의 기준을 나누었음(Stavros 등, 1995). 전형적인 양성 종괴의 기준에는 균질하고 강한 고에코를 보이거나 난원형이며 평행한 방향을 보이고 완전한 얇은 에코성 피막을 보이거나 네 개 미만의 완만한 분엽을 보이고 평행한 방향, 완전한 얇은 에코성 피막을 가지는 경우가 포함됨. 양성 기준에는 악성을 의심할 만한 침상, 각짐, 미세 분엽양 변연, 고에코 달무리(echogenic halo), 평행하지 않은 방향, 후방에코그림자 등의 소견이 보이지 않아야 함. Stavros의 교과서에서 1,211개의 결절을 대상으로 한 유방영상보고데이터체계의 유방영상 용어들의 악성 가능성은 표 16-2와 같음(Stavros, 2004). 유방 종괴의 감별진단을 위해서는 특정 초음파 소견 하나만을 보고 판정하는 것보다 여러 소견을 종합해서 평가하는 것이 중요함.

초음파 BI-RADS에서 제시한 용어들을 사용해서 병변을 기술하더라도 어떤 소견이 최종 판정의 몇 번 범주에 맞는다는 규정이 없기 때문에 최종 판단에는 초음파를 시행하는 의사의 경험이 매우 중요함. 최근에 초음파 BI-RADS에서 제시한 용어들에 대한 양성예측도와 음성예측도에 대한 연구 결과가 보고되었고, 이 연구의 결과를 판독하는 데에 참고할 수 있음(표 16-3) (Hong, 2005).

2) 낭성 병변

유방초음파는 낭종의 진단에서 96-100%의 정확도를 보임. 초음파상 단순 낭종의 기준은 내부의 무에코성, 주위와 구분되는 국한성 변연, 병변을 완전히 에워싸는 고에코의 얇은 피막, 후방 음향증강, 얇은 측방 그림자(그림 16-29 a) 등임. 이러한 기준을 충족시킨다면 BI-RADS 범주2 병변으로 분류하고, 흡인이나 영상 추적검사을 할 필요가 없으나 모든 단순 낭종이 이와 같은 전형적인 소견을 보이는 것은 아

표 16-2 유방영상 용어들에 대한 민감도 및 양성예측도: 1,211개 결절에 관한 Stavros의 연구

	민감도(%)	양성예측도(%)/교차비
침상	36	87/2.7
에코테두리	35	74/1.9
각진 변연	90	59/1.8
미세분엽	92	50/1.5
평행하지 않음	48	74/2.2
후방음향그림자	35	62/1.9
미세석회화	40	53/1.6
현저한 저에코	92	64/1.9
종합	99.6	

표 16-3 초음파 BIRADS 용어들에 대한 양성 종괴와 악성 종괴의 빈도: 403개 결절에 관한 Duke대학의 연구

용어		양성(%)	악성(%)
종괴모양 (mass shape)	난원형	84	16
	구형	0	100
	불규칙형	38	62
종괴 변연 (mass margin)	국한성	90	10
	비국한성		
	불명확	54	46
	각짐	40	60
	미세분엽형	49	51
	침상	14	86
종괴 방향 (mass orientation)	평행	78	22
	평행하지 않음	31	69
후방음향양상 (posterior acoustic features)	증강	67	33
	후방무음영 (no posterior features)	79	21
	그림자 (shadowing)	48	52
	결합양상 (combined pattern)	50	50
종괴 경계 (lesion boundary)	급격한 경계면 (abrupt interface)	71	29
	고에코 달무리 (echogenic halo)	30	70
에코양상	코에코(hyperechoic)	100	0
	등에코(isoechoic)	84	16
	정에코(isoechoic)	60	40
	복합에코(complex)	90	10
	무에코(anechoic)	50	50

님. 낭종 내에 내부에코가 보일 때는 대부분 단백질이 많은 내부 물질들, 세포 찌꺼기, 출혈, 감염 또는 콜레스테롤 결정 때문임(그림 16-30). 실시간 초음파 영상에서 이러한 낭종 내 물질들의 움직임이 보이기도 함. Berg 등의 연구에 의하면, 이런 경우, 낭종 내 액체의 흡인이 꼭 필요한 것은 아님. 만약 색 도플러 검사에서 종괴 내에 혈관분포가 없다면 침생검 이전에 액체의 흡인을 시도해야 함. 흡인한 액체가 혈성이 아니고, 액체를 완전히 흡인한 이후 남아있는 병변이 없고 낭종이 재발하지 않는다면, 그 병변은 양성 병변으로 생각할 수 있음(Berg, 2004).

섬유낭성 변화의 초음파 소견의 스펙트럼은 낭성 변화와 경화성 변화의 상대적인 정도에 따라 다양함. 섬유낭성 변화가 진행되어 낭성 변화가 주를 이룰 때는, 초음파상 진단은 쉽지만, 초기에 낭성 변화의 정도가 적거나, 초자체화, 경화, 유두상 아포크린 화생이 주를 이룰 때에는, 복합 낭종(comlex cyst)이나 고형 종괴로 보이기도 함. 복합 낭종(그림 16-31)이라는 용어는 BI-RADS 초음파 용어집에 의하면 내부에 무에코성분과 고형 에코성분을 함께 가지고 있는 종괴를 말함. 내부에 2-3 mm 이하의 작은 무에코 성분이 0.5 mm 이하의 얇은 격막(septation)에

의해 나뉜 모양을 보이면서, 뚜렷한 고형 종괴 성분을 보이지 않을 때는, 군집성 미세낭종(clustered microcysts) (그림 16-29 b)이라고 함. 비촉지성의 군집성 미세낭종은 Berg 등의 최근 연구에 의하면 BI-RADS 범주2 또는 범주3에 병변임(Berg 등, 2003). 어떤 미세낭종들은 내부에 유두상 상피세포의 증식을 보여 고형 성분이 낭종 내부의 일부를 채우는 소견을 보일 수 있으며, 이 경우 관상피내암이 소관을 채우면서 늘어난 모양과의 감별이 어려움. 따라서 이러한 미세낭종 내부에 고형 성분이 의심되면 BI-RADS 범주 4a 이상으로 분류하고 조직검사를 해야 함.

복합 낭종은 낭종성 종양 또는 농양과 같은 염증성 병변의 가능성이 있어 조직검사가 필요한 병변임. 낭종성 종양의 85-90%는 유관유두종이며, 6-7%는 낭종내 유두상 암임(Stavros, 2004) (그림 16-31). 복합 낭종 중 감염이나 염증을 나타내는 소견은 균일한 등에코의 낭종 벽, 낭종 벽의 충혈(hyperemia), 액체-부스러기층(fluid-debris level) 등임.

II 갑상선 초음파 (Thyroid ultrasonography)

갑상선의 이상을 진단하기 위한 영상 검사 방법으로 핵의학적 검사방법과 초음파, CT, MR 등의 다양한 영상의학적 검사방법이 있음. 이 중에서 갑상선 스캔이나 양전자 단층촬영(Positron emission tomography, PET) 등의 핵의학적 검사방법은 갑상선의 기능적 정보가 제공됨. 구조적 이상을 평가하기 위해서는 초음파, CT, MR 등이 다양하게 사용될 수 있지만, 방사선 위해가 없이 사용이 용이하며, 해상도가 가장 뛰어난 초음파가 일차적인 검사임.

1 갑상선 초음파 검사 방법

- 갑상선은 복부 장기 등과는 달리 피부에 가깝게 위치하고 있는 표재성 기관이므로, 상대적으로 투과력(penetrance)은 낮지만 해상능(resolution)이 우수한 직선 형태의 고주파 탐촉자(high-frequency transducer; 7.5MHz 이상)를 사용하여 스캔함.
- 검사는 환자가 목베개를 한 후 가급적 목을 뒤로 젖힌 자세로 시행하게 되며, 양측엽과 협부를 가로축의 스캔과 세로축의 영상을 통하여 관찰하여야 함. 갑상선의 좌엽과 우엽에서 가로축으로 위, 중간, 아래영상을 스캔하고, 세로축으로 좌엽과 우엽의 내측, 중앙, 외측을 스캔하며, 협부의 가로영상을 스캔함. 결절이 있다면, 최소한 대표적인 가로축 및 세로축 영상이 포함되어야 하며, 양측 경부 림프절이 평가되어야 함(대한갑상선영상의학회, 2013).
- 또한 갑상선 실질 또는 국소종괴의 혈류 평가를 위해 색도플러나 펄스도플러가 사용될 수 있음.

2 정상 갑상선의 초음파 소견

갑상선은 목의 전하부에 위치하고, 좌우엽은 기도의 옆면에 위치하며, 협부는 기도의 앞면에 위치하

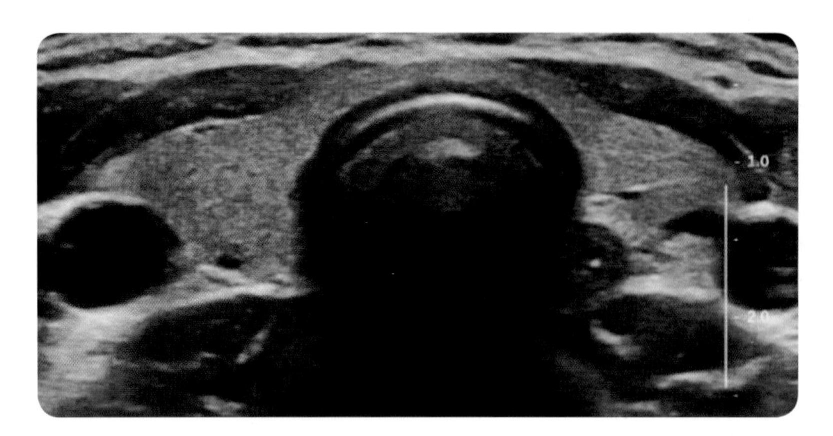

그림 16-33 정상 갑상선의 초음파 영상. 정상 갑상선은 초음파에서 앞쪽의 띠근육에 비해 에코가 높고 균질함.

여 좌우엽을 서로 연결함. 갑상선 엽의 위아래 길이는 5 cm, 좌우 길이는 5 cm, 두께는 2 cm까지가 정상범위임. 갑상선의 뒤쪽에는 긴목근(longus colli muscle)이 있고, 바깥쪽에는 목빗근(sternocleido-mastoid muscle), 온목동맥(common carotid artery), 속목정맥(internal jugular vein)이 있으며, 앞쪽으로는 띠근육(strap muscle)이 위치함. 경부 식도는 일반적으로 갑상선 좌엽의 후방에 위치함(대한갑상선영상의학회, 2013). 초음파에서 정상 갑상선은 에코가 균질하며 주변 경부 근육보다 높음(그림 16-33).

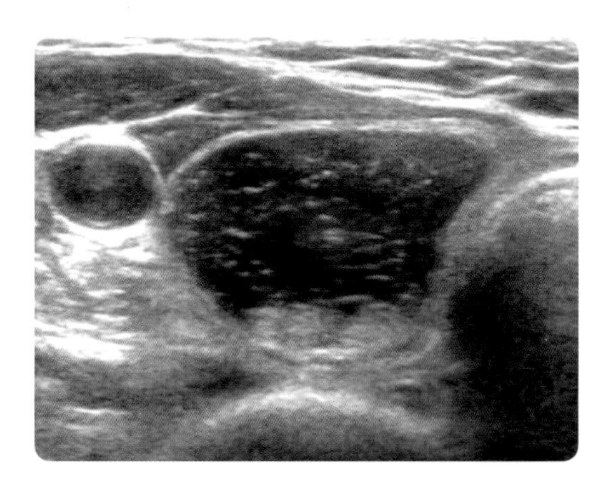

그림 16-34 콜로이드 낭종. 낭종 내에 여러 개의 높은 에코의 점들이 보임.

3 갑상선 결절의 초음파 소견

1) 갑상선 결절의 빈도

갑상선의 결절은 2-6%에서 만져지고, 초음파에서는 10-68%에서 관찰되며, 부검에서는 8-65%에서 관찰됨. 만져지는 결절의 5-15%가 악성이며, 만져지지 않는 결절은 세침검사에서 8-12%가 악성으로 보고되었음(Shin 등, 2016).

2) 양성 결절의 초음파 소견

(1) 콜로이드 낭종(Colloid cyst)

경계가 명확한 낭종 내에 혜성꼬리인공물(comet tail artifact)을 동반한 높은 에코의 여러 점들을 보이게 되는 경우가 많으며, 점도가 높은 콜로이드가 흡인

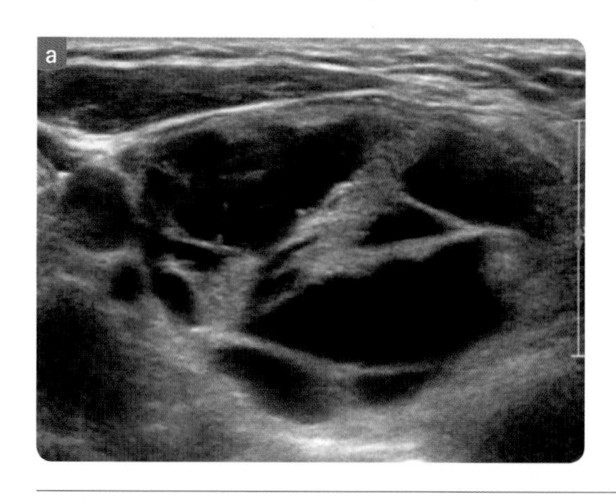

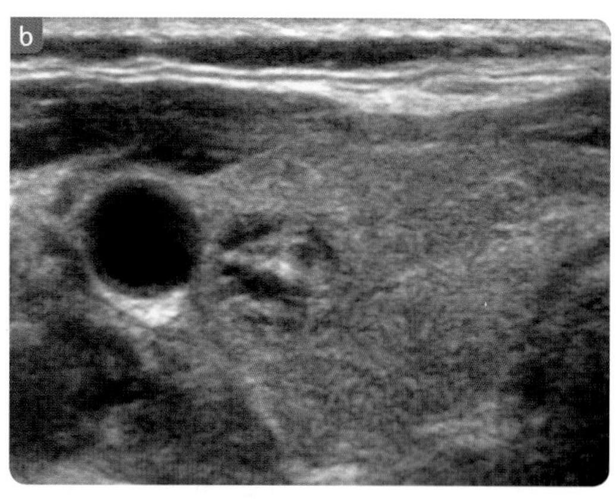

그림 16-35 과증식성 결절. (a) 난원형의 결절 내부에 여러 낭성변화들과 동일 에코의 고형성분이 혼합되어 보임. (b) 해면결절이며 여러 개의 작은 크기의 낭종들로 주로 구성되어 스폰지처럼 보임.

됨(Ahuja 등, 1996) (그림 16-34).

(2) 과증식성 결절(Hyperplastic nodule, nodular hyperplasia)

갑상선 결절의 가장 흔한 형태로 80-85%를 차지하며, 여성에서 좀더 흔한 것으로 알려져 있음.

초음파에서 동일 혹은 높은 에코를 보이는 경우가 많음. 좋은 경계를 보이는 경우가 비교적 많지만, 주변 정상조직과의 경계가 불명확한 경우 또한 적지 않음(Song 등, 2016). 과증식성 결절은 60-70%에서 출혈이나 콜로이드에 의한 다양한 낭성변화를 동반하게 됨(그림 16-35 a). 등에코 결절의 고형성분의 50% 이상이 작은 낭종들로 이뤄져 스폰지처럼 보일 때 해면결절(spongiform nodule)이라고 하며, 이는 거의 예외없이 과증식성 결절에서 관찰되는 양성 결절에 특이한 소견임(Shin 등, 2016) (그림 16-35 b).

(3) 여포선종(Follicular adenoma)

여포선종은 조직학적으로 양성이지만, 미세침흡인 생검술이나 중심부바늘생검으로 여포암 및 여포아형 유두암과의 구분이 어렵기에, 이러한 질환들을 통칭하여 여포종양(follicular neoplasm) 혹은 여포형태종양(Follicular patterned neoplasm)이라고도 하고, 수술적 치료가 원칙임. 초음파에서 여포선종은 보통 1cm보다는 크기가 큰, 낮거나 동일한 에코의 고형종괴로 나타남. 두꺼운 낮은 에코의 테가 보일 수 있으며, 낭성변화나 석회화를 동반하기도 하

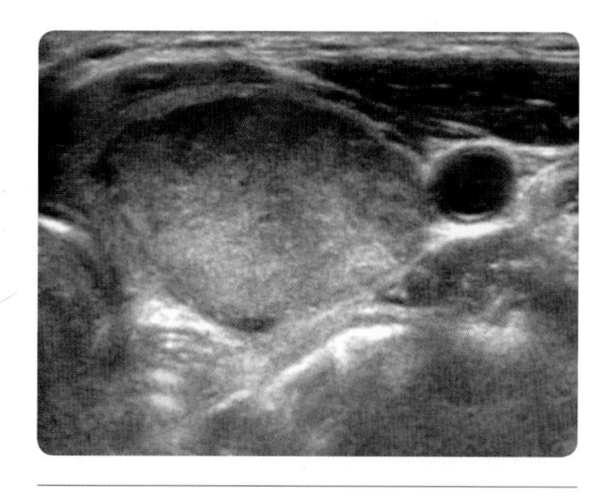

그림 16-36 여포 선종. 비교적 경계가 확실한 난원형, 동일 에코의 고형종괴로 낮은 에코의 테가 부분적으로 관찰됨.

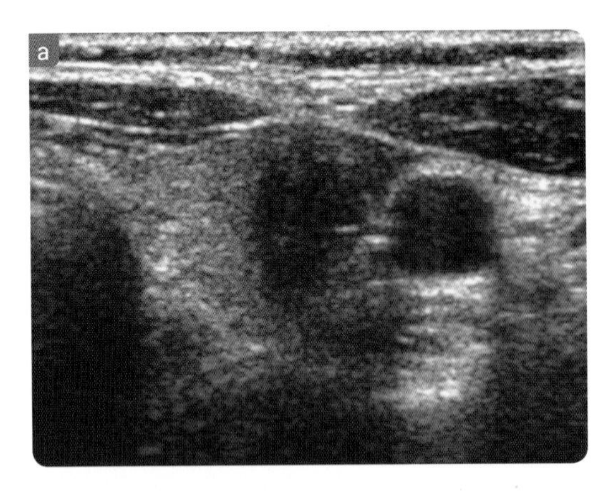

그림 16-37 유두암의 특징적인 초음파 소견. (a) 현저히 낮은 에코, 앞뒤가 긴 모양, 침상경계의 소견을 보이는 고형 결절의 유두암. (b) 내부에 여러 개의 석회화를 동반한 고형결절의 유두암. (c) 낭성변화를 동반한 유두암.

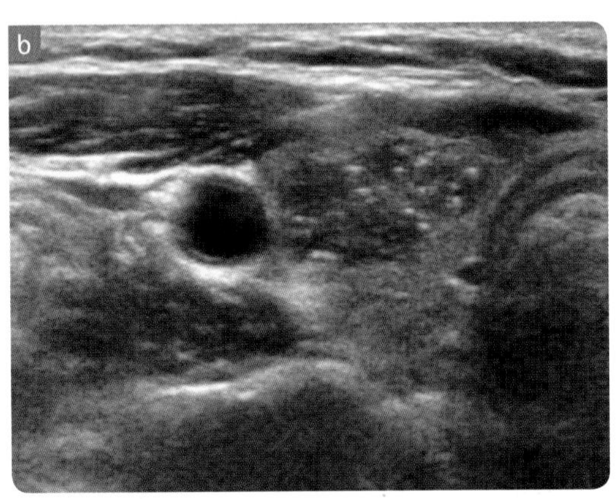

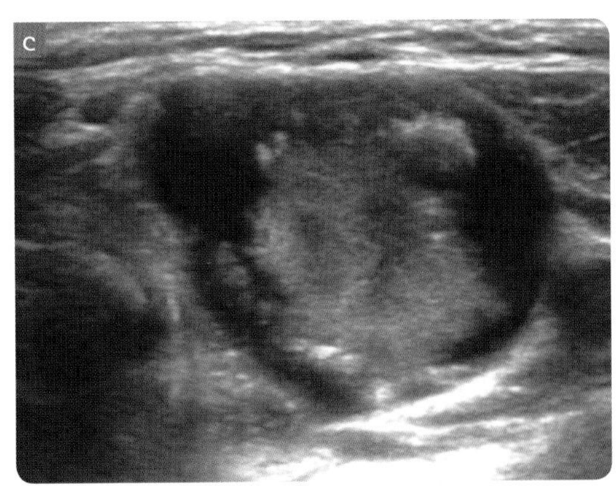

지만 드문 편임(Song 등, 2016) (그림 16-36).

3) 악성 결절의 초음파 소견

(1) 유두암(Papillary carcinoma)

유두암은 전체 갑상선암의 85% 정도를 차지하며, 초음파에서 악성결절의 특징적 소견인, 앞뒤가 긴 모양(Taller-than wide, non-parallel), 침상경계, 미세석회화 등이 모두 유두암의 특징적인 소견들임(Shin 등, 2016). 에코가 낮고, 고형성인 경향이 있음. 13-26%에서는 낭성변화를 동반하고 20%에서 다발성으로 발생함(Hoang 등, 2007) (그림 16-37 a, b, c). 전반적으로 느린 성장과 좋은 예후가 특징임.

여포 변형 유두암(Follicular variant papillary carcinoma)은 유두암의 가장 흔한 아형으로 일반적인 유두암과 비교하여, 초음파에서 앞뒤가 긴 모양, 침상경계, 미세석회화가 상대적으로 드물고, 난원 혹은 원형의 모양, 부드러운 경계, 동일 에코 등이 상대적으로 더 흔하게 보여, 여포종양과 전반적으로 비슷하게 보이는 경향이 있으므로 진단에 유의하여야 함(Kim 등, 2009) (그림 16-38). 여포 변형 유두암은 일반적인 유두암과 비교하여, 림프절전이는 적지만, 혈행성 전이는 좀더 흔하고, 예후는 비슷한 것

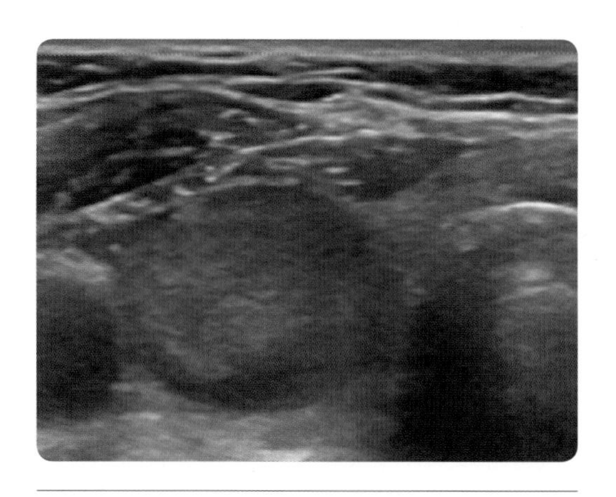

그림 16-38 여포변형 유두암의 초음파 소견. 에코는 낮은 편이지만, 비교적 둥근 형태의 경계가 좋은 고형 결절임.

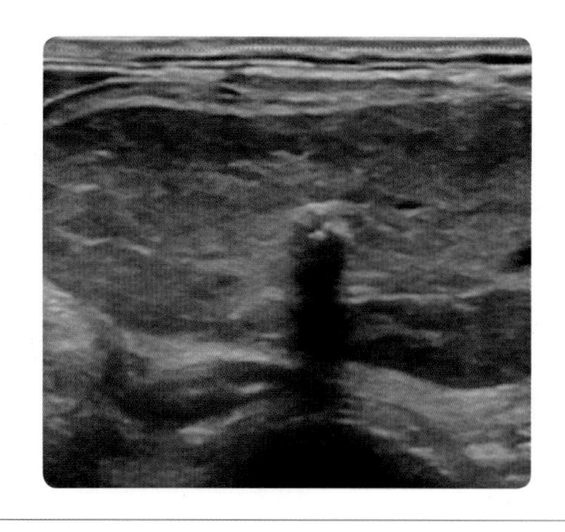

그림 16-39 여포암의 초음파 소견. 커다란 크기의 저에코의 고형 결절로 내부에 거대석회화를 동반하고 있음.

으로 알려져 있음. 미만성 경화 유두암종(sclerosing variant papillary carcinoma)은 종양의 경계가 뚜렷하지 않은 석회화 형태로만 나타날 수 있으므로 초음파 진단에 특히 유의하여야 하고, 적극적인 초음파유도 미세침 흡인생검술을 시행하여 진단하여야 함(Lee 등, 2007).

(2) 여포암(Follicular carcinoma)

여포암은 갑상선암의 5% 정도를 차지함. 초음파에서 여포선종과 마찬가지로 주로 고형이고 동일 혹은 낮은 에코로 보임. 두껍고 불규칙한 피막, 종양주위 및 종양내의 구불구불한 혈관들, 종양이 갑상선 피막을 침범하여 갑상선 밖으로 자라난 경우 등이 악성을 시시히는 소견이지만, 초음파, 세침검사, 침생검 등에서 여포선종과의 구분이 힘든 경우가 대부분임. 여포선종에 비해 상대적으로 크고 거대석회화가 더 흔한 경향이 있음(Song 등, 2016) (그림 16-39).

(3) 수질암(Medullary carcinoma)

수질암은 갑상선암의 5% 미만을 차지하며, calcitonin을 분비하는 소포곁세포(Parafollicular cell)에서 기원하는 신경내분비암종임. 수질암 중에서 80%는 산발성으로 발생되지만, 20%는 가족성으로 발생됨. 수질암의 초음파 소견 자체에 대한 연구는 많지 않으나, 전반적으로 유두암에서 특징적인 악성 소견들과 큰 차이는 없지만, 상대적으로 둥글거나 난원형으로 보이는 경향이 있음(Kim 등, 2009) (그림 16-40).

(4) 역형성암(Anaplastic carcinoma)

역형성암은 갑상선암의 1-2%를 차지하며, 예후가 아주 나쁜 암임. 급속한 속도로 크기가 커지는 경우 의심하여야 하며, 진단 당시 국소침윤 및 원격전이가 70% 정도에서 나타나고, 폐, 뼈, 뇌 순으로 흔하여 이에 대한 평가도 필요함. 초음파 상에서는 비균질적인 에코의 거친 석회화를 보이고, 주변 조직으로의 침윤이 흔하게 나타남(Lee 등, 2008; Bogsrud 등,

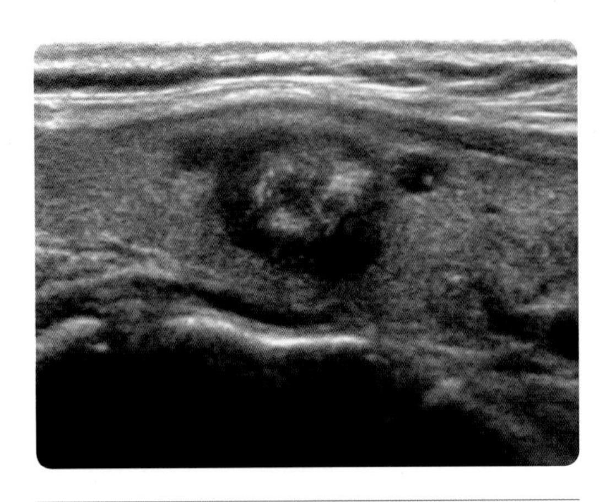

그림 16-40 수질암의 초음파 소견. 내부에 미세 석회화를 동반한 낮은 에코의 고형 결절이 보임.

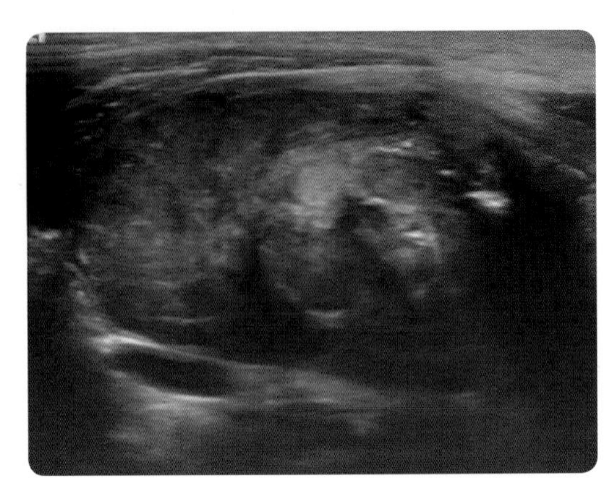

그림 16-41 역형성암의 초음파 소견. 커다란 크기의 저에코의 고형 결절로 내부에 거대석회화를 동반하고 있음.

2008) (그림 16-41).

(5) 림프종(Lymphoma)

림프종 역시 갑상선암의 5% 미만으로 발생하는 드문 암으로 여자에서 상대적으로 호발함. 갑자기 커지는 종괴로 나타나는 경우가 많으며, 정상 갑상선은 림프조직을 포함하지 않으나 자가면역 반응의 결과로 림프구 침윤이 나타날 수 있어, 60-90%의 림프종이 하시모토 갑상선염 등의 갑상선염을 동반하고 Diffuse large B cell 림프종이 Mucosa-associated lymphoid tissue (MALT) 림프종보다 더 흔함(Sharma 등, 2016). 초음파에서는 국소적 혹은 미만성 저에코의 종괴가 보이는데, 그 사이사이로 섬유화를 시사하는 고에코의 격벽 같은 구조물이 관찰됨(Nam 등, 2012) (그림 16-42).

(6) 전이암(Metastasis)

부검에서 발견되는 갑상선 전이암 중에서 가장 많은 것은 폐암이지만, 실제 임상적으로는 신장암의 전이를 더 많이 접하게 됨(Nixon 등, 2016). 초음파 소견은 비교적 비특이적임. 역형성암, 림프종, 전이암 모두 전형적인 갑상선암의 소견을 보이지 않는 경우가 흔하여 임상적 의심이 중요하고, 세침검사보다는 침생검검사가 진단의 정확도가 높기에 유의하여야 함.

4) 갑상선 결절의 초음파 소견에 따른 분류 및 보고 체계

(1) 갑상선 결절에 대한 초음파 소견의 기술

초음파상에서 갑상선 결절이라 하면, 주변 갑상선 실질과 명확이 구분이 되는 병변을 일컬으며, 이러한 갑상선 결절의 초음파 소견은 다양하게 혼용되어 기술되어 왔음. 대한갑상선영상의학회에서는 갑상선 결절의 초음파 소견을 평가할 때에, 내부 성분(Internal content), 에코(Echogenicity), 모양(Shape), 방향성(Orientation), 경계(Margin), 석회화(Calcifi-

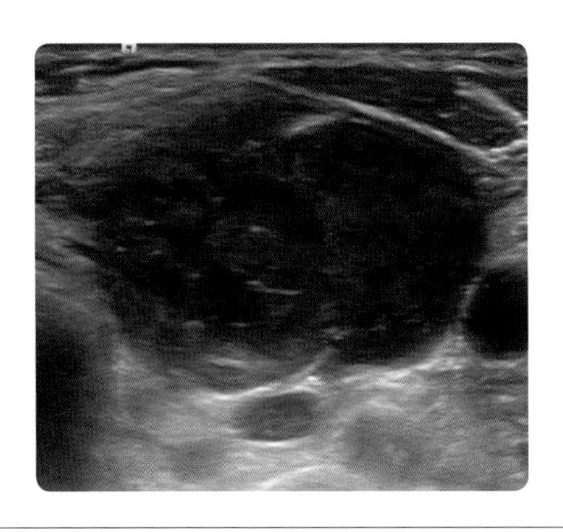

그림 16-42 림프종의 초음파 소견. 전반적으로 저에코를 보이는 종괴 내부로 고에코의 격막 같은 구조물이 보임.

cation), Halo, 스폰지모양(Spongiform), 콜로이드(Colloid), 및 혈관성(Vascularity)을 기술할 것을 권유하고 있고, 각 용어에 대한 정의를 설명하였음(Shin 등, 2016) (표 16-4).

(2) 갑상선 결절의 초음파 소견에 따른 분류 체계

갑상선 결절은 초음파 소견에 따라 악성도의 차이가 있음은 잘 알려져 있음. 미세석회화(Microcalcification), 침상경계(Spiculated/microlobulated margin), 및 비평행 방향성(Nonparallel, taller-than-wide orientation) 등은 악성결절에 대해 특히 높은 특이도(Specificity, 80% 이상)와 높은 양성 우도비(Positive likelihood ratio, 3 이상)를 보이는 소견들임. 고형성 내부성분과 저에코는 역시 악성결절을 시사하는 소견들이지만, 중등도의 특이도와 우도비를 보임. 이러한 소견들은 모두 단독으로는 높은 민감도와 특이도를 동시에 보이지는 않기에, 소견들의 조합으로 결절의 악성도를 평가하게 됨. Horvath 등이 2009년 발표한 이래로 다양한 갑상선 결절에 대한 보고 체계(Thyroid Imaging Reporting and Data system, TI-RADS)들이 발표되었으며, 2016년 대한갑상선영상의학회에서는 특이도가 높은 세 가지의 영상소견[(미세석회화(Microcalcification), 침상경계(Spiculated/microlobulated margin), 및 비평행 방향성(Non-parallel, taller-than-wide orientation)]과 민감도가 높은 두 가지의 영상소견(고형성과 저에코)의 조합으로 Korean Thyroid Imaging Reporting and Data System (K-TIRADS)을 발표하였음(Horvath 등, 2009 ; Shin 등, 2016). K-TIRADS에서는 Category 1에서부터 5까지 악성위험도에 따라 분류하면서 Category별 세침검사의 기준이 되는 크기를 제시하였음(표 16-5).

4 비결절성 갑상선 질환의 초음파 소견

갑상선 결절성 질환과 달리 비결절성 갑상선 질환은 대개 갑상선 전체를 침범하는 미만성 질환으로 그레이브스병과 하시모토 갑상선염 등이 대표적인 질환임. 초음파에서 이들 질환들의 감별은 용이하지 않은 경우가 많으며, 이들 환자군에서 치료 전후의 갑상선 크기, 실질 에코 및 혈관분포정도의 변화나 결절의 유무를 판정하는 데에 초음파 검사의 의미가 있음.

1) 그레이브스병(Graves' disease)

그레이브스병은 갑상선기능 항진증의 가장 흔한 원인이며 갑상선자극 호르몬 수용체에 작용하는 갑상선자극면역글로불린에 의해 발생됨. 갑상선 스캔

표 16-4 갑상선 결절 초음파 소견 기술 관련 용어와 정의(Shin 등, 2016)

US Characteristics	Category	Definition	Synonym
Internal content (composition)	Solid	No obvious cystic component	
	Predominantly solid	Cystic portion ≤ 50%	
	Predominantly cystic	Cystic portion 〉50%	
	Cystic	No solid portion	Pure cyst
Echogenicity	Marked hypoechogenicity	Hypoechoic relative to adjacent anterior neck muscle	
	Mild hypoechogenicity	Hypoechoic relative to thyroid parenchyma	
	Isoechogenicity	Same echogenicity as that of thyroid parenchyma	
	Hyperechogenicity	Hyperechoic relative to thyroid parenchyma	
Shape	Round to oval	Round or oval regardless of orientation	
	Irregular	Neither round nor oval	
Orientation	Parallel	Anteroposterior diameter shorter or equal to transverse or longitudinal diameter	
	Nonparallel	Anteroposterior diameter longer than transverse or longitudinal diameter on transverse or longitudinal image	Taller–than–wide shape
Margin	Smooth	Obviously discernible smooth edge	Regular, circumscribed
	Spiculated/microlobulated	Obviously discernible, but non–smooth edge showing spiculation, microlobulation, or jagged appearance	Irregular, infiltrative, non–smooth
	Ill–defined	Poorly demarcated margin which cannot be obviously differentiated from adjacent thyroid tissue	Indistinct
Calcification	Microcalcification	Echogenic foci of 1 mm or less with or without posterior acoustic shadowing within solid portion	
	Macrocalcification	Echogenic foci larger than 1 mm with posterior acoustic shadowing	Coarse calcification
	Rim calcification	Peripheral curvilinear echogenic rim (complete or incomplete)	Egg shell calcification
Halo	Present or absent	Thin or thick hypoechoic rim surrounding nodule	
Spongiform	Present or absent	Isoechoic nodule with microcystic change greater than 50% of nodule	Honeycomb
Colloid (comet–tail artifact)	Present or absent	Echogenic foci with reverberation artifacts within cystic component	
Vascularity	Type 1 (none)	Absence of intranodular or perinodular vascularity	
	Type 2 (perinodular vascularity)	Presence of circumferential vascularity at margin of nodule	
	Type 3 (mild intranodular vascularity)	Intranodular vascularity with or without perinodular vascularity (lesser than 50%)	
	Type 4 (marked intranodular vascularity)	Marked intranodular vascularity with or without perinodular vascularity (greater than 50%)	

US = ultrasonography

에서 전반적으로 증가된 섭취율이 나타남. 초음파에서 갑상선이 미만성으로 커져 있으면서 임파구의 침윤에 의해 전반적으로 낮은 에코를 보이거나 동일 에코와 낮은 에코가 비균질적으로 혼합되어 보이기도 함. 색도플러 검사에서 혈류가 증가된 소견을 보이는 경향이 있음(Gritzmann 등, 2000) (그림 16-43). 그레이브스병에서 갑상선 결절과 갑상선암이 더 많이 발생하는 것으로 알려져 있음(Belfiore

표 16-5 갑상선 결절의 악성 위험도에 따른 분류 체계(Korean Thyroid Imaging Reporting and Data System, K-TIRADS) 및 세침 검사 적응증(Shin 등, 2016)

Category	US Feature	Malignancy Risk (%)	Calculated Malignancy Risk (%), Overall (LV, HV)	Calculated Sensitivity for Malignancy (%), Overall (LV, HV)	FNA§
5 High suspicion	Solid hypoechoic nodule with any of 3 suspicious US features*	〉60	79.3 (60.9, 84.9)	51.3 (35.9, 56.7)	≥ 1 cm (〉0.5 cm, selective)
4 Intermediate suspicion	1) Solid hypoechoic nodule without any of 3 suspicious US features* or 2) Partially cystic or isohyperechoic nodule with any of 3 suspicious US features*	15-50	25.4 (15, 33.6)	29.5 (29.9, 29.4)	≥ 1 cm
3 Low suspicion	Partially cystic or isohyperechoic nodule without any of 3 suspicious US features*	3-15	7.8 (6, 10.3)†	19.2 (34.2, 13.9)	≥ 1.5 cm
2 Benign‡	1) Spongiform 2) Partially cystic nodule with comet tail artifact 3) Pure cyst	〈3 〈1	0 0	0 0	≥ 2 cm NA
1 No nodule	-	-	-	-	NA

LV and HV indicate low and high cancer volume data, respectively. Solid hypoechoic nodules include solid nodules with marked or mild hypoechogenicity. *Microcalcification, nonparallel orientation (taller-than-wide), spiculated/microlobulated margin, † Malignancy risk calculated from nodules excluding spongiform or partially cystic nodules with comet tail artifacts, ‡ K-TIRADS 2 (benign category) includes partially cystic nodules with spongiform appearance or comet tail artifacts which do not have any suspicious US feature, §FNA is indicated regardless of size and US feature of nodule in presence of poor prognostic factors including suspected lymph node metastasis by US or clinical evaluation, suspected extrathyroidal tumor extension, patients with diagnosed distant metastasis from thyroid cancer. Modified from Na et al. Thyroid 2016;26:562-572 (25). FNA = fine-needle aspiration, NA = not applicable for FNA, US = ultrasonography

등, 2001).

2) 하시모토 갑상선염(Hashimoto's thyroiditis)

하시모토 갑상선염에서는 갑상선 내에 림프구의 현저한 침윤이 보이며, 종자중심(Germinal center)을 형성하고, 갑상선 소포의 위축, 콜로이드의 소실, 섬유화 등이 나타남. 90-95%에서 TPO항체 양성을 보이며, 갑상선 스캔에서 다양한 소견을 보임. 초음파에서는 미만성으로 비균질적인 낮은 에코 부위 혹은 결절과 함께 에코가 높은 섬유성 격막에 의해 소엽성 경계를 보이는 것이 일반적인 소견임(Gritzmann 등, 2000; Yeh 등, 1996) (그림 16-44). 초기에는 갑상선이 커지지만, 말기에는 크기가 현저히 감소되고 섬유화로 대치되는 변화를 보임. 하시모토 갑상선염에서 불규칙하거나 불분명한 경계의 석회화가 있을 때 유두암이 동반되었을 가능성을 고려해야 하고, 림프종도 생길 수 있어 유의하여야 함(Ohmori 등, 2007; Ruggiero 등, 2005).

3) 아급성 갑상선염(Subacute thyroiditis)

아급성 갑상선염은 드퀘르뱅병(De Quervain's disease, 육아종성 갑상선염, 바이러스성 갑상선염으로 불리며, 특별한 치료 없이 호전되는 경향이 있음. 30-50세의 여성에서 호발함. 6개월에 걸쳐서 항진기,

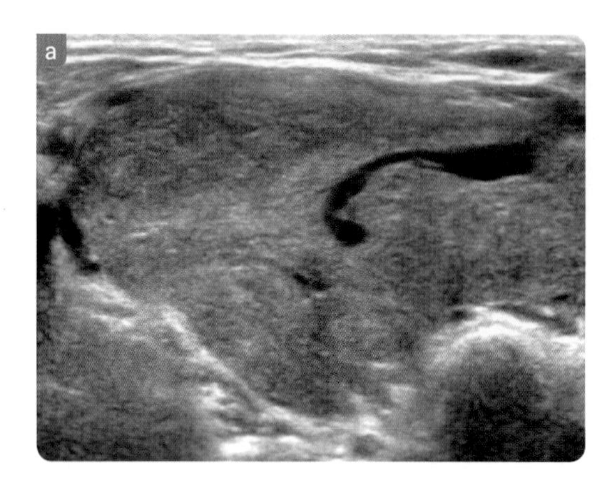

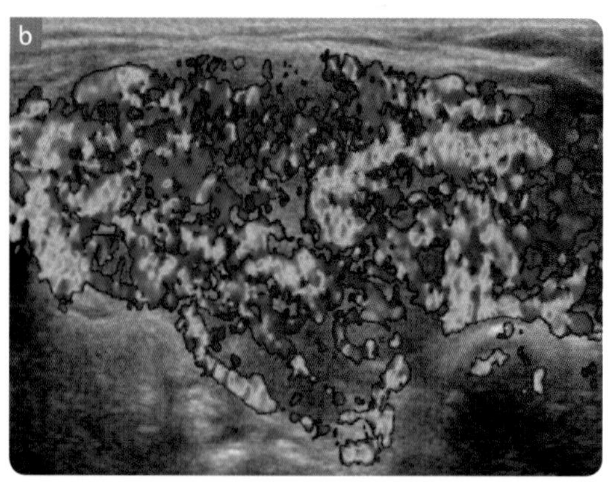

그림 16-43 그레이브스병의 초음파 소견. 전반적으로 갑상선이 커져 있으면서 미만성의 낮은 에코를 보이고(a), 색도플러 검사에서 혈류가 현저히 증가된 소견이 보임(b).

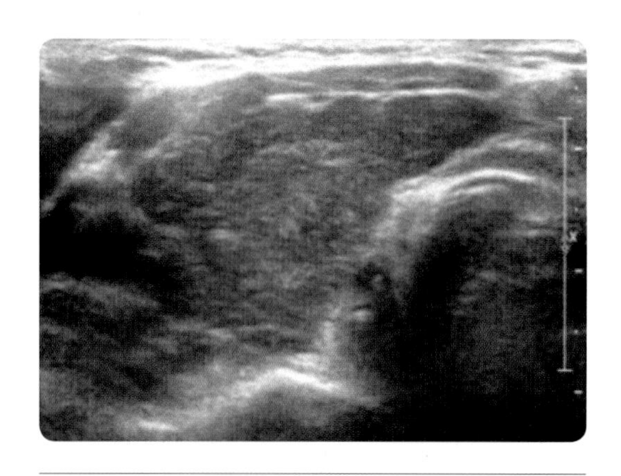

그림 16-44 하시모토 갑상선염. 전반적으로 비균질적으로 에코가 낮으면서 작은 결절들과 그 사이로 고에코의 격막 같은 구조물들이 보임.

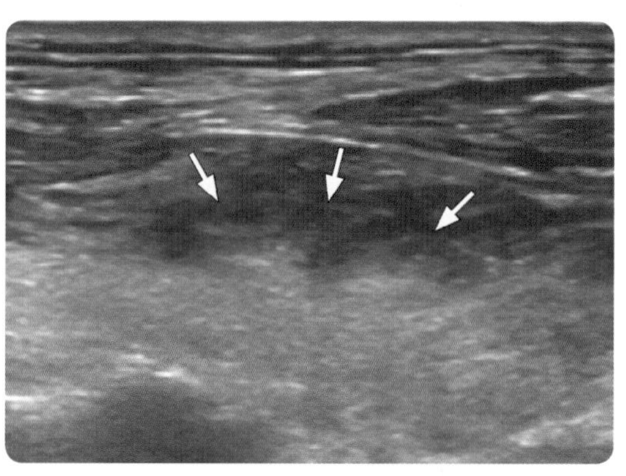

그림 16-45 아급성 갑상선염의 초음파 소견. 갑상선의 앞쪽 부위에 갑상선에 평행한 양상의 저에코 병변이 있음. 병변의 경계는 불분명한 양상임.

저하기, 회복기로 진행되며, 상기도 감염 증상이 선행될 수 있지만, 전구 증상이 없이 발병하기도 함. 주로 압통이 심하고, 갑상선이 커지며 발열이 동반될 수 있음. 초음파에서 대개는 낮은 에코의 고형성으로 보여 갑상선암으로 오인될 수 있지만, 주변 실질과의 경계가 불분명한 소견을 보이는 경향이 있어, 임상적인 상황과 잘 결부시켜 진단하여야 함(대한갑상선영상의학회, 2013).

4) 무통성 갑상선염(Painless thyroiditis)

무통성 갑상선염은 자가면역갑상선질환을 지닌 환자에서 발생함. 분만한 지 3-6개월이 되는 여성의 5%에

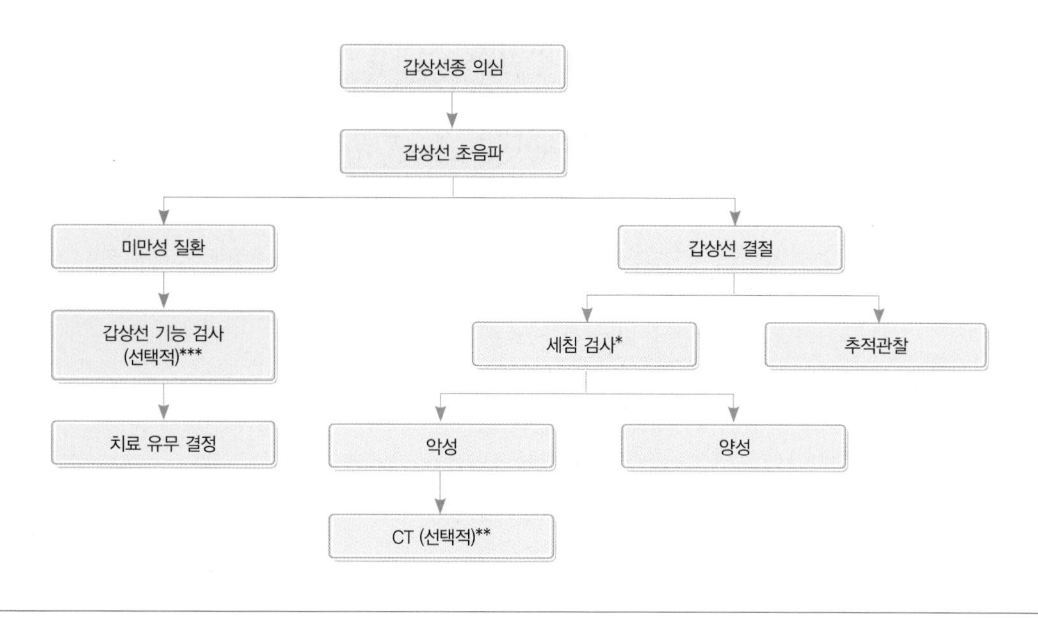

그림 16-46 갑상선 초음파에서 이상 소견 발견 시 필요한 추가 검사에 대한 알고리즘. *2016년 대한갑상선영상의학회에서 제시한 K-TIRADS category별 세침검사의 기준을 참고하여 결정. ** 술전 CT가 림프절 전이에 추가적인 진단적 가치를 보이는 것으로 보고된 바 있음. ***갑성선 기능 이상을 의심할 수 있는 증상이 있을 시 선택적으로 시행할 수 있음.

서 통증 없이 발생되며, 분만 후 갑상선염(Postpartum thyroiditis)라고도 함. 2-4주간 갑상선기능항진증에 이어 4-12주간 갑상선기능저하증이 생긴 후 회복되는 경과를 보임. 초음파에서 아급성 갑상선염과 비슷한 양상을 보임(대한갑상선영상의학회, 2013).

갑상선 초음파 상 그레이브스병, 하시모토 갑상선염, 아급성 갑상선염, 무통성 갑상선염과 같은 미만성 질환의 가능성을 시사하는 소견이 발견 시, 환자가 갑성선 기능 이상을 의심할 수 있는 증상을 호소한다면, 현재의 갑상선 기능을 정확하게 평가하고 치료 계획을 수립하기 위해 갑상선자극호르몬(TSH), 티록신(T4), 삼요오드타이로닌(T3), 유리 T4 (Free T4)를 포함한 갑상선 기능 검사(Thyroid Function Test)를 추가로 시행해 볼 수 있음. 갑상선 결절의 경우, K-TIRADS category별로 제시한 기준에 따라 세침검사를 시행하여 악성 결절로 진단될 시 술전 CT가 림프절 전이에 추가적인 진단적 가치를 보이는 것으로 보고된 바 있으나, 임상에서의 일괄 적용에 대해서는 여전히 이견이 있긴 함(그림 16-46).

5 갑상선암의 수술전 및 수술후 평가

1) 수술 전 평가

갑상선암의 대부분인 분화 갑상선암의 적절한 수술적 치료를 위해 종양의 국소 침범 범위 및 림프절 전이에 대한 정확한 수술 전 평가는 대단히 중요함. 이

표 16-6 TNM staging of Thyroid Cancer (AJCC Cancer Staging 8th edition)

Definition of Primary Tumor (T) Papillary, Follicular, Poorly Differentiated, Hurthle Cell and Anaplastic Thyroid Carcinoma	
T Category	T criteria
TX	Primary tumor cannot be assessed
T0	No evidence of primary tumor
T1	Tumor ≤2 cm in greatest dimension limited to the thyroid
T1a	Tumor ≤1 cm in greatest dimension limited to the thyroid
T1b	Tumor >1 cm but ≤2 cm in greatest dimension limited to the thyroid
T2	Tumor >2 cm but ≤4 cm in greatest dimension limited to the thyroid
T3	Tumor >4 cm limited to the thyroid or gross extrathyroidalextension invading only strap muscles
T3a	Tumor >4 cm limited to the thyroid
T3b	Gross extrathyroidal extension invading only strap muscles (sternohyoid, sternothyroid, thyrohyoid, or omohyoid muscles) from a tumor of any size
T4	Includes gross extrathyroidal extension
T4a	Gross extrathyroidal extension invading subcutaneous soft tissues, larynx, trachea, esophagus, or recurrent laryngeal nerve from a tumor of any size
T4b	Gross extrathyroidal extension invading prevertebral fascia or encasing the carotid artery or mediastinal vessels from a tumor of any size

Note: All categories may be subdivided: (s) solitary tumor and (m) multifocal tumor (the largest tumor determines the classification)

Definition of Regional Lymph Node (N)	
N Category	N criteria
NX	Regional lymph nodes cannot be assessed
N0	No evidence of locoregional lymph node metastasis
N0a	One or more cytologically or histologically confirmed benign lymph nodes
N0b	No radiologic or clinical evidence of locoregional lymph node metastasis
N1	Metastasis to regional lymph nodes
N1a	Metastasis to Level VI or VII (pretracheal, paratracheal,and prelaryngeal/Delphian, or upper mediastinal lymph nodes). This can be unilateral or bilateral diseases
N1b	TMetastasis to unilateral, bilateral, or contralateral lateral neck lymph nodes (levels I, II, III, IV, or V) or retropharyngeal lymph nodes
Definition of Distant Metastasis (M)	
M Category	M criteria
M0	No distant metastasis
M1	Distant metastasis

표 16-7 AJCC Prognostic Stage Groups (AJCC Cancer Staging 8th edition)

Differentiated				
Age	T stage	N stage	M stage	Stage group
<55 years	Any T	Any N	M0	I
<55 years	Any T	Any N	M1	II
≥55 years	T1	N0/NX	M0	I
≥55 years	T1	N1	M0	II
≥55 years	T2	N0/NX	M0	I
≥55 years	T2	N1	M0	II
≥55 years	T3a/T3b	Any N	M0	II
≥55 years	T4a	Any N	M0	III
≥55 years	T4b	Any N	M0	IVA
≥55 years	Any T	Any N	M1	IVB
Anaplastic				
T stage	N stage	M stage	Stage group	
T1–T3a	N0/NX	M0	IVA	
T1–T3a	N1	M0	IVB	
T3b	Any N	M0	IVB	
T4	Any N	M0	IVB	
Any T	Any N	M1	IVC	

러한 병기 결정을 위한 분류법으로는 International Union Against Cancer (UICC)와 American Joint Committee on Cancer (AJCC)가 협의해서 결정한 TNM 체계가 활용되고 있음(Mahul 등, 2017) (표 16-6, 16-7).

(1) 종양의 국소 침범 범위

초음파는 해상도가 높고 접근성이 용이하여 갑상선암에 대한 일차적인 검사로 활용되나, 초음파의 투과가 제한적이어서 기관이나 후두의 뒷면, 식도, 종격동 혹은 석회화가 심한 종양의 후방부는 그 평가가 어렵고, 종양이 기관 내강으로 침범할 때 공기와 종양 사이에서 발생하는 인공물로 인해 정확한 침범 범위에 대한 평가가 용이하지 않다는 단점이 있음(대한갑상선영상의학회, 2013). 초음파에서 종양이 갑상선 피막 바깥으로 튀어 나와서 주변 조직의 정상적 움직임이 소실되는 소견을 보인다면 갑상선외 종양 침범을 진단할 수 있지만, 불룩하게 팽창되는 소견만으로는 위양성이 높음(Park 등, 2009). 초음파에서 종양이 기관 내강으로 덩어리를 형성한다면 분명한 기관 침범 소견이 됨. 만약 이러한 소견이 없이 종양과 기관이 접해만 있다면, 접하는 각도가 둔각일 때, 기관침범을 의심할 수 있음. 하지만, 이 소견만으로는 음성 예측도는 높지만 위양성율 또한 높음(Tomoda 등, 2005; Wang 등, 2001; Ito 등, 2015).

갑상선암의 식도 침범은, 국소적인 식도벽의 두꺼워짐, 식도와 종양사이의 지방층의 소실, 식도 주위로 270도 이상의 종양과 접해 있는 소견 등이 있는 경우 종양 침범 가능성이 높음(Roychowdhury 등, 2000). 또한, 되돌이후두신경이 주행하는 기관식도고랑의 지방층이 종양 침범에 의해 완전히 소실되는 경우 종양의 신경 침범 가능성이 높음(Ito 등, 2015) (그림 16-47).

(2) 림프절의 위치 결정

가장 보편적으로 사용하는 경부 림프절에 대한 위치 표기는 AJCC level system이며, 이를 바탕으로 imaging-based level nodal classification (Som 등, 2000; Greene 등, 2002)을 사용하여 림프절의 위치를 표기하도록 제안되고 있음(표 16-8).

(3) 전이 림프절의 초음파 소견

양성 림프절은 초음파에서 길쭉한 타원형에 낮은 에

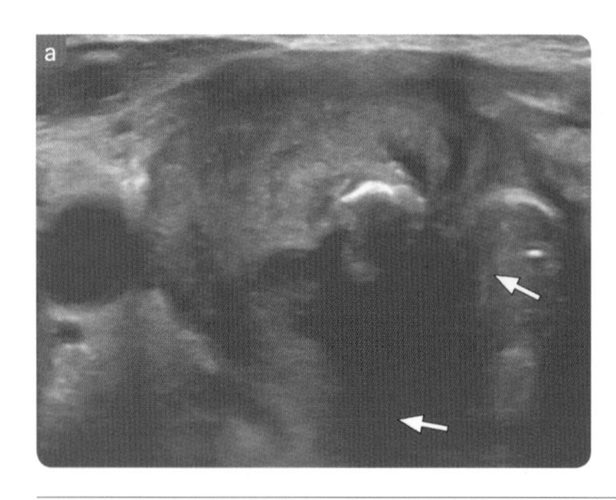

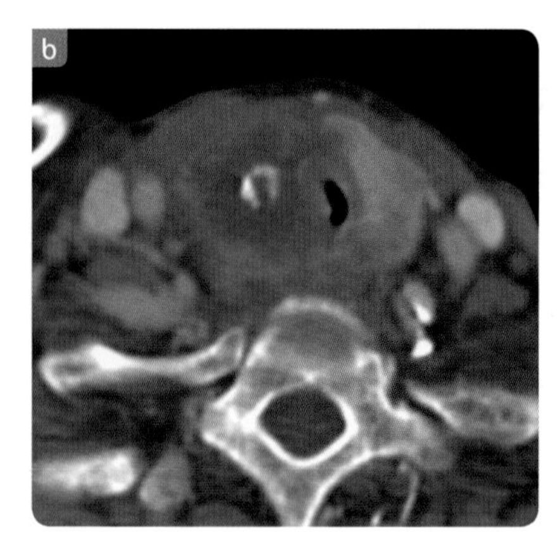

그림 16-47 갑상선 역형성암의 갑상선 조직외 침범. (a) 초음파에서 우측 갑상선에 거대 석회화를 동반한 저에코의 종양이 기관내로 돌출하며, 뒤쪽으로는 기관식도고랑을 침범하고 있음. 앞척추근육과의 경계도 불분명하여 침범의 가능성이 있음. (b) CT에서 조직외 침범의 범위가 좀더 뚜렷이 보이고 있음.

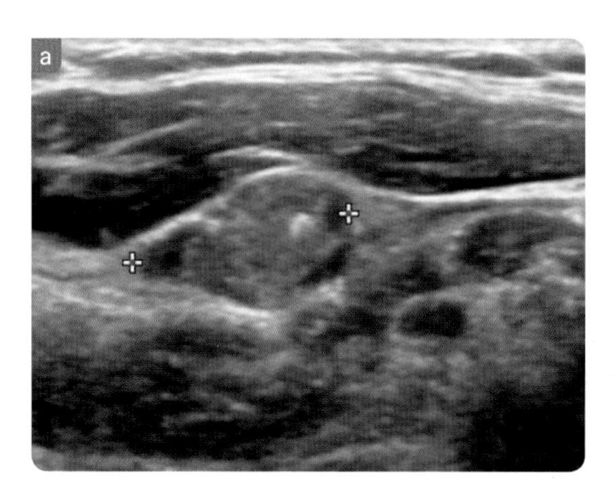

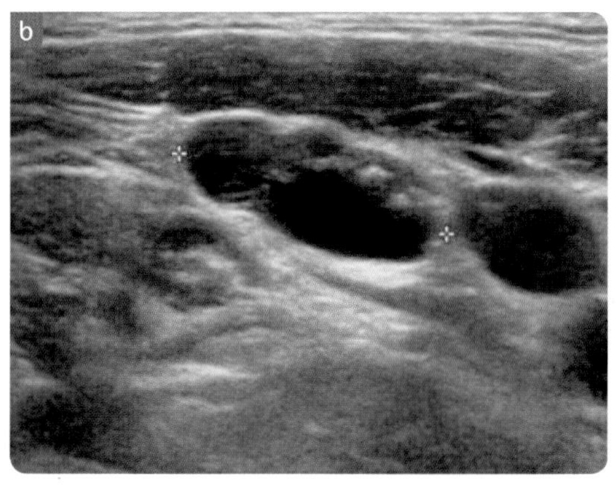

그림 16-48 전이 림프절의 초음파 소견. (a) 림프절의 에코가 증가되었으며, 내부에 정상적인 고에코의 림프절문이 안 보이고 석회화를 동반하고 있음. (b) 격막이 있는 낭성 변화를 하였으며, 낭벽에 석회화가 있음.

코를 배경으로 내부에 높은 에코의 림프절문이 보이는 것이 전형적인 소견임. 갑상선암 전이 림프절을 시사하는 영상소견으로 림프절의 높은 에코, 낭성 변화, 석회화, 및 도플러 초음파에서 가장자리의 불규칙한 혈류증가소견은 특이도가 높은 기준이지만, 둥근 모양과 림프절문의 소실된 소견은 정상에서도 흔히 볼 수 있는 비특이적인 소견임. 림프절 전이 진단에 있어 초음파는 level VII과 인두뒤(retropharyngeal) 림프절 평가는 불가능하고, 하방 level VI와 상부 level II 림프절이 잘 보이지 않을 수 있으며, 검사자의 숙련도 및 주관적 평가 요인에 따라 차이가 많다는 문제점이 있음. 이러한 점에서 갑상선 암 환자에서 CT는 보완적 의미가 있음(Shin 등, 2016). 의심 림프절에 대한 미세침흡입생검은 전이 림프절 진단

표 16-8 Summary of The Imaging-based Level Nodal Classification

Level I	The submental and submandibular nodes. They lie above the hyoid bone, below the mylohyoid muscle and anterior to the back of the submandibular gland.
Level I A	The submental nodes. They lie between the mendial margins of the anterior bellies of the digastic muscles.
Level I B	The submandibular nodes. On each side, they lie lateral to the level IA nodes and anterior to the back of each submandibular gland.
Level II	The upper internal jugular nodes. The extend from the skull base to the level of the bottom of the body of the hyoid bone. They are posterior to the back of the submandibular gland and anterior to the back of the sternocleidomastoid muscle.
Level II A	A level II node that lies either anterior, medial, lateral, or the internal jugular vein. If posterior to the vein, the node is inseparable from the vein.
Level II B	A level II node that lies posterior to the internal jugular vein and has a fat plane separating it from the vein.
Level III	The midjugular nodes. They extend from the level of the bottom of the body of the hyoid bone to the level of the bottom of the cricoid arch. They lie anterior to the back of the sternocleidomastoid muscle.
Level IV	The low jugular nodes. They extend from the level of the bottom of the cricoid arch to the level of clavicle. They lie anteriol to a line connecting the back of the sternocleidomastoid muscle and the posterior–lateral margin of the anterior scalene muscle. They are also lateral to the carotid arteries.
Level V	The node in the posterior triangle. They lie posterior to the back of the sternocleidomastoid muscle from the skull base to the level of the bottom of the cricoid arch and posterior to a line connecting the back of the sternocleidomastoid muscle and the posterior–lateral margin of the anterior scalene muscle from the level of the bottom of the cricoid arch to the level of the clavicle. They also lie anterior to the anterior edge of the trapezius muscle.
Level V A	Upper level V nodes. They extend from the skull base to the level of the bottom of the cricoid arch.
Level V B	Lower level V nodes. They extend from the level of the bottom of the cricoid arch to the level of the clavicle as seen on each axial scan.
Level VI	The upper visceral nodes. They lie between the carotid arteries from the level of the bottom of the body of the hyoid bone to the level of the top of the manubrium.
Level VII	The superior mediastinal nodes. They lie between the carotid arteries below the level of the top of the manubrium and above the level of the innominate vein.
Supraclavicular Nodes	They lie at or caudal to the level of the clavicle and lateral to the carotid artery on each side of the neck as seen on each axial scan.

Note: The parotid nodes and other superficial nodes are referred to by their anatomic names.

에 있어 유용한데, 갑상선글로불린을 림프절 세침흡입 후 측정하는 갑상선글로불린 측정법은 미세침흡입생검보다 예민도가 유의하게 높으며, 거의 100%의 특이도를 보이기 때문에 세포검사 단독보다 정확도를 높일 수 있음(Shin 등, 2016) (그림 16-48).

2) 수술 후 평가

중심구획에서 발생하는 국소 재발암은 초음파에서 가장자리가 불규칙하거나 미세석회화가 동반된 낮은 고형성 병변, 좌우 길이보다 앞뒤 길이가 더 긴 모

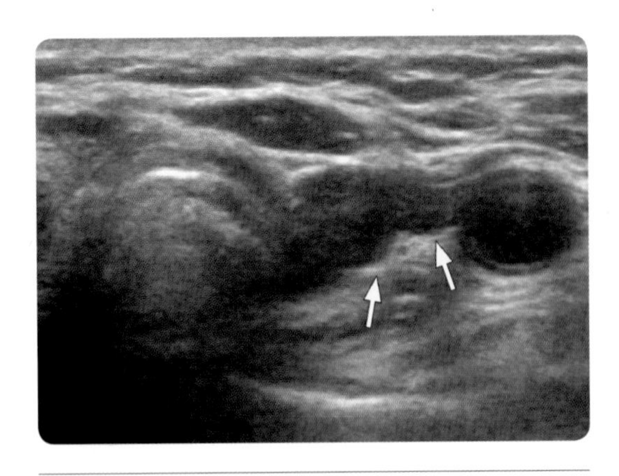

그림 16-49 수술 후 재발암의 초음파 소견. 좌측 갑상선 절제 부위에 저에코의 고형 병변으로 보이는 수술후 재발암.

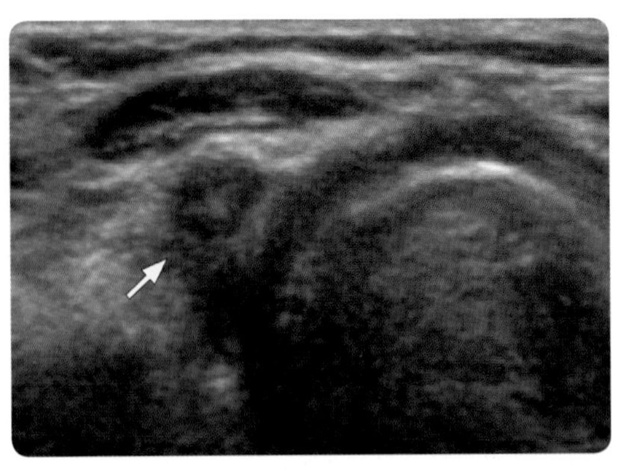

그림 16-50 봉합 육아종의 초음파 소견. 우측 갑상선절제부위에 가운데는 높은 에코, 주변부는 낮은 에코를 보이는 난원형 병변이 보임.

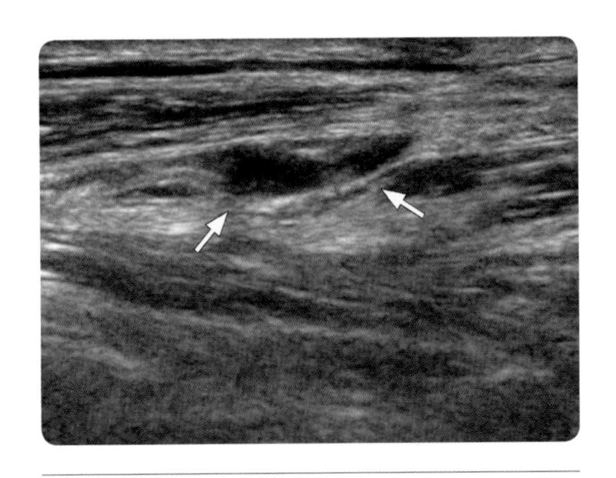

그림 16-51 외상 신경종의 초음파 소견. 경부 림프절 절제 부위에 비균질한 에코의 비교적 길쭉한 병변이 보임.

양 등으로 보인다고 보고되었으며, 이러한 소견은 수술 전 갑상선암의 초음파 소견과 유사함(Lee 등, 2007) (그림 16-49).

수술후 초음파 검사에서 봉합 육아종(suture granuloma)과 외상 신경종(traumatic neuroma)은 국소 재발 및 림프절 전이와 구분이 어려움. 봉합 육아종은 수술시에 사용된 비흡수성 봉합사 주변에서 발생하여, 경계가 불분명한 낮은 에코의 결절 가운데에 높은 에코의 봉합재료를 보이게 됨(Langer 등, 2005) (그림 16-50). 외상 신경종은 수술시에 손상된 신경의 말단부위에서 신경 줄기 방향을 따라 일어나는 일종의 재생 과정으로 알려져 있음. 초음파상에서 전이성 림프절에 비해 길쭉하여 단경이 짧고, 내부에 불균질한 높은 에코를 포함하는 경향이 있지만, 미세침흡인을 위하여 바늘이 결절 내부로 천자되는 순간 환자가 갑작스러운 극심한 통증을 느껴 검사 진행이 불가능한 경우가 많음(Yabuuchi 등, 2004) (그림 16-51).

참 고 문 헌

1. 고경희, 김은경, 김영아 외. 미국방사선의학회 기준에 따른 유방 초음파 영상의 질적 수준에 관한 평가. 대한초음파의학회지 2003;22:67-72.
2. 대한갑상선영상의학회, 갑상선 영상진단과 중재시

술, 일조각, 2013
3. 문우경. 유방초음파진단학. 서울: 일조각. 15-96, 2006
4. American College of Radiology. Breast imaging reporting and data system-Ultrasound (BI-RADS™). 1st ed. Reston, Va, 1-85, 2003
5. Baker JA, Soo MS. Breast US: assessment of technical quality and image interpretation. Radiology 2002; 223:229-38.
6. Berg WA. Image-guided breast biopsy and management of high-risk lesions. Radiol Clin North Am. 2004;42:935-46.
7. Berg WA, Campassi CI, Ioffe OB. Cystic lesions of the breast: sonographic-pathologic correlation. Radiology 2003;227:183-91.
8. Hong AS, Rosen EL, Soo MS, et al. BI-RADS for sonography: positive and negative predictive values of sonographic features. AJR Am J Roentgenol 2005; 184:1260-5.
9. Jackson VP. The current role of ultrasonography in breast imaging. Radiol Clin North Am 1995;33:1161-70.
10. Kerlikowske K, Grady D, Barclay J, et al. Effect of age, breast density, and family history on the sensitivity of first screening mammography. JAMA 1996;276 :33-8.
11. Kobayashi T. Gray-scale echography for breast cancer. Radiology 1977;122:207-14.
12. Mehta TS. Current uses of ultrasound in the evaluation of the breast. Radiol Clin North Am 2003;41: 841-56.
13. Mendelson EB. Problem-solving ultrasound. Radiol Clin North Am 2004;42:909-18.
14. Moon WK, Im JG, Koh YH, et al. US of mammographically detected clustered microcalcifications. Radiology 2000;217:849-54.
15. Stavros AT, Thickman D, Rapp CL, et al. Solid breast nodules: use of sonography to distinguish between benign and malignant lesions. Radiology 1995;196: 123-34.
16. Stavros AT. Breast ultrasound. 1st ed. Philadelphia, Pa: Lippincott Williams & Wilkins, 42-55, 2004.
17. Zonderland HM, Coerkamp EG, Hermans J, et al. Diagnosis of breast cancer: contribution of US as an adjunctive to mammography. Radiology 1999;213: 412-22
18. Ahuja A, Chick W, King W, et al. Clinical significance of the comet-tail artifact in thyroid ultrasound. J Clin Ultrasound. 1996;24:129-33.
19. Belfiore A, Russo D, Vigneri R, et al. Graves' disease, thyroid nodules and thyroid cancer. Clin Endocrinol (Oxf). 2001;55:711-8.
20. Bogsrud TV, Karantanis D, Nathan MA, et al. 18F-FDG PET in the management of patients with anaplastic thyroid carcinoma. Thyroid 2008;18:713-719
21. Greene FL, Page DL, Fleming ID, et al. American joint committee on cancer. AJCC cancer staging manual. 6th ed. Chicago: Springer, 2002
22. Gritzmann N, Koischwitz D, Rettenbacher T. Sonography of the thyroid and parathyroid glands. Radiol Clin North Am. 2000;38:1131-45
23. Horvath E, Majlis S, Rossi R, et al. An ultrasonogram reporting system for thyroid nodules stratifying cancer risk for clinical management. J Clin Endocrinol Metab 2009;94:1748-1751
24. Hoang JK, Lee WK, Lee M, et al. US Features of thyroid malignancy: pearls and pitfalls. Radiographics. 2007;27:847-60
25. Ito Y, Miyauchi A, Oda H, et al. Revisiting Low-Risk Thyroid Papillary Microcarcinomas Resected Without Observation: Was Immediate Surgery Necessary? World journal of surgery 2015:1-6
26. Shin JH, Baek JH, Chung J, et al. Ultrasonography Diagnosis and Imaging-Based Management of Thyroid Nodules: Revised Korean Society of Thyroid Radiology Consensus Statement and Recommendations." Korean J Radiol. 2016: 17(3): 370-95.

27. Kim DS, Kim JH, Na DG, et al. Sonographic features of follicular variant papillary thyroid carcinomas in comparison with conventional papillary thyroid carcinomas. J Ultrasound Med. 2009 Dec;28(12):1685-92 PMID:19933483
28. Kim S-H, Kim B-S, Jung S-L, et al. Ultrasonographic findings of medullary thyroid carcinoma: a comparison with papillary thyroid carcinoma. Korean journal of radiology 2009;10:101-105
29. Langer JE, Luster E, Horii SC, et al. Chronic granulomatous lesions after thyroidectomy: imaging findings. AJR Am J Roentgenol 2005; 185: 1350-4.
30. Lee JY, Shin JH, Han BK, et al. Diffuse sclerosing variant of papillary carcinoma of the thyroid: imaging and cytologic findings. Thyroid 2007; 17:567-573.
31. Lee JH, Lee HK, Lee DH, et al. Ultrasonographic findings of a newly detected nodule on the thyroid bed in postoperative patients for thyroid carcinoma: correlation with the results of ultrasonography-guided fine-needle aspiration biopsy. Clin Imaging 2007;31: 109-13.
32. Lee JW, Yoon DY, Choi CS, et al. Anaplastic thyroid carcinoma: computed tomographic differentiation from other thyroid masses. Acta Radiol 2008;49:321-327
33. Mahul B. Amin FLG, Stephen B. Edge, et al. AJCC Cancer Staging Manual. 8th ed. New York, NY: Springer; 2017
34. Nam M, Shin JH, Han BK, et al. Thyroid lymphoma: correlation of radiologic and pathologic features. J Ultrasound Med 2012;31:589-594
35. Nixon IJ, Coca-Pelaz A, Kaleva AI, et al. Metastasis to the Thyroid Gland: A Critical Review. Annals of Surgical Oncology 2016:1-7
36. Ohmori N, Miyakawa M, Ohmori K, et al. Ultrasonographic findings of papillary thyroid carcinoma with Hashimoto's thyroiditis. Intern Med. 2007;46: 547-50.
37. Park JS, Son KR, Na DG, et al. Performance of preoperative sonographic staging of papillary thyroid carcinoma based on the sixth edition of the AJCC/UICC TNM classification system. AJR Am J Roentgenol 2009;192:66-72
38. Roychowdhury S, Loevner LA, Yousem DM, et al. MR imaging for predicting neoplastic invasion of the cervical esophagus. AJNR Am J Neuroradiol. 2000;21:1681-7.
39. Ruggiero FP, Frauenhoffer E, Stack Jr BC. Thyroid lymphoma: a single institution's experience. Otolaryngol Head Neck Surg 2005;133:888–896.
40. Sharma A, Jasim S, Reading CC, et al. Clinical Presentation and Diagnostic Challenges of Thyroid Lymphoma: A Cohort Study. Thyroid 2016;26:1061-1067
41. Som PM, Curtin HD, Mancuso AA. Imaging-based nodal classification for evaluation of neck metastatic adenopathy. AJR Am J Roentgenol. 2000;174(3): 837-844
42. Tomoda C, Uruno T, Takamura Y, et al. Ultrasonography as a method of screening for tracheal invasion by papillary thyroid cancer. Surg Today. 2005;35:819-822
43. Wang JC, Takashima S, Takayama F, et al. Tracheal invasion by thyroid carcinoma: prediction using MR imaging. AJR Am J Roentgenol. 2001 ;177:929-936
44. Yabuuchi H, Kuroiwa T, Fukuya T, et al. Traumatic neuroma and recurrent lymphadenopathy after neck dissection: comparison of radiologic features. Radiology 2004; 233: 523-9.
45. Yeh HC, Futterweit W, Gilbert P. Micronodulation: ultrasonographic sign of Hashimoto Thyroiditis. J Ultrasound Med 1996;15:813-819.
46. Song YS, Kim JH, Na DG, et al. Ultrasonographic Differentiation Between Nodular Hyperplasia and Neoplastic Follicular-Patterned Lesions of the Thyroid Gland. Ultrasound Med Biol. 2016:54:1816-1824

충수돌기와 샅굴탈장 초음파

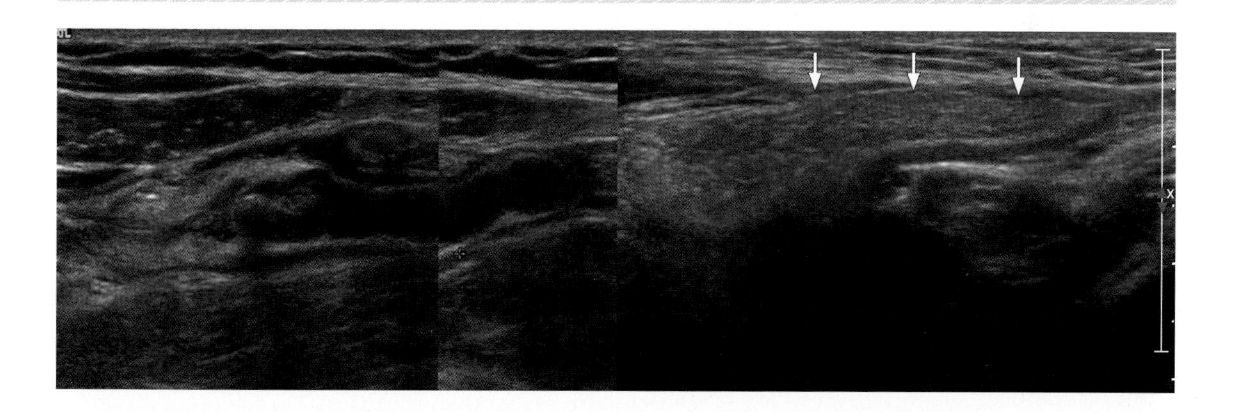

박성진_ 경희의대 영상의학과

17 충수돌기와 샅굴탈장 초음파

1 급성 충수염

- 충수염은 급성복증의 가장 흔한 원인이며 충수의 내강이 막히고 염증이 생기고 나면 충수벽의 허혈과 괴사로 진행하며 천공되어 농양 또는 복막염을 일으킴. 충수염은 급성 위소장염, 장간막 임파절염, 대장게실염과의 감별이 필요하며 골반염, 난소염전, 자궁외임신 등과 같은 여성질환과도 감별진단이 필요하여 초음파 검사를 포함한 영상검사가 각 질환의 감별진단에 도움을 줌.

1) 충수염의 빈도와 발생원인

- 일생 동안 유병률은 약 7%
- 내강이 변석, 임파조직비후, 이물질, 종양, 등에 의해 막히고 염증이 발생
- 20~40세 사이의 여성환자는 다른 부인과 질환과 증세가 비슷해서 초반 이학적검사에서 오진률이 가장 높음.

2) 충수염의 증상과 검사소견

비특이적인 경우가 많으며 다양한 급성복증을 일으키는 질환과 겹침.

- 상복부 통증에서 시작하여 우하복부로 통증부위가 이동
- 우하복부의 압통과 반발압통(McBurney's sign)
- 식욕부진, 소화불량, 구토, 설사
- 발열
- 백혈구 증가증

3) 충수염의 초음파 사전 준비와 검사방법

(1) 사전준비

- 금식이 유리
- 급성복증이므로 금식이 안되어 있는 경우도 가능

(2) 검사방법

- 급성복증을 보이는 여성은 복강 및 골반강에 대한 전반적인 검사를 시행하여 급성충수염 및 그 외 우측복통을 일으키는 질환을 감별해야 함.
- 환자에게 가장 아픈부위를 손가락으로 눌러보게 하여 그 곳을 집중적으로 검사하는 것도 충수염, 소장염, 게실염 등을 빠르고 정확하게 진단하는데 도움이 됨(그림 17-1).
- 충수에 대한 초음파 검사는 실시간 압박초음파(Real-time compression US), 점진적 압박초음파(Graded compression US)를 시행하는데 우측 상복부에 탐촉자를 위치하여 우측 대장을 따라 서서히 탐촉자를 하복부로 이동하면서 대장의 이상여부를 확인하며 회맹장판막(ileocecal valve)를 지나 맹장 끝에서 충수돌기를 확인하여야 함. 충수돌기는 서서히 압박하여 환자에게 가해지는 통증을 줄이며 검사할 수 있고 압박을 통하여 주변 장관내부의 공기를 밀어내고 탐촉자와 충수사이의 간격이 좁아질 경우 보다 선명한 영상을 얻을 수 있어 추천하는 방법임.
- 초음파 검사는 저주파 탐촉자를 이용하여 전체적인 복강 내의 상태를 확인하기 위해 충수를 포함한 소대장의 장벽비후나 농양의 존재 여부를 확인하고, 복수, 종괴 등을 확인하거나 자궁, 난소의 이상을 확인한 후 충수돌기 및 소대장의 이상을 보다 고해상도로 확인할 수 있는 고주파 탐촉자를 이용하여 검사하는 것이 유용하며 맹장과 충수돌기가 골반강 안까지 내려와 있는 경우 경복부초음파 검사에서 충수돌기를 확인하기 어려울 수 있는데 이 경우 경질(혹은 경직장) 초음파 검사가 유용한 경우가 있으며, 방광을 채워 충수를 골반강에서 하복부쪽으로 밀려 올려 경복부초음파 검사를 시행할 경우 유용할 수 있음.
- 임신 중 충수염이 의심될 경우에는 초음파 검사가 가장 유용하지만 커진 자궁에 의해 충수 및 우측 대장이 밀리거나 눌려 확인이 어려운 경우가 있고 충수가 비임신 시보다 상방에 위치할 경우가 많아 우측 대장을 따라 내려와 먼저 회맹장판막을 확인한 후 이보다 아래쪽으로 내려가 맹장의 내측 끝에서 충수돌기를 찾을 경우 보다 용이하게 확인할 수 있음.

4) 정상 충수의 초음파소견

- 정상 충수의 전후 직경은 4.4±0.9 mm, 횡경은 5.1±1.0 mm이며 나이나 성별에 따른 차이 없음. 초심자의 경우 정상충수와 말단회장과의 구분을 어려워하는데 충수는 맹장에서 기시하여 그 끝은 맹관이어서 다른 장관과 연결이 되지 않으나, 말단회장은 맹관 없이 계속 이어지는 차이점이 있고 충수는 횡경이 작으나 말단회장은 횡경이 길다는 점을 유념하면 쉽게 구분이 가능(그림 17-2).
- 정상 충수는 공기나 소량의 액체를 포함할 수 있으며 압박을 했을 때 전후방 직경의 감소가 있으며 위치가 쉽게 변하거나 말려있는 경우가 많음. 충수벽에 혈류는 대부분의 경우 거의 보이지 않

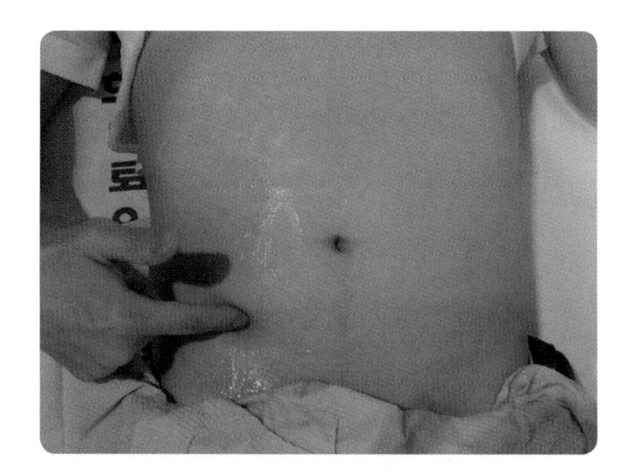

그림 17-1 충수염의 초음파 검사에서 환자에게 가장 아픈 부위를 손가락으로 눌러보게 하여 그 곳을 집중적으로 검사하는 것은 큰 도움이 된다.

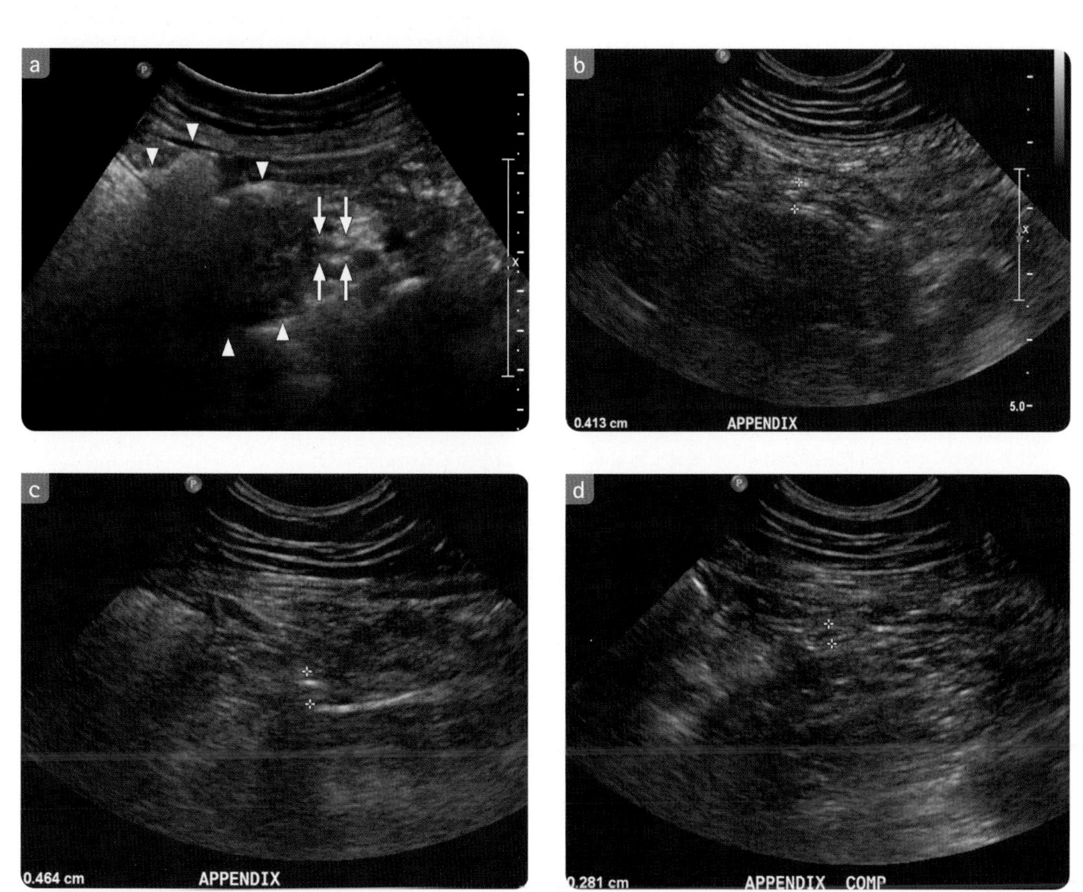

그림 17-2 정상 충수의 초음파. (a) 저주파 탐촉자를 이용하여 복강 및 골반강 내의 전반적인 이상 여부를 확인하며 정상에서 저주파 탐촉자로 충수를 확인하는 것은 쉽지 않지만, 소대장 벽의 비후, 농양, 복수, 고에코 지방조직의 비후, 자궁, 난소의 이상을 확인할 수 있다. 저주파 탐촉자는 해상도가 떨어져 충수가 명확하게 나타나지 않으나(화살) 맹장(화살표머리)의 내측에서 기시하는 것을 확인할 수 있다. (b) 고주파 탐촉자를 이용하여 6 mm 이하 직경의 충수가 있으며 내강 안에 고에코의 공기가 있으며 액체저류의 소견이 없음. (c) 충수를 누르지 않았을 때는 원형으로 보이지만 (d) 눌렀을 경우 납작한 형태로 변화하며 전후 직경이 감소한다.

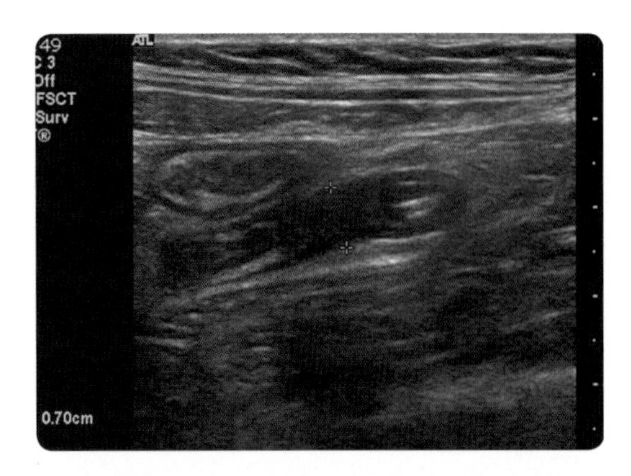

그림 17-3 31세 여자 환자의 급성충수염. 충수의 직경은 충수벽의 가장 외측 저에코 층의 바깥쪽에서 반대편 저에코 층의 바깥쪽까지의 직선거리를 측정한다. 이 환자의 충수의 직경은 7 mm로 급성충수염의 진단기준에 합당하다.

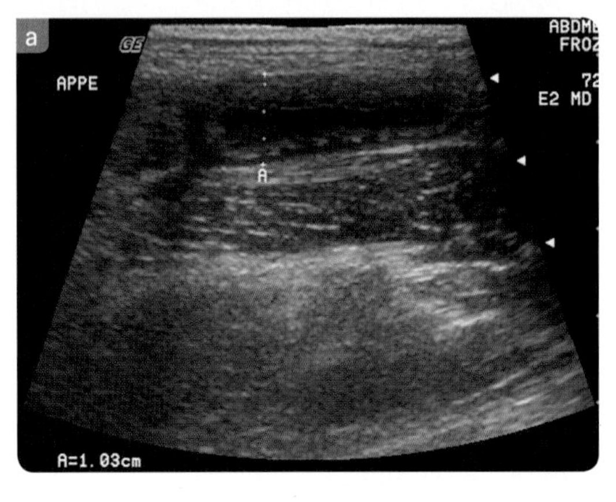

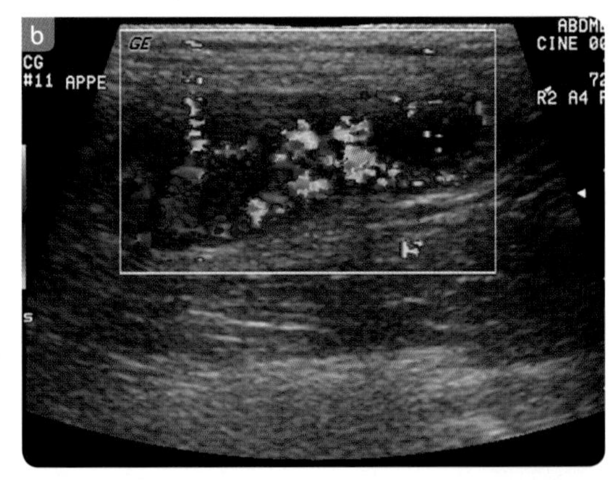

그림 17-4 급성충수염의 색도플러소견. (a) 회색조 초음파 검사에서 충수는 10.3 mm의 직경을 가지고 내부에는 액체저류가 있으며, (b) 색도플러 검사에서 충수벽의 과혈관성 변화가 나타난다.

고 주변 충수간막(mesoappendix) 이나 그물막(omentum)의 지방층의 두께 증가와 혈류 증가가 없음.

5) 충수염의 초음파 진단

(1) 진단기준

- 6 mm 이상의 직경을 갖는 충수, 한쪽 벽이 2 mm 이상의 두께(그림 17-3)
- 색도플러 초음파 검사에서 증가된 혈류(그림 17-4)
- 탐촉자로 압박해도 압박이 되지 않음(그림 17-5).
- 충수주위에 압박해도 모양이 변하지 않는 고에코 지방 덩어리가 보임(그림 17-6).
- 초음파 탐촉자로 충수를 압박했을 때 압통이 있음.
- 급성충수염의 초음파 검사 민감도는 88%, 특이도는 96% 내외로 알려져 있으나 검사자의 숙련도에 따라 그 차이가 있음.

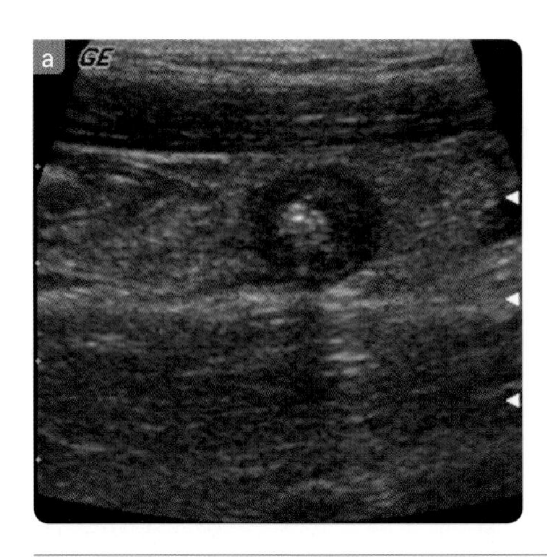

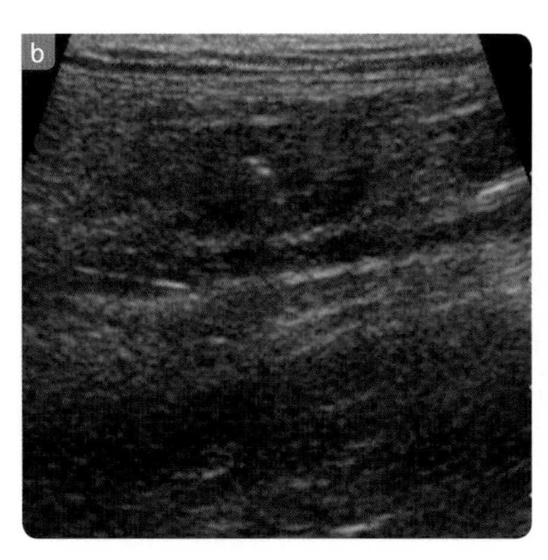

그림 17-5 급성충수염의 초음파 소견에서 압박시 변화. (a)좌측은 누르지 않은 상태의 초음파로 충수는 둥근 형태를 가지고 있으며 (b)우측사진에서 충수를 압박해도 약간의 변형이 있으나 눌리지 않는 것을 확인 할 수 있다.

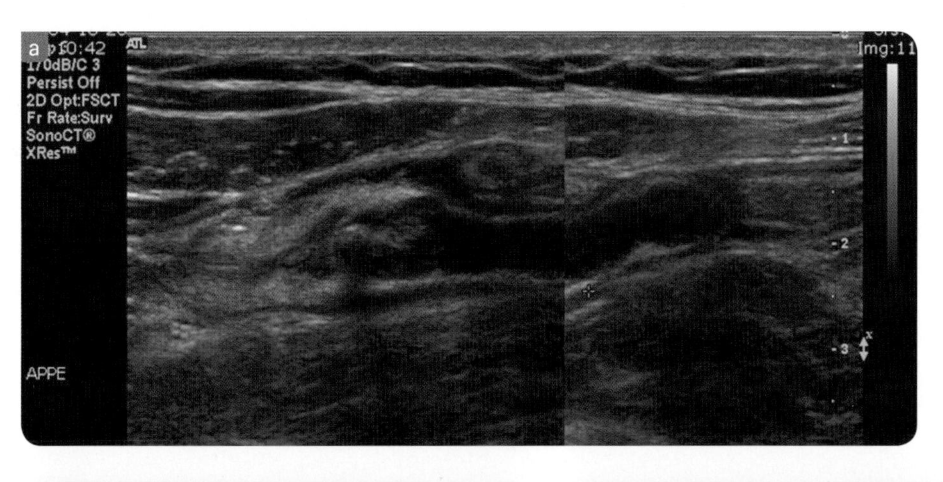

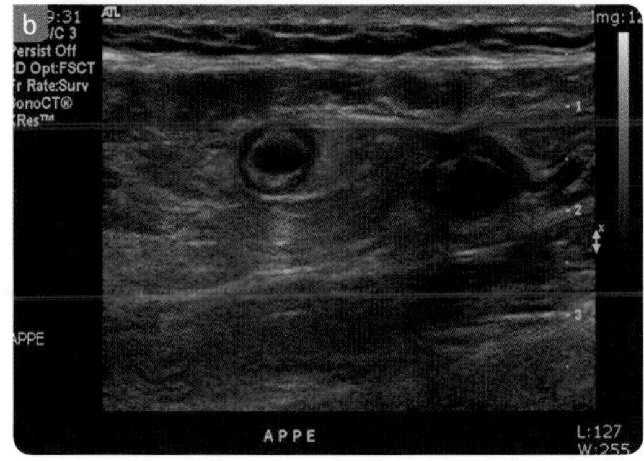

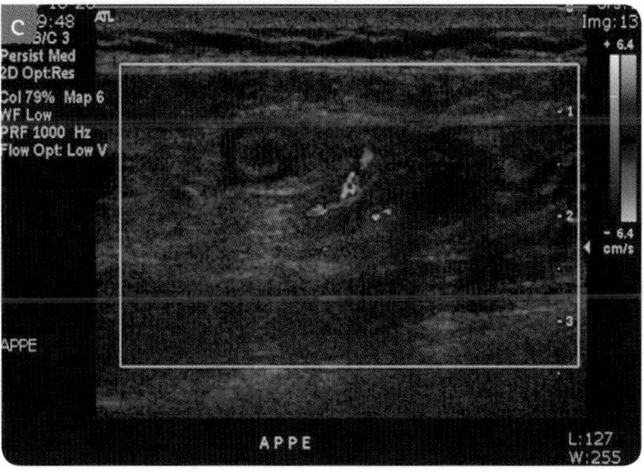

그림 17-6 변석에 의한 급성충수염의 초음파 소견. (a) 충수의 맹장접합부에 고에코의 변석이 있고 충수는 벽이 두꺼워져 있고 내강에는 액체저류가 있다. (b) 충수와 인접하여 고에코의 지방조직이 두꺼워져 나타나며 이는 충수염의 중요한 소견이다. (c) 충수염 초기나 충수벽의 괴사가 일어난 경우에는 충수벽의 혈류 증가가 없이 충수간막에만 혈류가 증가되기도 한다.

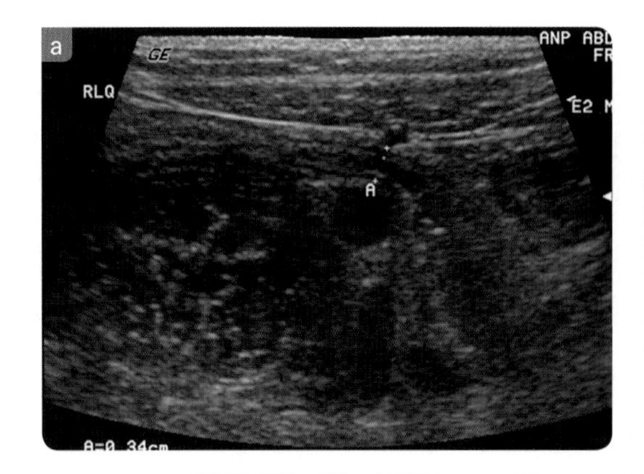

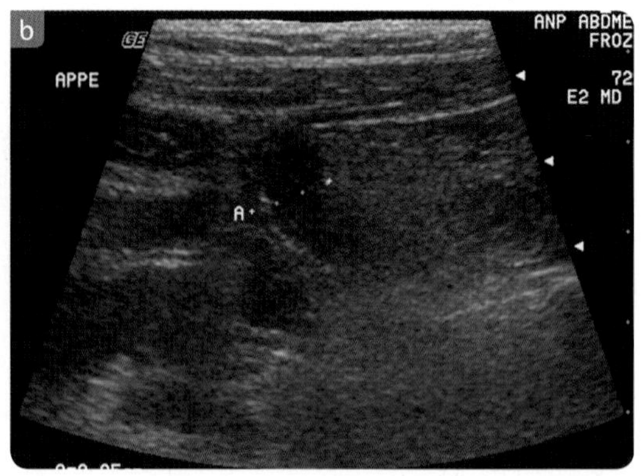

그림 17-7 충수 원위부에 국한된 충수염의 초음파. (a) 충수의 대부분은 정상 직경이지만 (b) 충수의 끝에만 직경이 증가되고 주변에 염증성 고에코 지방조직이 있다.

(2) 각 진단기준에 대한 함정

- 정상충수도 6 mm 이상인 경우도 있을 수 있으나 정상에서는 압박시 직경의 감소하며, 인접한 회장과 맹장에 염증이 있는 경우 또는 골반염에 의한 충수에 장막염이 있는 경우도 충수에 염증성 변화가 생겨 직경이 6 mm 이상을 보이며 혈류 증가가 있을 수 있어 염증의 중심이 어디냐에 따라 진단이 달라지므로 신중을 기해야 하며 이와 같은 경우 충수돌기에 압통의 존재 여부가 감별진단에 도움이 됨. 충수돌기염이 진행되어 천공이 생길 경우 천공초기에 내강 안에 있던 삼출물이나 고름이 복강으로 빠져나간 직후에는 충수 직경이 감소된 경우가 있을 수 있음. 말단충수염(Tip appendicitis)은 충수의 끝에만 염증이 동반된 경우로 나머지 충수가 정상형태로 나타날 수 있음(그림 17-7).
- 색도플러 초음파 검사에서 증가된 혈류는 충수돌기 벽에서 나타나기도 하지만 충수간막의 혈관에 혈류가 증가되는 경우도 많아 이 곳의 혈류 증가를 확인하는 것이 도움이 됨. 그러나 충수돌기염이 진행되어 벽에 괴저성 변화가 온 경우에는 혈류가 사라지는 경우가 있어 혈류증가가 없다고 충수돌기염을 배제할 수 없음.
- 천공성 충수염에서 충수주위농양이 발생한 경우 충수돌기의 터진 부위 주변으로 고름에 해당하는 찌꺼기를 갖는 액체가 차있는 농양을 확인할 수 있으며 염증이 심할 경우 충수돌기의 흔적을 찾을 수 없는 경우가 있음(그림 17-8).
- 숙련자의 경우에는 정상충수의 발견율이 90% 이상이어서 초음파 검사의 위양성률이 낮지만 초심자의 경우 정상충수의 발견율이 낮아 진단에 자신감이 낮은 경향이 있음.

6) 충수염의 감별진단

- 급성 위소장염(그림 17-9)
- 창자간막임파절염
- 큰창자게실염(그림 17-10)
- 골반염, 난관난소농양

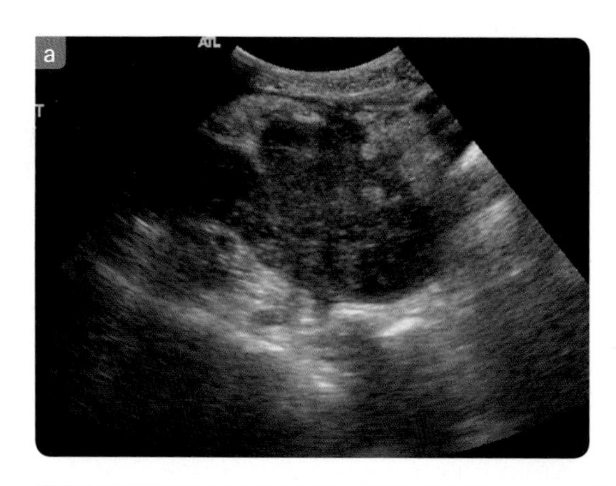

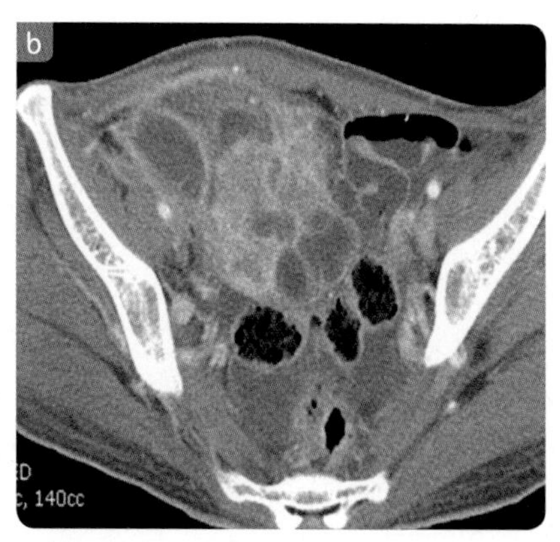

그림 17-8 천공성충수염에 동반된 충수주위농양의 초음파 (a) 우하복부 초음파 검사에서 지저분한 에코의 고름주머니가 있고 주변에는 고에코의 큰그물망이 싸고 있다. (b) CT검사에서 우하복부와 골반강내에 충수주변농양과 복수가 있다.

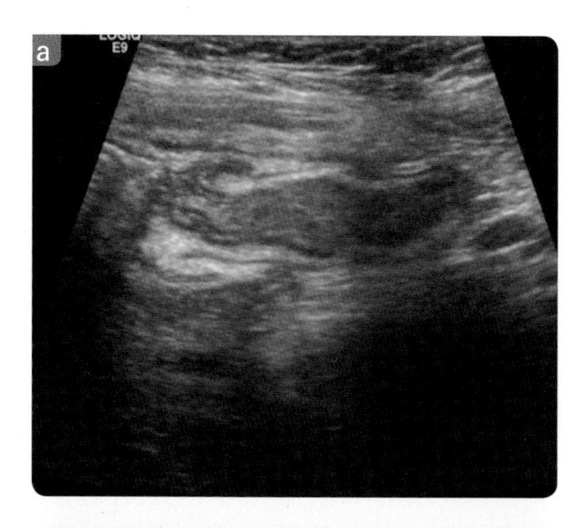

그림 17-9 급성장염의 초음파 소견. (a) 말단회장과 (b) 전반적으로 우측대장의 장벽이 두꺼워져 있으며 (c) 충수는 정상형태를 보인다.

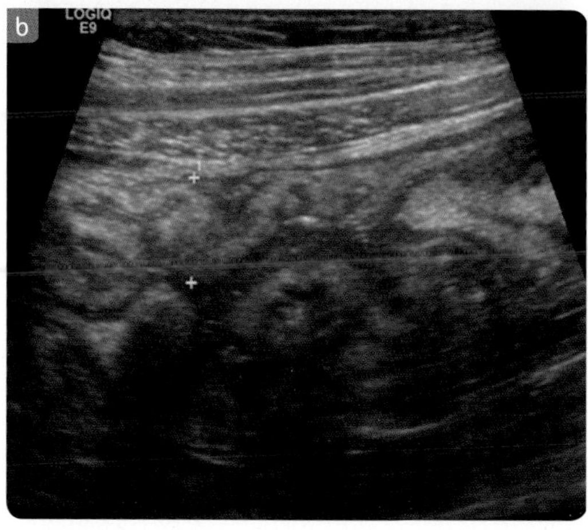

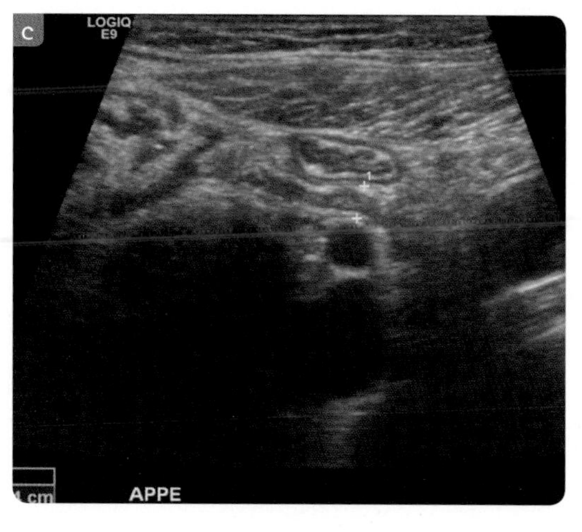

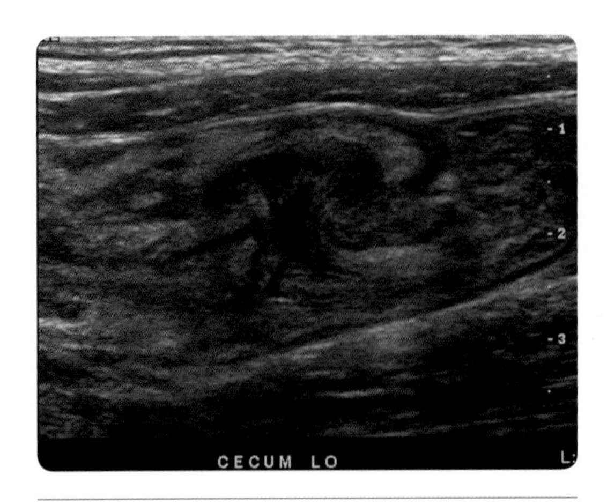

그림 17-10 큰창자게실염의 초음파 소견. 우측 대장벽에서 두꺼워진 저에코의 게실벽이 있고 그 주변으로 고에코의 지방조직이 둘러싸고 있다. 게실내에는 고에코의 변석이 있을 수 있다.

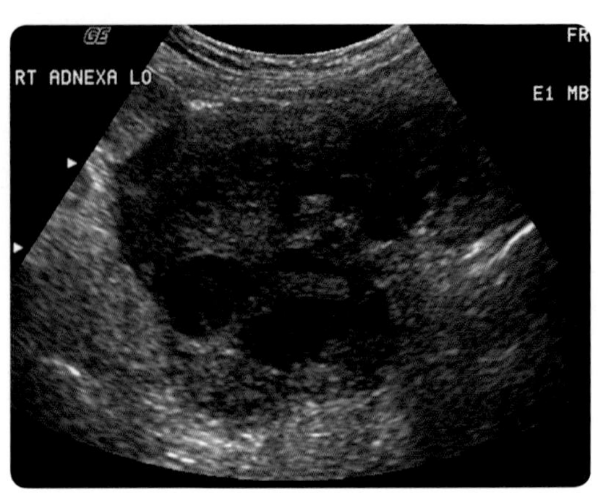

그림 17-11 골반염의 초음파 소견. 자궁부속기에 여러 개의 두꺼운 벽을 가진 낭종성 병변이 있으며 그 가장자리는 지저분하고 낭종 내부에는 부스러기 debris가 있음.

- 파열된 자궁외 임신, 황체출혈에 의한 혈액복막
- 배란통

2 샅고랑부위 탈장(Groin hernia)

1) 종류

- 샅굴탈장
- 대퇴탈장

(1) 샅굴탈장

샅굴(inguinal canal)은 여성에서는 자궁의 원인대(round ligament)가 지나가는 곳이며 태생기 또는영아기에 processus vaginalis가 폐색되어야 하는데 남아 있어 주머니를 형성할 경우 내부에 액체가 차 있는 경우를 hydrocele of canal of Nuck, 내부로 복막안 내용물이 빠져 나갈 경우 간접샅굴탈장임. 즉 간접샅굴 탈장은 깊은샅굴구멍(deep inguinal ring)을 통해 생기며 직접샅굴탈장은 샅굴(inguinal canal)의 후벽을 통해 내용물이 빠져나오는 경우임. 두 종류의 샅굴탈장을 영상검사에서 구분하는 방법은 탈출한 복막안 내용물과 하배벽혈관(inferior epigastric vessels)과의 관계를 통해 구분이 가능하며, 내용물이 하배벽혈관의 안쪽에 있으면 직접샅굴 탈장, 바깥에 있으면 간접탈장으로 구분할 수 있음. 샅고랑부위 통증이 있는 여성에서 이학적검사에서 확인할 수 없었던 잠복 탈장도 초음파 검사에서 샅고랑탈장을 확인할 수 있음.

(2) 대퇴탈장

대퇴탈장은 대퇴관구멍(fermoal canal)을 통해 샅인대의 후하방으로 복막주머니가 형성되어 복막안 내용물이 빠져나가는 경우로 탈출한 내용물에 의

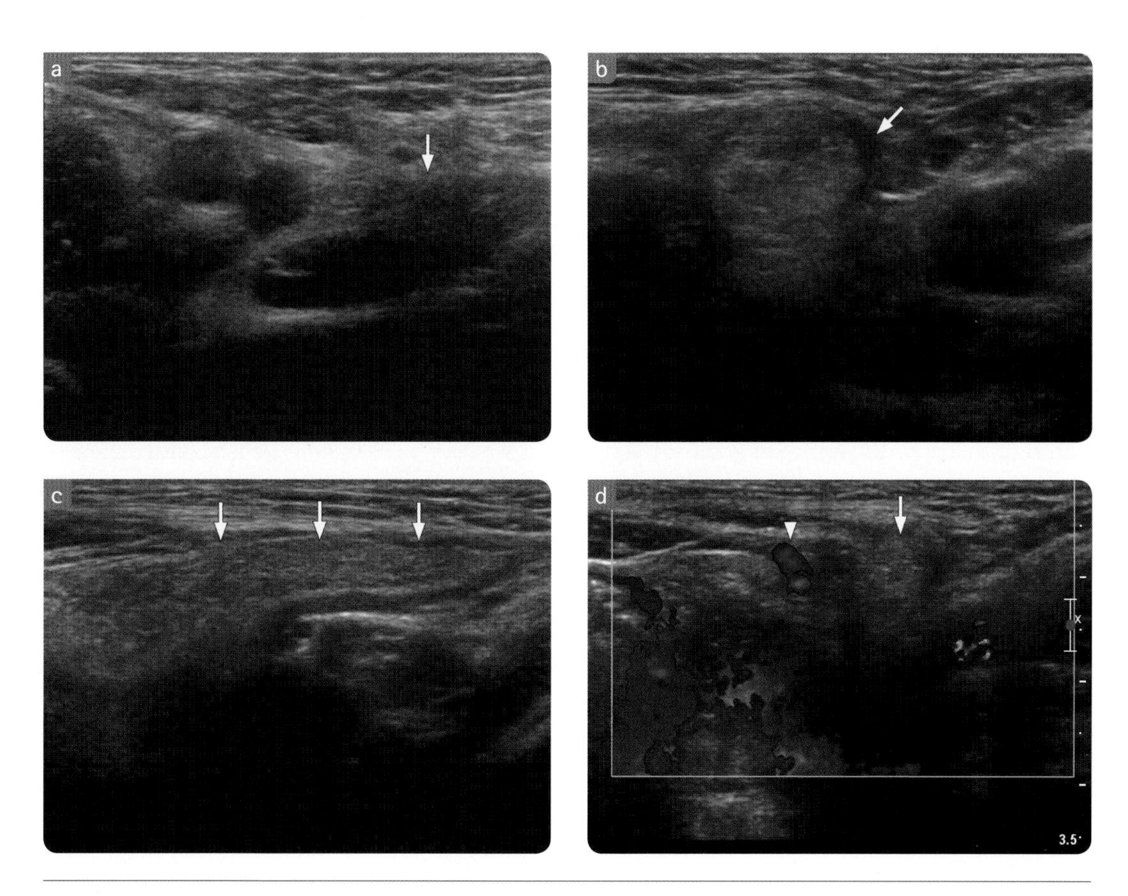

그림 17-12 간접샅굴탈장의 초음파 소견. (a) 우측 샅굴 횡단면 초음파에서 정상소견임(화살표). (b) 좌측 샅굴의 횡단면 초음파 검사에서 고에코의 큰그물망의 지방이 탈출되어 있음(화살표). (c)환자를 세우고 발살바조작을 하였을 때 탈장주머니 안으로 고에코의 큰그물망이 탈출하였다(화살표). (d) 색초음파검사에서 탈장내용물(화살표)은 하배벽혈관의(화살표머리) 바깥에 위치하여 간접샅굴탈장으로 진단할 수 있다.

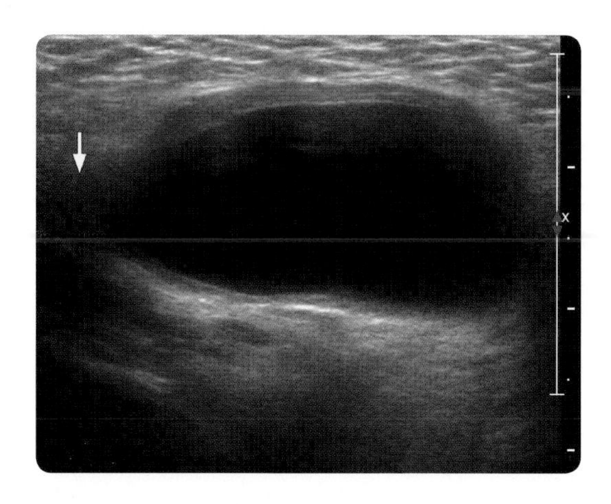

그림 17-13 Hydrocele of canal Nuck. 이는 간접샅굴탈장과 유사하지만 내부에 복강안내용물의 탈장이 없이 액체저류만 있는 경우로 샅굴에 경계가 명확한 액체주머니가 있고 샅굴구멍과 연결되는 것(화살표)이 있어 진단이 가능하다.

해 대퇴관구멍의 정상구조물인 대퇴동맥과 정맥의 모양이 변형되어 있으면 진단이 가능함.

2) 탈장의 초음파 방법

대부분의 탈장은 병변부위가 불룩해지거나 만져져 초음파 검사가 필요 없으나 이학적검사에서 잘 만져지지 않거나 다른 질환과의 감별을 위하여 필요함. 초음파 검사에서 종괴의 내용물로 창자나 창자간막, 큰그물막의 지방조직을 확인할 수 있으며 일부 액체저류가 함께 존재하기도 함. 탈장이 명확하지 않을 경우 머리를 들게 하거나 발살바조작을 통해 탈장을 유도하여 확인할 수 있으며 환자를 세워 검사하면 복압을 증가시켜 탈장을 유도하기 용이함.

3) 탈장 초음파의 진단기준

- 샅고랑부위의 결손을 확인
- 병변 부위안에 창자나 창자간막 또는 큰그물막의 지방을 확인
- 힘을 주었을 때 탈장이 심해지는 것을 확인하거나 탈장내용물에 힘을 가했을 때 복강내로 환원되는 것을 확인

참 고 문 헌

1. 박성진. 여성의 급성골반통의 초음파 소견. 대한초음파의학회지 2005;24:103-110
2. 박성진, 이혜경, 이범하 등. 복부초음파 검사 중 고에코 염증성 지방조직의 발견: 급성하복부통증 환자에서의 진단적 역할. 대한초음파의학회지. 2005;24:191-198
3. Grant T, Neuschler E, Hartz W 3rd. Groin pain in women: use of sonography to detect occult hernias. J Ultrasound Med. 2011;30:1701-7.
4. Mostbeck G, Adam EJ, Nielsen MB, et al. How to diagnose acute appendicitis: ultrasound first. Insights imaging. 2016;7:255-263
5. Park SJ, Lee HK, Hong HS, et al. Hydrocele of canal of Nuck in a girl: Ultrasound and MR appearance. Br J Radiol. 2004;77:243-244
6. Sandra LHA, Textbook of diagnostic sonography. 7th ed. St. Louis: Elsevier Mosby. p. 344-352 p.473-474, 2012
7. Sarkar S, Panja S, Kumar S. hydroncele of the canal of Nuck(female hydrocele): A rare differential for inguino-labial swelling. Journal of Clinical and Diagnostic Research. 2016;10: PD21-PD22

부인과 질환의 CT와 MRI

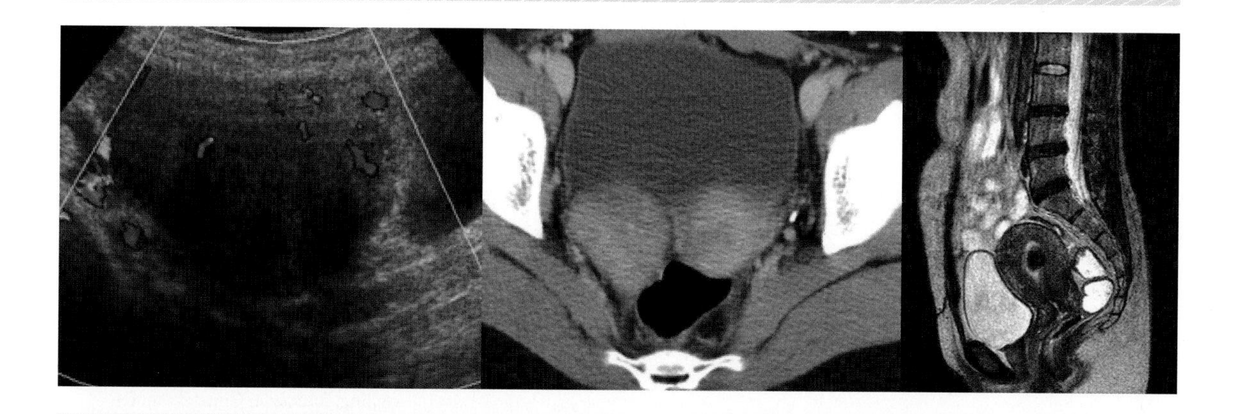

김정곤_울산의대 영상의학과

18 부인과 질환의 CT와 MRI

본 장에서는 초음파검사에서 발견된 부인과 질환의 감별을 위한 진단 기법으로 CT와 MRI 영상소견을 기술하고자 함. 따라서 고식적인 질환에 따른 영상 소견의 기술보다 초음파영상에서 발현되는 질병의 소견에 부합하는 부인과 질환의 CT 및 MRI 소견을 소개함. 본 장에서는 초음파영상에서 발견할 수 없는 자궁경부암 등의 영상소견은 본 장에서 다루지 않음.

I CT와 MRI 영상의 비교

1) CT와 MRI 영상의 비교에 있어 각 검사법의 장점은 다른 검사법의 단점이 됨.
2) 따라서, 임상적으로 의심되는 질환이나 환자 상태에 적절한 검사법의 선택이 필요함.
3) CT 와 MRI 검사의 장단점 비교

(1) MRI 대비 CT 영상의 장점

① 검사시간이 짧아 상복부부터 골반까지 한번에 영상획득이 가능함. 따라서, 종양의 원격 전이(예, 난소암)가 의심되는 상황이나 수술 후 재발 진단을 위한 넓은 범위의 영상검사에 적절함.
② MRI에 비해 검사비가 낮음.
③ 뼈나 공기의 변화를 찾기 용이하다(예, 골전이, 장천공).

(2) CT 대비 MRI 영상의 장점

① 연조직 대조도가 우수함.
② 신장기능이 나쁘거나 조영제에 과민반응을 보이는 환자에서 조영제 투여 없이 진단에 만족할 만한 영상 대조도를 얻을 수 있음.
③ CT에서는 보이지 않는 자궁경부암이나 사궁내

막암 검출이 용이함.

④ 자궁내막증 진단을 위한 특징적인 소견(T1 고신호, T2 저신호)이 있음.

⑤ 방사선 피폭의 위험이 없음.

Ⅱ 난소의 낭성종괴

1 신생물질환

1) 낭선종(cystadenoma)와 낭선암종(cystadenocarcionma)

(1) 상피세포 기원 낭종에 있어 악성낭종과 양성낭종의 감별에 가장 중요한 지표는 '조영증강되는 고형결절의 존재'로 이는 악성종양의 전형적인 소견임(그림 18-1, 그림 18-2).

(2) 낭종벽/격벽의 두께나 형태적 균질성만으로는 악성종양과 낭성종양을 구별할 수 없음. 또한 악성낭종의 다양한 병리적 진단들이(예를 들어 장액성 낭선암종이나 점액성 낭선암종) CT나 MRI에서는 유사하게 보이는 경우가 많아, 이들의 감별에 CT나 MRI가 도움이 되지는 않음.

(3) CA-125와 같은 악성종양의 바이오마커의 상승과 CT/MRI에서 낭성종양 내 고형결절이 있는 경우 대부분 악성종양임.

(4) 양성종양과 경계성종양은 CT/MRI에서 정확하게 구별할 수 없고 낭종내 불규칙한 격벽이나 벽의 균질한 비후가 주로 관찰됨.

2) 낭성기형종(성숙기형종)

(1) 낭성종양은 성숙기형종의 흔한 발현 양상 중 하나이며, 초음파 영상에서 낭성기형종과 기타 양성낭종 간 감별이 어려운 경우가 적지 않으나, CT와 MRI에서는 낭종 내 지방과 석회화를 확인함으로써 쉽게 진단할 수 있음.

(2) 지방은 CT에서 저음영으로 보이고, MRI에서는 T1강조영상에서 고신호강도 지방억제 T1강조영사에서는 저신호강도로 보임(그림 18-3).

2 비신생물질환

1) 자궁내막증

- CT: 두꺼운 벽과 격벽, 높은 양측성의 빈도, 조영증강 전 CT 영상에서의 고음영이 자궁내막증의 CT 소견이며, 이는 양성 및 일부 악성종양과 유사한 경우가 많아 임상소견과 영상소견을 모두 참조하여 진단하는 것이 필요함.
- MRI: 자궁내막증 진단의 정확도가 가장 높은 검사로 T1 강조영상에서 고신호강도, T2 강조영상에서 저신호 강도를 보임(그림 18-4).

2) 농양

- CT와 MRI에서 매우 비후된 벽과 격벽을 보이고, 낭종 주변으로 침윤과 주변 장기와의 유착을 보

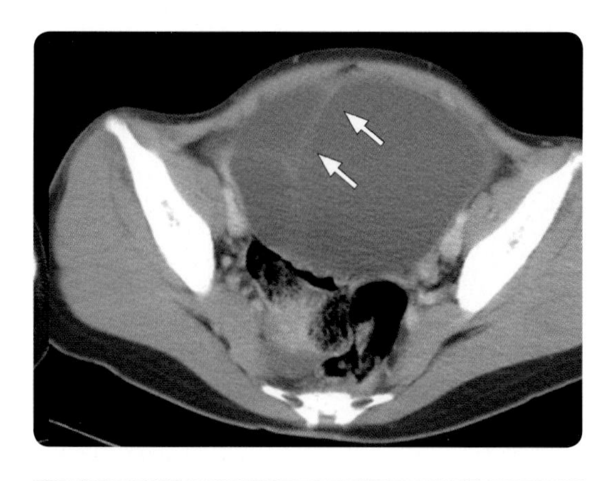

그림 18-1 낭선종의 CT 소견. 균질한 벽과 일부분에서 비후된 격벽을 보이나(화살표) 조영증강되는 결절은 없음.

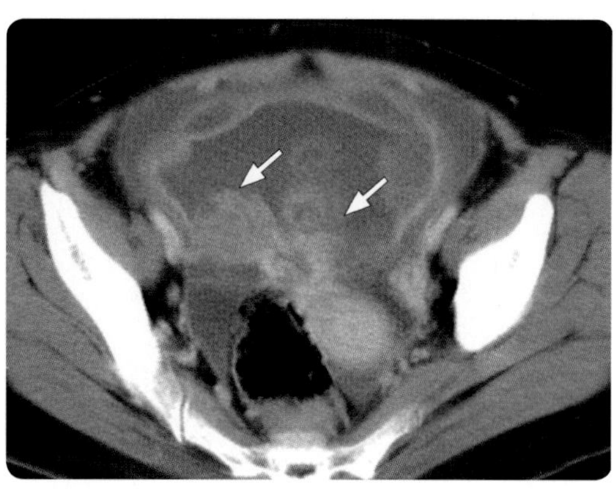

그림 18-2 낭성암종의 CT 소견. 낭종 내 조영증강되는 고형결절이 있음(화살표).

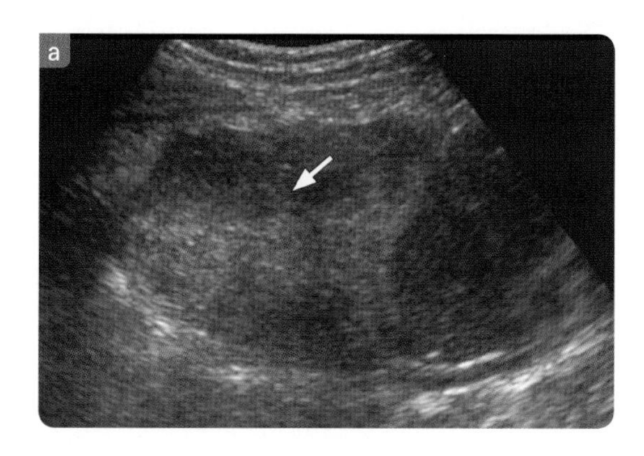

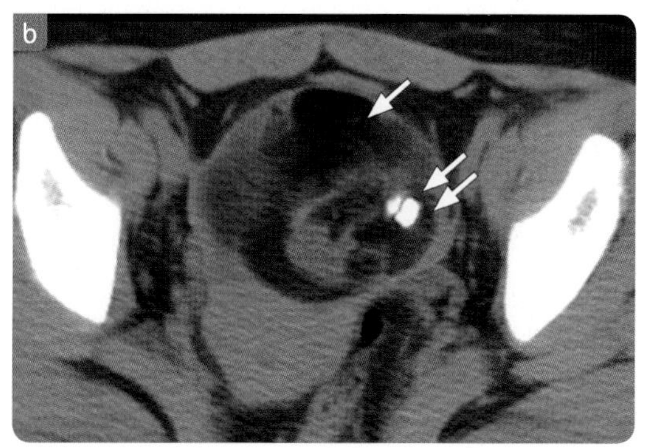

그림 18-3 낭성기형종의 초음파 (a) 및 CT 소견. 초음파영상에서 내부의 고에코로 보이는 부분이 CT에서는 저음영으로 보이는 지방이며(화살표) 석회결절(이중화살표) 역시 관찰됨.

이면서 임상증상이 뒷받침되는 경우 쉽게 진단할 수 있음.

- 만성농양의 경우 악성낭종과 유사하게 보일 수 있음(그림 18-5).

3) 단순 기능성낭종 및 출혈성 기능성낭종

(1) 단순 기능성낭종: 배란과 연관된 단순 기능성낭종은 얇은 벽과 3 cm 이하의 작은 직경이 전형적인 소견으로, 배란일정에 따라 주기적으로 생성 및 소멸됨.

(2) 출혈성 기능성낭종: 기능성 낭종에 출혈이 동반되는 경우 낭종내 혈액 또는 혈종을 CT나 MRI로 진단할 수 있음. 낭종 내 출혈 혹은 혈종은 CT에서 일반 낭종보다 고음영을 보여 고형종양과 유사하나 조영증강을 보이지 않아 고형종양과 구별할 수 있음. 낭종 내 출혈 혹은 혈종은 MRI

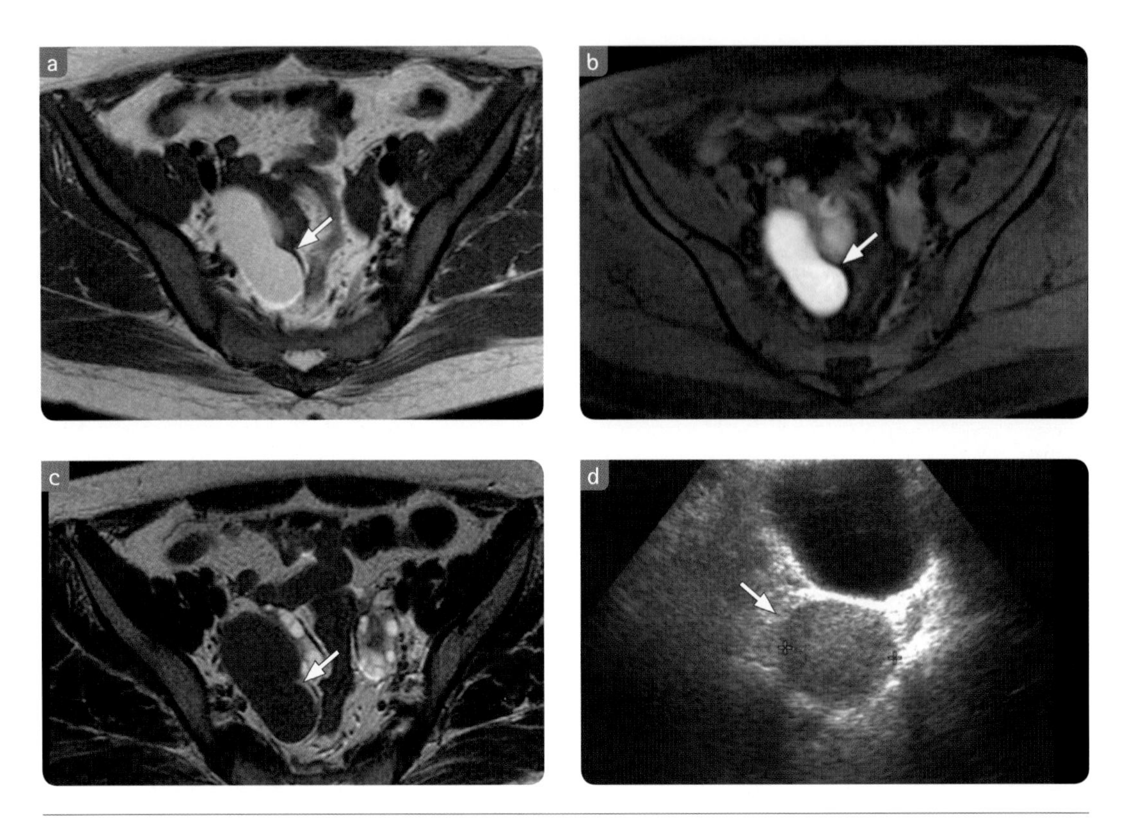

그림 18-4 자궁내막증의 MRI 및 초음파 소견. (a) 자궁내막증(화살표) T1 강조영상에서 고신호강도, (b) 지방억제 T1 강조영상에서 고신호 강도(내부 지방 없음), (c) T2 강조영상에서 저신호강도를 보이며 (d) 초음파 영상에서 코에코와 후방강화(posterior enhancement)를 보임.

의 T1 강조영상에서 고신호강도, T2 강조영상에서 주변 근육과 비슷한 신호강도를 보임.

(3) 출혈성 기능성낭종과 자궁내막증의 감별

① 출혈성 기능성낭종과 자궁내막증은 낭종 내 혈액성분이 있다는 점에서 유사성을 보이나 전자는 급성질환, 후자는 만성질환이 갖는 특성을 보여 CT/MRI에서 감별할 수 있음.

② 출혈성 기능성 낭종은 편측성이고, 내부에 격벽이 없으며, 3주 후 소실되거나 위축되는 급성질환의 영상소견을 보임.

③ 자궁내막증은 양측성일 수 있고, 내부에 격벽, 두꺼운 벽을 보이며 자연 소멸되지 않는 만성 및 재발성 질환의 영상소견을 보임(그림 18-6).

4) 위낭종(pseudocyst) 혹은 peritoneal inclusion cyst

① 위낭종은 수술이나 염증에 의해 복막의 흡수기능이 감소한 환자에서 배란과 연관된 소량의 복수가 흡수되지 않고 난소 주변에 고여 생김.

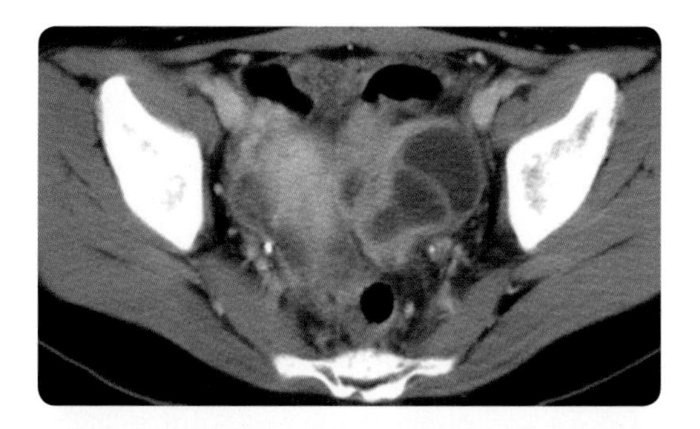

그림 18-5 난소 농양은 두꺼운 벽과 격벽, 그리고 주변의 광범위한 침윤으로 나타남.

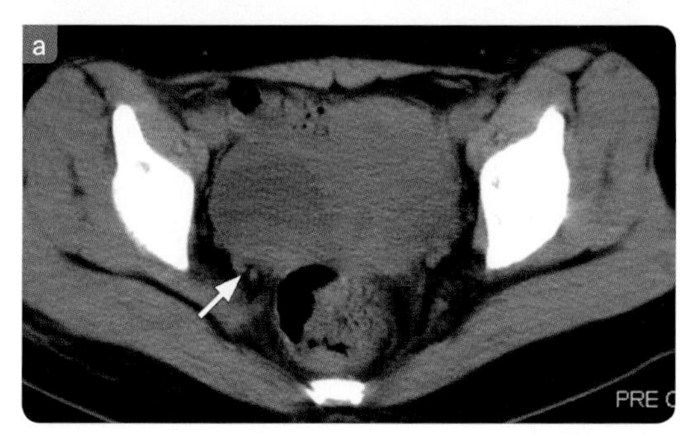

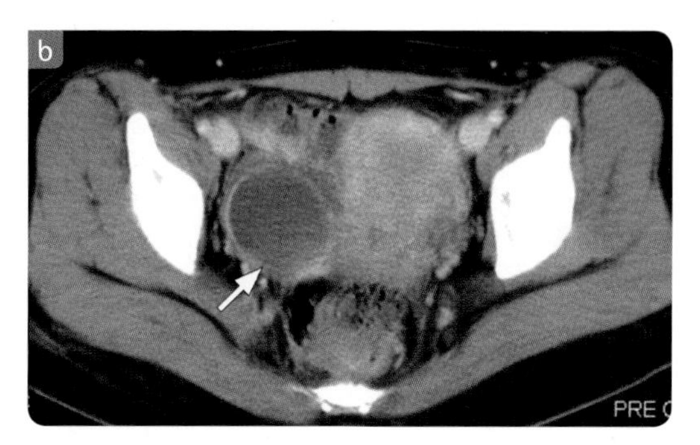

그림 18-6 출혈성 낭종(조영증강 전, 후 영상). 출혈로 인해 낭종의 하방에 고음영을(화살표) 보이고 낭종벽의 약간의 비후와 조영증강을 보임.

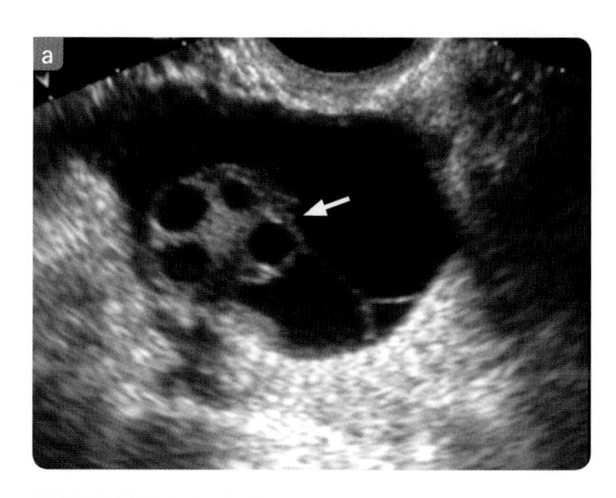

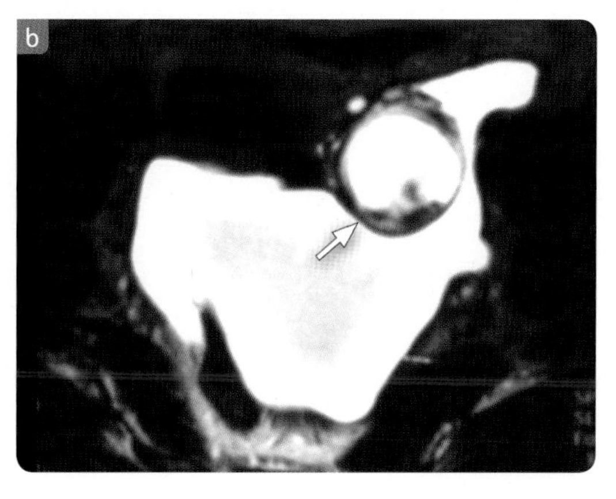

그림 18-7 위낭종. (a) 초음파 영상, (b) MRI T2강조영상. 정상적인 난소(화살표) 주변으로 복수가 둘러싸며 주변공간으로 퍼져가는 양상을 보임.

② 위낭종은 종양이 아니므로 주변 장기를 전위시키기 보다는 주변의 공간으로 파고드는 양상으로 자라고, 내부에 정상모양의 난소가 있는 것이 주요한 영상 소견임(그림 18-7).

Ⅲ 난소의 고형종괴

1 신생물질환

1) 양성종양

(1) 성삭기질종양(sexcord-stromal tumor)

① 이 질환의 범주에 해당하는 섬유종(fibroma), 난포막종(thecoma), 섬유난포막종(fibrothecoma)는 CT에서 균질하고 약한 조영증강을 보이는 종괴로, MRI T2강조영상에서는 저신호강도로 나타남.

② 이 종양들은 CT/MRI 소견은 같으며 뒤에 기술할 외성장(exophytic) 근종과도 유사하게 보임(그림 18-8).

(2) 성숙기형종

① 양성기형종 내 고형성분이 대다수인 경우 고형종괴로 나타날 수 있음.

② 종양 내 지방 CT/MRI 소견, 그리고 석회화가 있으면 기형종으로 진단할 수 있음.

2) 악성종양

(1) 과립세포암종(granulosa cell tumor)

① 과립세포암종은 CT/MRI에서 매우 다양하게 보이며 주로 괴사를 포함하는 고형종괴로 보임.

② 초기 종양에서 종괴 내 괴사가 없는 경우 섬유종과 같은 양성종양처럼 보일 수도 있음.

③ 과립세포종의 전이는 주로 임파절이나 소량의 복수를 동반하는 복강 내 고형결절로 나타남(그림 18-9).

(2) 고형종괴로 보이는 낭선암종

① 낭성암종의 악성도가 높은 경우, 낭종의 형태보다 고형종괴의 형태로 나타나는 경우가 많음.

② CA-125 등 비영상소견을 통해 과립세포종과 구별할 수 있음.

(3) 미성숙기형종(immature teratoma)

① 미성숙기형종은 종양내부에 지방과 석회화를 보이는 점에서 성숙기형종과 유사하지만, 내부의 물, 지방, 석회질이 매우 불규칙적으로 섞여 있고, 명확히 구획화되지 않는 종양내부 구성으로 성숙기형종과 구분할 수 있음.

② 미성숙기형종에서 종양 내 지방은 하나의 방(chamber)를 만드는 대신 흩뿌려진 형태로 종양에 미만성으로 분포함(그림 18-10).

(4) 난소고환종(dysgerminoma)

① 난소고환종은 비교적 큰 고형종괴로 나타나지만, 내부에 괴사가 없고 종양의 크기에 비해 매우 균질한 내부 성상을 보임.

② 난소고환종의 흔한 전이 형태는 임파절전이로, 전이성 임파절 역시 크기에 비해 내부가 매우 균질하고 주변 장기의 전이(displacement)나 압박이 없는 것이 특징임(그림 18-11).

(5) 전이성종양

① 전이성종양과 원발성 난소종양의 영상소견은 서

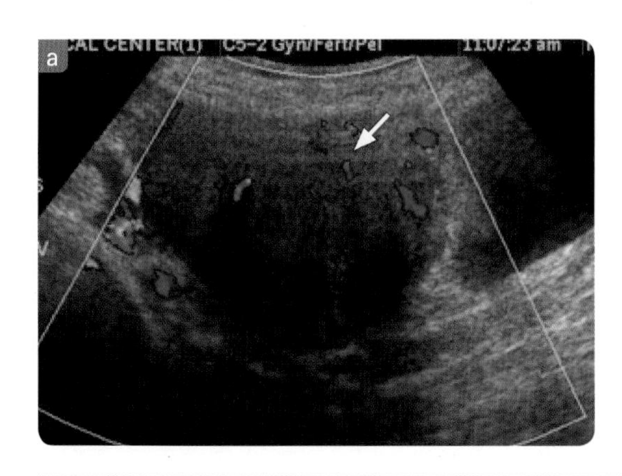

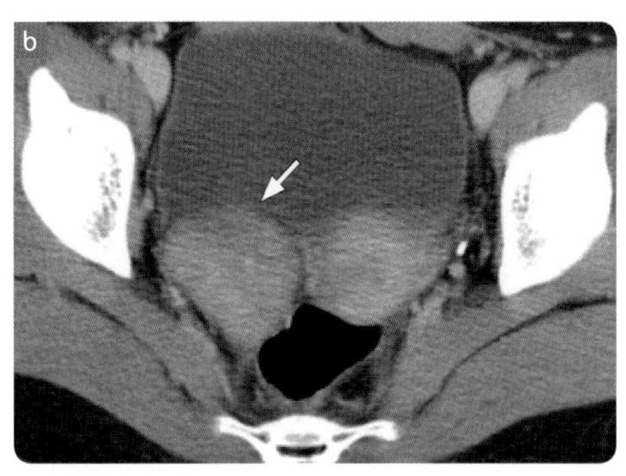

그림 18-8 섬유종의 초음파(a)와 CT(b) 영상. 초음파에서 저에코, CT에서는 균질한 조영증강의 고형 종괴로 나타남(화살표). 종괴 자체의 영상은 자궁근종과 매우 유사함.

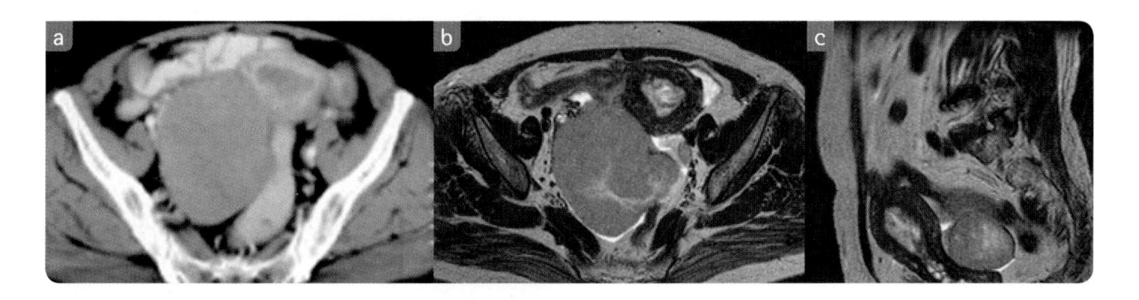

그림 18-9 과립세포암종의 CT(a)와 MRI(b, c)영상. 상기 영상과 같이 비교적 크기가 크고 균질한 고형종괴의 형태로 나타나는 경우가 전형적이라 할 수 있지만 괴사를 동반한 종괴로 나타나는 경우도 많음. 균질한 종괴로 나타나는 경우 뒤에 기술할 난소고환종과 유사하게 보일 수 있으며, 환자의 나이를 고려해 중년에서는 과립세포암종, 젊은 여성에서는 난소고환종을 고려할 수 있음.

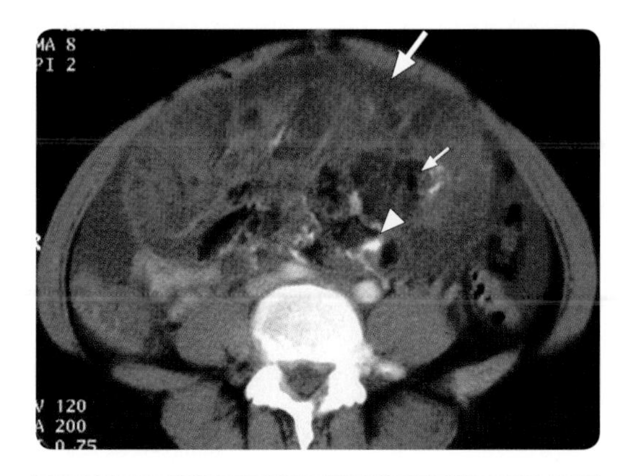

그림 18-10 미성숙기형종. 성숙기형종과는 달리 종양 내부에 지방(작은 화살표), 석회화(화살표 머리), 낭성 부분(큰 화살표)이 흩뿌려지듯이 분포함.

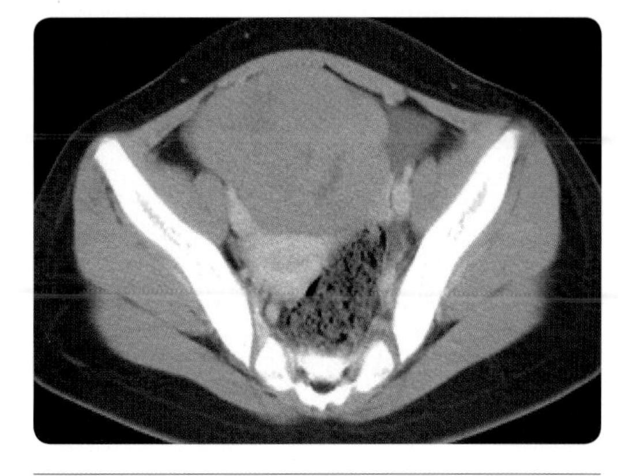

그림 18-11 난소고환종은 젊은 여성에서 균질한 고형종괴가 있을 때 쉽게 진단할 수 있음.

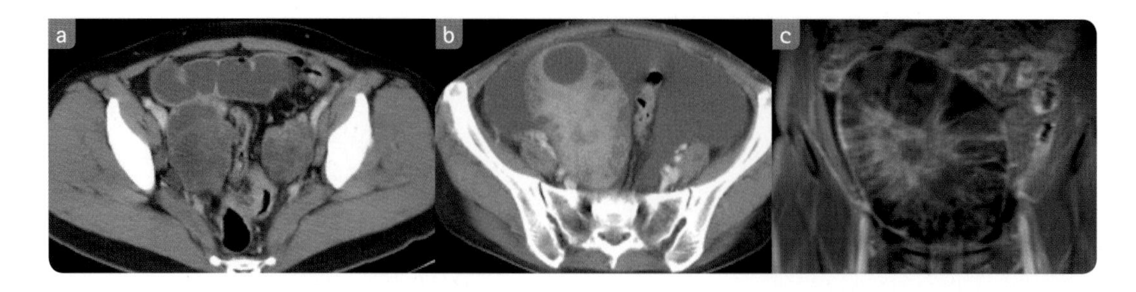

그림 18-12 난소의 전이성 종양(다른 증례) CT(a, b) 및 MRI (c) 영상. 양측 난소에 경계가 좋고 내부에 낭종을 포함하는 고형종괴로 나타나는 경우가 전형적이지만 MRI에서처럼 낭성종괴로 나타나는 경우도 있음. 따라서 난소 종괴의 모양 보다는 복강전이를 하는 다른 장기에서의 원발성 종양의 유무를 참조하는 것이 중요함.

로 유사성이 많이 구별이 어려운 경우가 많음.

② 일반적으로는 전이성 종양은 양측성, 난소외형의 유지, 괴사의 낮은 빈도로 특징지을 수 있지만, 무엇보다도 위장관, 간, 췌장 미부 등 복강내 전이를 잘하는 암이 발생하는 장기의 정상여부를 확인하는 것이 중요함(그림 18-12).

2 염증성질환

1) 방선균증(actinomyocosis)

① 방선균증은 골반강내에서 매우 광범위한 침윤과 불규칙한 모양의 염증성 종괴를 만듦.

② 주변 장기와(특히 위장관) 염증성 종괴간 루(fistula)를 자주 만듦(그림 18-13).

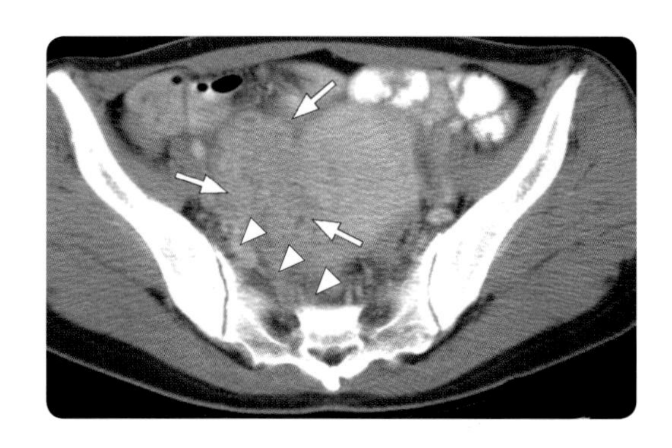

그림 18-13 좌측 난소와 자궁부속기를 침습한 방선균증. 자궁과 경계가 좋지 않고 주변에 광범위한 침윤(화살표 머리)을 동반하는 염증성 종괴(화살표)가 방선균증의 전형적인 소견임.

2) 주변 위장관의 게실염에 의한 이차적 난소 종괴

① 게실염에 의한 위장관루가 형성되는 경우 난소와 자궁부속기에 염증성 종괴를 만들 수 있음.

② 게실염에 의한 염증성 종괴의 경우 원발 병소가 난소가 아니기 때문에 CT/MRI에서 염증성 종괴에 파묻혀 있거나 밀려있는 난소를 찾을 수 있음.

③ 인접한 위장관이 심한 비후가 있고 다수의 게실

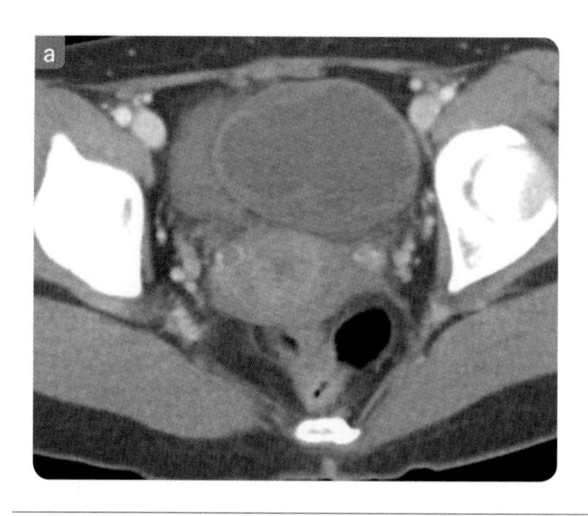

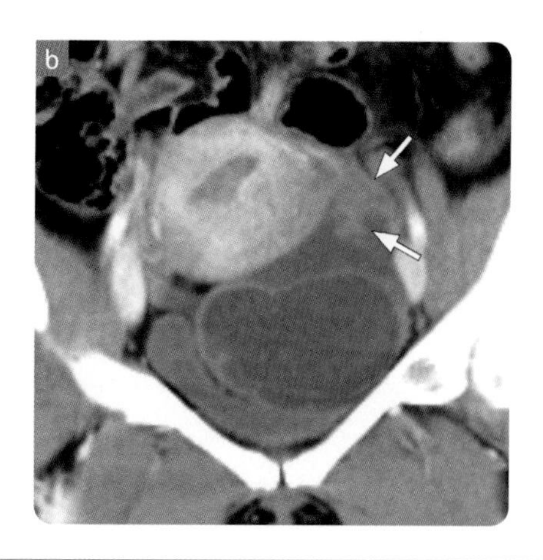

그림 18-14 난소의 낭성종괴의 염전. 우측 관상면영상에서 난소낭종과 자궁사이에 염전결찰(화살표)이 관찰됨.

을 확인할 수 있음.

Ⅳ 난소종괴의 염전

① 난소 낭종이나 고형종괴에 의한 염전이 생기는 경우 CT/MRI에서 조영증강 되지 않는 종괴로 나타나고, 염전에 의해 자궁이나 종괴가 일반적이지 않는 위치로 전위(displacement)하게 됨.
② 난소염전의 가장 명확한 소견은 염전된 종괴와 자궁사이에 있는 염전결찰(torsion knot)을 찾는 것임.
③ 난소염전의 진단에는 임상 증상과 영상소견을 종합적으로 분석하는 것이 중요함(그림 18-14).

Ⅴ 자궁내막과 근육층에서 자란 종양

1 자궁내막종괴

1) 폴립과 자궁내막암의 감별

① CT/MRI에서의 양성질환인 자궁내막의 폴립과 악성질환인 내막암을 구별하는 것은 제한적임.
② 이러한 상황에서 폴립의 가능성을 시사하는 소견은 종괴 내 낭(cyst)임.

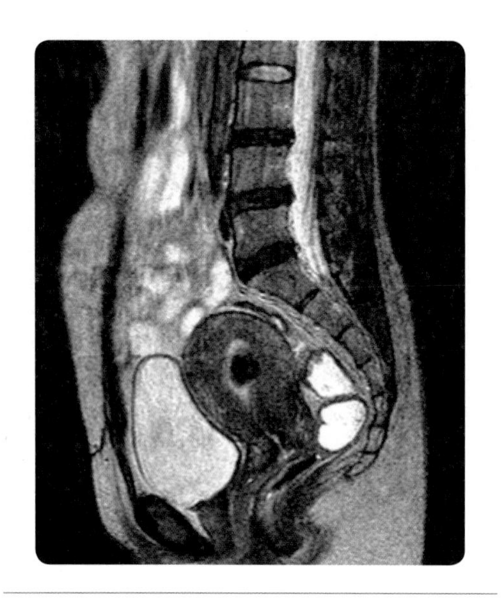

그림 18-15 점막하 자궁근종. T2강조영상에서 저신호강도로 보여 자궁내막폴립과 점막하근종 간 쉬운 감별을 할 수 있음.

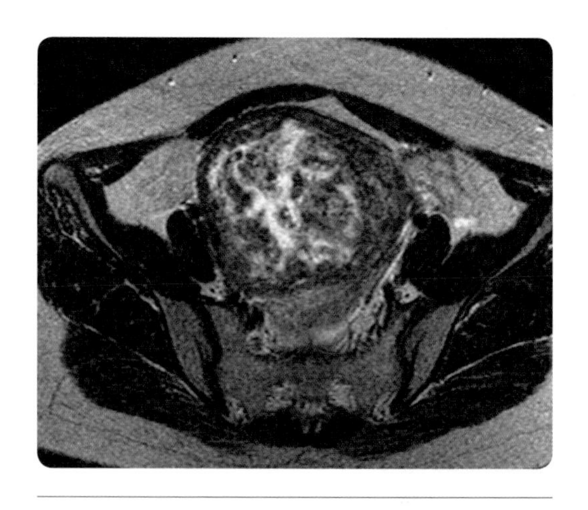

그림 18-16 자궁근종은 대다수 T2강조영상에서 저신호강도를 보이나 cellular myoma의 경우는 T2강조영상에서 고신호강도를 보일 수도 있음.

2 자궁근육등에서 기원한 종괴

1) 자궁근종

① 자궁근종은 CT와 MRI에서 매우 다양한 모습을 보임.

② 대부분 자궁근육층과의 연결성을 확인해서 쉽게 진단할 수 있고, CT에서는 조영증강되는 종괴, MRI T2 강조영상에서 저신호강도의 종괴로 보임.

③ 간혹 장막하자궁근종(subserosal myoma)과 난소 고형 종괴 간 감별이 어려운 경우가 있는데, 밀려있는 난소를 찾거나 종괴와 자궁사이에 혈관이 있는 경우(bridging vessel sign) 장막하자궁근종을 진단할 수 있음.

④ 초음파영상에서 점막하자궁근종과 자궁내막폴립이 비슷하게 보이는 경우가 있는데, MRI T2강조영상에서 자궁근종은 저신호강도, 폴립은 고신호강도를 보여 쉽게 감별할 수 있음(그림 18-15, 그림 18-16).

2) 자궁 평활근육종

① CT/MRI에서 자궁 평활근육종은 질환이 진행되어 10 cm 이상의 괴사를 동반한 종괴와 임파절 및 원격전이가 있는 경우 진단할 수 있음.

② 원발성 종양은 많은 경우에서 퇴행성 자궁근종(degenerative uterine myoma)와 유사한 영상 소견을 보이지만, 종괴 중심부에 광범위한 괴사가 있는 경우 의심할 수 있음(그림 18-17).

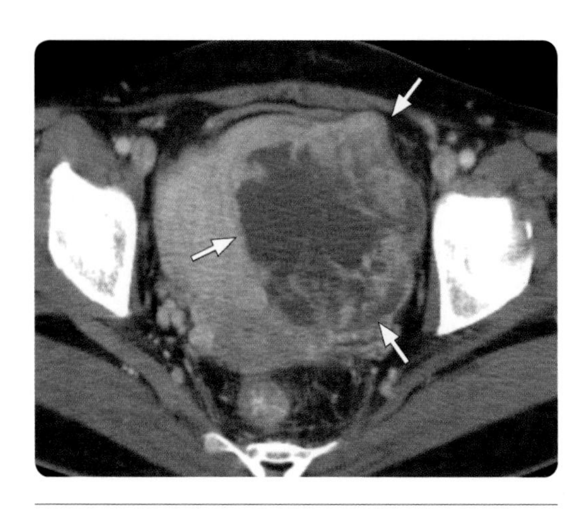

그림 18-17 자궁의 평활근육종은 자궁에서 자란 괴사를 동반하는 큰 종괴로(화살표) 나타나는 경우가 흔함.

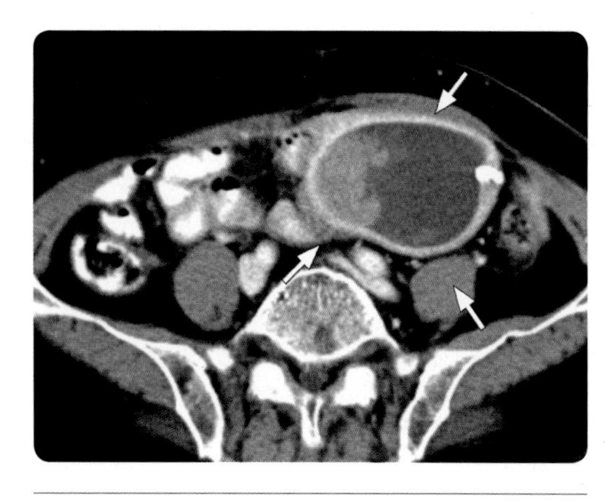

그림 18-18 자궁내막간질육종. 자궁수신증을 동반한 조영증강되는 종괴를(화살표) 보이는 경우 진행성 자궁내막암, 악성혼합성뮬러씨종양 그리고 자궁내막간질육종을 진단할 수 있음.

3 악성혼합성뮬러씨종양(malignant mixed Mullerian tumor)과 자궁내막간질육종(endometrial stroma sarcoma)

① 이 두 질환은 CT/MRI에서 매우 유사하게 보이는 경우가 많고, 진행성 자궁내막암과도 비슷한 CT/MRI 소견을 보여, 영상만으로 이 질환들을 정확히 진단하기 어려운 경우가 많음.

② 자궁수신증(hydrometra)를 동반한 자궁내막층과 근육층을 모두 침범한 종괴가 있는 경우 이 두 질환을 의심할 수 있음(그림 18-18).

참 고 문 헌

1. Arleo, E.K., et al., Review of Leiomyoma Variants. AJR Am J Roentgenol, 2015. 205(4): p. 912-21.
2. Borrelli, G.M., et al., Role of Imaging Tools for the Diagnosis of Borderline Ovarian Tumors: A Systematic Review and Meta-Analysis. J Minim Invasive Gynecol, 2017. 24(3): p. 353-363.
3. Bourgioti, C., K. Chatoupis, and L.A. Moulopoulos, Current imaging strategies for the evaluation of uterine cervical cancer. World J Radiol, 2016. 8(4): p. 342-54.
4. Devine, C., et al., Magnetic Resonance Imaging in the Diagnosis, Staging, and Surveillance of Cervical Carcinoma. Semin Ultrasound CT MR, 2015. 36(4): p. 361-8.
5. Fischerova, D. and A. Burgetova, Imaging techniques for the evaluation of ovarian cancer. Best Pract Res Clin Obstet Gynaecol, 2014. 28(5): p. 697-720.

6. Micco, M., et al., Imaging Features of Uncommon Gynecologic Cancers. AJR Am J Roentgenol, 2015. 205(6): p. 1346-59.
7. Outwater, E.K., E.S. Siegelman, and J.L. Hunt, Ovarian teratomas: tumor types and imaging characteristics. Radiographics, 2001. 21(2): p. 475-90.
8. Park, S.B. and J.B. Lee, MRI features of ovarian cystic lesions. J Magn Reson Imaging, 2014. 40(3): p. 503-15.
9. Spain, J. and M. Rheinboldt, MDCT of pelvic inflammatory disease: a review of the pathophysiology, gamut of imaging findings, and treatment. Emerg Radiol, 2017. 24(1): p. 87-93.

찾아보기 · Index

숫자

영문

A

B

C

D

E

F

G

H

I

K

L

M

부인과 초음파 2nd edition

첫째판 1쇄 발행 | 2007년 10월 20일
둘째판 1쇄 인쇄 | 2017년 10월 24일
둘째판 1쇄 발행 | 2017년 11월 04일

지 은 이 대한산부인과초음파학회
발 행 인 장주연
출판기획 이성재
편집디자인 우윤경
표지디자인 이상희
일러스트 서은정
발 행 처 군자출판사(주)
등록 제4-139호(1991. 6. 24)
본사 (10881) 경기도 파주시 회동길 338(서패동 474-1)
전화 (031) 943-1888 | 팩스 (031) 955-9545
홈페이지 | www.koonja.co.kr

ⓒ 2017년, 부인과 초음파 제2판 / 군자출판사(주)
본서는 대한산부인과초음파학회와의 계약에 의해 군자출판사(주)에서 발행합니다.
본서의 내용 일부 혹은 전부를 무단으로 복제하는 것은 법으로 금지되어 있습니다.

* 파본은 교환하여 드립니다.
* 검인은 저자와의 합의 하에 생략합니다.

ISBN 979-11-5955-245-8

정가 70,000원